SCÈNES ET SÉJOURS

PARIS

TELEPHONE

DUBONNET
BALLET
THEATRE CONTEMPORAIN
Duke ELLINGTON
MONTPARNASSE
pirandello
roussin
ionesco

PARIS

MARTINI&ROSSI

21

GASCOGNE
LA BOHEME DU TERTRE
LUTTERBA
LA
BOHÈME

LOUVRE

MARCHÉ

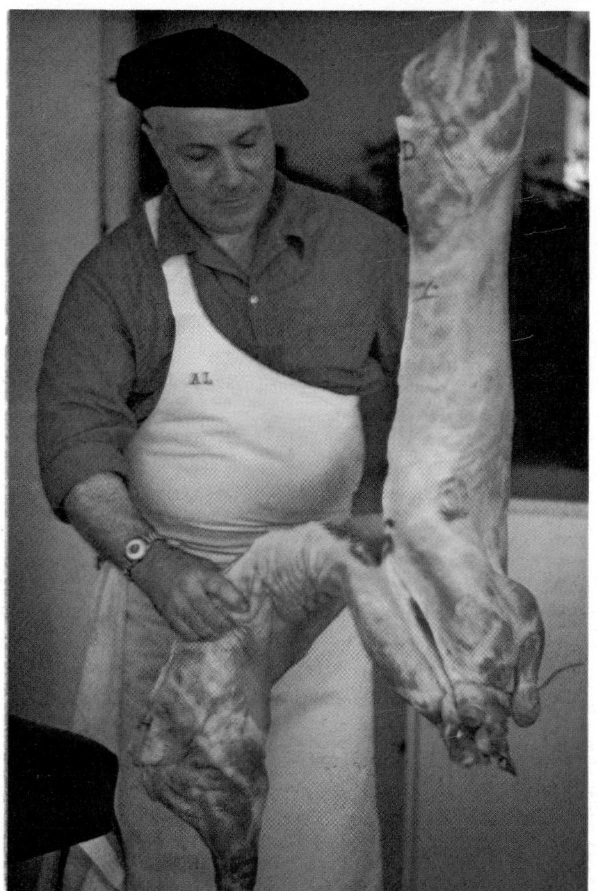
AL

VERSAILLES

FÊTES

DES

CHÂTEAUX

PARCS

ESTAURANT

CAMPAGNE

VACANCES

F3101

BELLE BRISE
ASTERIE

LE PASSÉ VIVANT

D-E-P-A-R-T
RESTAURANT
FRANCE

The authors and publisher wish to thank the following individuals who have served as consultants and critic readers:

ESTELLA GAHALA Lyons Township High School, Ill.
SUSAN L. HEINE Arlington, Va.
ALBIN J. POLZ Winnipeg, Manitoba, Canada
MARIE-PAUL TRICOT Gournay-en-Bray, France

Their active participation in the preparation and checking of manuscript and in field-testing certain elements new to this edition have been of invaluable assistance.

ISBN: 0-673-13140-8

Printed in the United States of America.

345678910-VHJ-8988878685848382 81

Level Two
Scott, Foresman French Program

Scènes et Séjours

New Edition

Albert Valdman
Indiana University

Nancy Caplan Mellerski
Dickinson College

Marcel LaVergne
Natick (Mass.) High School

Simon Belasco
University of South Carolina

Scott, Foresman and Company
Editorial Offices: Glenview, Illinois

Regional Sales Offices: Palo Alto, California • Tucker, Georgia • Glenview, Illinois • Oakland, New Jersey • Dallas, Texas

A la mémoire de
FLORENCE STEINER
1925-1974

ce livre est affectueusement dédié
par les auteurs et les éditeurs

Aimez ce que jamais on ne verra deux fois.

—ALFRED DE VIGNY

Table des Matières

A112

Acknowledgments

COVER: Henri Matisse, *Large Red Interior* (1948). Musée National d'Art Moderne, Paris/Lee Boltin.

COLOR SECTION

Title Page	Abeille-Cartes
Paris I	Left page: *(left & top)* Rev. Richard Douaire Right page: *(top left)* Cynthia Fostle; *(bottom left)* Françoise Nicolas
Paris II	Right page: *(bottom left)* Rev. Richard Douaire
Louvre	Left page: *(bottom left)* Rev. Richard Douaire; *(bottom right)* Françoise Nicolas Right page: *(top left)* Cynthia Fostle; *(others)* Françoise Nicolas
Versailles	Left page: *(top left & right)* Françoise Nicolas; *(bottom right)* Rev. Richard Douaire Right page: *(top left)* Rev. Richard Douaire
Fêtes	Left page: *(top right & bottom)* Nancy S. Young Right page: *(bottom left)* Nancy S. Young
Châteaux	Left page: *(bottom left)* Nancy S. Young; *(bottom right)* Cynthia Fostle Right page: *(bottom right)* Nancy S. Young
Parcs	Right page: *(top left)* Nancy S. Young; *(bottom left)* Cynthia Fostle
Vacances	Left page: *(left)* Rev. Richard Douaire
Le Passé vivant	Left page: *(top left & right)* Cynthia Fostle; *(bottom right)* Rev. Richard Douaire Right page: *(top left)* Rev. Richard Douaire; *(others)* Cynthia Fostle
Closing Page	Françoise Nicolas

BLACK AND WHITE

Dorka Raynor: 2 *(top left & bottom)*, 4, 5, 8, 14, 18, 20 *(bottom)*, 22, 26, 29, 30, 36, 40, 42, 45, 49, 56, 57, 65, 66, 68, 78, 85, 90 *(top right)*, 92, 99, 104, 114 *(bottom left)*, 117 *(top)*, 123, 130, 132, 136 *(top)*, 138 *(top left & bottom)*, 143, 148, 157, 159, 164, 172, 178, 181, 184, 189, 198, 206, 217, 219, 223, 225, 265, 268, 271, 273, 284, 286, 290, 296, 308, 311, 313, 327, 330, 337, 338, 339, 341, 344, 346, 349, 352 *(right)*, 372, 390 *(top & bottom left)*, 399, 400, 402, 406; **Wayne Sorce**: 51, 88, 90 *(top left)*, 136 *(bottom)*, 190, 220, 278, 332; **R. E. VanderWerff**: 13, 141 *(bottom)*, 381 *(left)*, 383 *(top left & right)*; **Gouvernement du Québec**, gracieuseté de la Direction Générale du Tourisme: 236, 300, 322, 352 *(left)*, 395 *(left)*; **Carol Spencer/Liaison Agency**: 358, 359, 363 *(bottom)*, 369; **Bowater Canadienne Limitée**: 245, 252 *(bottom)*, 303, 316 *(right)*; **Canadian Government Travel Bureau Photo**: 232, 315, 319, 405; **Bob Amft**: 141 *(top)*, 176, 279; **French Government Tourist Office**: 108, 110, 112; **Charlotte Kahler**: 59, 252 *(top)*; **Marc & Evelyne Bernheim/Woodfin Camp & Assoc.**: 252 *(center)*, 256; **Marc Riboud/Magnum**: 195, 260; **Châteaux-Hôtels de France et Vieilles Demeures 1971—France Information, Paris**: 202, 292; **Bombardier, Ltée/Ltd.**: 241; **Caisse Nationale des Monuments Historiques et des Sites, Arch. Phot. Paris, © S.P.A.D.E.M., Paris 1977**: 324; **R. V. Kennedy**: 288 *(top & bottom right)*; **Cinémathèque Française, Arch. Phot. Paris, © S.P.A.D.E.M., Paris 1977**: 153; **Paul Almasy**: 117 *(bottom)*; **Bruno Barbey/Magnum**: 274; **Ian Berry/Magnum**: 239; **Laurence Brun/Photo Researchers**: 230; **Canadian Government Office of Tourism**: 149; **Robert Capa/Magnum**: 243; **Henri Cartier-Bresson/Magnum**: 2 *(top right)*; **Catelli, une division de: Les Aliments Ault (1975) Ltée**: 119; **Photo Ciccione/Photo Researchers**: 383 *(bottom)*; **Commonwealth Holiday Inns of Canada, Ltd.**: 204; **Desazo/Photo Researchers**: 101; **Publications du Service Educatif, Editions des Musées Nationaux**: 335 *(top)*; **Embassy of Senegal**: 263; **French Embassy, Press & Information Division**: 81 *(top)*; Extrait du Guide ***Au Québec*** par **Louis-Martin Tard (Guides Bleus—Hachette)**: 300 *(map)*; From ***Guide Junior de Paris*** by **Marie et Christiane Cardinal**, used by permission of the publisher, René Julliard: 44; **D'après Guide du Pneu Michelin, *Châteaux de la Loire*,** 22e édition: 276; **© 1977 Hanna-Barbera Productions, Inc.**: 326; **Fritz Henle/Photo Researchers**: 360; **Collection Sylvia and Michael Horowitz. Photo by David Tuttle**: 266; **Richard Kalvar/Magnum**: 166; **© 1977 Kellogg Salada Canada Ltd.**: 128; **Jeannine Niepce/Photo Researchers**: 11; **J. Pavlovsky/Photo Researchers**: 381 *(right)*; **Renault, Inc.**: 81 *(bottom)*; **George Rodger/Magnum**: 363 *(top)*; **Société d'aménagement de l'Outaouais**: 316 *(left)*.

Scènes et Séjours

LYCÉE JANSON

Première Leçon

La rentrée des classes

Nous sommes à Paris vers le milieu du mois de septembre. Aujourd'hui, c'est la rentrée des classes.* Sylvie et Nicole, les deux cadettes de la famille Perrault, sont en route pour le lycée. A la place Denfert-Rochereau,* elles rencontrent Gilles Kerguelen, un camarade de classe de Sylvie.

GILLES Ah, voici les sœurs Perrault. Ça va bien?
SYLVIE Pas mal.
GILLES Mais vous avez l'air si triste!
NICOLE Tu penses?
GILLES Vous n'avez pas passé le mois d'août sur la Côte d'Azur?
NICOLE Si. Dans notre villa près de Fréjus.*
SYLVIE Mais maintenant on retrouve Paris . . .
NICOLE Et il faut tout de suite rentrer au lycée.
GILLES Vous avez quand même trouvé le soleil! Moi, j'ai visité la ferme de mes grands-parents en Bretagne* et pendant deux semaines il n'a pas cessé de pleuvoir.
SYLVIE Quelle horreur! Toi, tu n'as pas vraiment eu de chance.

*Asterisks refer to cultural notes that follow the *Dialogue* or *Lecture*.

Back to school

We are in Paris toward the middle of September. Today is the beginning of the school year. The two youngest Perrault sisters, Sylvie and Nicole, are on the way to school. At the Place Denfert-Rochereau, they meet Gilles Kerguelen, a classmate of Sylvie's.

GILLES Hey, it's the Perrault girls. How's it going?
SYLVIE Not bad.
GILLES But you look so unhappy!
NICOLE You think so?
GILLES Didn't you spend the month of August on the Riviera?
NICOLE Yes. At our villa near Fréjus.
SYLVIE But now we're back in Paris . . .
NICOLE And right away we have to go back to school.
GILLES At least you found the sun! *I* visited my grandparents' farm in Brittany, and it didn't stop raining for two weeks.
SYLVIE How awful! You were *really* unlucky!

Notes culturelles

****la rentrée des classes:*** Elementary and secondary school classes begin around the middle of September; university classes, in late October.

****la place Denfert-Rochereau:*** During the first four centuries A.D., under Roman rule, underground quarries were dug here. In 1785, several million skeletons were moved from overcrowded old churchyards to the unused quarries. Today these catacombs, a series of winding passages filled with neatly arranged bones, can still be visited.

Most French towns have a central square, called *la place,* often containing a small park with a monument. A large statue of a lion stands in the center of Denfert-Rochereau. In Paris there are many large *places* where several major streets meet: la place Charles de Gaulle (formerly l'Etoile), la place de la Concorde, la place de la Bastille, etc.

****Fréjus:*** This town on the Côte d'Azur, founded in 49 B.C. by Julius Caesar, was a major Roman naval base and contains many ancient ruins.

****la Bretagne:*** The province of Brittany, in the northwest corner of France, is known for its beautiful coastline, unique regional festivals, and ancient ruins. *Les Bretons,* like many of the inhabitants of England, Ireland, and Wales, are of Celtic origin. (The name "Great Britain," *la Grande-Bretagne,* shows this common heritage.)

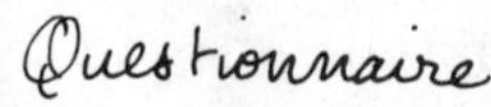

1. Quel mois sommes-nous? 2. Où vont les sœurs Perrault? Qui est-ce qu'elles rencontrent? 3. Où est-ce qu'elles ont passé le mois d'août? 4. Pourquoi est-ce qu'elles ont l'air triste? 5. Chez qui est-ce que Gilles a passé ses vacances? Il a fait beau là-bas?

PRONONCIATION

French words of more than one syllable have a fairly even rhythm. In the following exercises, be careful to pronounce all syllables at the same pitch and with the same amount of stress.

Exercices

A. Listen to these three-syllable words, then say them aloud.

habiter demander rencontrer prononcer retrouver

B. The following words end with a consonant sound, which should be pronounced very clearly. However, all syllables should be pronounced with equal stress.

contente heureuse la Bretagne la cadette le camarade

C. Listen, then say these sentences aloud.

Anne est la cadette.
Il cesse de pleuvoir.
Elle reste à la ferme.
Sylvie est contente.
C'est la rentrée des classes.
Mon camarade habite Nice.

MOTS NOUVEAUX I

Nous sommes **le milieu** de septembre.	*It's **the middle** of September.*
C'est **la rentrée des classes.**	***It's the start of the school year.***

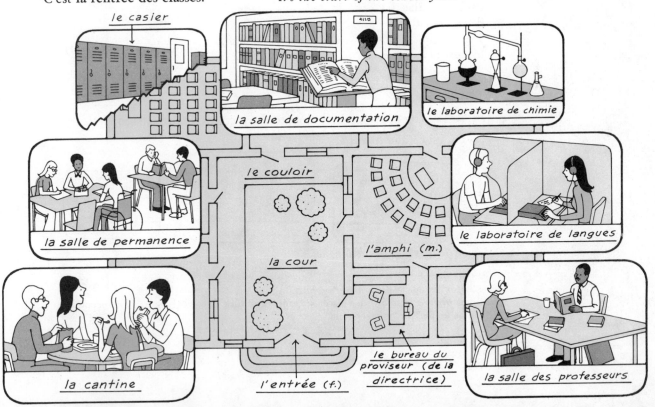

le casier
la salle de documentation
le laboratoire de chimie
le couloir
la salle de permanence
le laboratoire de langues
l'amphi (m.)
la cour
la cantine
l'entrée (f.)
le bureau du proviseur (de la directrice)
la salle des professeurs

Je parle à **un camarade** près de la cour.	*I'm talking to* ***a friend*** *near the courtyard.*
Je rencontre **une camarade** dans la salle de permanence.	*I meet* ***a friend*** *in the study hall.*
C'est { **un lycéen.** / **une lycéenne.**	*He's / She's* } ***a high school student.***
Ce sont mes **camarades de classe.**	*They're my* ***classmates.***
Et voilà { **le proviseur.** / **la directrice.**	*And there's* ***the principal.***
Où donc?	*Where?*
A **l'entrée** *(f.)* de l'école. **la sortie**	*At* ***the entrance*** *to the school.* ***the exit***
C'est une école **ancienne.** un amphi[1] **ancien**	*That's an* ***old*** *school.* *an* ***old*** *auditorium*
La salle de documentation est **moderne.**	*The school library is* ***modern.***
Le laboratoire de langues est **moderne** aussi.	*The language laboratory is* ***modern,*** *too.*
En France, **l'étude** *(f.)* des langues étrangères est **importante.**	*In France,* ***the study*** *of foreign languages is* ***important.***
Alors, le labo est **important.**	*So the lab is* ***important.***
Il va **retrouver la Bretagne.** **la Grande-Bretagne**	*He'll* ***get back to Brittany.*** ***Great Britain***
Il va **retrouver**[2] ses camarades.	*He'll* ***meet*** *his friends* ***again.***
Paul est **l'aîné.** Paule est **l'aînée.**	*Paul is / Paule is* } ***the older (oldest).***
Yves est **le cadet.** Eve est **la cadette.**	*Yves is / Eve is* } ***the younger (youngest).***

Exercices de vocabulaire

A. Answer the question according to the pictures. Follow the model.

Où est-ce que tu vas?

1. 

Je vais au labo de langues.

2. 

3.

---

[1]*L'amphi* is a shortened form of *l'amphithéâtre.*

[2]When *retrouver* is used with a place, it means "to be back in, to get back to"; with people, it means "to find" or "to meet again."

4. ______________

5. ______________

6. ______________

B. Choose the word or phrase that best completes the sentence or fits the situation.

1. Hélène parle à son amie après les classes. C'est *(le proviseur / une camarade de classe).*
2. Demain, c'est la fin de l'été. Il faut tout de suite *(retrouver Paris / partir en vacances).*
3. Quand on n'a pas de cours, on va *(à la salle de classe / à la salle de permanence).*
4. On trouve les casiers *(dans le couloir / dans la cour).*
5. On montre des films *(dans le bureau de la directrice / dans l'amphi).*
6. Nous sommes vers le milieu du mois de septembre. *(L'été commence. / C'est la rentrée des classes.)*
7. Tu arrives toujours en retard. Va *(au bureau du proviseur / à la salle des professeurs)!*
8. *(L'étude / L'entrée)* des sciences est importante dans le monde moderne.
9. Monique a 20 ans. Son frère Louis a 12 ans. Monique est la sœur *(ancienne / aînée).* Louis est *(le cadeau / le cadet).*

MOTS NOUVEAUX II

Pourquoi si triste, Annie?	*Why so sad, Annie?*
Il ne faut pas **avoir l'air** triste.	*You shouldn't **look** sad.*
Si je n'ai pas l'air **content**, c'est parce que je ne suis pas contente.[1]	*If I don't look **happy**, it's because I'm not **happy**.*
Si tu ne veux pas **avoir le mal du pays**, il faut **cesser de**[2] penser à Londres.	*If you don't want **to be homesick**, you have **to stop** thinking about London.*
Je **quitte** Fréjus aujourd'hui.	*I'm **leaving** Fréjus today.*
Quelle horreur!	***How awful!***
J'ai passé un été **amusant**.	*I spent an **enjoyable** summer.*
une année **amusante**	*an **enjoyable** year*
Le **départ** est triste **quand même**.	***Leaving** is sad **anyway**.*
Quelle est l'heure du **départ**?	*What's the **departure** time?*
de **l'arrivée** *(f.)*	***arrival***
Tout à l'heure.	***In a little while.***

[1]In the expression *avoir l'air,* the adjective agrees with *l'air (m.): Elle a l'air fatigué,* but *Elle est fatiguée.*

[2]Certain verbs require *à* when they are followed by a verb in the infinitive. For example: *réussir à (Il réussit à trouver un cadeau), apprendre à (Tu apprends à danser),* and *commencer à (Je commence à comprendre).* Other verbs, such as *cesser* and *finir,* require *de.*

Exercice de vocabulaire

Choose the word or phrase that best completes the sentence or fits the situation.

1. Pierre perd toujours son portefeuille. *(Tout à l'heure?/Quelle horreur!)*
2. Cécile n'a pas bien dormi. Alors, elle a *(l'air fatigué/bonne mine)*.
3. Le proviseur arrive! *(Cessez de parler!/Commençons à jouer!)*
4. José veut retourner en Espagne. Il a *(vingt ans/le mal du pays)*.
5. Je n'aime pas les sports d'hiver, mais j'ai passé de bonnes vacances *(quand même/aussi)*.
6. Marie a besoin d'aller chez le dentiste. Voilà pourquoi elle a *(l'air triste/le mal du pays)*.
7. L'avion a quitté Marseille à 5 h. On attend *(son arrivée/son entrée)* tout à l'heure.

SÉJOURS LINGUISTIQU

ANGLETERRE

LONDRES BARNET - 16/20 ans
Placement familial avec cours
Niveau : terminale et au-delà

Quartier résidentiel au nord-ouest de Londres à une demi-heure du centre-ville. Les cours s'adressant aux jeunes ayant déjà une bonne connaissance de la langue, seront basés sur l'étude pratique de la vie anglaise.

Forfait Paris-Paris : 720 F.
(Voyage A/R avion)
Du 3 au 17 avril

St MARY'S BAY - 11/14 ans
Centre de vacances franco-anglais

Destiné aux jeunes ayant des connaissances très limitées de la langue anglaise. Sur la côte sud de l'Angleterre, ce centre leur permet de vivre avec des groupes de jeunes Anglais pour partager jeux et sports.

Cours de conversation 3 fois par semaine.

Forfait Paris-Paris : 730 F.
(Voyage A/R train-bateau)
Du 3 au 17 avril

LONDRES - 17/20 ans
Centre Universitaire

Situé au cœur de la capitale, ce centre réservé aux plus grands, leur permet de passer des vacances dans une ambiance de groupe jeune et dynamique, de parfaire leurs connaissances par des cours audio-visuels, de rayonner dans Londres et ses environs ; des « bons de repas » leur permettant de déjeuner librement au cours de n'importe quelle excursion.

Forfait Paris-Paris : 735 F.
(Voyage A/R avion)
Du 3 au 17 avril

OXFORD - 17/20 ans
Placement familial avec cou

Ville universitaire célèbre dans le entier. Séjour basé sur des cours visuels favorisant des progrès ra Visite des collèges d'Oxford et part tion aux clubs anglais pour des con avec la jeunesse.

Forfait Paris-Paris : 720 F.
(Voyage A/R avion)
Du 3 au 17 avril

SALISBURY - 13/16 ans
Placement familial avec cours

Centre historique et l'une des cités les plus visitées des îles britanniques. Le programme de langue sera prolongé par des visites pratiques.

Forfait Paris-Paris : 745 F.
(Voyage A/R avion)
Du 3 au 17 avril

NEW MILTON - 13/16 ans
Placement familial avec cours

Sur la côte sud de l'Angleterre, non loin de l'île de Wight, New Milton, au climat très doux, est abrité par la New Forest, une des plus belles forêts d'Angleterre, où les poneys vivent en liberté.

Forfait Paris-Paris : 720 F.
(Voyage A/R train-bateau)
Du 3 au 17 avril

VACANCES DE JEU

- Hippisme, Nautisme, Plongée sous-marin
- Séjours linguistiques : Angleterre, Ecosse, Autriche, Espagne.

BROCHURE PARU

Etude de mots

In every lesson you will review some vocabulary that will be grouped according to the following categories:
Synonymes are words that have the same general meaning.
Antonymes are words that are opposite in meaning.
Mots associés are words that are related in some way other than as synonyms or antonyms.
Mots à plusieurs sens are words that have two or more very different meanings.

Mots associés 1: These words are related as a series. Put them in chronological order.

Les jours de la semaine: dimanche, jeudi, lundi, mardi, mercredi, samedi, vendredi
Les mois de l'année: avril, août, décembre, février, janvier, juillet, juin, mai, mars, novembre, octobre, septembre
Les saisons: l'automne, l'été, l'hiver, le printemps

Now look at a calendar for this year and give the dates for the occasions listed. Include the day, the date, and the month. For example:

1. Memorial Day *C'est lundi le 29 mai.*
2. New Year's Day
3. Valentine's Day
4. St. Patrick's Day
5. April Fool's Day
6. Mother's Day
7. Father's Day
8. Bastille Day
9. Labor Day
10. Halloween
11. Thanksgiving
12. Christmas
13. Your birthday

Mots associés 2: In French, as in most languages, nouns are often formed from verbs. Complete the second sentence in each pair using the noun derived from the verb in italics.

1. Mes cousins *arrivent* lundi le 3 mai. J'attends ______ de mes cousins.
2. Il faut *rentrer* à l'école demain. C'est ______ des classes.
3. Nous *étudions* le français. ______ du français est importante.
4. Il va bientôt *finir* le roman. ______ est vraiment triste.
5. Ce train va *partir* à l'heure. ______ est à 3 h.
6. Il faut *entrer* par ici. C'est ______.
7. Le printemps *commence* le 21 mars. C'est ______ de la saison.
8. Comment est-ce qu'on peut *sortir* d'ici? ______ est là, à côté du bureau de la directrice.

Synonymes: In each case, choose the synonym or synonymous expression for the word in italics. Then use that word or expression in a sentence.

1. *Quelle horreur!* C'est chouette! Cocorico! C'est affreux! Chic!
2. *l'ami:* la camarade de classe, la copine, le cadet, le camarade
3. *contente:* triste, inconnue, heureuse, célèbre
4. *avoir sommeil:* avoir mauvaise mine, être fatigué, avoir le mal du pays, avoir l'air content
5. *bientôt:* tout à coup, tout de suite, tout à l'heure, tout le monde

Antonymes: Make sentences using antonyms for each of these words: *la cadette, le commencement, le départ, l'entrée, triste, moderne, aîné, commencer à.*

Can you think of an antonym for *amusant?* for *retrouver?*

Mots à plusieurs sens: What is the meaning of *si* in each of the following sentences? Give another example for each.

Ce n'est pas la sortie?
Si! Si tu veux partir, allons-y! Mais pourquoi est-ce que tu es si pressé?

EXPLICATIONS I

Les verbes avoir et aller

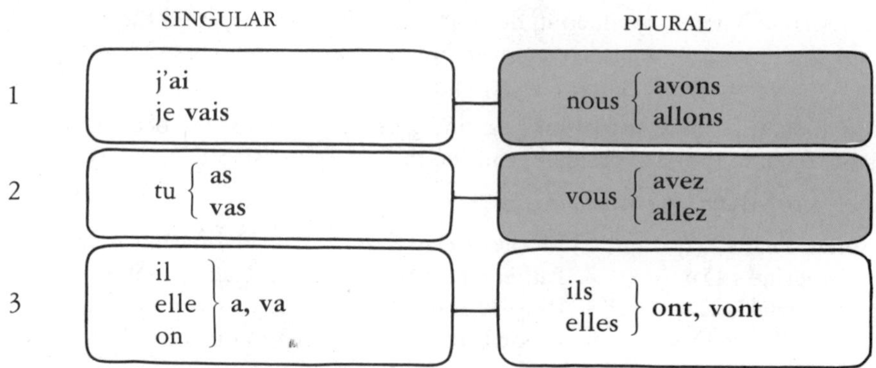

	SINGULAR	PLURAL
1	j'ai je vais	nous { avons, allons
2	tu { as, vas	vous { avez, allez
3	il, elle, on } a, va	ils, elles } ont, vont

PAST PARTICIPLES: **eu; allé**

1. To form the negative, put *ne* (or *n'*) before the verb and *pas* after:

Je vais au lycée.	Je **ne** vais **pas** au lycée.
J'ai mon maillot.	Je **n'**ai **pas** mon maillot.

2. A form of *aller* followed by a verb in the infinitive indicates the future:

Je vais **partir** de bonne heure.	***I'm going to leave*** *early.*
Je **ne vais pas partir** maintenant.	***I'm not going to leave*** *now.*

3. *Avoir* is used in many common expressions:

Il y a 21 élèves ici.	***There are*** *21 students here.*
J'ai parlé au prof **il y a** une heure.	*I spoke to the teacher an hour* ***ago.***
Quel âge as-tu? J'ai 15 ans.	***How old are you? I'm 15.***
Sylvie **a besoin de** livres.	*Sylvie* ***needs*** *books.*
J'ai le mal du pays.	***I'm homesick.***
Vous **avez bonne mine** ce soir.	*You* ***look well*** *this evening.*

Do you remember what the following mean?

Est-ce que Marie a chaud? Non, elle n'a pas chaud. Elle a froid. Est-ce que Paul a faim? Non, il a soif. Les élèves ont tort? Non, ils ont raison. Est-ce que tu as peur? sommeil?

Exercices

A. Replace the verbs in italics with the correct form of *avoir.* Follow the model.

1. J'*écoute* des disques chez moi.
   J'ai des disques chez moi.
2. Vous *préparez* des sandwichs pour la surprise-party.
3. Les Lafont *habitent* un appartement moderne.
4. Il *rencontre* des camarades américains.
5. Quelle affiche est-ce que tu *demandes?*
6. Nous *cherchons* nos cahiers dans la salle de documentation.
7. Au café je *commande* une boisson.

B. Ask and answer questions based on the pictures.

C. In the following dialogue, change the verbs in italics to the future, using *aller* and the infinitive.

BRIGITTE Qu'est-ce que tu *regardes?*
ERIC Je *regarde* un film policier.
BRIGITTE Tu ne *travailles* pas?
ERIC Non. Mes copains *arrivent* tout à l'heure.
BRIGITTE Vous *restez* à la maison?
ERIC Nous *déjeunons* ici, mais après, nous *jouons* au football américain.

Vérifiez vos progrès

Write negative answers to the questions. Follow the model.

1. Je vais au gymnase cet après-midi. Et lui?
   Non, il ne va pas au gymnase cet après-midi.
2. Elle a froid. Et toi?
3. Tu vas parler au prof tout à l'heure. Et elle?
4. Je vais chez un camarade de classe. Et eux?
5. Il a besoin d'étudier le français. Et vous?
6. Tu as l'air pressé. Et elles?
7. Il va retrouver ses copains à la sortie. Et nous?
8. J'ai deux casiers au lycée. Et lui?
9. Paul et Anne vont en ville. Et moi?

CONVERSATION ET LECTURE

Parlons de vous

1. Est-ce que vous êtes enfant unique? Combien de sœurs est-ce que vous avez? Combien de frères? 2. Quel âge avez-vous? Vos frères? Vos sœurs? Qui est l'aîné de la famille? le cadet? 3. Est-ce que votre lycée est ancien ou moderne? Décrivez ("describe") le lycée en trois ou quatre phrases. 4. Vous aimez vos cours cette année? Ils sont difficiles? Quel cours est-ce que vous aimez le mieux ("the most")? Pourquoi? 5. Quelle est la saison? Quel jour sommes-nous? Quelle est la date? Quelle saison est-ce que vous aimez le mieux? Pourquoi?

Les langues étrangères

La famille Galland habite St-Germain-en-Laye.* Récemment,° Mathieu, l'aîné de la famille, a parlé au téléphone° avec un ancien° camarade de classe, Bernard Michot, qui habite toujours Paris. Bernard, qui fait du latin, a envie de° visiter le Musée des Antiquités nationales à St-Germain-en-Laye pour y voir les collections importantes de la culture gallo-romaine.* Alors Mathieu l'a invité pour aujourd'hui.

récemment: *recently*
au téléphone: *on the phone*
ancien, -ienne: *(here) former*
avoir envie de = vouloir

Ce musée fait partie d'un° château ancien. Cependant, l'intérieur de cette partie du château est tout neuf° et d'un style très moderne. Les deux copains trouvent surtout intéressantes les collections préhistoriques, et ils passent presque trois heures au musée. Un peu fatigués enfin, ils finissent leur visite par une promenade° dans les jardins. Là, ils commencent à parler de leurs études.

faire partie de: *to be part of*
tout neuf: *brand new*
la promenade: *walk*

BERNARD Comment est-ce que tu trouves tes cours?

MATHIEU Très bien. J'ai un prof d'espagnol épatant.° Ses méthodes sont très modernes.

BERNARD Sans blague!°

MATHIEU Ah oui. Nous écoutons des bandes sur un magnétophone. Au labo, il y a des projecteurs pour les films et les diapositives° et on y trouve même° des disques pop.

BERNARD Ce n'est pas du tout comme notre classe de latin. Lundi on apprend les règles° de grammaire; mardi, c'est la même chose;° vendredi, toujours des règles.

MATHIEU Tu exagères!°

BERNARD Mais non! L'année dernière j'étais° passionné par ce cours. Mais cette année notre prof n'aime pas les jeux° en latin. Il ne veut même pas parler la langue. Il n'aime que les règles.

MATHIEU Tu peux quand même travailler dans le labo de langues si la classe n'est pas intéressante.

BERNARD Comment? Il n'y a pas de bandes. N'oublie pas que le latin n'est pas une langue vivante° comme l'espagnol! Mais enfin il faut continuer. Je fais le bac A,* tu sais. Voilà pourquoi mon père pense à m'envoyer° en Ecosse° l'été prochain pour apprendre à parler anglais. Malheureusement, je suis nul en langues vivantes.

MATHIEU Si tu n'aimes pas l'idée° d'un séjour° en Grande-Bretagne, je peux prendre ta place.

épatant, -e: *terrific*
sans blague: *no kidding*
la diapositive: *slide*
même: *(here) even*
la règle: *rule*
la chose: *thing*
exagérer: *to exaggerate*
étais: *was*
le jeu: *game*

la langue vivante: *modern language*
envoyer: *to send*
l'Ecosse *(f.)*: *Scotland*
l'idée *(f.)*: *idea*
le séjour: *stay*

Notes culturelles

***St-Germain-en-Laye:** An elegant suburb west of Paris, this was once a favorite hunting area of the kings of France. Visitors today are attracted by the old château, its gardens, and the forest of St-Germain. Le Musée des Antiquités nationales contains artifacts dating from prehistoric times up to the reign of Charlemagne (800 A.D.).

***gallo-romaine:** In 52 B.C., the armies of Julius Caesar conquered what was then Gaul *(la Gaule),* resulting in a mingling of the two cultures—*la culture gallo-romaine.* After the Franks *(les Francs),* a Germanic people, invaded from the north in 406 A.D., a strong Roman influence remained only in Provence, where there are still many Roman remains (arenas, amphitheaters, viaducts, etc.).

**Le bac:* After secondary school, students take a difficult national exam, *le baccalauréat,* consisting of a general section for all students and a second part that tests knowledge of the specific areas that a student has "majored" in. These majors are designated by letters: A, philosophy-letters; B, economics and social sciences; C, physical sciences and math, etc. A knowledge of certain combinations of languages is required for each *bac.*

A propos . . .

1. Est-ce que Bernard et Mathieu sont camarades de classe cette année? Où habite Bernard? Et Mathieu? 2. Quelle langue est-ce que Bernard étudie? 3. Qu'est-ce que Bernard a envie de faire? Pourquoi? 4. Comment est la classe d'espagnol de Mathieu? Qu'est-ce qu'on peut faire au labo? 5. Décrivez la classe de latin de Bernard. 6. Où est-ce que le père de Mathieu pense à l'envoyer l'été prochain? Pourquoi? 7. Et vous, est-ce que vous êtes fort en langues? en sciences? 8. Est-ce qu'il y a un laboratoire de langues dans votre lycée? Si oui, qu'est-ce que vous faites là? 9. Décrivez votre classe de français.

EXPLICATIONS II

Les verbes réguliers en -er: le présent et le passé composé

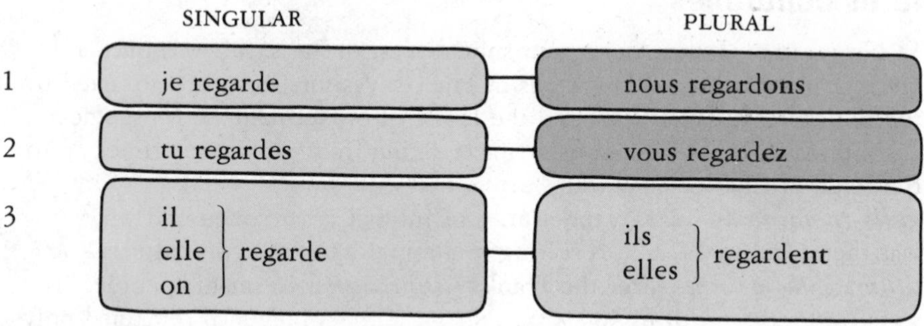

	SINGULAR	PLURAL
1	je regarde	nous regardons
2	tu regardes	vous regardez
3	il / elle / on } regarde	ils / elles } regardent

IMPERATIVE: **regarde! regardons! regardez!**
PAST PARTICIPLE: **regardé**

1. Remember that *ouvrir* and *offrir* follow the pattern of *-er* verbs in the present tense: *j'ouvre, tu ouvres,* etc.; *j'offre, tu offres,* etc.

2. In writing the imperative, the *-s* is dropped from the 2 sing. form: *Tu regardes le film.* → *Regarde le film!*

3. Verbs whose infinitives end in *-ger* and *-cer* are regular *-er* verbs, but they show a spelling peculiarity in the 1 pl. form. For *-ger* verbs, to maintain the soft [ʒ] sound of the letter *g,* an *e* is inserted: *nous mangeons.* For *-cer* verbs, to maintain the soft [s] sound, the letter *c* becomes *ç: nous commençons.*

4. The passé composé is generally formed by using the present-tense forms of *avoir* and the past participle of the verb. To form the past participle of regular *-er* verbs, replace the *-er* of the infinitive with *é.*

j'ai tu as il (elle, on) a	regardé	nous avons vous avez ils (elles) ont	regardé

5. The forms of the present and passé composé have more than one English equivalent:

Je **regarde** les affiches.	***I look at*** *the posters.* ***I'm looking at*** *the posters.*
Tu **regardes** la télé?	***Do you watch*** *TV?* ***Are you watching*** *TV?*
Il **a regardé** la carte.	***He looked at*** *the map.* ***He's looked at*** *the map.*
Elle **a regardé** le livre?	***Did she look at*** *the book?* ***Has she looked at*** *the book?*

6. To form the negative passé composé, put *n'* before the form of *avoir* and *pas* after:

Ils **n'ont pas regardé** la télé.	*They* ***didn't watch*** *TV.* *They* ***haven't watched*** *TV.*

Exercices

A. Make sentences using each of the verbs in parentheses. Follow the model.

1. Les Dupont? Je . . . les Dupont. (accompagner, chercher, téléphoner à)
   J'accompagne les Dupont. Je cherche les Dupont. Je téléphone aux Dupont.
2. La maison? Tu . . . la maison. (habiter, trouver, visiter)
3. Les parents? Ils . . . leurs parents. (aimer, penser à, remercier)
4. La malle? On . . . la malle aux voisins. (apporter, emprunter, prêter)
5. La piscine? Nous . . . dans la piscine. (nager, jouer, plonger)
6. La pièce? Elle . . . la pièce. (annoncer, écouter, réviser)
7. Les fenêtres? Ils . . . les fenêtres. (casser, compter, regarder par)
8. L'examen? Nous . . . l'examen. (commencer, passer, rater)

B. Change the sentences to the passé composé. Follow the model.

1. Vous déjeunez à la cuisine.
   Vous avez déjeuné à la cuisine.
2. Nous mangeons les sandwichs à la cantine.
3. Elle emprunte un disque à son copain.
4. Ce roman policier coûte peu.
5. Est-ce qu'il cesse de pleuvoir?
6. Tes cours commencent à la fin du mois.
7. Ils jouent au football ce matin.
8. Tu parles pendant l'examen?

C. Answer the questions in the negative. Follow the models.

1. Vous visitez la Bretagne cet automne?
   Non, nous ne visitons pas la Bretagne cet automne.
2. Est-ce qu'elle a trouvé la salle de permanence?
   Non, elle n'a pas trouvé la salle de permanence.
3. Est-ce que ses amis habitent Cannes?
4. Tu quittes la maison?
5. Elles ont commencé à travailler?
6. Est-ce qu'ils entrent dans le bureau de la directrice?
7. Nous restons à Fréjus pendant le mois d'août?
8. Tu as écouté la radio hier?
9. Le professeur ouvre la porte de la cantine?
10. Est-ce que vous avez assisté aux matchs de football américain?

Vérifiez vos progrès

Rewrite the sentences in the negative, substituting the correct form of the verb in parentheses for the verb in italics. Follow the model.

1. Il *est* dans l'autobus. (monter)
   Il ne monte pas dans l'autobus.
2. J'*aime* l'été sur la Côte d'Azur. (passer)
3. Nous *allons* à notre cours de français. (assister)
4. *Montre* la photo à ton frère! (donner)
5. Vous *allez* à Paris à la fin des vacances? (rentrer)
6. Nous *étudions* ces mots français. (prononcer)
7. Tu *as préparé* tes devoirs? (réviser)
8. Elles *travaillent* près de Nice. (habiter)
9. Nous *sommes* dans le lac. (plonger)
10. *Fermez* la porte de l'amphi! (ouvrir)

RÉVISION ET THÈME

Consult the model sentences, then put the English cues into French and use them to form new sentences.

1. C'est aujourd'hui *dimanche le trente mai.* C'est *la Fête des Mères.*
   (Saturday, January 21) *(the end of winter)*
   (Wednesday, August 1) *(the middle of summer)*
2. *Eve et Marc rencontrent leurs copains devant les casiers.*
   (She meets her classmates again in the courtyard.)
   (I look for my friends at the entrance.)
3. *Ma sœur cesse de répondre à ses camarades de classe.*
   (We begin to talk about our homework.)
   (I'm thinking of phoning their grandparents.)
4. *Louis n'a pas chaud. Lui, il a passé la matinée à la plage.*
   (We aren't homesick. ***We*** *spent the year at the university.)*
   (They (f.) *don't look tired.* ***They*** *spent the day at the movies.)*
5. Cependant, un jour *tu as rencontré Guy, le cadet de la famille Lenoir.*
   (I accompanied Anne, the oldest of the Lenoir sisters)
   (we met Eve again, the younger of the Lenoir daughters)
6. *Il a remercié ce monsieur aimable tout de suite.*
   (She took that easy exam yesterday.)
   (We watched that boring play anyway.)

Now that you have done the *Révision,* you are ready to write a composition. Put the English captions describing each cartoon panel into French to form a paragraph.

1
septembre
L M M J V S D
1 2 3 4 5
6 7 8 9 10 11 12
13 14 15 16 17 18 19
20 21 22 23 24 25 26
27 28 29 30
Today is Tuesday, September 14. It's the beginning of the school year.

2
LYCÉE DESCARTES
Cécile meets her friends again at school. They start to talk about their vacations.

3
LYCÉE DESCARTES
Cécile doesn't look happy. She spent the summer in Paris.

4
However, one day she ran into Gilles, the eldest of the Lafont family.

5
"You had an enjoyable summer anyway!"

AUTO-TEST

A. Rewrite the sentences using the correct present-tense form of the appropriate verb: *aller* or *avoir.*

1. Nous n'______ pas à Fréjus. Nous n'______ pas de chance.
2. Elle n'______ pas faim? Si, elle ______ dîner tout à l'heure.
3. Vous ______ au gymnase? Oui, on ______ regarder le match de basket-ball.
4. Si tu ______ des devoirs, tu ne ______ pas aller au cinéma ce soir.
5. Eux, ils ______ des profs si amusants. Nous, nous ______ passer une année ennuyeuse.
6. René ______ faire de l'anglais? Oui, il ______ des cousins en Grande-Bretagne et il veut apprendre leur langue.

B. Rewrite the sentences in the negative passé composé. Follow the model.

1. Elles étudient dans le laboratoire de langues.
   Elles n'ont pas étudié dans le laboratoire de langues.
2. Il retrouve ses camarades à la sortie.
3. Le proviseur parle de la rentrée des classes.
4. Vous écoutez les bandes?
5. Les lycéens travaillent jusqu'à 7 h.
6. Nous demandons la clef.
7. Est-ce que vous montrez l'affiche à votre camarade?
8. Elle frappe à la porte.
9. Nous trouvons les casiers dans le couloir.
10. J'emprunte la voiture à papa.

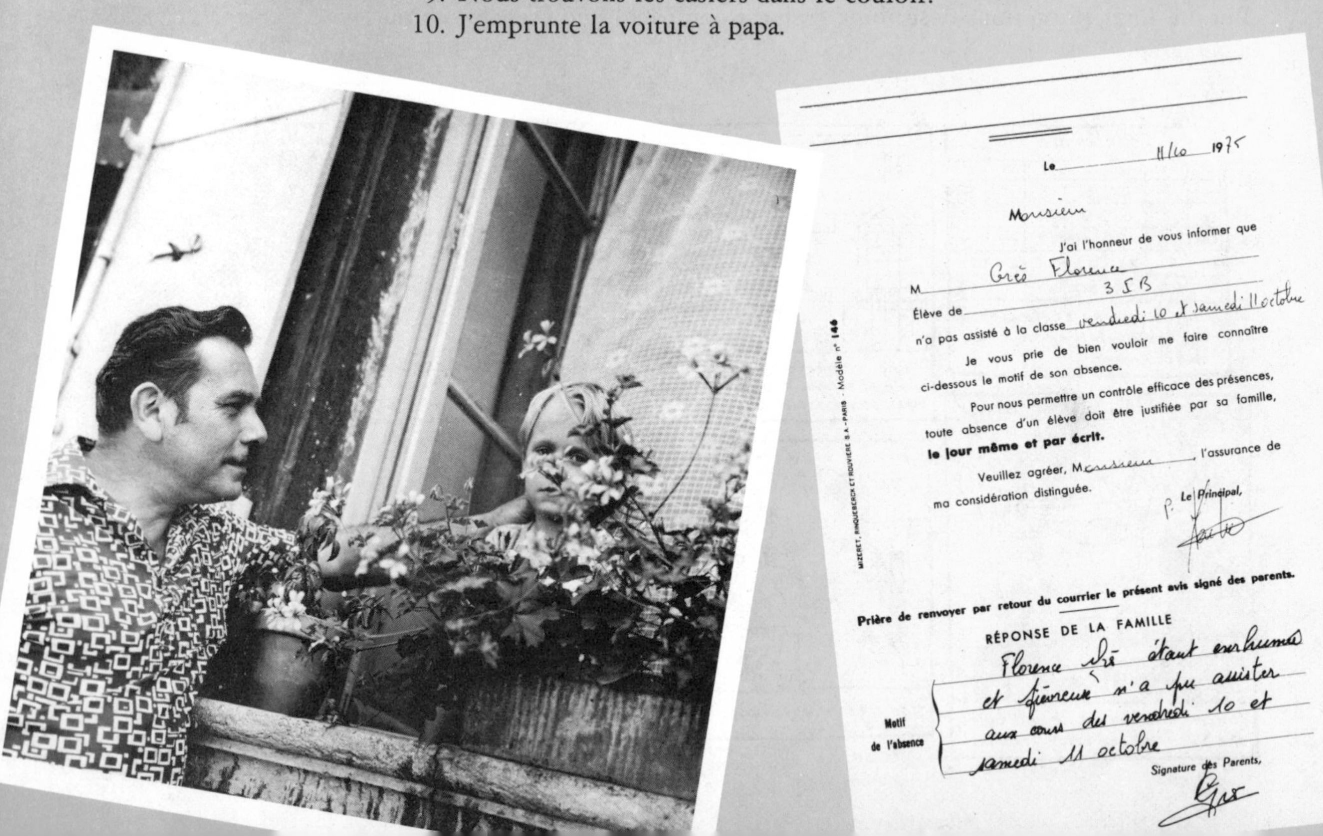

Le 11/10 1975

Monsieur

J'ai l'honneur de vous informer que

M Grès Florence

Élève de 3 5 B

n'a pas assisté à la classe vendredi 10 et samedi 11 octobre

Je vous prie de bien vouloir me faire connaître ci-dessous le motif de son absence.

Pour nous permettre un contrôle efficace des présences, toute absence d'un élève doit être justifiée par sa famille, **le jour même et par écrit.**

Veuillez agréer, Monsieur, l'assurance de ma considération distinguée.

P. Le Principal,

MIZERET, RINQUEBERCK ET ROUVIÈRE S.A. - PARIS - Modèle n° 146

Prière de renvoyer par retour du courrier le présent avis signé des parents.

RÉPONSE DE LA FAMILLE

Motif de l'absence: Florence Grès étant enrhumée et fiévreuse n'a pu assister aux cours des vendredi 10 et samedi 11 octobre

Signature des Parents,

Poème

LIBERTÉ

Prenez du soleil
Dans le creux° des mains,°
Un peu de soleil
Et partez au loin.

le creux: *hollow*
la main: *hand*

Partez dans le vent,
Suivez° votre rêve;°
Partez à l'instant,
La jeunesse est brève!°

suivre: *to follow*
le rêve: *dream*
bref, brève: *brief*

Il est° des chemins°
Inconnus des hommes,
Il est des chemins
Si aériens!°

il est = il y a
le chemin: *path*
aérien, -ienne: *lofty*

Ne regrettez pas
Ce que° vous quittez.
Regardez, là-bas,
L'horizon briller.°

ce que: *what*
briller: *to shine (here: shining)*

Loin, toujours plus loin,
Partez en chantant.°
Le monde appartient°
A ceux° qui n'ont rien.

en chantant: *singing*
appartenir: *to belong*
ceux: *those*

Maurice Carême

Proverbe

Un de perdu, dix de retrouvés.

CARTE ORANGE

N°:

2

coupon mensuel
zones de validité :
◆◆ 3 4 5

2M 35 78 B

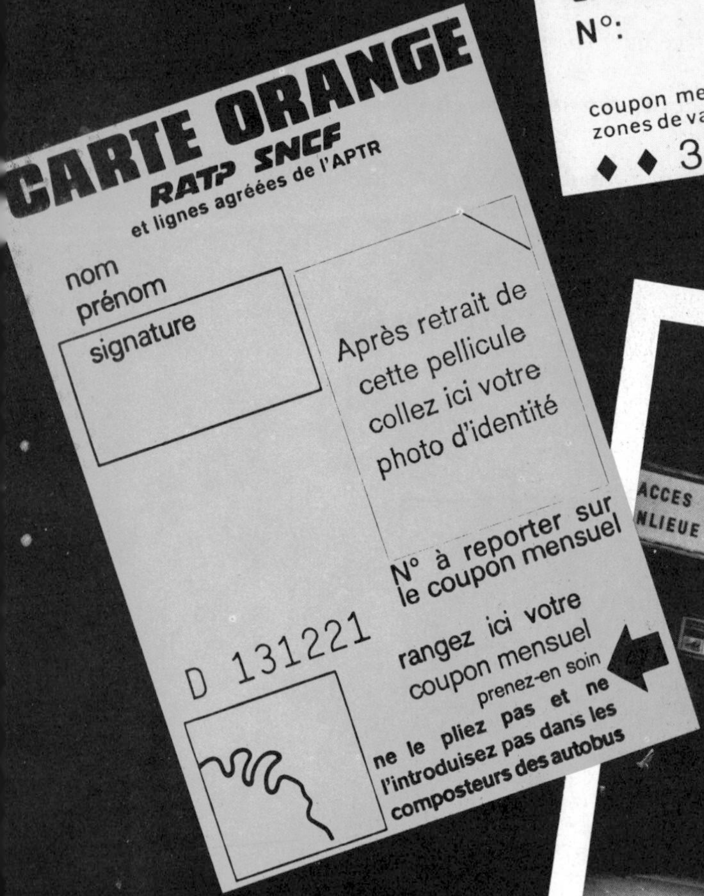

CARTE ORANGE

RATP SNCF

et lignes agréées de l'APTR

nom
prénom
signature

Après retrait de cette pellicule collez ici votre photo d'identité

N° à reporter sur le coupon mensuel

D 131221

rangez ici votre coupon mensuel
prenez-en soin
ne le pliez pas et ne l'introduisez pas dans les composteurs des autobus

A l'arrêt d'autobus

Danielle Boucher et Renée Legrand sont à l'arrêt d'autobus. Elles ont leurs Cartes Orange* et elles attendent l'autobus 167 pour aller à Nanterre.* Un autobus arrive, mais c'est le 135. Plusieurs jeunes gens y montent. Danielle et Renée attendent toujours. Elles sont en retard et très impatientes. Enfin leur bus arrive. Quelle foule! L'autobus est presque complet et quand les jeunes filles veulent monter, un gros monsieur les pousse.

DANIELLE	Je regrette, monsieur, mais il faut faire la queue.
LE MONSIEUR	Je suis déjà en retard pour mon travail. Je n'ai pas envie de manquer cet autobus.
DANIELLE	Moi non plus!
LE MONSIEUR	Vous êtes sûrement étudiantes?
DANIELLE	Oui, mais . . .
LE MONSIEUR	Alors, vous pouvez attendre le prochain autobus.
RENÉE	Mais nous, nous sommes en retard pour nos cours.
DANIELLE	Vous n'êtes pas du tout aimable, monsieur.
LE CONDUCTEUR	Voyons, voyons. Chacun son tour.
LE MONSIEUR	Je refuse de descendre et d'attendre.[1]
UNE DAME	Qu'est-ce qui se passe? On est pressé ici.
LE CONDUCTEUR	Bon, alors. Restez, monsieur. Mais laissez de la place à ces jeunes filles. Allez, mesdemoiselles, montez!

[1]Note that the verb *refuser* requires *de* before an infinitive. If there is more than one infinitive, the preposition must be repeated before each one: *J'apprends à lire et à écrire.*

At the bus stop

Danielle Boucher and Renée Legrand are at the bus stop. They have their orange cards and are waiting for the 167 bus for Nanterre. A bus comes along, but it's the 135. Several young people get on. Danielle and Renée still wait. They're late and very impatient. Finally their bus arrives. What a crowd! The bus is almost full and when the girls want to get on, a fat man pushes them.

DANIELLE I'm sorry, sir, but you have to get in line.
THE MAN I'm already late for work. I don't want to miss this bus.
DANIELLE Neither do I!
THE MAN Surely you're students.
DANIELLE Yes, but . . .
THE MAN Well then, you can wait for the next bus.
RENÉE But *we're* late for class.
DANIELLE You aren't being nice at all!
DRIVER See here! Everyone in turn.
THE MAN I refuse to get off and wait.
A LADY What's going on? We're in a hurry here.
DRIVER All right, then. Stay where you are, sir. But leave some room for these girls. Go ahead, girls, get on.

Notes culturelles

**la Carte Orange:* The Paris transit authority (bus-train-métro) has created circular zones around the city and suburbs. La Carte Orange is an I.D. card with the person's signature and photo. By showing it, a passenger can purchase a monthly commutation ticket for an unlimited number of rides, including free transfers. The price of the ticket is based on the number of zones crossed.

**Nanterre:* The University of Paris has six branches in the suburbs and seven in the city. One branch is located in Nanterre, a northwestern suburb. The oldest and best-known part of the university is la Sorbonne, which was founded by Robert de Sorbon in 1257 as a school for poor theology students.

Questionnaire

1. Qui est à l'arrêt d'autobus? Pourquoi? 2. Qu'est-ce qu'elles ont? 3. Est-ce qu'elles prennent le premier bus qui arrive? Pourquoi est-ce qu'elles sont impatientes? 4. Qu'est-ce qui se passe quand elles veulent monter dans leur autobus? Pourquoi? 5. Est-ce que le monsieur est étudiant? 6. Le monsieur attend-il le prochain autobus? Qu'est-ce qu'il fait? 7. A la fin, que dit le conducteur au monsieur?

PRONONCIATION

Remember that the [e] sound is produced with the lips in a smiling position and the jaws held very steady. For the [ɛ] sound, spread your mouth into a more open smile.

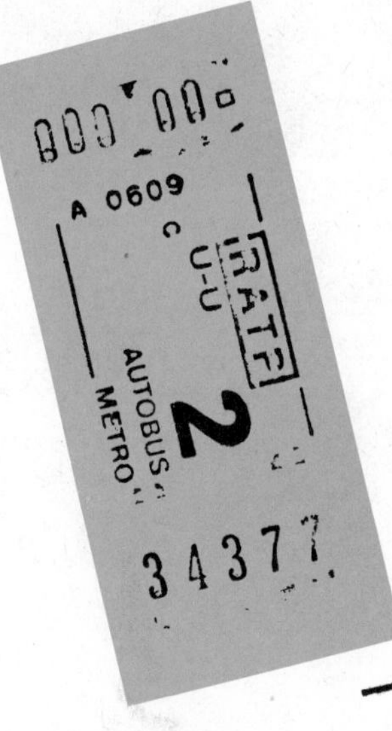

Exercices

A. These words contain the [e] sound. Listen, then say them aloud.

l'aîné   l'entrée   le lycée   laisser   pousser   monter

B. The [ɛ] sound is almost always followed by a consonant sound. Listen, then repeat.

quel   le sel   presque   elle reste   mademoiselle

C. In the following pairs, the first word contains the [e] sound; the second, the [ɛ] sound. Listen, then repeat.

ces / cette   ses / seize   complet / complète   inquiet / inquiète
chez / chouette   j'ai / j'aime   le thé / la terre   le cadet / la cadette

D. Listen to these sentences, then say them aloud.

Elle prête un verre à Pierre.   C'est la veille de Noël, Adèle.
Fermez ces cahiers, les élèves!   Prenez ces chaises, Hélène et Hervé.

MOTS NOUVEAUX I

Voilà **l'arrêt** *(m.)* **d'autobus.**	*There's* ***the bus stop.***
Regardez **la foule!**	*Look at* ***the crowd!***
Ce sont **les heures de pointe.**	*It's* ***rush hour.***
Il faut **faire la queue.**	*We have* ***to wait in line.***
Heureusement on est **en avance.**	***Fortunately,*** *we're* ***early.***
Le bus est toujours **complet?**	*Is the bus always* ***full?***
vide	***empty***
rapide	***fast***
Oui, et **le trajet** est **long.**	*Yes, and* ***the ride*** *is* ***long.***
La **voiture** n'est pas **complète.**	***The car*** *isn't* ***full.***
vide	***empty***
rapide	***fast***
Le contrôleur arrive.[1]	***The conductor*** *is* ***coming.***
Tu as **la Carte Orange?**	*Do you have* ***the orange card?***
le ticket	***the ticket***
le numéro	***the number***

[1]Formerly, Parisian buses often had a conductor on board, particularly on *les bus à plate-forme,* where passengers could get on either in the front or in the rear. *Le contrôleur* sold, collected, and punched tickets. Although more commonly seen on trains and in the métro, *le contrôleur* may still occasionally board a bus to check tickets or commuters' Cartes Orange.

Le **conducteur** Le **passager**	est **assis**.	*The **driver*** *The **passenger***	*is **sitting down.***
La **conductrice** La **passagère**	est **assise**.	*The **driver*** *The **passenger***	*is **seated.***

Laissez de la **place** à ce monsieur. — ***Leave room** for this man.*
Il n'y a pas de place. — *There isn't any room.*
Tu as **une place**, toi. — *You have **a seat.***
Je n'aime pas **rester debout**.[1] — *I don't like **to stand.***
Lui **non plus**. — ***Neither** does he.*
Il va **refuser** de monter? — *Is he going **to refuse** to get on?*
Non, il est trop **impatient**. — *No, he's too **impatient.***
elle **patiente** — *she's **patient***

Exercices de vocabulaire

A. Answer the questions according to the pictures. Follow the model.

1. Où sont-ils?
   Ils sont à l'arrêt d'autobus.

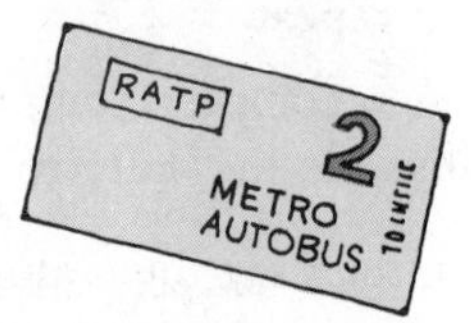

2. Qu'est-ce qu'on montre au contrôleur?

3. Quel est le numéro de cet autobus?

4. Cet autobus n'est pas vide?

5. Qu'est-ce qu'on fait?

6. Ce bus est vide?

7. C'est le contrôleur?

8. Qui attend l'autobus?

9. Ces dames sont assises?

B. Choose the word or phrase that best completes the sentence or fits the situation.

1. Pourquoi est-ce que tu restes debout? Parce qu'il n'y a pas de *(places / queue).*
2. Je n'ai pas ma Carte Orange. *(Eux aussi. / Eux non plus.)*
3. Moi, je suis très patient. Je ne refuse jamais *(de rester assis / de faire la queue).*

---

[1] *Debout* is an adverb, not an adjective, and thus does not agree with the noun.

4. Qui est cet homme qui reste debout pendant tout le trajet? C'est *(le contrôleur / le conducteur).*
5. Quelle foule! *(Tant de numéros! / Tant de passagers!)*
6. Le réfrigérateur est vide parce qu'on va partir *(en avance / en vacances).*
7. Pourquoi est-ce qu'il y a tant de circulation? Ce sont *(des arrêts d'autobus / les heures de pointe).*
8. Quel trajet rapide! Oui, heureusement nos trains *(vont très vite / sont toujours vides).*

MOTS NOUVEAUX II

Qu'est-ce qui **se passe**?	***What's going on?***
Il ne **faut** pas **pousser**.	*You don't have to* ***push.***
On n'**a** pas **envie de** rester ici.	*We don't* ***want*** *to stay here.*
Je vais **manquer** mon train.	*I'm going* ***to miss*** *my train.*
Moi, j'ai le numéro **précédent**.	*I have the* ***preceding*** *number.*
suivant	***following***
la carte **précédente**	*the* ***preceding*** *card*
suivante	***following***
Voyons, messieurs-dames.	***See here,*** *ladies and gentlemen.*
Chacun / **Chacune** } son **tour**.	***Everyone in turn.***
C'est **un type agréable**.	*He's* ***a pleasant guy.***
Sûrement!	***He sure is!***
C'est **un bonhomme désagréable**.	*He's* ***a disagreeable character.***
Comme tu as raison!	***How*** *right you are!*
Il est très **impoli**.	*He's very* ***impolite.***
Sa femme est **impolie** aussi.	*His wife is* ***impolite*** *too.*
Qui est ce garçon **gentil**?	*Who's that* ***nice*** *boy?*
cette fille **gentille**?	*that* ***nice*** *girl?*
C'est { **un ancien** / **une ancienne** } élève.	*That's a* ***former*** *student.*
Chacun des élèves est **poli**.	***Each*** *of the students is* ***polite.***
intelligent	***intelligent***
sérieux	***serious***
Chacune des élèves est **polie**.	***Each*** *of the students is* ***polite.***
intelligente	***intelligent***
sérieuse	***serious***

Exercice de vocabulaire

Choose the most logical response to each remark.

1. Ce monsieur va laisser de la place à ma camarade.
   (a) Oui, il est très poli.
   (b) Oh, il n'est pas du tout aimable.
2. Je crois que nous allons être en avance.
   (a) Eh bien, n'allons pas si vite!
   (b) C'est pourquoi vous êtes si pressés.

3. Il y a beaucoup de monde à l'arrêt d'autobus.
   (a) Bon. Je n'ai pas envie de faire la queue.
   (b) Quelle foule!
4. Je regrette, mademoiselle, mais vous avez manqué le train.
   (a) C'est bien. Je suis à l'heure.
   (b) Le prochain train arrive bientôt?
5. Tu vois ce bonhomme? Il pousse tout le monde.
   (a) Comme il est impoli!
   (b) Il est très, très agréable.
6. Montez, messieurs-dames! Mais chacun son tour.
   (a) Vite! Allons-y!
   (b) Il va y avoir de la place pour tout le monde.
7. Qu'est-ce qui se passe?
   (a) Je ne sais pas.
   (b) Ce type désagréable!
8. C'est une ancienne voisine?
   (a) Oui, elle est sûrement très vieille.
   (b) Oui, elle n'habite plus Paris. Elle habite Nanterre maintenant.

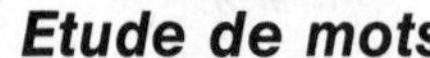

Etude de mots

Mots associés 1: Quel est le numéro précédent? le numéro suivant?

21 34 47 60 63 76 82 85 99
114 143 200 355 439 527 650 779 800

Remember that in writing, there is an *s* on the word *quatre-vingts* and on the word *cent* in the round numbers: *deux cents, trois cents,* etc. What is the word for 1000?

Mots associés 2: The following words and expressions are all related to time. Use each in a sentence.

en avance / à l'heure / en retard   d'abord / ensuite / enfin

En avance means "early" in relation to a specific time; *de bonne heure* means "early" in general or "early in the morning": *L'avion part à 9 h. Je quitte la maison de bonne heure et j'arrive à l'aéroport en avance.*

Synonymes: From the list, substitute the appropriate synonym or synonymous expression for the word or words in italics.

avoir envie de   la foule   gentil, -le
refuser de   le type   moi aussi

1. Le prof d'anglais est très *aimable.*
2. Vous voyez *beaucoup de monde* dans l'amphi?
3. Tu vois *le bonhomme* là-bas? Il est très désagréable.
4. Laissez de la place, s'il vous plaît. Nous *voulons* entrer.
5. Mes amis ne vont pas étudier ce soir. *Moi non plus,* je *ne vais pas* étudier.

Antonymes: Choose the logical response to each question.

1. Jacques est un nouvel ami?
2. Les élèves sont assis quand le proviseur est là?
3. Le trajet est agréable?
4. Ces voitures sont déjà complètes?
5. Tu penses que nos cousins sont bêtes?
6. Cette place est occupée?

a. Mais non, ils sont intelligents!
b. Heureusement, elle est libre.
c. Non, c'est un ancien camarade de classe.
d. Mais non, elles restent toujours presque vides.
e. Mais non, ils sont debout.
f. Non. Malheureusement, je le trouve très désagréable.

Mots à plusieurs sens: What are the meanings of *la place* in the following dialogue? Give another example for each.

– Ma famille va au Théâtre de France ce soir. Nous avons six *places.* Tu veux venir avec nous?
– C'est chouette. Merci. Cependant, il n'y a pas beaucoup de *place* dans votre voiture. Je peux vous retrouver au théâtre?
– Bien sûr. Il se trouve à *la place* de l'Odéon, tu sais.

EXPLICATIONS I

Quelle heure est-il?

Review the French method of telling time. Remember that after the half-hour, the French speak of the next hour minus so many minutes.

Exercices

A. Quelle heure est-il?

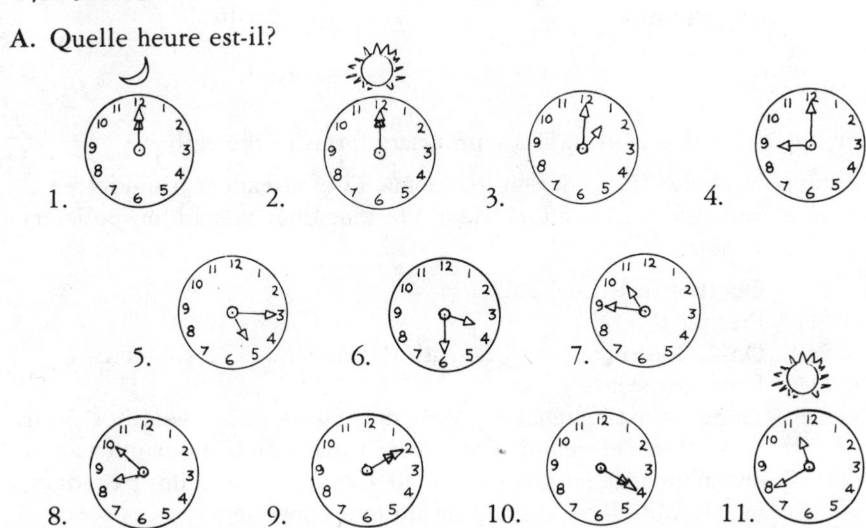

B. Dites à quelle heure:

1. vous quittez la maison le matin 2. vous arrivez à l'école 3. vos cours commencent 4. vous déjeunez 5. vous quittez l'école l'après-midi 6. vous dînez 7. vous commencez à faire vos devoirs le soir 8. vous avez commencé à regarder la télé hier soir

Le verbe être

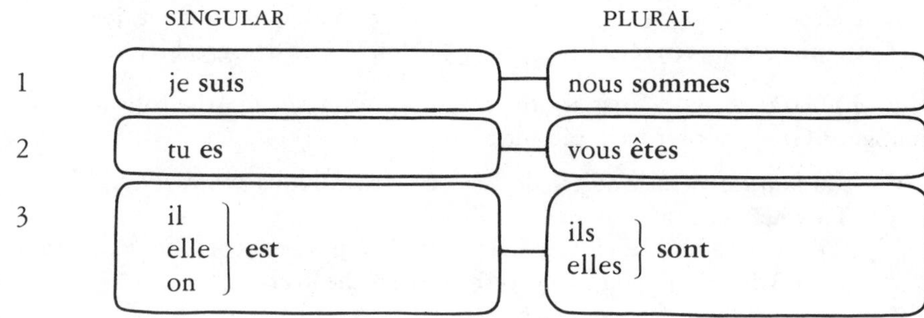

	SINGULAR	PLURAL
1	je **suis**	nous **sommes**
2	tu **es**	vous **êtes**
3	il / elle / on } **est**	ils / elles } **sont**

IMPERATIVE: **sois! soyons! soyez!**
PAST PARTICIPLE: **été**

Note that the imperative forms are irregular. When an adjective is used with the imperative of *être,* it must agree in gender and number with the person or people being spoken to:

Ne sois pas { impoli! / impolie! } *Don't be impolite!*

Soyons { sérieux! / sérieuses! } *Let's be serious!*

Soyez { gentil! / gentille! / gentils! / gentilles! } *Be nice!*

Exercice

Complete the dialogue using the appropriate forms of the verb *être.*

Thérèse et Michèle ______ devant le cinéma. Elles attendent Jean-Pierre, leur frère cadet, qui ______ à l'intérieur. On joue deux vieux films policiers américains ce soir.

THÉRÈSE Quelle heure ______-il?

MICHÈLE Presque 9 h. 25.

THÉRÈSE On ______ à l'heure sûrement! Maman va ______ contente.

MICHÈLE Pourquoi maman?

THÉRÈSE Tu ne l'as pas entendue? "Vite, mes filles! ______ gentilles! Vous ______ déjà en retard. Votre frère vous attend." Et maintenant on va attendre ici jusqu'à 9 h. 50. Ce ______ des films très longs, tu sais. Moi, je ne ______ pas du tout contente.

MICHÈLE Ne ______ pas si désagréable, Thérèse. Tu n'______ jamais contente, toi. ______ intelligentes! Si nous ______ en avance, allons prendre quelque chose à la terrasse du café en face. De là on peut voir la foule quand elle sort du cinéma.

Comment poser des questions

1. Remember that there are several ways to ask questions in French. You may simply raise the pitch of your voice at the end of a sentence, or put *est-ce que* at the beginning of the sentence, or, if a "yes" answer is assumed, add *n'est-ce pas* at the end of the sentence:

   Ils sont en retard. { Ils sont en retard? / Est-ce qu'ils sont en retard? / Ils sont en retard, n'est-ce pas? }

2. You may also reverse the subject and verb. Called "inversion," this is the most common way of asking a question in writing:

Ils sont en retard.	**Sont-ils** en retard?
Il parle à son copain.	**Parle-t-il** à son copain?
Elle a retrouvé son amie.	**A-t-elle retrouvé** son amie?
Nous allons rester debout.	**Allons-nous rester** debout?

   Note that the subject pronoun is joined to the verb by a hyphen. In the 3 sing. and 3 pl. forms, a final letter *t* or *d* represents a liaison [t] sound: *est‿il, prend‿elle.* If the 3 sing. form does not end in a *t* or *d,* a *t* is inserted: *aime-t-il, regarde-t-elle, a-t-on parlé.*

   Inversion is always used in certain set expressions: *Quel temps fait-il? Quelle heure est-il? Quel âge avez-vous? Quel jour sommes-nous? Comment allez-vous? Comment vas-tu?*

   When the subject of a sentence is a noun, inversion is formed by putting the noun first, then the verb and the appropriate pronoun:

Les bandes sont-elles sur la table?	***Are the tapes** on the table?*
Marie a-t-elle parlé à son amie?	***Did Marie talk** to her friend?*

   Always use *est-ce que,* not inversion, with the 1 sing. form, *je.*

3. Negative questions are formed like negative statements:

Est-ce qu'elle parle?	**Est-ce qu'elle ne parle pas?**
Aimes-tu cette place?	**N'aimes-tu pas cette place?**
A-t-il frappé?	**N'a-t-il pas frappé?**

Remember to use *si,* not *oui,* to answer "yes" to a negative question.

Exercices

A. Form questions using inversion. Follow the model.

1. Tu vas arriver demain.
   Vas-tu arriver demain?
2. Elle attend à la gare.
3. Il a été dans le labo de chimie.
4. Ils ont leurs tickets.
5. Vous avez déjà dîné.
6. Tu travailles dans la salle de permanence.
7. On a poussé ce monsieur.
8. Elles ont manqué le bus ce matin.

B. Form questions using inversion. Follow the model.

1. Jean-Claude a écouté des disques.
   Jean-Claude a-t-il écouté des disques?
2. Le contrôleur est gentil.
3. Nicole et Colette aiment le journal télévisé.

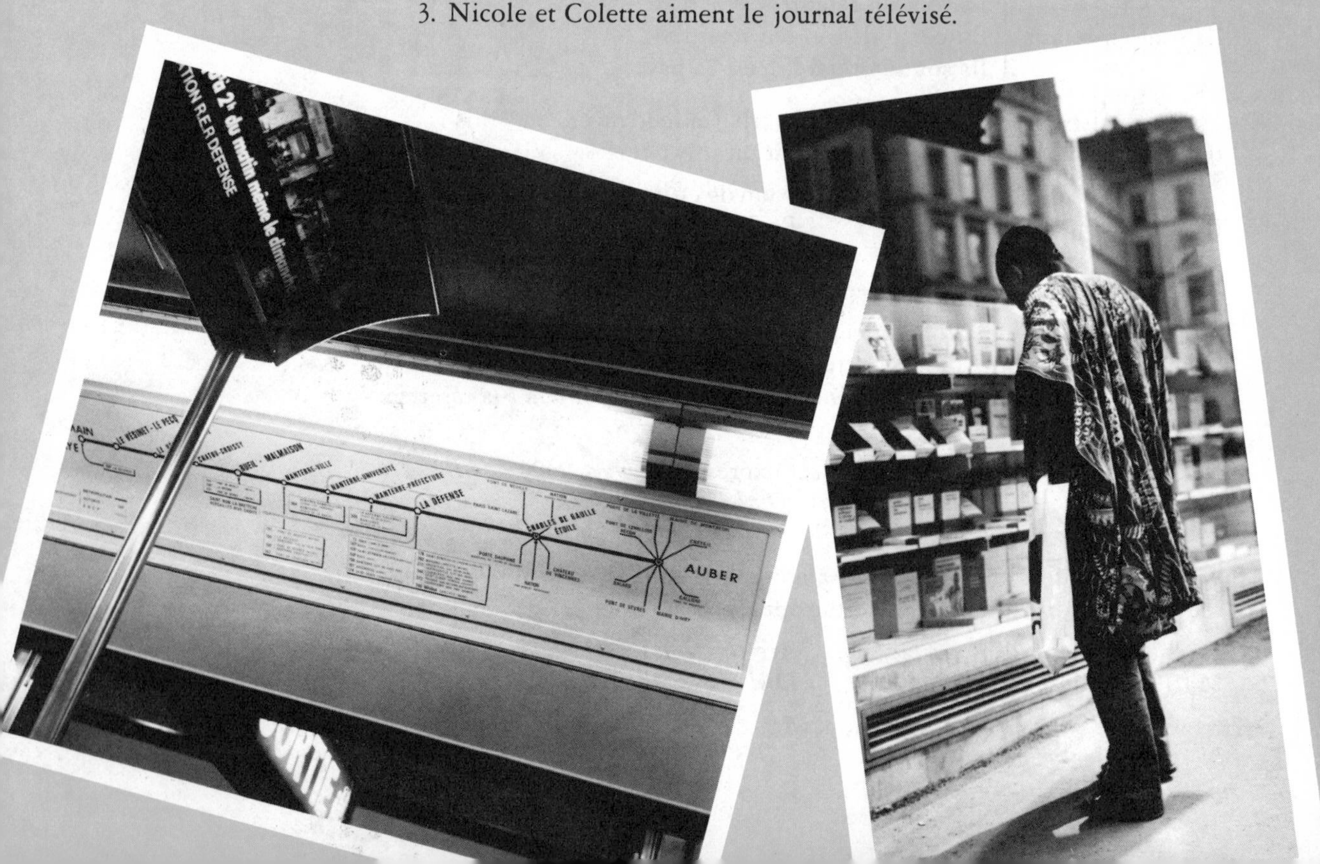

4. Les magnétophones sont dans le laboratoire de langues.
5. Luc a manqué son premier cours hier.
6. L'arrêt d'autobus est au coin de la rue.
7. Les passagers font la queue.
8. Ce type regarde ton portefeuille.

C. Form negative questions using inversion, then answer the questions in the affirmative. Follow the model.

1. Tu étudies la prochaine leçon.
   N'étudies-tu pas la prochaine leçon? Si, j'étudie la prochaine leçon.
2. Le trajet est long.
3. Elles ont regardé les dessins animés ce soir.
4. Ils téléphonent à leurs camarades de classe.
5. Paul a parlé avec eux.
6. Vous avez besoin de ces vestes.
7. Nous allons visiter le Musée du Louvre.
8. Il est poli.
9. Les étudiants vont trouver leurs places.
10. Il y a assez de place.

Vérifiez vos progrès

Rewrite the questions in the negative. Follow the model.

1. Marie a-t-elle l'air pressé?
   Marie n'a-t-elle pas l'air pressé?
2. C'est le contrôleur?
3. Tes tantes ont-elles passé leurs vacances en Bretagne?
4. Sommes-nous en avance?
5. Avez-vous demandé les renseignements à quelqu'un?
6. Est-ce que je vais écrire la carte postale?
7. Tu as envie de descendre?
8. Ces garçons sont-ils impatients?
9. A-t-il déjà posé cette question?

CONVERSATION ET LECTURE

Parlons de vous

1. Comment est-ce que vous allez au lycée? Si vous y allez à pied, qui est-ce que vous rencontrez en route? 2. Est-ce qu'il y a des autobus dans votre ville? Quel est le numéro de l'autobus que vous prenez ou qui passe près de chez vous? 3. Qu'est-ce que vous faites quand vous manquez l'autobus? 4. Vous pensez que les trajets en autobus sont agréables? Pourquoi? 5. Un bus qui va de ville en ville est un "car." Vous prenez quelquefois les cars? Vous aimez les voyages en car? 6. Vous croyez que les jeunes gens d'aujourd'hui sont polis ou impolis? Pourquoi?

Sur le boul' Mich'

Paul Martin a pris rendez-vous° avec Lucien Vigaud, un étudiant en sciences politiques, et Monique Tremblay, une étudiante québécoise qui fait ses études° à Nanterre. Ils sont allés à la terrasse d'un café du boulevard Saint-Michel.* Ils ont déjà commandé leurs boissons et maintenant ils regardent les gens qui passent. C'est un spectacle très intéressant. On voit des gens de tous les continents qui portent souvent les costumes de leurs pays: des Africains en longue robe, des Indiens en sari ou en turban, etc.

prendre rendez-vous: *to make a date*
faire ses études: *to study*

MONIQUE Quelle foule! Est-ce qu'il y a toujours tant de monde?°

tant de monde: *so many people*

LUCIEN Pas toujours. Aujourd'hui la plupart° des gens sont des lycéens qui viennent chercher leurs livres. Les meilleures° librairies de Paris se trouvent sur le boul' Mich'.

la plupart: *most*
meilleur, -e: *best*

MONIQUE Il n'y a pas une seule° librairie pour les lycéens?

un(e) seul(e): *just one*

PAUL Ah, mais non! Il faut chercher les livres partout.°

partout: *everywhere*

MONIQUE Est-ce que tous ces lycéens habitent le Quartier Latin?

PAUL Non, mais il y a trois ou quatre lycées dans le quartier où on peut aller pour préparer les concours d'entrée° aux Grandes Ecoles.*

le concours d'entrée: *entrance exam*

MONIQUE Le concours? Qu'est-ce que c'est?

LUCIEN C'est un examen très difficile. Chaque année chaque Grande Ecole a un concours qu'il faut passer pour y entrer. Seulement° les meilleurs candidats sont reçus.°

seulement: *only*
reçu, -e: *accepted*

MONIQUE Et les pauvres candidats qui ne sont pas reçus?

PAUL Ils peuvent se présenter au° concours l'année suivante. Lucien commence ses études préparatoires à Sciences-Po* cet automne.

se présenter à = passer

Notes culturelles

**le boulevard Saint-Michel (le boul' Mich'):* This main street of *le Quartier Latin* is lined with theaters, cafés, and stores that cater to the needs and tastes of the many students attending schools nearby. The "Latin Quarter," on the left bank of the Seine, is the site of many well-known *lycées* (Henri

IV, Louis-le-Grand) and schools of higher learning (la Sorbonne, l'Ecole des Beaux-Arts). The area derives its name from the fact that, during the Middle Ages, the Church ran the schools and Latin was the language used. Although the area is changing, le Quartier Latin remains the symbol of Paris's reputation as a center of learning.

****les Grandes Ecoles:*** There are two types of institutions of higher learning in France: universities and specialized schools called *Grandes Ecoles.* They are all run by the government. To enter a university, a student must have *le baccalauréat;* to enter one of the Grandes Ecoles, a student must also pass *le concours,* a very difficult competitive examination. After obtaining *le bac,* a student may spend up to two additional years at a *lycée* preparing for the *concours* of a particular Grande Ecole, such as l'Ecole des Hautes Etudes Commerciales, l'Ecole Supérieure des Mines, l'Institut National Agronomique, etc.

****"Sciences-Po":*** L'Institut d'Etudes Politiques, commonly known as "Sciences-Po," is one of the Grandes Ecoles located in le Quartier Latin. The school prepares students for careers in government, as well as in private financial and business institutions. In the case of some Grandes Ecoles (including Sciences-Po), preparatory studies leading to the *concours* are done at the school itself.

A propos . . .

1. Avec qui est-ce que Paul a pris rendez-vous? Où sont-ils allés? Qu'est-ce qu'ils font maintenant? 2. Décrivez le spectacle qu'ils voient. 3. Pourquoi est-ce qu'il y a une foule aujourd'hui? 4. Où les lycéens vont-ils chercher leurs livres? Pourquoi? Et vous, où est-ce que vous allez chercher vos livres? 5. Quand vous prenez rendez-vous avec vos amis, où est-ce que vous aimez aller? 6. Est-ce que vous avez envie d'aller à l'université? Si oui, qu'est-ce que vous allez y étudier? Sinon, qu'est-ce que vous voulez faire? 7. Quand

on veut aller dans une des Grandes Ecoles, qu'est-ce qu'il faut faire? Aux Etats-Unis ou au Canada qu'est-ce qu'il faut faire pour aller à l'université?

EXPLICATIONS II

L'accord: les déterminants et les adjectifs

VOCABULAIRE			
marron	*brown, chestnut*	**orange**	*orange*

1. French nouns have both gender and number. The definite determiners *(le, la, l', les)*, indefinite determiners *(un, une, des)*, demonstrative determiners *(ce, cette, cet, ces)*, and possessive determiners *(mon, ma, mes,* etc.) agree with the noun that they are modifying in gender and number:

	MASCULINE		FEMININE		MASCULINE/FEMININE	
	le		la		l'	
SING.	un	cousin	une	cousine	un‿/une	ami/amie
	ce		cette		cet/cette	
	mon		ma		mon‿	

	MASCULINE/FEMININE		MASCULINE/FEMININE	
	les		les‿	
PL.	des	cousins/cousines	des‿	amis/amies
	ces		ces‿	
	mes		mes‿	

2. Adjectives must also agree with the nouns that they modify, and they may have distinctive masculine and feminine, singular and plural forms. Look at the following and say them aloud:

un chapeau **rouge**	le pull-over **bleu**	le maillot **gris**
une blouse **rouge**	la chemise **bleue**	la jupe **grise**
des chapeaux **rouges**	les pull-overs **bleus**	les maillots **gris**
des blouses **rouges**	les chemises **bleues**	les jupes **grises**

3. Most French adjectives follow the noun. Some short, frequently used ones precede the noun: *autre, beau, bon, grand, gros, jeune, joli, long, mauvais, même, nouveau, petit, premier, seul,* and *vieux. Prochain* precedes the noun except when it refers to time: *le prochain autobus,* but *la semaine prochaine.* Certain adjectives may change meaning depending on their position. Before a noun, *dernier* means "very last, final"; after a noun, it implies "most recent." *Pauvre* means "poor," but before a noun it implies "to be pitied"; after a noun, "without money."

    Vendredi **dernier** j'ai passé le **dernier** examen.
    C'est un **pauvre** type qui a une famille **pauvre**.
    Mon **ancien** professeur habite une villa **ancienne**.

4. Three adjectives that usually precede the noun have special masculine singular forms:

ce **beau** bureau	ce **nouveau** roman	ce **vieux** type
ce **bel** appartement	ce **nouvel** auteur	ce **vieil** homme
cette **belle** villa	cette **nouvelle** pièce	cette **vieille** dame
cette **belle** image	cette **nouvelle** histoire	cette **vieille** actrice

Review the pronunciation of these adjectives:

un **petit** canard	un **grand** château	un **gros** paquet
un **petit** œuf [t]	un **grand** hôtel [t]	un **gros** anorak [z]
une **petite** poule	une **grande** maison	une **grosse** boîte
une **petite** omelette	une **grande** église	une **grosse** enveloppe

Like *petit,* before a masculine noun beginning with a vowel sound, *bon, premier, dernier,* and *mauvais* are pronounced like the feminine form.

5. Certain adjectives of color whose names are derived from an object in nature have only one form. *Orange* is one; another is *marron,* which as a noun means "chestnut" and as an adjective means "brown" or "chestnut-colored": *une robe marron, des robes orange.*

6. Before a noun beginning with a vowel sound, the *s* or *x* of a plural adjective is a liaison consonant, pronounced [z]:

J'aime les **grands** rôles.	J'aime les **grandes** pièces.
J'aime les **grands** acteurs.	J'aime les **grandes** actrices.
Voilà les **nouveaux** pharmaciens.	Voilà les **nouvelles** pharmaciennes.
Voilà les **nouveaux** avocats.	Voilà les **nouvelles** avocates.

When a plural adjective comes before a noun, the indefinite determiner *des* becomes *de:*

Il y a **des** casiers vides.	*but:* Il y a **d'**autres casiers vides.
Ce sont **des** enfants impolis.	Ce sont **de** gros enfants.

Exercices

A. Complete the sentences using the correct form of each adjective in parentheses. Follow the model.

1. Elle a une camarade *(norvégien).*
   Elle a une camarade norvégienne.
2. Ils sont *(fatigué)* parce que leur travail est *(difficile).*
3. Nous voudrions une moto *(vert)* et *(rouge).*
4. Ses amies sont *(sénégalais).*
5. Maman a l'air *(inquiet).* Tes sœurs sont *(inquiet)* aussi.
6. Tu vas retrouver tes amis *(belge)* au café.
7. Marc est fils *(unique).*
8. Les voitures sont *(cher)* en France.
9. Vous voyez la petite fille *(roux)?* Sa mère est *(blond).*

B. Redo the sentences using the antonym of each adjective in italics. Follow the model.

1. Henriette est *forte* en sciences sociales.
   Henriette est nulle en sciences sociales.
2. Je trouve cette leçon *intéressante.*
3. Ces types sont vraiment *généreux.*
4. Chantal est ma sœur *cadette.*
5. Est-ce que cette place est *libre?*
6. Il pense que la neige est *laide.*
7. Est-ce que vos oncles sont *jeunes?*
8. Elle porte une blouse *noire.*
9. Malheureusement, sa jupe est souvent trop *courte.*
10. C'est une histoire *célèbre,* n'est-ce pas?

C. Redo the sentences using the adjectives in parentheses. Pay attention to the form and position of the adjectives and make any necessary changes in the determiners. Follow the model.

1. Nous avons laissé de la place à cet enfant. (beau / brun)
   Nous avons laissé de la place à ce bel enfant brun.
2. L'actrice va arriver tout à l'heure. (beau / grec)
3. Pourquoi est-ce que tu ne portes pas tes chaussures? (joli / marron)
4. Vous n'enseignez pas à cette université? (italien / vieux)
5. Qui est cet homme? (désagréable / gros)
6. Tu aimes ma voiture? (jaune / nouveau)
7. Elle a regardé l'eau. (beau / bleu)
8. Malheureusement, c'est la place. (libre / seul)
9. Regarde cette moto! (japonais / petit)
10. Je n'ai pas envie de lire ces pièces. (français / long)
11. Nous parlons d'un hôtel. (espagnol / vieux)

D. Redo the sentences entirely in the plural, inserting the appropriate form of the adjective in parentheses before the second noun. Follow the model.

1. Notre ancien voisin a des chiens méchants. (gros)
   Nos anciens voisins ont de gros chiens méchants.
2. Cette petite fille a fait des fautes. (gros)

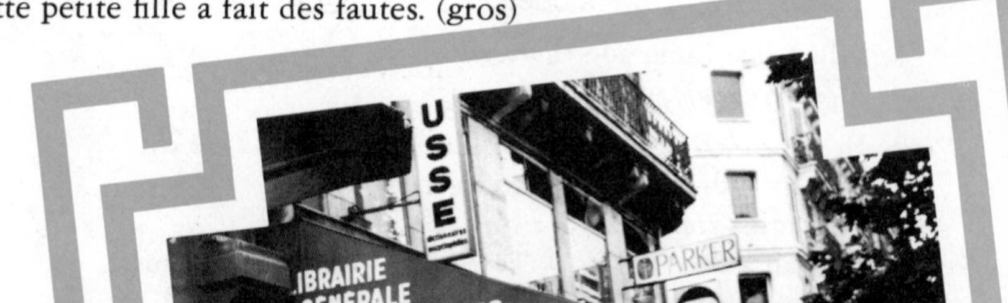

3. Ce vieil hôpital a des infirmiers. (bon)
4. Cette jeune vendeuse porte toujours des habits chers. (beau)
5. Notre nouvel ami aime faire des voyages. (long)
6. Cet autre agriculteur a des enfants. (petit)
7. Son ancienne élève va écrire des histoires. (beau)

Quelques expressions interrogatives

1. When a person ("who") is the subject of a question, *qui* is used. When a person ("whom") is the object of a question, *qui est-ce que* or *qui* + inversion is used:

Qui regarde la foule?[1]	***Who's*** *watching the crowd?*
Qui est-ce qu'il regarde? Qui regarde-t-il?	***Whom*** *is he watching?*

Unless the people are mentioned, *qui* is followed by the 3 sing. form of the verb: *Qui est là?* but: *Qui sont ces gens là-bas?*

2. If a thing ("what") is the subject of a question, *qu'est-ce qui* is used. If a thing is the object, *qu'est-ce que* or *que* + inversion is used:

Qu'est-ce qui se passe?	***What's*** *happening?*
Qu'est-ce que tu regardes? Que regardes-tu?[2]	***What*** *are you watching?*

3. In questions where people are the object of a preposition, the preposition + *qui* is used. Where a thing is the object of a preposition, the preposition + *quoi* is used:

Avec qui est-ce que tu sors? **Avec qui** sors-tu?	***Whom*** *are you going out* ***with?***
A qui est-ce que tu parles? **A qui** parles-tu?	***To whom*** *are you speaking?*
Sur quoi est-ce qu'il est assis? **Sur quoi** est-il assis?	***What's*** *he sitting* ***on?***

4. For questions that have "which" or "what" + noun, the interrogative adjective *quel* is used:[3]

Quel est le numéro?	De quelle couleur est le bus?
Quels passagers descendent?	Quelles cartes avez-vous?

5. Other interrogative expressions that you have learned are: *où, d'où, quand, comment, pourquoi, combien de.* They can be used either with *est-ce que* or inversion: *D'où est-ce qu'il arrive? D'où arrive-t-il?*

---

[1]There is also a longer form, *qui est-ce qui (Qui est-ce qui regarde la foule?).* You need not use this form, but should be able to recognize it when you are reading.

[2]Remember that before a vowel sound, there is elision and *que* becomes *qu': Qu'est-ce qu'il aime? Qu'aime-t-il?*

[3]Remember that the forms of *quel* are often used in exclamations to mean "how!" "what!" "what a!": *Quel trajet désagréable! Quels types! Quelle horreur! Quelles foules!*

Exercices

A. Redo the questions using *est-ce que.* Follow the model.

1. Que prépare-t-il?
   Qu'est-ce qu'il prépare?
2. Qui aime-t-elle?
3. Qu'as-tu cassé?
4. Qui sont-ils?
5. Qu'a-t-elle révisé?
6. Que portent-elles?
7. Qui poussent-ils?
8. Qui avez-vous cherché?
9. Qu'as-tu cherché?

B. Form questions using the preposition + *qui* or *quoi* and *est-ce que.* Follow the model.

1. Je parle de mon prof. *De qui est-ce que tu parles?*
2. J'ai peur des chevaux.
3. Nous pensons à nos parents.
4. Il est assis sur une chaise.
5. Je rentre avec ta tante.
6. Elles jouent aux échecs.
7. Je pose des questions aux élèves.
8. Ils ont besoin de billets.
9. Elle arrive sans bagages.
10. Il prête la voiture à son fils.
11. Nous avons joué du piano.

C. Redo the above exercise using inversion. Follow the model.

1. Je parle de mon prof. *De qui parles-tu?*

D. Look at each statement. Then ask any question to which that statement would be a logical response. Follow the model.

1. A la poste. *Où vas-tu?* or *Où est-ce qu'on vend les timbres?,* etc.
2. Une passagère.
3. Il fait la queue.
4. Par le train.
5. Ce sont les heures de pointe.
6. Des Cartes Orange.
7. Avec mes camarades de classe.
8. De Marseille, bien sûr.
9. J'ai envie de descendre.
10. Tout à l'heure.
11. La télé.
12. Elle a six ans.
13. Deux fois.

Vérifiez vos progrès

A. Combine the two sentences into one, using *c'est* or *ce sont* and the appropriate indefinite determiner. Pay particular attention to the position of the two adjectives. Follow the model.

1. Comme l'éléphant est très gros! Il est gris aussi.
   C'est un gros éléphant gris.
2. J'ai une autre amie. Elle est sympa.
3. Voilà un enfant blond. Il est beau, n'est-ce pas?
4. Ces romans sont en italien. Ils sont nouveaux.
5. Votre maison est très belle. J'aime les maisons anciennes!
6. Cet homme est très vieux. Et très impatient.
7. Les nuits sont longues en hiver. Et beaucoup trop froides.

B. Based on the paragraph, write questions using each of the following interrogative words: *qui, qui est-ce que, qu'est-ce qui, qu'est-ce que, combien, comment, où, d'où, pourquoi, quand,* and the interrogative adjective *quel.* Since there are a number of possibilities, the answers are not in the back of the book. Ask your teacher to go over your answers with you.

Samedi après-midi Marc quitte la maison pour aller en ville. Il y va en autobus. C'est un long trajet, mais assez rapide quand même. Il arrive enfin à la place de la Concorde, où il rencontre quatre camarades. Eux, ils ont envie de visiter le Musée du Jeu de Paume, qui se trouve là. Il refuse d'accompagner ses amis parce qu'il veut faire des achats pendant qu'il est en ville.

RÉVISION ET THÈME

Consult the model sentences, then put the English cues into French and use them to form new sentences.

1. Il est *huit heures dix; Paul et ses amis vont au labo de langues.*
   (4:15; M. Legros and his students are in the principal's (m.) *office)*
   (6:30; Mme Martin and her employees are thinking about rush hour)

2. Le *trente-trois* arrive. Presque *tout le monde reste debout.*
   (91) — *(all the passengers are polite)*
   (80) — *(the entire crowd is in a hurry)*

3. *Au premier arrêt, la seule dame impatiente descend du train.*
   (At the preceding stop, a handsome blond child looked out the window.)
   (At the last stop, a serious young man is playing the guitar.)

4. *Quelles lycéennes vont faire la queue à cette entrée?*
   (Which guys are going to miss the plane at that hour?)
   (Which passenger (f.) *is going to show her ticket to that conductor?)*

5. *"Sois gentille!"* dit maman. *"Offre tes livres à la dame!"*
   ("Let's be smart!" (m.)) — *("Let's ask the driver* (f.) *our questions!")*
   ("Be pleasant!" (pl.)) — *("Sing your songs to the students!")*

6. *Les filles sont-elles impatientes? Chacune des filles est patiente, sûrement.*
   (Are the lockers small? Each of the lockers is large, fortunately.)
   (Are the rides fast? Each of the rides is really fast.)

Now that you have done the *Révision,* you are ready to write a composition. Put the English captions describing each cartoon panel into French to form a paragraph.

1
78
It's 5:40; Mrs. Dufort and her children are at the bus stop.

2
The 78 arrives. Almost all the seats are occupied.

3
At the following stop, a tired old lady gets on the bus.

4
Which passenger is going to give his seat to the old lady?

5
"Be polite!" says Mrs. Dufort. "Offer your seats to Madame!"

6
Is the lady happy? Each one of the passengers is very happy!

AUTO-TEST

A. Using the correct form of the words given, write complete sentences. Follow the model.

1. Heureusement / les bandes / aller / être / court
   Heureusement les bandes vont être courtes.
2. Etre *(1 pl. f. imperative)* / sérieux
3. Chacun de / les jeunes filles / être / assis
4. Tu / laisser / la voiture / dans / cette rue / étroit
5. 21 lycéennes / rester / debout / parce que / l'autobus / être / complet
6. Elle / refuser de / laisser de la place / à / les / autre / passagers
7. Je / aimer mieux / la chemise / marron
8. Ne pas être *(sing. f. imperative)* / méchant

B. For each statement, write the question that is being answered by the words in italics. Use inversion in at least four of your answers. Follow the models.

1. Ils parlent *du contrôleur.* *De qui parlent-ils?*
2. J'ai *des Cartes Orange.* *Qu'est-ce que tu as?*
3. Il a téléphoné *à un ancien ami.*
4. *Nous sommes* en retard.
5. Il a poussé *les autres passagers.*
6. J'ai envie *d'être riche.*
7. *Rien ne* se passe ici.
8. Ils ont manqué le *dernier* autobus.
9. Il fait la queue *avec ses amis.*
10. Les employés n'aiment pas *les heures de pointe.*

Poème

LE CONTRÔLEUR

Allons allons
Pressons°
Allons allons
Voyons pressons
Il y a trop de voyageurs°
Trop de voyageurs
Pressons pressons
Il y en a qui font la queue
Il y en a partout°
Beaucoup . . .
Allons allons
Voyons
Soyons sérieux
Laissez la place
Vous savez bien que vous ne pouvez
pas rester là . . .
Allons allons
Pressons pressons
Soyez polis
Ne poussez pas.

pressons = vite

voyageur = passager

partout: *everywhere*

Jacques Prévert, *Paroles*

Proverbe

Qui a bon voisin a bon matin.

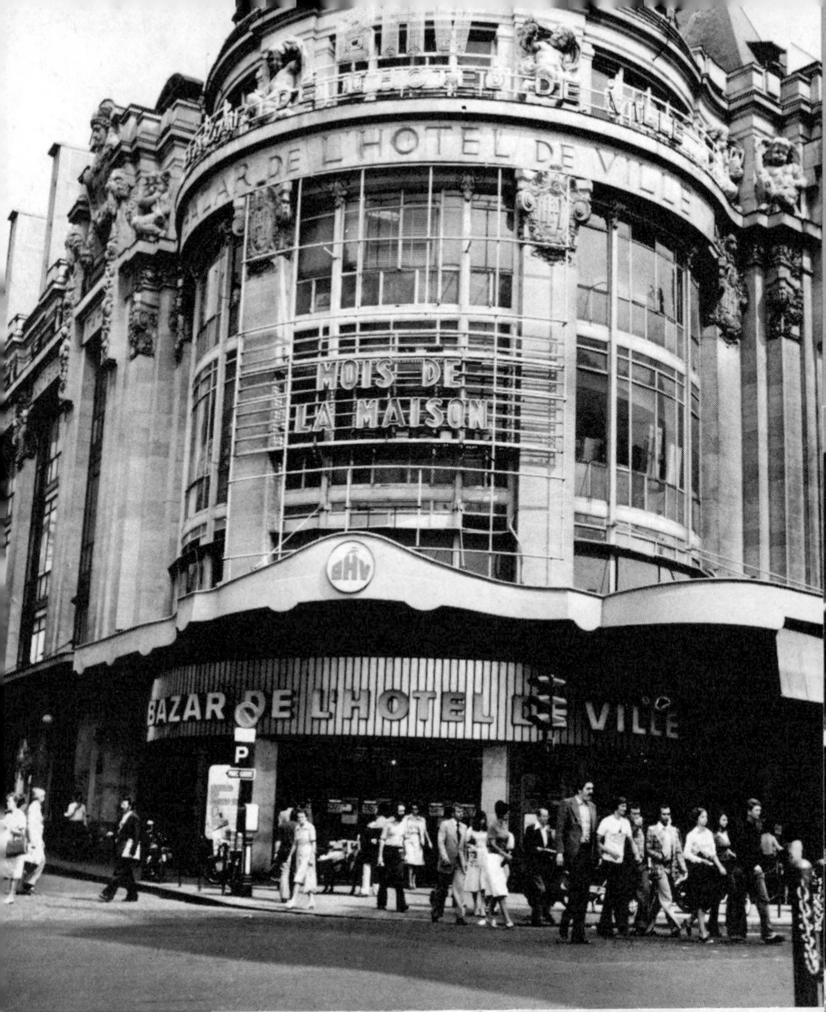

Santa fé
SOLDES

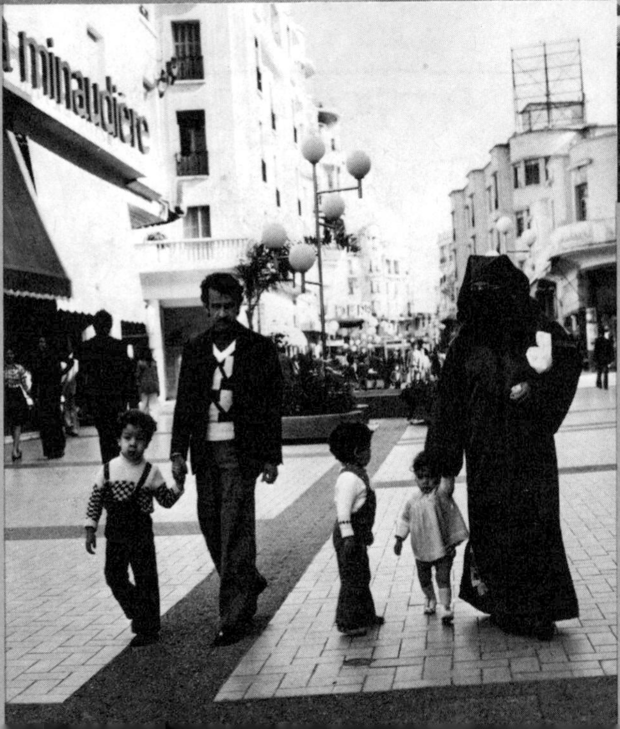

Troisième Leçon

On fait des achats

Les Pascaud sont à Paris pour faire des achats. Vers l'heure du déjeuner ils sont allés dans un petit café près du quai de la Mégisserie,* où ils ont pris des sandwichs. Après, quand les enfants ont voulu commander un dessert, M. Pascaud leur a dit: "Prenez des esquimaux. Vous pouvez les manger pendant qu'on fait une promenade sur le quai."

Au marché aux oiseaux le petit Thomas demande pour la trente-sixième fois un hamster.[1] Pour la trente-sixième fois sa mère refuse d'avoir une bête à la maison. "Assez! Allons-y!" dit M. Pascaud un peu impatiemment.

Enfin devant le Bazar de l'Hôtel de Ville,* Colette remarque de jolis skis dans la vitrine. Elle demande à son père de l'accompagner[2] au sous-sol, où se trouve le rayon d'équipement de sports. Et Thomas?

THOMAS	Moi, j'ai besoin d'une nouvelle paire de chaussures.
COLETTE	Tu vas trouver ta pointure, monsieur les godasses?
THOMAS	Tu parles, mademoiselle Berthe au Grand Pied!*
M. PASCAUD	Chut! Ça suffit!
MME PASCAUD	Où est-ce qu'on se retrouve? Au sous-sol?
M. PASCAUD	Non, ici, devant l'ascenseur—dans une demi-heure?
MME PASCAUD	Bon, d'accord.

[1]The French use the number 36 as we use "a thousand," "a million," or "umpteen" to mean any large number.

[2]You know the construction *demander à* + person: *Il **demande** une bête **à** sa mère.* Before an infinitive, *de* is used: *Il **demande aux** enfants **de** prendre des esquimaux.* Try to remember this as: ***demander à** quelqu'un **de** faire quelque chose.*

Shopping

The Pascaud family is in Paris shopping. Around lunchtime they went to a little café near the Quai de la Mégisserie, where they had sandwiches. Afterward, when the children wanted to order dessert, M. Pascaud said to them: "Have some ice cream bars. You can eat them while we take a walk along the quay."

At the bird market, for the umpteenth time young Thomas asks for a hamster. For the umpteenth time his mother refuses to have a pet in the house. "Enough! Let's go!" says M. Pascaud somewhat impatiently.

Finally, in front of the Bazar de l'Hôtel de Ville, Colette notices some nice skis in the window. She asks her father to come with her to the basement, where the sporting goods are. And Thomas?

THOMAS — I need a new pair of shoes.
COLETTE — Will you be able to find your size, Mr. Clodhopper?
THOMAS — You should talk, Miss Big-Footed Bertha.
M. PASCAUD — Hush! That's enough!
MME PASCAUD — Where shall we meet? In the basement?
M. PASCAUD — No, here, in front of the elevator—in half an hour?
MME PASCAUD — Okay. Fine.

158 Guide junior de Paris

OISELLERIES

1er arrondissement.

OISELLERIE DU CHATELET
2 *ter*, quai de la Mégisserie.
TÉLÉPHONE : 488-01-70.
Poissons, oiseaux, lapins, poules, canards, tortues, écureuils, hamsters, souris, etc.

OISELLERIE DU PONT-NEUF
18, quai de la Mégisserie.
TÉLÉPHONE : 236-42-01.
Oiseaux, poissons, chiens, chats, fenecs, hamsters, souris, perroquets, tortues, etc.

AU PARADIS DES OISEAUX
20, quai de la Mégisserie.
TÉLÉPHONE : 236-44-17.
Oiseaux, poissons, serpents, perroquets, tortues, écureuils d'Australie, hamsters...

GRANDE OISELLERIE DU MERLE BLANC
22, quai du Louvre.
TÉLÉPHONE : 488-36-85.
Hamsters, souris, cobayes, perroquets, merles (qui parlent!), chiens, chats, poules naines, poussins...

AU POISSON EXOTIQUE
30, quai du Louvre.
TÉLÉPHONE : 488-75-58.
Grande variété de poissons exotiques.

« LA SAMARITAINE »
Rue de Rivoli. Magasin 3. 4e étage.
TÉLÉPHONE : 488-81-75.
Énorme rayon. Très grand choix de toutes espèces. Chats, chiens, singes, oiseaux, poissons, hamsters, volailles, poussins, perroquets, perruches, etc.

Notes culturelles

* ***le quai de la Mégisserie:*** Many of the streets bordering the Seine are called *quais* ("riverbank, landing"), and are popular spots for walking. Le quai de la Mégisserie is known for its *oiselleries,* which literally means "bird shops," but where all kinds of animals, often of exotic varieties, are displayed in the open air.

* ***le Bazar de l'Hôtel de Ville:*** This is one of Paris's largest department stores. *Un hôtel de ville* is a city hall; the store, known as *le B.H.V.,* takes its name from the Paris City Hall across the street.

* ***Berthe au Grand Pied:*** Berthe was the mother of Charlemagne, king of the Franks, who unified much of Western Europe and was crowned Holy Roman Emperor in 800 A.D. Charlemagne had a long, 43-year reign in which to consolidate his empire. Through royal inspectors and envoys, he kept close track of what was happening throughout his vast realm. He was very interested in education and founded several schools.

Questionnaire

1. Pourquoi les Pascaud sont-ils en ville? 2. Quand est-ce qu'ils sont allés au café? 3. Qu'est-ce que les enfants ont pris comme dessert? 4. Qu'est-ce qu'ils ont fait après le déjeuner? 5. Qu'est-ce que Thomas a demandé à ses parents? Sa mère lui a répondu "oui"? 6. Qu'est-ce que Colette a remarqué dans la vitrine du grand magasin? Qu'est-ce qu'elle a demandé à son père? Pourquoi? 7. De quoi Thomas a-t-il besoin? 8. Où les Pascaud vont-ils se retrouver? Quand?

PRONONCIATION

The [ɔ] sound is always followed by a pronounced consonant; the [o] sound often is not. For the [o] sound, round your lips much more than for the [ɔ] sound.

Exercices

A. Listen, then say these words containing the [o] sound.

chaud gros l'eau le vélo grosse gauche la faute la Côte

B. Now say these words containing the [ɔ] sound.

le bol le port la robe le sous-sol poli joli le roman

C. In the following pairs, the first word contains the [o] sound; the second word, the [ɔ] sound. Listen, then repeat.

[o]/[ɔ] beau/bonne nos/notre vos/votre allô/alors

D. Listen to the sentences, then say them aloud.

Au revoir, Nicole.
Claude a tort aussi.
Bruno va à Oslo.
Roger commande du rôti de porc.
Olivier offre un cadeau à Odile.
Il faut commander de la mousse au chocolat.

MOTS NOUVEAUX I

Je cherche **une paire** de gants.	*I'm looking for **a pair** of gloves.*
Mais **le prix**?	*But **the price**?*
Il faut regarder **l'étiquette** *(f.)*.	*I have to look at **the price tag**.*
Tu vas **remarquer** qu'ils sont	*You'll **notice** that they're*
en solde	***on sale***
bon marché	***at a bargain price***
à la mode	***stylish***
vieux jeu[1]	***old-fashioned***

[1]All of these adjectives are invariable, which means that they only have one form.

Où est { **le caissier?** / **la caissière?**	*Where's* ***the cashier?***
Voilà **la caisse.**	*There's the* { ***cashier's desk.*** / ***cash register.***
Il faut attendre **la monnaie.**	*We have to wait for* ***the change.***
Voici **le rayon** de chaussures. Tu connais **ta pointure?**	*Here's* ***the*** *shoe* ***department.*** *Do you know* ***your size?***
C'est **le rayon de vêtements** *(m.pl.)*. J'aime **la blouse** sur **le comptoir.** Quelle est **sa taille?**[1]	*This is* ***the clothing department.*** *I like* ***the blouse*** *on* ***the counter.*** *What's* ***the size?***

[1]*La pointure* is used for shoe and glove sizes; *la taille* for clothing sizes.

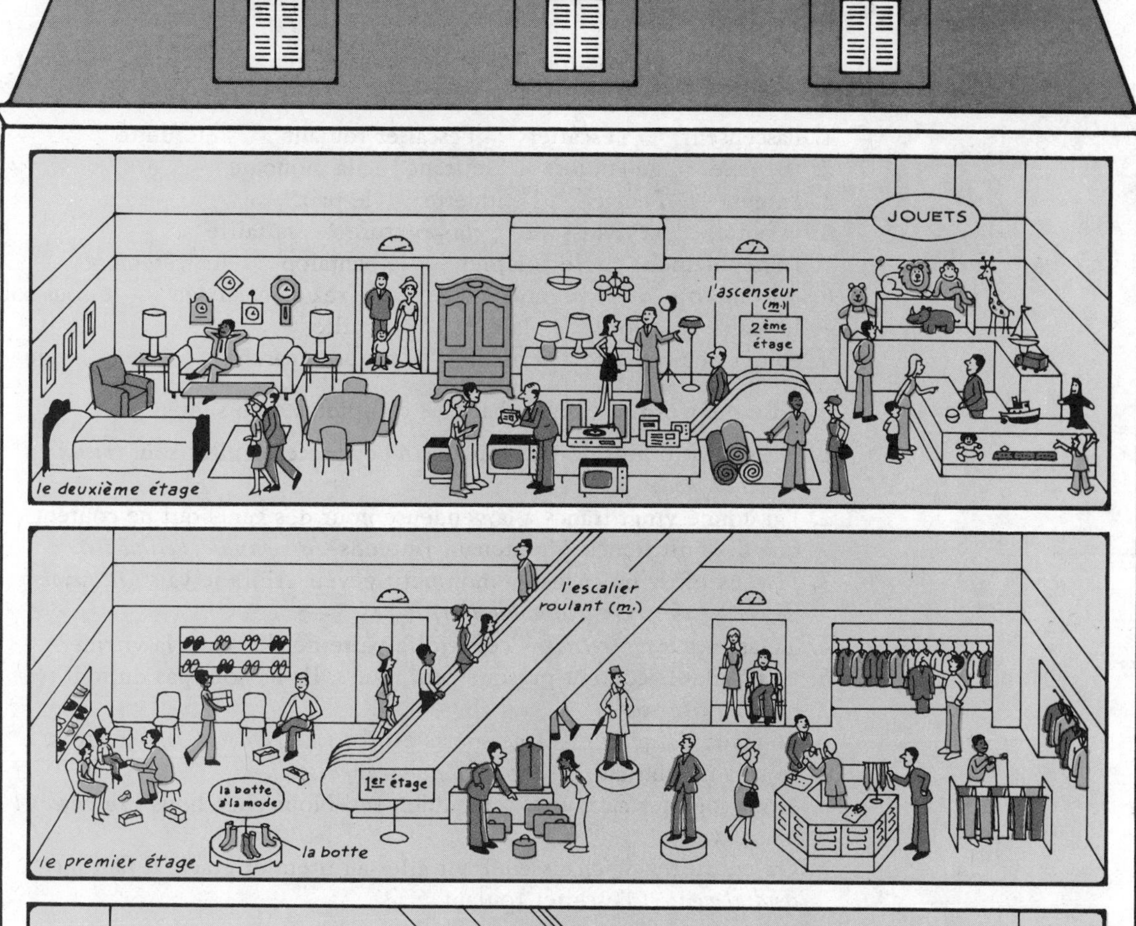

Où est-ce qu'on va se **retrouver?**	*Where are we going **to meet?***
Au **sous-sol.**	*In the **basement.***
rez-de-chaussée	*On the **first floor***
premier étage[1]	***second floor***
deuxième étage	***third floor***
Au rayon d'**équipement** *(m.)* de **sports.**	*In **sporting goods.***
Au rayon d'**ameublement** *(m.).*	*In the **furniture** department.*
de **jouets**	***toy***
Tu veux un **jouet,** toi?	*Do you want a **toy?***
Quand est-ce qu'on se **retrouve?**	*When **shall we meet?***
ils / elles } **se retrouvent**	***will they meet***
Dans une **demi-heure.**	*In **half an hour.***
un **quart d'heure**	***a quarter of an hour***

[1]*Un étage* is any floor above *le rez-de-chaussée,* which is the ground floor.

Exercices de vocabulaire

A. In each group, choose the word or expression that by meaning does not belong. Then use that word or expression in a sentence.

1. l'ascenseur l'escalier l'escalier roulant l'étiquette
2. la caisse le couloir le franc la monnaie
3. l'argent l'étage l'étiquette le prix
4. la botte la chaussure la pointure la taille
5. l'ameublement le complet le pantalon les vêtements
6. le comptoir le premier étage le rez-de-chaussée le sous-sol
7. le jean le jouet la robe la taille
8. coûter peu être à la mode être bon marché être en solde

B. Choose the word or phrase that best completes each sentence.

1. On ne porte plus de très longues jupes parce qu'elles sont *(vieux jeu / à la mode).*
2. J'ai donné vingt francs à la vendeuse pour des gants qui ne coûtent que dix-huit francs. Maintenant j'attends *(la monnaie / l'étiquette).*
3. Je veux offrir un cadeau à mon petit neveu. Alors je vais *(au rayon de jouets / au rayon d'ameublement).*
4. Tu as *(remarqué / retrouvé)* cette jolie paire de skis dans la vitrine?
5. Ces foulards coûtent presque cent francs. Ils ne sont pas du tout *(bon marché / à la mode).*
6. Le rayon d'équipement de sports est *(en solde / au sous-sol),* je crois.
7. Je suis très fatigué. Prenons *(l'ascenseur / l'escalier)!*
8. Nous sommes au rayon d'ameublement. Nous cherchons *(un bureau / une blouse).*
9. On est au rez-de-chaussée. Pour aller au premier étage, il faut *(descendre / monter)* l'escalier roulant.

MOTS NOUVEAUX II

On va **faire une promenade.**	*We're going **to take a walk.***
faire des courses *(f. pl.)*	***to run errands***
Il faut aller dans **36** magasins.	*I have to go to **umpteen** stores.*
J'ai **besoin de** viande.	*I **need** meat.*
Le boucher vend de la viande.	***The butcher** sells meat.*
Le boulanger vend du pain.	***The baker** sells bread.*
Et le **saucisson?** Et le **pâté?**	*And **sausage?** And **pâté?***
Le charcutier vend du saucisson.	***The deli owner** sells sausage.*
du pâté	*pâté*
J'aime **la charcuterie.**	*I like **cold cuts.***
Le pâtissier[1] vend des **pâtisseries.**	***The pastry chef** sells pastries.*
On vend des œufs dans **la crémerie.**	*They sell eggs in **the dairy store.***
du sucre dans **l'épicerie** *(f.)*	*sugar in **the grocery store***
On ne les trouve pas **partout.**	*You don't find them **everywhere.***
Tu as **une bête?**	*Do you have **a pet?***
Une **souris seulement.**	***Just** a mouse.*
Moi, j'ai seulement **un hamster.**	*I only have **a hamster.***
Ça suffit!	***That's enough!***
Il a mangé un fromage **entier.**	*He ate an **entire** cheese.*
une pomme **entière**	*a **whole** apple*
Il est très **lent** maintenant.	*He's very **slow** now.*
La souris est **lente** aussi.	*The mouse is **slow,** too.*
Tu es **sûr** que c'est **vrai?**	*Are you **certain** it's **true?***
faux	***false***
évident	***obvious***
Tu es **sûre** que l'histoire est **vraie?**	*Are you **sure** the story is **true?***
fausse	***untrue***
évidente	***obvious***

[1]There are feminine forms for these occupations *(la bouchère, la boulangère, la charcutière, la pâtissière).* They may refer either to the wife of the butcher, baker, etc., or to a woman who owns or manages the shop.

Exercice de vocabulaire

From the column on the right, choose the most logical response to each statement or question on the left.

1. Ça suffit! Allons-y!
2. C'est vrai que tu as une bête?
3. Il faut faire des courses?
4. Il travaille à la boucherie?
5. J'ai besoin de confiture, de thé et de sucre.
6. La charcuterie? Qu'est-ce que c'est?
7. Qui fait et vend du pain?
8. Tu es sûr qu'elle est marchande?
9. Tu veux faire une petite promenade?

a. Chouette! Sur le quai ou dans le parc?
b. Le boulanger, bien sûr.
c. Non, ce n'est pas un boucher; c'est un charcutier.
d. Le pâté, le saucisson, etc.
e. Oui, elle vend des bêtes.
f. Oui, il n'y a rien dans le réfrigérateur.
g. Un petit oiseau seulement.
h. Tu es trop impatiente, maman.
i. Va à l'épicerie!

Etude de mots

Mots associés: Answer each question with a word derived from the word in italics.

1. Qui travaille à *la caisse?*
2. Où est-ce que *la boulangère* vend son pain?
3. Sur quoi est-ce que le vendeur peut *compter* les chemises?
4. Où est-ce que je peux trouver de *la crème* pour le café?
5. Où travaille *le boucher?*
6. Que fait *la pâtissière?*
7. Que vend *le charcutier?*
8. Qui vend des légumes au *marché?*
9. Avec quoi *jouent* les petits enfants?

Synonymes: Redo the sentences using an appropriate synonym for the word or words in italics.

1. Tu as *deux* chaussettes?
2. Mange *toute* l'omelette, s'il te plaît!
3. Tu as remarqué ces gens qui portent ces beaux *habits?*
4. Ce rayon se trouve *au-dessous du rez-de-chaussée.*
5. Je vais chercher *du jambon et du saucisson* pour ce soir.
6. Les chiens sont *des animaux.*
7. Je vais retrouver mes amis dans *trente minutes.*
8. *Assez!* Je n'aime pas cette histoire.

Antonymes: Change the meaning of each sentence by replacing the italicized word or words with an antonym.

1. Je fais des achats dans *la petite boutique.*
2. Ces bottes sont *chères.*
3. La réponse est *vraie.*
4. Ces jupes sont *à la mode.*
5. Le train est *rapide.*
6. La vendeuse est *devant* le comptoir.

Mot à plusieurs sens:

Qu'est-ce qu'il enseigne?

Qu'est-ce que c'est?

EXPLICATIONS I

Le verbe faire

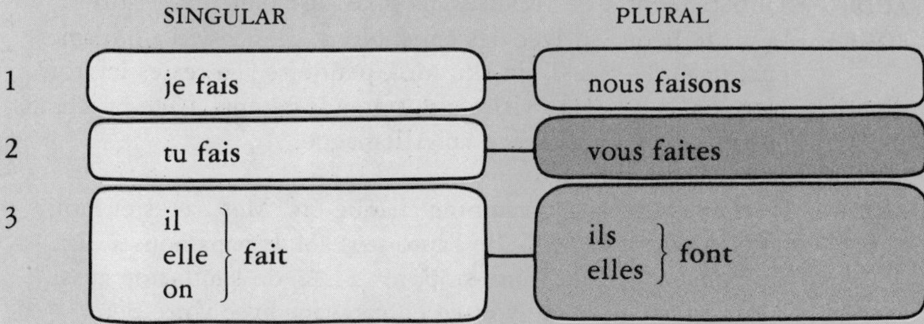

	SINGULAR	PLURAL
1	je fais	nous faisons
2	tu fais	vous faites
3	il / elle / on } fait	ils / elles } font

IMPERATIVE: fais! faisons! faites!
PAST PARTICIPLE: fait

Although *faire* generally means "to do" or "to make," it is also used in many expressions. Do you remember what the following mean?

Le temps: Il fait beau, il fait mauvais; il fait chaud, il fait froid, il fait frais; il fait du soleil, il fait du vent
Les sports: Je fais du ski nautique; tu fais de l'alpinisme; il fait du camping
L'école: Elle fait de l'histoire; il fait des maths; on fait de la biologie
Les voyages: Ils font un voyage; elles font de l'auto-stop; vous faites vos valises; nous faisons nos bagages
Les maths: Sept et huit font quinze; trente moins dix font vingt

Exercices

A. Complete the passage using the appropriate forms of the verb *faire.*

Roger et Aude, qui sont d'anciens camarades de classe, ______ une promenade dans le parc. Cette année Roger ______ un stage dans un grand zoo. Il aime bien son travail; les animaux ne lui ______ pas du tout peur. Cet hiver il prend des leçons de ski avec quelques autres employés du zoo. Le ski lui ______ peur, c'est vrai, mais il ______ des progrès quand même.

AUDE Tu pars bientôt en vacances, n'est-ce pas? Que ______-tu?

ROGER Je visite la Suisse avec des amis. Nous ______ de l'alpinisme. Eux, ils ______ aussi du ski. Moi, peut-être. Tu restes ici, toi?

AUDE Non, on ______ une visite à nos grands-parents. L'été prochain, on va ______ du camping en Allemagne.

ROGER Toute la famille?

AUDE Oui, nous ______ du camping chaque été. Mes frères et moi, nous voudrions ______ de l'auto-stop. Mais papa nous a dit: "Si vous ______ de l'auto-stop, je ______ de l'auto-stop aussi."

ROGER Alors, vous ______ le voyage en caravane avec votre père.

AUDE Oui. Quelles vacances! Tous les jeunes gens ______ la cuisine pendant que papa ______ la grasse matinée!

B. Answer the questions according to the pictures.

1. Nous faisons du français. Et elle?
   Elle fait de l'espagnol.
2. Hier il a fait beau. Et aujourd'hui? 
3. Elles font des courses. Et nous? 
4. Tu fais du ski nautique. Et elle? 
5. En été il fait chaud. Et au printemps? 
6. Je fais le ménage. Et vous? 
7. Nous faisons de la chimie. Et lui? 
8. En automne il fait frais. Et en hiver? 
9. Je fais de l'algèbre. Et toi?

Les verbes comme prendre

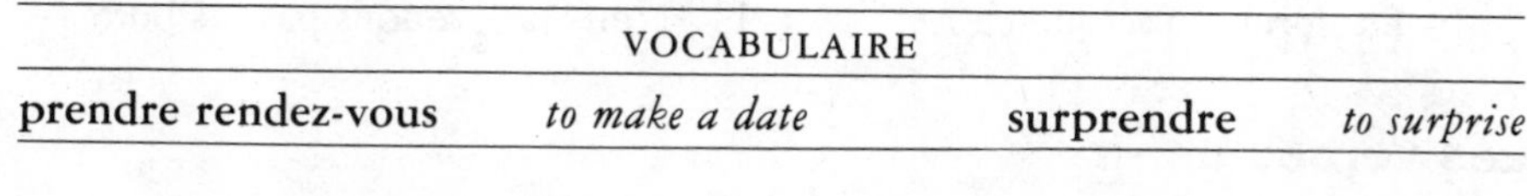

VOCABULAIRE			
prendre rendez-vous	*to make a date*	**surprendre**	*to surprise*

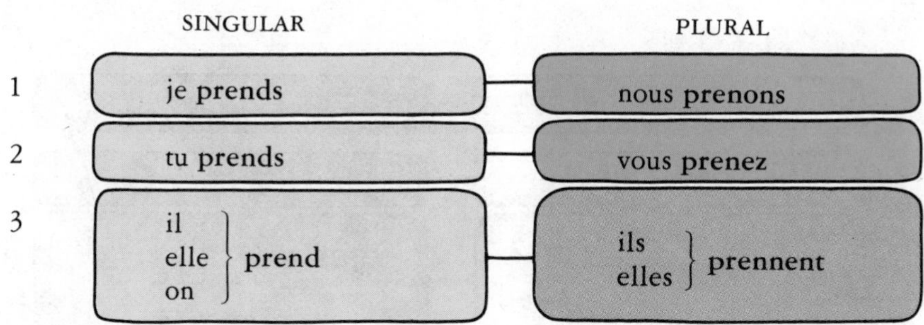

	SINGULAR	PLURAL
1	je prends	nous prenons
2	tu prends	vous prenez
3	il / elle / on } prend	ils / elles } prennent

IMPERATIVE: **prends! prenons! prenez!**
PAST PARTICIPLE: **pris**

1. All verbs ending in *-prendre* follow this pattern. Do you remember what the following mean? *Il apprend la chanson par cœur; J'apprends à danser; Nous comprenons cette phrase; Tu as pris quelque chose?*

2. Their past participles end in *-is: surprendre* → *surpris,* etc.

Exercices

A. Replace the italicized verb with the appropriate present-tense form of the verb in parentheses. Follow the model.

1. Ce bonhomme *va manquer* le train. (prendre)
   Ce bonhomme prend le train.
2. Vous *étudiez* le portugais. (comprendre)
3. Ma sœur *enseigne* deux langues étrangères. (apprendre)
4. Je *laisse* mes amis à la caisse. (surprendre)
5. Tu *écoutes* ce disque américain? (comprendre)
6. Ils *apportent* leurs skis nautiques. (prendre)
7. Nous *commençons* à lire des poèmes. (apprendre)
8. Vous *voulez* quelque chose? (prendre)
9. Ils *font une promenade* avec leurs amis. (prendre rendez-vous)
10. Nous *remarquons* le petit garçon dans la cuisine. (surprendre)

B. Form questions using inversion and the passé composé. Follow the model.

1. Tu comprends la leçon.
   As-tu compris la leçon?
2. On prend l'ascenseur.
3. Il ne surprend pas maman.
4. Vous comprenez la marchande.
5. Il prend rendez-vous avec eux.

6. Ils comprennent le grec.
7. Nous surprenons nos amis.
8. Elle prend quelque chose.
9. Elles surprennent les enfants.
10. Tu apprends les mots par cœur.
11. Nous ne prenons pas les bottes.

Les verbes en -ir

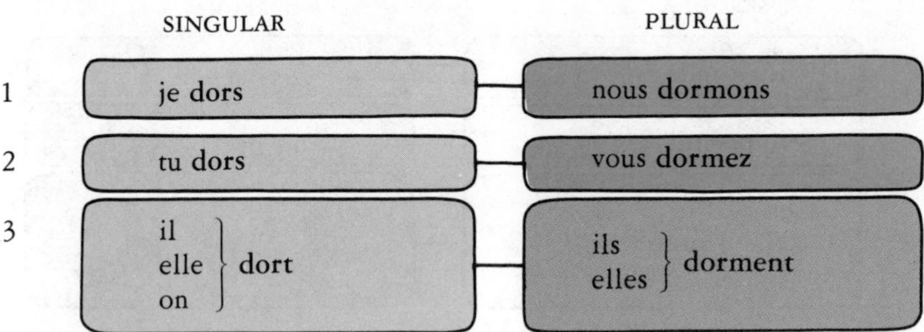

SINGULAR
PLURAL
1
je dors
nous dormons
2
tu dors
vous dormez
3
il
elle
on
dort
ils
elles
dorment

IMPERATIVE: **dors! dormons! dormez!**
PAST PARTICIPLE: **dormi**

1. Do you remember what the following mean? *Je pars en vacances ce soir; Elle sort de l'épicerie; Nous servons de la charcuterie.*

2. The past participle is formed by replacing the *-ir* of the infinitive with *-i.*

Exercices

A. Replace the italicized words with the appropriate present-tense form of the verb in parentheses. Follow the model.

1. Je *rentre à* la maison vers 9 h. 15. (sortir de)
   Je sors de la maison vers 9 h. 15.
2. Que fait ton frère? Il *étudie.* (dormir)
3. Tu *vas à* la boulangerie? (partir de)
4. On *prend* le dîner à 7 h. 30 ce soir. (servir)
5. Elles *font une promenade* pendant qu'il fait ses devoirs. (dormir)
6. Nous *quittons* le cinéma après les dessins animés. (sortir de)
7. Ils *préparent* des hors-d'œuvre. (servir)
8. Restez ici! L'avion *arrive* dans un quart d'heure. (partir)
9. Je *prends rendez-vous* avec Claude. (sortir)

B. Answer the questions using the appropriate subject pronoun. Follow the model.

1. Nous avons servi le petit déjeuner à 8 h. Et eux?
   Ils ont servi le petit déjeuner à 8 h. aussi.
2. Elle part cet après-midi. Et nous?
3. Tu as bien dormi hier soir. Et lui?
4. Il sort de l'ascenseur au rez-de-chaussée. Et elles?
5. Je pars pour la campagne vendredi. Et vous?
6. Vous servez les boissons après le repas. Et elle?

7. Ils dorment pendant qu'il va à la boucherie. Et toi?
8. Elles sortent dans une demi-heure. Et moi?

Vérifiez vos progrès

Rewrite the sentences using the present-tense form of the verb in parentheses.

1. Mes cousins *(faire)* de l'histoire, mais Danielle *(faire)* des sciences sociales. Elle *(apprendre)* deux langues aussi.
2. Vous *(prendre)* du dessert? Oui, moi, je *(prendre)* des fruits et les enfants *(prendre)* des pâtisseries.
3. Il *(faire)* beau. Tu *(faire)* du ski? Non, je ne *(sortir)* pas aujourd'hui. Je *(faire)* mes devoirs.
4. Souvent les marchands ne *(comprendre)* pas l'anglais, mais nous *(comprendre)* très bien le français.
5. Nicolas *(prendre)* quelque chose? Oui, on lui *(servir)* une boisson.
6. Vous *(partir)* maintenant? Moi, je ne *(partir)* pas, mais mes copains *(partir)* dans une demi-heure.
7. *(Faire)* la vaisselle, toi et moi, pendant qu'elles *(servir)* le dessert.

CONVERSATION ET LECTURE

Parlons de vous

1. Est-ce qu'il y a un grand magasin près de chez vous? Combien d'étages est-ce qu'il y a? Qu'est-ce qu'on y vend? 2. Est-ce que vous aimez mieux les grands magasins ou les boutiques? Pourquoi? 3. Est-ce que vous allez faire des achats ce week-end? De quoi est-ce que vous avez besoin? Vous allez faire des courses? Où donc? 4. Il y a un marché, une boulangerie, une charcuterie près de chez vous? Vous y allez quelquefois? Qu'est-ce qu'on y vend? Vous connaissez les marchands qui travaillent là? 5. Est-ce que vous avez des bêtes? Parlez un peu de vos bêtes.

Au marché en plein air°

Tous les matins le marché de la rue Daguerre* est un vrai panorama de couleurs, de bruits et d'odeurs.° On peut y trouver une grande variété de poissons et de fruits de mer.° On y trouve des marchands de légumes et de fruits, des bouchers, des charcutiers. On peut se promener° dans la rue, parce que les voitures sont interdites.° Partout on entend les cris des marchands des quatre saisons:* "Venez voir, mesdames, mes belles pommes!" "Regardez, mesdames, mes beaux choux,° et pas chers."

en plein air: *open-air*
l'odeur *(f.)*: *smell*
les fruits de mer: *shellfish*
se promener: *to walk*
interdit, -e: *banned*
le chou: *cabbage*

Claudine Chenier, une étudiante américaine qui vient de Louisville, est au marché avec une amie parisienne, Dorothée Froissart. Maintenant elles se trouvent devant les fruits de mer.

CLAUDINE: Tu as remarqué ces drôles° de petits porcs-épics?° Qu'est-ce que c'est?

DOROTHÉE: Ce sont des oursins.°

CLAUDINE: On les mange?

DOROTHÉE: Mais oui. Pas la coquille,° bien sûr.

CLAUDINE: Evidemment!° Et ça, ce sont de petites langoustes?°

DOROTHÉE: On les appelle° des "crevettes° grises."

LE MARCHAND: Vous voulez des crevettes, mesdemoiselles? Elles sont vraiment fraîches.°

DOROTHÉE: Tu veux en prendre 250 grammes?

CLAUDINE: Pourquoi pas?

LE MARCHAND: Et voilà, ça fait cinq francs.

CLAUDINE: C'est bon marché, ça?

DOROTHÉE: Ce n'est pas cher. Ah, Claudine, j'ai oublié de[1] te dire: On les mange crues,° les crevettes grises.

CLAUDINE: Ça suffit, Dorothée! Oublions les crevettes! Passons à la charcuterie!

DOROTHÉE: Ah, tu n'aimes que les hot dogs!

CLAUDINE: Tu sais que c'est faux, ça!

DOROTHÉE: Eh bien, allons chercher de la charcuterie. Du boudin,* par exemple.

- drôle de: *funny*
- le porc-épic: *porcupine*
- l'oursin *(m.): sea urchin*
- la coquille: *shell*
- évidemment: *obviously*
- la langouste: *prawn*
- appeler: *to call*
- la crevette: *shrimp*
- frais, fraîche: *fresh*
- cru, -e: *raw*

Notes culturelles

**la rue Daguerre:* One of the oldest open-air markets in Paris is located on this street, which is just off la place Denfert-Rochereau. The street is named for Louis Jacques Daguerre (1789–1851), creator of the first diorama (1822) and inventor of one of the earliest film processes, the daguerreotype (1839). Just as in the U.S., open-air markets are becoming less common as malls and supermarkets become more popular. The market on la rue Daguerre dates back to the mid-1700's, when the street marked the southern boundary of Paris and merchants avoided city taxes by selling their wares outside the city limits.

**les marchands des quatre saisons:* These are merchants who sell their wares, especially produce, all year round.

**le boudin:* This is a very popular French sausage made of highly seasoned pork scraps and blood.

---

[1] *Oublier* is another verb that requires *de* before an infinitive.

A propos . . .

1. Décrivez la rue Daguerre. Qu'est-ce qu'on voit et entend là? 2. D'où vient Claudine? Qu'est-ce qu'elle fait ce matin? 3. D'abord, combien de crevettes est-ce que les deux jeunes filles vont prendre? Ça coûte combien? Est-ce qu'elles les prennent? Pourquoi? 4. Où est-ce qu'elles vont ensuite? 5. Et vous, est-ce que vous aimez les fruits de mer? le poisson? 6. C'est vrai que les Américains aiment surtout les hamburgers et les hot dogs? Est-ce que vous prenez souvent des repas dans un snack-bar comme McDonald's ou Burger King? 7. Est-ce que vous avez jamais ("ever") dîné dans un restaurant français? Qu'est-ce que vous avez commandé là?

EXPLICATIONS II

Le partitif

1. Nouns that refer to things that cannot be counted are rarely used in the plural. In these cases, the equivalent of "some" or "any" is *du, de la,* or *de l'.* This is called the partitive:

Tu veux **du** sucre?	*Do you want (some/any) sugar?*
Tu veux **de la** crème?	*Do you want (some/any) cream?*
Tu veux **de l'**eau?	*Do you want (some/any) water?*

2. You know that after a negative, the indefinite determiners *(un, une, des)* often become *de (d'),* meaning "any" *(Elle a des bottes; Elle n'a pas de bottes).* The same is true of the partitive forms:

Elle commande **de la** salade.	Elle **ne** commande **pas de** salade.
Je veux **du** pain.	Je **ne** veux **pas de** pain.
Nous voudrions **des** fruits.	Nous **ne** voudrions **pas de** fruits.
but: C'est **une** salade.	Ce **n'est pas une** salade.
C'est **du** pain.	Ce **n'est pas du** pain.
Ce sont **des** fruits.	Ce **ne** sont **pas des** fruits.

In negative sentences where *être* is the verb, the indefinite determiners and the partitive do not become *de.*

3. After expressions of quantity, *de (d')* is usually used. What do the following expressions mean?

Nous mangeons **beaucoup de** pain.	Elle a **assez de** papier.
Tu fais **trop de** fautes.	Il a **tant de** cousins.
Il y a **peu de** livres ici.	Vous voulez **un peu de** salade?

You have learned that *ne . . . plus* means "no longer" or "not any more": *Je n'étudie plus. Ne . . . plus* can also refer to quantity:

Je n'ai **plus de** thé.	*I have **no more** tea.*
Il n'y a **plus d'**œufs.	*There **aren't any more** eggs.*

Exercices

A. Answer using the appropriate partitive form. Follow the model.

1. Le gigot est bon.
   Oui, prenons du gigot.
2. La bière est excellente.
3. Les escargots sont bons.
4. Le jambon est bon marché.
5. L'eau minérale coûte peu.
6. Les huîtres sont en solde.
7. La soupe à l'oignon est chaude.
8. Les haricots verts sont bon marché.
9. Le riz ne coûte pas cher.
10. La tarte n'est pas chère.
11. Les pommes de terre sont bonnes.

B. Answer the questions in the negative. Follow the model.

1. Il y a des anoraks dans la vitrine?
   Non, il n'y a pas d'anoraks dans la vitrine.
2. Tu as trouvé un vendeur au rayon d'ameublement?
3. C'est un complet pour l'été?
4. Est-ce que les vêtements ont des étiquettes?
5. Est-ce qu'on vend des jouets au rayon d'équipement de sports?
6. Ce sont des caissières aimables?
7. Il y a un escalier roulant près de l'entrée?
8. C'est une taille assez grande, n'est-ce pas?
9. Il a trouvé de l'argent dans la caisse?

C. Answer the questions using the expressions of quantity in parentheses. Follow the model.

1. Elle a demandé des œufs? (trop)
   Oui, elle a demandé trop d'œufs.
2. On a pris du jambon? (un peu)
3. Est-ce que tu prends du saucisson? (beaucoup)
4. Est-ce qu'il y a des fruits au marché? (assez)
5. Ils prennent de l'eau minérale avec leur repas? (un peu)
6. Elle a mangé des escargots? (trop)
7. Il y a des vendeurs à ce comptoir? (peu)
8. Vous avez eu du pâté? (tant)

D. Identify the shops and tell what is sold in each. Follow the model.

1. *C'est la pâtisserie. On y vend des tartes aux pommes (des pâtisseries).*

Les adverbes

VOCABULAIRE

affreusement	*terribly*	entièrement	*entirely*
agréablement	*pleasantly*	facilement	*easily*
aimablement	*nicely, kindly*	généreusement	*generously*
bêtement	*foolishly*	rapidement	*rapidly*
complètement	*completely*	sérieusement	*seriously*
correctement	*correctly*	tristement	*sadly*
impoliment	*impolitely*	poliment	*politely*
évidemment	*obviously*	intelligemment	*intelligently*
impatiemment	*impatiently*	patiemment	*patiently*

1. Adverbs can be formed in English by adding the suffix *-ly* to an adjective: glad → gladly. In French, most adverbs are formed by adding *-ment* to the feminine singular form of the adjective: *sûr, -e → sûrement; entier, -ière → entièrement; heureux, -euse → heureusement.* Remember that some adjectives have identical masculine and feminine forms: *bête → bêtement.*

2. If the masculine form of the adjective ends in a vowel, *-ment* is added to the masculine form: *poli → poliment; vrai → vraiment.*

3. When the masculine form of an adjective ends in *-ent,* the *-nt* is replaced by the ending *-mment: évident → évidemment.* An exception is *lent,* which adds *-ment* to the feminine form: *lent, -e → lentement.*

Exercices

A. Complete the second sentence with an adverb derived from the adjective in the first sentence. Follow the model.

1. C'est une boulangère sérieuse. Elle travaille ______.
   Elle travaille sérieusement.
2. Quelle journée agréable! Le trajet surtout nous a ______ surpris.
3. Elles ont l'air si triste. Elles regardent les jeunes gens ______.

4. Ce sont des marchands impolis. Pourquoi est-ce qu'ils parlent _____.
5. Ces lycéens sont intelligents. Ils répondent _____ aux questions.
6. Il est évident que ces complets sont en solde. Tu as _____ remarqué les étiquettes!
7. Tu es très patient. Tu fais _____ la queue chaque matin.
8. Bruno et Roger restent seuls dans la salle de permanence. Il y a _____ deux élèves qui étudient là.
9. Tes réponses sont correctes. Tu as fait tes devoirs _____.
10. Il est sûr que ces bottes sont à la mode. Elles sont _____ trop chères.

B. Answer the questions using the adverbial form of the adjective in parentheses. Follow the model.

1. Comment chantons-nous? (agréable) *Vous chantez agréablement.*
2. Comment le font-elles? (facile)
3. Comment enseigne-t-il? (patient)
4. Comment répond-il? (complet)
5. Comment parle-t-on? (bête)
6. Comment danse-t-il? (affreux)
7. Comment nages-tu? (rapide)
8. Comment répond-il? (poli)
9. Comment penses-tu? (sérieux)

Les nombres ordinaux et les dates

1. You know the cardinal numbers (1, 2, 3, . . .) in French. In general, the ordinal numbers (first, second, third, . . .) are formed by adding *-ième* to the cardinal numbers. If the cardinal number ends in the letter *e,* the *e* is dropped in the ordinal form:

deuxième (2e)	*second*		**quatorzième** (14e)	*fourteenth*
septième (7e)	*seventh*		**vingt et unième** (21e)	*twenty-first*

There are five exceptions:

un	**premier** (1er) / **première** (1re)	neuf	**neuvième** (9e)
		quatre-vingts	**quatre-vingtième** (80e)
cinq	**cinquième** (5e)	deux cents	**deux centième** (200e)

2. Do you remember what the following mean? *Quatorze cent quatre-vingt-douze; dix-sept cent soixante-seize.* They are famous dates. Another way of saying dates after the year 1000 is to use the word *mille,* which is spelled *mil* when it is written out in dates: *mil quatre cent quatre-vingt-douze; mil sept cent soixante-seize.*

Exercices

A. Answer the questions using the numbers in parentheses. Follow the model.

1. Quelle leçon étudies-tu? (1re) *J'étudie la première leçon.*
2. Quelle phrase regardes-tu? (4e)
3. C'est quelle page? (60e)
4. A quel arrêt descend-il? (6e)
5. Quel mot regardes-tu? (1er)
6. Quelle place prend-il? (19e)
7. Quel étage veut-on? (41e)
8. Quelle paire prend-il? (3e)
9. A quel étage va-t-il? (35e)

B. Read the following sentences aloud.

1. On a commencé à construire ("to build") l'église Saint-Germain-des-Prés vers l'an 1000.

2. On a commencé à construire la Tour Eiffel en 1887. On a fini la construction en 1889.

3. On a commencé à construire la cathédrale de Notre-Dame de Paris en 1163. On a fini la construction vers 1245.

4. On a commencé à construire le Panthéon en 1764. On a fini la construction en 1780.

5. On a commencé à construire l'Arc de Triomphe en 1806. On a fini la construction en 1836.

6. On a construit le Palais de Chaillot pour l'exposition de 1937.

7. On a commencé à construire le Pont Neuf en 1578. On a fini la construction en 1606.

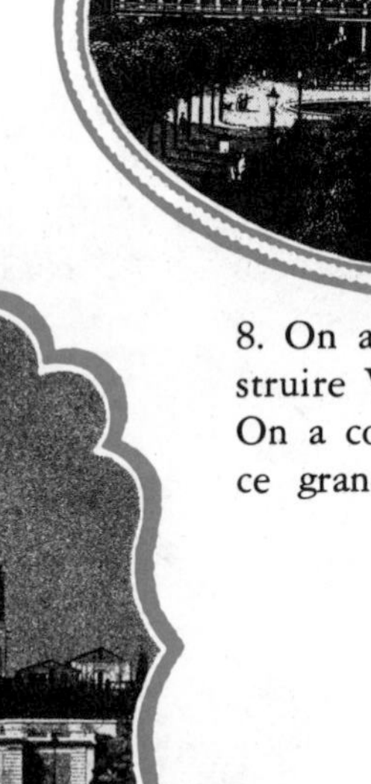

8. On a commencé à construire Versailles en 1661. On a commencé à habiter ce grand palais en 1682.

9. On a commencé à construire la basilique du Sacré-Cœur en 1875. On a fini la construction en 1914.

10. On a commencé à construire le Dôme des Invalides en 1675. On a fini la construction en 1706.

Vérifiez vos progrès

A. Rewrite the sentences in the affirmative. Follow the model.

1. On n'y trouve plus de gigot. *On y trouve du gigot.*
2. Vous ne prenez pas de saucisson?
3. Il n'a pas remarqué de bottes.
4. On ne sert pas de coq au vin.
5. Ce n'est pas une crémerie.
6. Ils n'ont plus de tarte.
7. Je ne prends pas de riz.
8. Tu ne sers pas d'huîtres.
9. Il n'y a plus d'eau.

B. Complete the sentences using the adverbs formed from the adjectives in parentheses.

1. Il prononce *(facile)* l'italien, mais il ne fait pas ses devoirs *(correct)*. Je travaille *(lent)*, mais je les finis *(complet)*.
2. La viande de cette boucherie est *(vrai)* bonne. Il faut y faire la queue *(patient)*. *(Malheureux)*, si j'attends là, je ne peux pas faire mes courses assez *(rapide)*.
3. Quand ils offrent *(généreux)* de l'argent, il faut *(évident)* les remercier.

RÉVISION ET THÈME

Consult the model sentences, then put the English cues into French and use them to form new sentences.

1. Demain, c'est le *soixante et onzième anniversaire de ta grand-mère.*
   (your (pl.) *sister's twenty-first birthday)*
   (their nephew's first birthday)

2. Tu vas *apprendre ces mots.* Et ensuite tu peux *faire du ski.*
   (to have something to eat) *(run errands)*
   (to understand these mistakes) *(make progress)*

3. *A la crémerie il n'y a plus d'œufs,* mais il y a *de la crème et du lait.*
   (At the butcher shop there's no pork roast) *(leg of lamb and steak)*
   (At the grocery store there's no more rice) *(tea and mineral water)*

4. *Cet imperméable est à la mode,* mais *la taille est sûrement trop petite.*
   (These boots are a bargain) *(the size is unfortunately too large)*
   (This overcoat is old-fashioned) *(the color is really quite pretty)*

5. Elle parle *aimablement à la caissière:* "Vous avez *de la monnaie?*"
   (only to the deli owner) *(sausage)*
   (impatiently to the baker's wife) *(bread)*

6. *Impatiente, je prends la valise et la clef et je pars de la maison.*
   (Tired, they (f.) *take the clothes and the toys and go out of the elevator.)*
   (Worried, she takes the price tags and boxes and leaves the department.)

Now that you have done the *Révision,* you are ready to write a composition. Put the English captions describing each cartoon panel into French to form a paragraph.

1
M. et Mme André Lebois sont heureux de vous faire part de la naissance de leur fille Anne, le trente et un octobre, 1964.
3, rue des Ecoles
Paris, XVIIIe
Tomorrow is Anne's fifteenth birthday.
2
SOLDES
SOLDES
We're going to surprise our friend. But first we have to go shopping.
3
Tous les Foulards en Solde
At the boutique there aren't any more scarves, but there are gloves and handkerchiefs.
4
These gloves are on sale, but the size is obviously too large.
5
We ask the saleswoman sadly: "Do you have any wallets?"
6
Happy, we take the package and change and we go out of the boutique.

AUTO-TEST

A. Write the paragraph using the appropriate form of each verb in parentheses.

Guy et ses deux frères *(faire)* leurs devoirs chez eux. Guy, qui *(faire)* de l'anglais, *(apprendre)* rapidement. Ses frères sont nuls en langues et ils *(apprendre)* lentement.

GUY Qu'est-ce que tu *(ne pas comprendre)?*

MARC Comment dit-on "nous *(faire)* de l'auto-stop" en anglais?

GUY Tu ne sais pas parce que tu *(dormir)* en classe. Tu *(ne jamais apprendre)* les mots par cœur. Tu *(sortir)* trop avec tes amis.

MARC Mais non. Je *(prendre)* rendez-vous avec eux seulement quand il *(faire)* beau. Quand il *(faire)* mauvais, nous ne *(sortir)* pas!

GUY Malheureusement il a *(faire)* trop beau cet automne. Tu n'as rien *(apprendre).*

B. Answer each question in the negative and then complete your answer in the affirmative using the partitive form of the cue in parentheses. Follow the model.

1. Est-ce que le boucher a du pâté? (la viande)
   Non, il n'a pas de pâté, mais il a de la viande.
2. Tu as trouvé un caissier au rayon d'ameublement? (les vendeurs)
3. Est-ce qu'ils ont servi du jambon? (le saucisson)
4. Est-ce qu'on vend des pâtisseries à la boulangerie? (le pain)
5. Est-ce qu'il y a un ascenseur? (les escaliers roulants)
6. Il y a des jouets dans la vitrine? (l'équipement de sports)
7. Vous prenez des hors-d'œuvre? (la soupe à l'oignon)
8. Tu as un oiseau? (les hamsters)

C. Write the sentences using the adverb derived from the adjective in the first sentence.

1. Cet élève est si bête! C'est la 36e fois qu'il répond ______.
2. La bouchère est polie. Elle demande à ses employés de parler ______.
3. Ce sont des ascenseurs lents. Ils montent ______.
4. Sois patiente, s'il te plaît! Il faut attendre la monnaie ______.
5. Voilà le poème entier. Il faut l'apprendre ______ par cœur.
6. Il est évident qu'il a des paquets. Il a fait des achats, ______.
7. Tu es sûr que le rayon de jouets est au premier étage? ______!
8. Les études sont faciles. On réussit ______ aux examens.

LES BELLES FAMILLES

Louis I
Louis II
Louis III
Louis IV
Louis V
Louis VI
Louis VII
Louis VIII
Louis IX
Louis X (dit° le Hutin°)
Louis XI
Louis XII
Louis XIII
Louis XIV
Louis XV
Louis XVI
Louis XVIII[1]
et plus personne plus rien . . .
Qu'est-ce que c'est que ces gens-là
qui ne sont pas foutus°
de compter jusqu'à vingt?

Jacques Prévert, *Paroles*
© Editions Gallimard

dit: *called*
le Hutin: *the Headstrong*
foutu: *(slang) capable*

Proverbe

Les cordonniers sont les plus mal chaussés.

[1]Louis XVII was never king. Though he outlived his father, Louis XVI, who was guillotined during the Revolution, he never ruled France. The royal family and those who supported them, however, considered him to be king. Thus, when Louis XVIII became king after the fall of Napoléon, a number was skipped. No one is sure what happened to Louis XVII, who was only seven years old when his father died. It is assumed he died, or was murdered, in prison.

Quatrième Leçon

Un coup de téléphone

Les Delaunay ont un appartement en banlieue. Ils habitent Evry, au sud de Paris. Albert va dans un lycée mixte* dans une ville voisine. Un jour, il décide de téléphoner à un ancien camarade de classe, Serge Guyon, qui habite toujours Paris et qui fait maintenant ses études au célèbre lycée Henri IV.* Albert a un mauvais[1] numéro plusieurs fois, et ensuite la ligne est occupée pendant[2] une demi-heure. Mais enfin . . .

ALBERT Allô? 325-92-08?[3]

SERGE C'est toi, Albert? Bonjour, mon vieux. Ça va?

ALBERT Pas mal. Mais qui bavarde constamment chez toi?

SERGE C'est mon charmant petit frère. Il passe toutes les soirées à l'appareil avec des amis. Alors, ça va au lycée? Tu aimes être en classe avec des filles? Tu n'es pas un peu mal à l'aise?

ALBERT Au contraire. Ça ne me gêne pas du tout. C'est vraiment agréable.

SERGE Sans blague!

ALBERT Ne sois pas vieux jeu! Mais écoute! On ouvre le Salon de l'Auto* demain. On y va ensemble?

SERGE Eh bien, oui. Je t'attends à la maison demain matin. C'est passionnant, ça.

---

[1]*Mauvais,* "bad," can also mean "wrong": *la mauvaise réponse, la mauvaise route.*

[2]You know that *pendant* means "during." When used with a specific period of time, it can also mean "for": *J'ai joué pendant un quart d'heure.*

[3]Remember that phone numbers are read as double digits. Where the number begins with three digits, the first three are read as hundreds: *Trois cent vingt-cinq quatre-vingt-douze zéro huit.* In the provinces, phone numbers may have only six digits; in rural areas, even fewer.

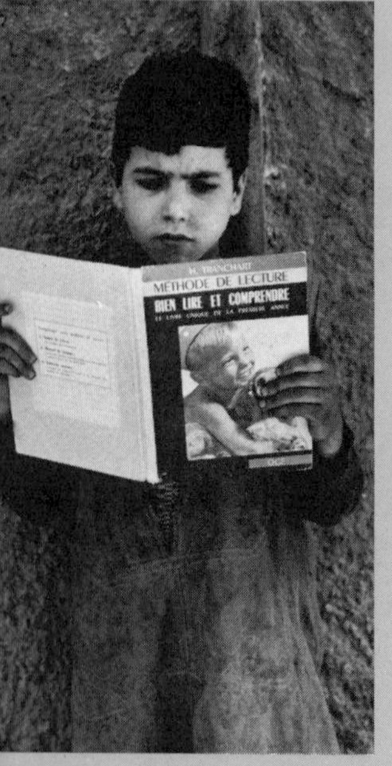

A telephone call

The Delaunays have an apartment in the suburbs. They live in Evry, south of Paris. Albert goes to a coed high school in a neighboring town. One day, he decides to telephone a former classmate, Serge Guyon, who still lives in Paris and who is now a student at the famous lycée Henri IV. Albert gets the wrong number several times, and then the line is busy for half an hour. But finally . . .

ALBERT Hello? 325-92-08?
SERGE Is that you, Albert? Hi, old buddy. How's it going?
ALBERT Not bad. But who's always yakking at your house?
SERGE It's my charming little brother. He spends every evening on the phone with friends. So, how's it going at school? Do you like being in class with girls? Aren't you a little uneasy?
ALBERT On the contrary. It doesn't bother me at all. It's really neat.
SERGE No kidding!
ALBERT Oh, don't be old-fashioned! But listen! The Auto Show starts tomorrow. Do you want to go together?
SERGE Well, yeah! I'll wait for you at my house tomorrow morning. That's terrific!

Notes culturelles

******un lycée mixte:*** Coed *lycées* are rather new to France, where many schools are still either all-male *écoles (lycées) de garçons* or all-female *écoles (lycées) de jeunes filles.*

******le lycée Henri IV:*** This is one of the oldest and finest *lycées de garçons* in Paris. Located in the Latin Quarter, it is named after Henri IV, king of France from 1589 to 1610. A Protestant from the southwest province of Navarre, he converted to Catholicism to become king. His reign brought an end to a long period of religious and civil wars. In 1598, Henri IV signed the Edict of Nantes *(l'Edit de Nantes),* which granted civil and religious liberties to French Protestants *(les Huguenots).*

******le Salon de l'Auto:*** The Paris Automobile Show, one of the largest and most complete exhibitions of new cars, is usually held in October.

Questionnaire

1. Où habitent les Delaunay? Où Albert fait-il ses études? 2. A qui est-ce qu'il décide de téléphoner? Ils vont au même lycée? 3. Est-ce qu'Albert a tout de suite le bon numéro? 4. Est-ce qu'Albert aime le lycée mixte? Pourquoi est-ce qu'il dit que Serge est vieux jeu? A quel lycée va Serge? 5. Qu'est-ce qui se passe demain matin?

PRONONCIATION

The vowel sounds [ø] and [œ] are very much alike. The [ø] sound should be pronounced with the lips more rounded than for the [œ] sound.

Exercices

A. These words contain the [ø] sound. Listen, then repeat.

bleu   deux   paresseux   généreux   vieux jeu   la banlieue

B. The [œ] sound usually occurs before a pronounced final consonant. Listen, then repeat.

jeune   seul   l'heure   la fleur   le fleuve   le proviseur

C. Now contrast the [ø] and [œ] sounds. Listen, then repeat.

[ø]/[œ]	les œufs / l'œuf	elle peut / elles peuvent
	il veut / ils veulent	j'en ai peu / j'en ai peur

D. Listen to the sentences, then say them aloud.

Il pleut en banlieue.
Tu veux un peu de beurre?
Eux, ils veulent prendre l'ascenseur.
Leur sœur aime ce vieux monsieur.

MOTS NOUVEAUX I

Tu vas souvent en **banlieue**?	*Do you go* ***to the suburbs*** *often?*
Mon cousin habite **la banlieue**.	*My cousin lives in* ***the suburbs.***
Il va à un lycée **mixte**.	*He goes to a* ***coed*** *high school.*
J'y vais faire mes études.	*I'm going* ***to go to school*** *there.* ***to be a student***
Il aime les classes **mixtes**.	*He likes* ***coed*** *classes.*
Il est toujours **à l'aise** là-bas.	*He's always* ***comfortable*** *there.*
Il n'est jamais **mal à l'aise**.[1]	*He's never* ***ill-at-ease.***
Rien ne va le **gêner**.	*Nothing's going* ***to bother*** *him.*
Cela te gêne?	*Does* ***that*** *bother you?*
Oui, mais **ça ne fait rien**.	*Yes, but* ***it doesn't matter.***
Ça ne me gêne pas du tout.	*It doesn't bother me at all.*
Je téléphone à Guy.	*I'm phoning Guy.*
Il habite une ville **voisine**.	*He lives in a* ***nearby*** *city.*
un pays **voisin**	*a* ***neighboring*** *country*
D'abord j'ai un **mauvais** numéro.	*First I get a* ***wrong*** *number.*
Mais c'est la **bonne** ville.	*But it's the* ***right*** *city.*
Puis la **ligne** est occupée.	*Then* ***the line*** *is busy.*
Son frère est **à l'appareil** *(m.)*.	*His brother's* ***on the phone.***
Il aime **bavarder**.	*He likes* ***to chat.***
Mais il bavarde **constamment**.[2]	*But he chats* ***constantly.***
Enfin: "Allô. Guy?"	*Finally: "Hello. Guy?"*
"Ne quittez pas!"	***"Hold the line!"***
"Il est **en train d'**étudier?"	*"Is he* ***in the middle of*** *studying?"*
"Il peut parler **au téléphone**."	*"He can talk* ***on the phone.****"*
J'ai eu **un coup de téléphone**.	*I got* ***a phone call.***
Récemment?	***Recently?***
Oui, un coup de téléphone **récent**.	*Yes, a* ***recent*** *phone call.*
charmant	***charming***
une conversation récente	***a recent conversation***
charmante	***charming***
On va au **Salon de l'Auto** *(f.)*.	*We're going* ***to the Auto Show.***
à l'exposition *(f.)*	*to* ***the exposition***
Cela va **avoir lieu** lundi.	*It will* ***take place*** *Monday.*
Nous y allons **ensemble**.	*We're going there* ***together.***
L'exposition est **passionnante**. Le Salon est **passionnant**.	*The show's* ***terrific.***
Tu vas **accepter** d'aller[3] là-bas?	*Will you* ***agree*** *to go?*
décider d'y aller	***decide*** *to go*
Il faut décider bientôt.	*We have to decide soon.*

[1]Like *debout, à l'aise* and *mal à l'aise* are adverbs and do not agree with the noun.

[2]*Constamment* comes from the adjective *constant, -e.* Adjectives ending in *-ant* have adverbial forms like those of adjectives ending in *-ent.* The *-nt* is replaced by the ending *-mment: constant → constamment; récent → récemment.*

[3]*Accepter* and *décider* require *de* before an infinitive.

Exercice de vocabulaire

From the column on the right, choose the most logical response to each statement or question on the left.

1. Allô. Andrée est là?
2. Vous avez décidé d'aller en banlieue par le train?
3. Il téléphone toujours à cette heure?
4. Où est-ce que le concert va avoir lieu?
5. Quelqu'un est à l'appareil?
6. Robert et Annette sont des camarades de classe.
7. Tu ne donnes jamais la bonne réponse.
8. Tu ne dors pas?
9. Tu quittes l'amphi? Pourquoi?

a. Ah! C'est un lycée mixte?
b. A l'amphi, je crois.
c. Ces gens à côté ne cessent pas de bavarder.
d. Ne quittez pas!
e. Non, ces bruits me gênent affreusement.
f. Oui, et on est toujours en train de dîner.
g. Oui, mais on n'y va pas ensemble.
h. Oui, Roger téléphone à Henri.
i. Quoi? Ce n'est pas correct? Dix fois zéro ne font pas dix?

MOTS NOUVEAUX II

Allons **examiner** les autos.	*Let's go **look at** the cars.*
Voilà **le représentant.**[1] / **la représentante**	*There's **the salesperson.***
Il va **conseiller** ces gens.	*He's going **to advise** those people.*
Il **conseille à** Paul **d'**examiner[2] les essuie-glaces / les freins *(m.pl.)* / les tableaux de bord / les pneus avant[3]	*He **advises** Paul **to** examine the windshield wipers / the brakes / the dashboards / the front tires*
Sa société peut **fabriquer** une voiture **confortable**[4] / un camion **peu confortable**	*His company can **manufacture** a **comfortable** car / an **uncomfortable** truck*
Quelle en est **la marque?**	*What's **the make** (or **brand)?***
C'est une Peugeot.[5]	*It's a Peugeot.*
J'ai **une voiture de sport.**	*I have **a sports car.***
Elle n'a pas l'air confortable.	*It doesn't look comfortable.*
Au contraire. Elle est très confortable.	***On the contrary.** It's very comfortable.*
On peut bien **circuler** en ville.	*You can really **get around** in town.*
Tu as **jamais** eu une / Tu n'as **jamais** eu d' } auto?	*Have you **ever** had a / Have**n't** you **ever** had a } car?*
Jamais!	***Never!***
Sans blague!	***No kidding!***

Exercice de vocabulaire

Choose the word or phrase that best completes each sentence.

1. Qu'est-ce qu'il y a qui fait ce bruit? Ce sont *(les phares / les pneus).*
2. Qui est au volant? *(Le conducteur / Le passager),* bien sûr.
3. Quand il fait jour, on n'a pas besoin de *(freins / phares).*
4. Pour trouver la radio, il faut regarder *(le pare-brise / le tableau de bord).*
5. Si le vent te gêne, ferme *(l'essuie-glace / la glace).*
6. Quand il y a tant de circulation, il faut avoir *(de bons freins / de bonnes portières).*
7. Les sociétés américaines ne peuvent plus fabriquer des autos sans *(ceintures de sécurité / sièges avant).*
8. Je te conseille de ne pas aller si vite. Il y a *(des agents / des représentants)* partout.
9. Ces sièges sont vraiment *(mal à l'aise / peu confortables).*
10. Nous sommes en train de mettre les bagages *(en banlieue / dans le coffre).*

---

[1]*Un(e) représentant(e)* is a salesperson who represents a company (insurance, automobiles, etc.). *Un vendeur* or *une vendeuse* is a salesperson who works in a store.

[2]*Conseiller quelqu'un* means "to advise someone." *Conseiller à quelqu'un de faire quelque chose* means "to advise someone to do something."

[3]*Avant* and *arrière* are invariable and do not agree with the noun: *les sièges avant, les freins arrière.*

[4]*Confortable* is used to describe things; *à l'aise* is used with people.

[5]Because *la voiture* and *l'auto* are feminine, the trade names of cars are feminine.

11. L'exposition a eu lieu récemment? *(Au contraire/Sans blague)*, elle va avoir lieu la semaine prochaine.
12. On ne peut pas circuler *(sans marque/sans moteur)*.
13. Beaucoup de voitures de sport n'ont pas de *(freins/sièges arrière)*.

Etude de mots

Mots associés 1: Make a sentence with each of the related words or expressions.

1. la ville/la banlieue/la campagne
2. étudier/faire ses études/l'étudiant, l'étudiante
3. téléphoner à/le téléphone/le coup de téléphone
4. être passionné par/passionnant

Mots associés 2: Complete each sentence with the verb that is related to the noun or adjective in italics.

1. Ces fruits ne sont pas assez *jaunes*. Si on ne les met pas dans le réfrigérateur, ils vont ______.
2. Pourquoi est-ce que ces pommes ne sont pas *rouges?* Ce sont des pommes jaunes; elles ne vont pas ______.
3. Cet hippopotame n'est pas très *gros*. Il est très jeune maintenant; il va ______.
4. Elle est *maigre*, oui; mais elle a quand même envie de ______.
5. Qui sait *la réponse* à cette question? Moi, je peux y ______.
6. *Le choix* d'une voiture est difficile. Il y a trop de marques, mais il faut ______.
7. *La circulation* en ville est affreuse. On ne peut pas y ______ facilement.

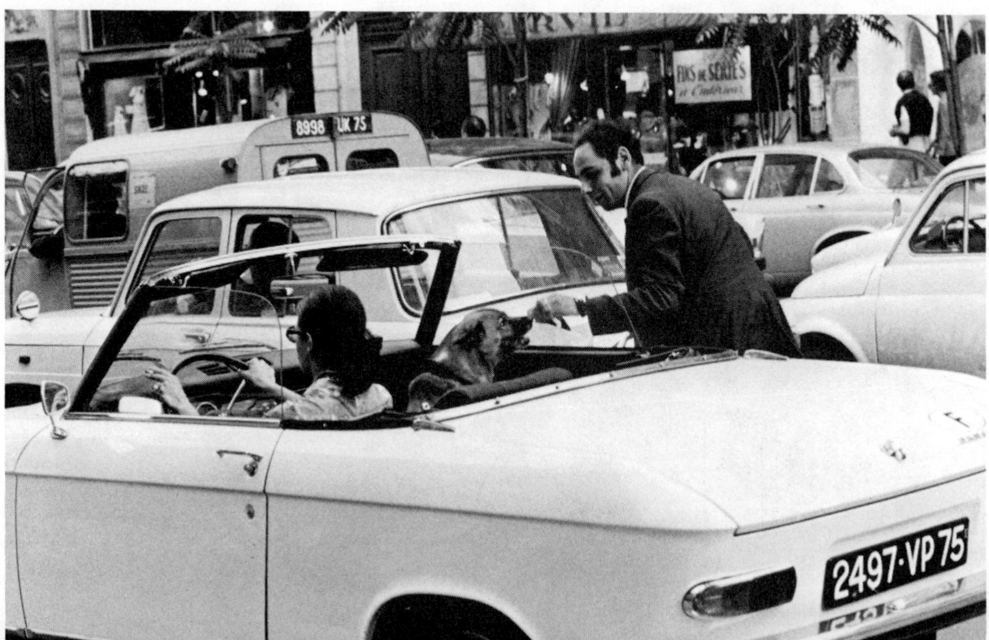

Synonymes: From the list, substitute the correct form of the appropriate synonym or synonymous expression for the word or expression in italics.

l'appareil	charmant, -e	bavarder	téléphoner à
l'exposition	passionnant, -e	fabriquer	

Qui est en train de *parler?* C'est Jeannette *au téléphone.* Son père travaille pour une société qui *fait* des cuisinières, et il lui a récemment donné des billets d'entrée pour le Salon des Arts Ménagers. Alors elle *a donné un coup de téléphone à* Marie-France, une voisine *très aimable,* pour l'inviter *au Salon.* "C'est *chouette,* ça!" répond Marie-France, "merci bien."

Antonymes: Change the meaning of each sentence by replacing the italicized word or expression with an antonym.

1. Louise *refuse de* mettre sa ceinture de sécurité.
2. L'exposition de l'équipement de sports est *ennuyeuse.*
3. Les sièges *avant* de cette voiture sont *confortables.*
4. On est toujours *derrière* la maison *après* 9 h. 15.
5. Tu *acceptes d'*aller seul en vacances?
6. Il est évidemment *à l'aise.*

Mots à plusieurs sens:

Compare the meanings of the italicized words in these sentences.

1. Ces *mauvais* élèves donnent toujours les *mauvaises* réponses.
2. Mon ancienne *voisine* habite maintenant une ville *voisine.*

Mots à ne pas confondre: In English there is one word for each of these sets of objects; in French there are different words. These are words that should not be confused with each other.

EXPLICATIONS I

Les verbes réguliers en -ir/-iss-

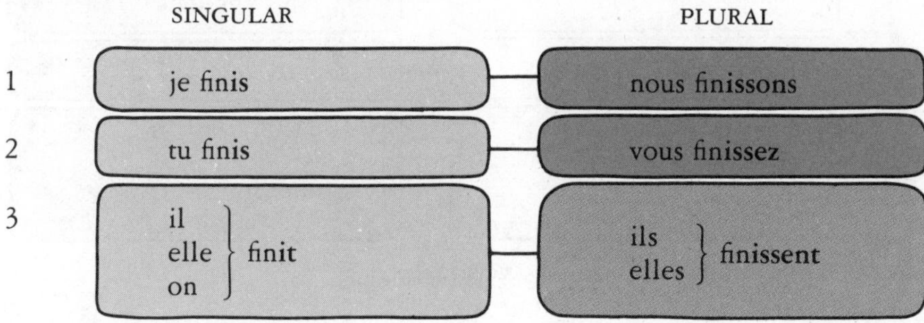

	SINGULAR	PLURAL
1	je finis	nous finissons
2	tu finis	vous finissez
3	il / elle / on } finit	ils / elles } finissent

IMPERATIVE: **finis! finissons! finissez!**
PAST PARTICIPLE: **fini**

1. Other regular *-ir/-iss-* verbs that you know are *choisir, grossir, maigrir. jaunir, rougir,* and *réussir (à).*

2. The past participle is formed by replacing the *-ir* of the infinitive with *-i.*

Exercice

Redo the sentences in the present tense. Be careful! Some are simple *-ir* verbs; others are *-ir/-iss-*. Follow the model.

1. Tu as fini tes devoirs.
   Tu finis tes devoirs.
2. Elle a choisi un lycée mixte.
3. Nous allons servir du gigot.
4. J'ai réussi à finir le livre.
5. Vous avez choisi vos pneus?
6. Ils vont servir du pâté.
7. Il a dormi jusqu'à midi?
8. Les chats vont grossir.
9. Pourquoi ont-ils rougi?
10. Comme tu as maigri, Alice!
11. Nous avons fini nos études.

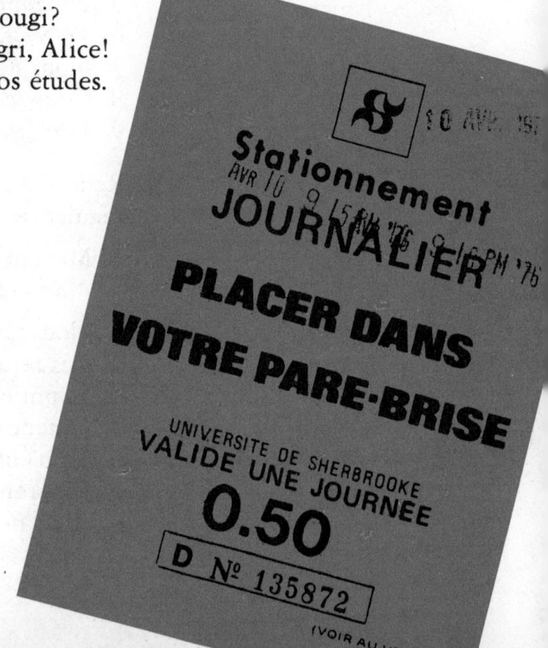

Les verbes réguliers en -re

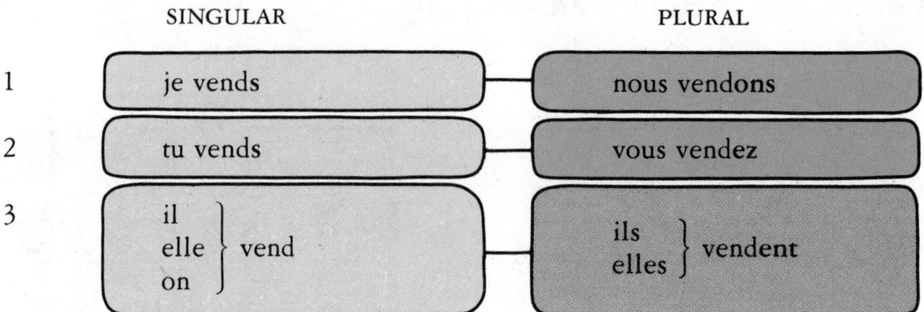

	SINGULAR	PLURAL
1	je vends	nous vendons
2	tu vends	vous vendez
3	il / elle / on } vend	ils / elles } vendent

IMPERATIVE: **vends! vendons! vendez!**
PAST PARTICIPLE: **vendu**

1. Do you remember what the following *-re* verbs mean? *J'attends Pierre à l'entrée; Il descend en ville; Nous descendons du train; Tu entends cette chanson?; Répondez à mes questions, s'il vous plaît; Elles ont perdu leurs places.*

2. The past participle is formed by replacing the *-re* of the infinitive with *-u*.

Exercices

A. Complete each sentence using the correct present-tense form of the verb in parentheses. Some are regular *-re* verbs; others are like *prendre.*

1. Elles *(prendre)* rendez-vous pendant qu'elles *(attendre)* l'autobus.
   Elles prennent rendez-vous pendant qu'elles attendent l'autobus.
2. Nous *(descendre)* à la plage vers 2 h.
3. Je *(vendre)* ma caravane à des touristes.
4. Chacun des élèves *(répondre)* en français.
5. Evidemment, ils *(perdre)* le match de hockey.
6. Tu *(entendre)* le moteur?
7. Nous ne *(comprendre)* pas pourquoi la ligne est toujours occupée.
8. Vous *(descendre)* par l'escalier roulant.
9. Elle *(attendre)* ses cousins au Salon de l'Auto.

B. Redo the sentences using the passé composé. Some of the verbs are regular *-re* verbs; others are like *prendre.* Follow the model.

1. Marc perd le match de tennis, mais il ne comprend pas pourquoi.
   Marc a perdu le match de tennis, mais il n'a pas compris pourquoi.
2. Nous attendons la neige pour aller faire du ski.
3. Ces représentants vendent seulement des voitures de sport.
4. La pluie surprend les jeunes gens pendant leur promenade.
5. J'attends l'autobus à cet arrêt.
6. Tu n'entends pas le moteur?
7. J'apprends que l'exposition va avoir lieu en mai.
8. Vous perdez de l'argent.

9. Il prend de vieux pneus.
10. Ils répondent correctement à chaque question.

Quelques expressions négatives

VOCABULAIRE			
ni . . . ni	*neither . . . nor*	**ni l'un(e) ni l'autre**	*neither one*

1. Do you remember what these negative expressions mean?

Il écoute quelque chose.	Il n'écoute **rien.**
Il écoute quelqu'un.	Il n'écoute **personne.**
Il écoute quelquefois.	Il n'écoute **jamais.**
Il écoute toujours.	Il n'écoute **plus.**

Two others are *ne . . . que*[1] and *ne . . . ni . . . ni:*

Il n'aime **que** le lait et le thé.	*He likes* ***only*** *milk and tea.*
Il n'aime **ni** le café **ni** le vin.	*He does**n't** like coffee* ***or*** *wine.* *He likes* ***neither*** *coffee* ***nor*** *wine.*
Il n'aime **ni l'un ni l'autre.**	*He does**n't** like* ***either one.***

Note that *ne . . . ni . . . ni* can be used with verbs and adjectives, too:

Il n'aime **ni** étudier **ni** lire.	*He does**n't** like to study* ***or*** *read.*
Elle n'est **ni** petite **ni** grande.	*She's* ***neither*** *short* ***nor*** *tall.*

The indefinite determiners and partitive are not used after *ni . . . ni:*

Je prends **du** sucre et **de la** crème.	*I take sugar and cream.*
Je **ne** prends **ni** sucre **ni** crème.	*I* ***don't*** *take sugar* ***or*** *cream.*
Il a **des** frères et **des** sœurs.	*He has* ***some*** *brothers and sisters.*
Il n'a **ni** frères **ni** sœurs.	*He has* ***neither*** *brothers* ***nor*** *sisters.*

2. In the passé composé and future, *rien, jamais,* and *plus* follow the same pattern as *pas. Personne, que,* and *ni . . . ni* come after the past participle or the infinitive:

Il **n'a rien** compris.	Il **ne** va **rien** comprendre.
Il **n'a jamais** compris.	Il **ne** va **jamais** comprendre.
Il **n'a plus** compris.	Il **ne** va **plus** comprendre.
but: Il **n'a** compris **personne.**	Il **ne** va comprendre **personne.**
Il **n'a** fini **que** ce livre.	Il **ne** va finir **que** ce livre.
Il **n'a** pris **ni** thé **ni** lait.	Il **ne** va prendre **ni** thé **ni** lait.

3. *Personne, rien,* and *ni . . . ni* can be used as the subject of a sentence:

Personne n'est là.	***No one's*** *there.*
Rien ne coûte cher ici.	***Nothing's*** *expensive here.*
Ni toi ni eux ne vont partir.	***Neither you nor they*** *will leave.*

[1]Note that *ne . . . que* is not really negative in meaning. For example, the indefinite determiners and partitive do not become *de* after *ne . . . que: Je* ***ne*** *prends* ***jamais de*** *thé,* but *Je* ***ne*** *prends* ***que du*** *thé.*

Exercices

A. Put the sentences into the present tense. Follow the model.

1. Je n'ai jamais fait la cuisine.
   Je ne fais jamais la cuisine.
2. Il n'a fait qu'une valise.
3. Tu n'as pris ni pain ni vin.
4. Je n'ai plus bavardé en classe.
5. Nous n'avons entendu personne.
6. Il n'a vendu qu'une auto.
7. Vous n'avez rien fini.
8. Ils n'ont rien fabriqué.
9. Cela n'a gêné personne.

B. Put the sentences into the passé composé. Follow the model.

1. Il n'y a ni conducteur ni passagers.
   Il n'y a eu ni conducteur ni passagers.
2. Ni les bottes ni les gants ne coûtent cher.
3. Ces expositions n'ont lieu qu'au printemps.
4. Personne ne comprend le wolof ici.
5. Nous ne regardons que les documentaires à la télé.
6. Ils ne remarquent rien dans le couloir.
7. Au contraire, je n'accepte jamais d'aller au Salon de l'Auto.
8. La société ne fabrique ni les pneus ni les voitures.
9. Vous n'invitez personne à nous accompagner au théâtre?

C. Redo the above exercise in the future. Follow the model.

1. Il n'y a ni conducteur ni passagers.
   Il ne va y avoir ni conducteur ni passagers.

D. Answer the questions using the appropriate negative expression: *jamais, personne, plus, rien, ni . . . ni,* or *ni l'un(e) ni l'autre.* Follow the model.

1. Vous circulez en voiture quelquefois?
   Non, nous ne circulons jamais en voiture.
2. Vous avez pris quelque chose?
3. Est-ce que quelqu'un a cassé ce phare?
4. Est-ce que tu bavardes toujours à l'appareil?
5. Vous êtes quelquefois mal à l'aise?
6. Qui est au volant? Jeanne ou Marie?
7. Elle habite toujours la banlieue?
8. Tu prends du jambon et de la charcuterie?
9. Quelqu'un a frappé à la porte?
10. Est-ce que ce roman est court et passionnant?

Vérifiez vos progrès

A. Write complete sentences using the correct form of the words given. Follow the model.

1. Elles / ne . . . jamais / comprendre / les leçons
   Elles ne comprennent jamais les leçons.
2. Tu / ne . . . plus / répondre à / les questions
3. Ils/ne . . . jamais/réussir à/les examens de chimie
4. Je / ne . . . que / prendre / du thé / le matin
5. Le soir / nous / ne . . . ni . . . ni / prendre / café / thé
6. Nous / ne . . . personne / entendre
7. Vous / poser / constamment / des questions / mais / je / ne . . . jamais / entendre / les réponses
8. Personne ne/être en train de/étudier
9. Ils / ne . . . plus / attendre / leurs amis / à la sortie

B. Rewrite sentences 1–6 in the passé composé.

CONVERSATION ET LECTURE

Parlons de vous

1. Est-ce que vous parlez souvent au téléphone? avec des camarades de classe? avec d'autres amis? Parlez d'une conversation que vous avez eue récemment. 2. Est-ce que votre famille a une voiture? C'est une voiture américaine ou française? grande ou petite? Quelle en est la marque? Combien de portières a-t-elle? De quelle couleur est-elle? 3. Est-ce que vous aimez mieux les voitures américaines ou les voitures étrangères? Pourquoi? 4. Comment est la circulation dans votre ville? Est-ce qu'il y a trop de voitures, de camions, d'autobus, etc.? 5. Décrivez la voiture de vos rêves ("dreams").

Au Salon de l'Auto

Alexandre Roussel et Bernadette Coulomb ont pris rendez-vous pour le Salon de l'Auto. Alors, un dimanche d'octobre, ils descendent au Parc des Expositions* près de la porte de Versailles,* dans le sud-ouest de Paris. C'est là qu'a lieu le Salon de l'Auto, aussi bien que° toutes les autres grandes expositions à Paris. Quand les jeunes gens y entrent, il y a tant de monde à l'intérieur qu'on voit à peine° les voitures.

aussi bien que: *as well as*
à peine: *hardly*

Les deux amis s'approchent d'abord d'une° belle Renault 5GTL.* Un assez grand groupe de gens est en train d'examiner son intérieur—les sièges, le tableau de bord, etc. Quelques autres examinent le moteur.

s'approcher de: *to go up to*

ALEXANDRE — Les Renault ne sont pas mal,[1] mais attends—je vais te montrer la plus° belle voiture de l'exposition.

BERNADETTE — C'est quoi, alors?

ALEXANDRE — La Peugeot 504GL. Viens! C'est par ici.°

plus: *(here) most*
par ici: *over here*

Les deux amis se dirigent vers° une foule qui entoure° un des représentants de la société Peugeot. Il parle à une demoiselle qui a l'air un peu gêné.°

se diriger (vers): *to head (toward)*
entourer: *to surround*
gêné, -e: *annoyed*

LE REPRÉSENTANT — Eh bien, mademoiselle, je vous assure que la Peugeot est la seule voiture qui a les qualités de confort des voitures américaines et les qualités typiquement françaises. Regardez cette voiture! Elle a de l'élégance et de la distinction.

LA DEMOISELLE — Elle n'a pas le changement de vitesse° automatique?

LE REPRÉSENTANT — La plupart° des voitures européennes n'ont pas le changement de vitesse automatique, mademoiselle. C'est pourquoi nos voitures ne consomment° pas tant d'essence.°

LA DEMOISELLE — Mais l'essence est toujours beaucoup moins° chère aux Etats-Unis.

le changement de vitesse: *transmission*
la plupart: *the majority*
consommer: *to consume*
l'essence *(f.): gas*
moins: *less*

---

[1]The adverb *mal* is sometimes used in place of the adjective *mauvais.*

ALEXANDRE — Et la pollution beaucoup plus° importante!

LA DEMOISELLE — Pardon, monsieur. La pollution est souvent plus mauvaise° à Paris.

BERNADETTE — Il est évident que vous connaissez un peu l'Amérique, mademoiselle. Vous avez voyagé là-bas?

LA DEMOISELLE — Un peu. En effet, je suis américaine!

plus: *(here) more*

plus mauvais, -e: *worse*

Notes culturelles

***le Parc des Expositions:** This is a large complex of buildings where shows and exhibitions are held throughout the year.

***la porte de Versailles:** Centuries ago, one entered the city of Paris through gates *(portes)*. Though some of the gates are long gone, the names are still used to refer to the city limits. They are the end points of certain *métro* lines and are sometimes entry and exit points on *le boulevard périphérique,* an expressway that encircles the city.

***Renault 5GTL:** French car models are given letters or numbers rather than names: Citroën DS, Peugeot 304, Renault 4L, etc.

A propos ...

1. Où sont Alexandre et Bernadette? Où se trouve le Parc des Expositions? Il n'y a que les expositions de voitures qui ont lieu là? 2. Où vont les deux amis d'abord? 3. Qu'est-ce qui se passe là? Est-ce qu'Alexandre aime mieux les Renault ou les Peugeot? 4. Avec qui parle le représentant de la société Peugeot? Il lui conseille d'acheter ("to buy") une Peugeot? 5. Pourquoi les voitures européennes ne consomment-elles pas beaucoup d'essence? 6. Est-ce que la jeune femme connaît les Etats-Unis? Pourquoi? 7. Et vous, est-ce que vous avez jamais assisté à un Salon de l'Auto ou à une autre grande exposition? Si oui, décrivez l'exposition. 8. Est-ce qu'un de vos parents travaille pour une société qui fabrique quelque chose? Quelle société? Qu'est-ce qu'elle fabrique? 9. Disons que vous êtes employé d'une société qui fabrique des autos. Conseillez à vos camarades de classe d'acheter une de vos voitures.

EXPLICATIONS II

Le pronom en

1. The pronoun *en* is used to replace *de* + object. In the present tense, *en* comes immediately before the verb:

On vend **des œufs?**	Oui, on **en** vend.
Tu as peur **du chien?**	Non, je n'**en** ai pas peur.
Tu as envie **de partir?**	Oui, j'**en** ai envie.
Ils arrivent **de Lyon?**	Non, ils n'**en** arrivent pas.

There is liaison before and after *en: on‿en vend; ils‿en‿arrivent.*

2. In the passé composé, *en* comes immediately before the form of *avoir.* When it is the object of an infinitive, *en* comes immediately before the infinitive. This is true in both affirmative and negative sentences:

Tu as pris de la salade?	**Oui, j'en ai pris.** **Non, je n'en ai pas pris.**
Il a eu besoin de timbres?	**Oui, il en a eu besoin.** **Non, il n'en a pas eu besoin.**
Elles vont parler de cela?	**Oui, elles vont en parler.** **Non, elles ne vont pas en parler.**
Il faut sortir d'ici?	**Oui, il faut en sortir.** **Non, il ne faut pas en sortir.**

3. *En* can be used with negative expressions:

Je **n'en** sais **rien.**	*I don't know **anything about it.***
Je **n'en** connais **personne.**	*I don't know **any of them.***
Il **n'en** a **jamais.**	*He **never has any (of it, of them).***
Il **n'en** veut **plus.**	*He doesn't want **any more (of it).***

4. Now look at the following:

Je mange **beaucoup de fruits.**	*I eat a lot of fruit.*
J'en mange **beaucoup.**	*I eat a lot of it.*

In expressions of quantity, *de* + noun can be replaced by *en,* but the expression of quantity remains. With numbers or expressions of quantity that do not include *de,* such as *plusieurs,* the noun may be replaced by *en,* but the expression of quantity remains.

Ils ont **trop de jouets.**	**Ils en ont trop.**
Il n'y a pas **assez d'hôtels.**	**Il n'y en a pas assez.**
J'ai **un peu d'argent.**	**J'en ai un peu.**
Voici **plusieurs étiquettes.**	**En voici plusieurs.**
Il a **deux sœurs.**	**Il en a deux.**

Exercices

A. Answer the questions in the affirmative using *en.* Follow the model.

1. Ils descendent de l'autobus? *Oui, ils en descendent.*
2. On vend des essuie-glaces?
3. Elles écoutent des bandes?
4. Il sort de l'épicerie?
5. Vous prenez du dessert?
6. A-t-il besoin de pneus?
7. Tu entends de la musique?
8. Vous avez peur de l'ascenseur?
9. Elles fabriquent des freins?

B. Answer the questions in the negative using *en*. Follow the model.

1. Ils prennent du pâté? *Non, ils n'en prennent pas.*
2. Tu as envie de bavarder?
3. Vous voulez de la crème?
4. Il arrive du Canada?
5. Elles ont pris du gigot?
6. Tu as remarqué des phares?
7. Elle a commandé des œufs?
8. On a eu besoin de lait?
9. Tu vas écrire des lettres?
10. Vous allez perdre des matchs?
11. Ils vont chercher des cadeaux?

C. Answer each question twice using the cue in parentheses. Follow the model.

1. Combien d'élèves est-ce que le proviseur a conseillés? (beaucoup)
   Il a conseillé beaucoup d'élèves.
   Il en a conseillé beaucoup.
2. Combien de pneus est-ce qu'il faut avoir? (5)
3. Combien de caravanes est-ce que cette société fabrique? (trop)
4. Combien de viande est-ce que la bouchère a vendue hier? (pas assez)
5. Combien de représentantes est-ce que vous avez rencontrées? (1)
6. Combien d'examens est-ce qu'elles vont passer? (beaucoup)
7. Combien d'expositions est-ce qu'elle a visitées? (plusieurs)
8. Combien de vin est-ce qu'il y a? (un peu)
9. Combien de mauvaises réponses est-ce que tu as entendues? (pas beaucoup)
10. Combien d'immeubles est-ce qu'il y a en banlieue? (peu)

Les pronoms compléments d'objet indirect

1. Remember that the indirect object pronouns *me, te, lui; nous, vous,* and *leur* replace *à* + person:

Il **me** conseille d'étudier.	Elle **nous** parle du film.
Je **t'**apporte de la salade.	Ils **vous** offrent un cadeau.
Je **lui** réponds tout de suite.	Il **leur** téléphone constamment.

2. In the negative, the indirect object pronoun comes between the *ne* and the verb:

Il ne laisse pas de place **à Yves**.	Il **ne lui laisse pas** de place.
Je ne téléphone pas **à mes amis**.	Je **ne leur téléphone pas**.

3. In the passé composé, the indirect object pronoun comes before the form of *avoir:*

Tu as parlé **à Jean et à moi**.	Tu **nous as parlé**.
Tu n'as pas répondu **au prof**.	Tu **ne lui as pas répondu**.

4. An indirect object pronoun that is the object of an infinitive comes immediately before the infinitive.

Elle va parler **à Luc et à toi**.	Elle va **vous parler**.
Il ne veut pas répondre **à Luc**.	Il ne veut pas **lui répondre**.

Exercices

A. Answer the questions using the appropriate indirect object pronoun: *lui* or *leur.* Follow the model.

1. Le représentant montre le tableau de bord *à Paul et à Pierre?*
   Oui, il leur montre le tableau de bord.
2. La conductrice demande *aux jeunes filles* de monter dans l'autobus?
3. Tu empruntes un pneu *à mon voisin?*
4. Elle répond *aux lycéens français* en anglais?
5. Suzanne téléphone *à sa charmante amie belge?*
6. Ils conseillent *aux passagers* de ne pas rester debout?
7. Vous faites une visite *à vos grands-parents?*
8. Le garçon sert de l'eau minérale *à ce monsieur?*
9. Tu laisses de la place *à tes camarades de classe?*

B. Redo the above exercise in the negative. Follow the model.

1. Le représentant montre le tableau de bord *à Paul et à Pierre?*
   Non, il ne leur montre pas le tableau de bord.

C. Answer the questions using the appropriate indirect object pronoun: *me, te, nous,* or *vous.* Follow the model.

1. Guy te pose une question?
   Oui, il me pose une question.
2. Tes amis t'offrent des disques?
3. Maman nous conseille d'étudier?
4. Les garçons me répondent?
5. Le prof vous demande d'entrer?
6. Jean nous téléphone?
7. Ils vous servent du thé?
8. Elle m'emprunte des timbres?
9. Marc te prête de l'argent?

D. Answer the questions using the appropriate indirect object pronouns. Follow the model.

1. Il a parlé *à la belle dame* pendant le trajet?
   Oui, il lui a parlé pendant le trajet.
2. La caissière a donné la monnaie *aux enfants?*
3. Ils ont récemment téléphoné *à Eric?*
4. Tu as conseillé *aux jeunes gens* d'y aller ensemble?
5. Le professeur *t*'a toujours répondu patiemment?
6. La représentante *vous* a montré le moteur?
7. Vous avez demandé *à l'élève* de partir?

E. Redo the above exercise in the negative. Follow the model.

1. Il a parlé *à la belle dame* pendant le trajet?
   Au contraire. Il ne lui a pas parlé pendant le trajet.

F. Answer the questions using the cues in parentheses and the appropriate indirect object pronouns. Follow the model.

1. Ils ne vont pas conseiller *à leurs fils* d'accepter d'aller à la fête? (si)
   Si, ils vont leur conseiller d'accepter d'aller à la fête.
2. Il faut donner un coup de téléphone *au médecin?* (non)
3. Elles ne veulent pas *m*'offrir des cadeaux d'anniversaire? (si)
4. Tu vas répondre *à ce monsieur?* (oui)
5. Il ne faut pas parler *à cette jeune fille qui a l'air mal à l'aise?* (si)
6. Il faut prêter un parapluie *à Nadine?* (non)
7. Elle aime poser des questions difficiles *à ses profs?* (oui)
8. Ces bêtes vont faire peur *à Guillaume?* (non)
9. Ils vont montrer les vitrines *à maman et à moi?* (oui)

Vérifiez vos progrès

Write the answer to each question, using the cue in parentheses and replacing the indirect object in italics with the appropriate pronoun: *lui* or *leur*. Then rewrite the sentence, putting the full indirect object back in and replacing the *de* clause with the pronoun *en*. Follow the model.

1. Qu'est-ce que tu empruntes *à Edouard?* (des romans intéressants)
   Je lui emprunte des romans intéressants.
   J'en emprunte à Edouard.
2. Qu'est-ce que le vendeur va montrer *aux étudiants?* (des vêtements à la mode)
3. Qu'est-ce qu'il écrit *à Marie-Claire?* (de longues lettres)
4. Qu'est-ce qu'elles ont demandé *à la serveuse?* (du café au lait)
5. Qu'est-ce que tu vas donner *au caissier?* (de l'argent)
6. Qu'est-ce que le représentant montre *à Marianne?* (des ceintures de sécurité)
7. Qu'est-ce que vous avez donné *aux petits enfants?* (de vieilles cravates)
8. Qu'est-ce que tu prêtes *à ton copain?* (de nouveaux livres de poche)

RÉVISION ET THÈME

Consult the model sentences, then put the English cues into French and use them to form new sentences.

1. *Les nouveaux autobus font trop de bruit.*
   (The new music bothers a lot of people.)
   (The new auditorium has enough seats.)
2. Voilà pourquoi *le monsieur a perdu sa route* ce matin.
   (the driver heard the brakes)
   (the lady waited for the salesperson (f.)*)*
3. Maintenant *nous leur demandons d'accepter un foulard ou un sac.*
   (they advise us to manufacture headlights or car windows)
   (she asks him to examine the trunk and the back seats)
4. *Il ne finit ni l'un ni l'autre parce qu'il a trouvé un joli jouet.*
   (We serve neither one (f.) *because we broke the large glasses.)*
   (We don't choose either one (m.) *because we found some terrific books.)*
5. *Sûrement il n'y a pas tant de passagers.*
   (Fortunately there isn't too much traffic.)
   (Obviously there aren't many windshield wipers.)
6. *Il n'y en a jamais beaucoup; ils en ont envie de trois.*
   (There aren't ever enough of them; we need several.)
   (There are no longer too many; I want a pair of them.)

Now that you have done the *Révision,* you are ready to write a composition. Put the English captions describing each cartoon panel into French to form a paragraph.

① Big cars cost so much money!

② That's why Mr. Lebrun sold his car yesterday.

③ Now a friend advises him to look for a Renault or a Peugeot.

④ Mr. Lebrun doesn't choose either one because he's found a charming 2-CV.

⑤ Unfortunately there aren't enough seats. There are only four; the Lebruns need a lot!

AUTO-TEST

A. Rewrite the sentences in the present tense, making them negative by replacing the word or words in italics with the expressions in parentheses. Follow the model.

1. Nous avons fini *le travail* avant le déjeuner. (ne . . . rien)
   Nous ne finissons rien avant le déjeuner.
2. On a rougi *tout de suite* quand on a entendu ces histoires. (ne . . . jamais)
3. Ils ont compris l'italien *et* l'espagnol. (ne . . . ni . . . ni)
4. Vous avez choisi *quelque chose?* (ne . . . rien)
5. *Quelqu'un* a réussi à cet examen d'algèbre! (personne ne)
6. Le charcutier a vendu *beaucoup de pâté* aujourd'hui. (ne . . . rien)
7. J'ai pris du poisson *et* de la soupe. (ne . . . ni . . . ni)
8. Nous avons répondu *patiemment* à ce caissier impoli. (ne . . . plus)
9. Ils ont maigri *cet été.* (ne . . . plus)

B. Write affirmative answers in the passé composé. Follow the models.

1. Est-ce qu'il ne va pas vous donner un pneu?
   Il nous a déjà donné un pneu.
2. Tu vas leur parler des marques de voiture?
   Je leur ai déjà parlé des marques de voiture.
3. Elle ne va pas te téléphoner?
4. Ils vont lui prêter leur voiture de sport?
5. Elles ne vont pas nous laisser de la place?
6. Il va me donner un coup de téléphone?
7. Tu ne vas pas nous servir du dessert?
8. Ils vont te montrer le tableau de bord?
9. On va leur apporter des glaces?
10. Tu ne vas pas lui répondre?

C. Rewrite the sentences replacing the expressions in italics with *en*. Follow the model.

1. Nous fabriquons beaucoup *de voitures.*
   Nous en fabriquons beaucoup.
2. Ma Renault n'a pas *de ceintures de sécurité.*
3. Je ne veux plus *de café au lait.*
4. Cette voiture de sport n'a pas *de siège arrière.*
5. Vous avez pris deux *tartes aux pommes!* Sans blague!
6. Ils vont avoir envie *d'aller à l'exposition.*
7. Elles aiment sortir *de la classe* à l'heure.
8. Une grande foule descend tout de suite *de l'autobus.*

Poème

CHANSON DES ESCARGOTS
QUI VONT À L'ENTERREMENT°

A l'enterrement d'une feuille morte
Deux escargots s'en vont°
Ils ont la coquille° noire
Du crêpe autour des° cornes°
Ils s'en vont dans le noir
Un très beau soir d'automne
Hélas° quand ils arrivent
C'est déjà le printemps
Les feuilles qui étaient° mortes
Sont toutes ressuscitées°
Et les deux escargots
Sont très désappointés . . .

Jacques Prévert, *Paroles*

l'enterrement *(m.): burial*
s'en aller: *to go away*
la coquille: *shell*
autour de: *around*
la corne: *horn*
hélas: *alas*
étaient: *were*
ressuscité, -e: *revived*

Proverbe

Les conseilleurs ne sont pas les payeurs.

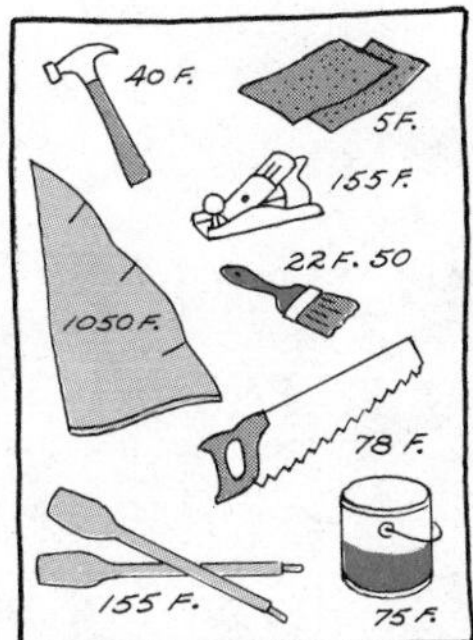

SORTIE
Voie 3 | Voie 2
Train direct
LE MISTRAL
TEE
NICE
PARIS
7
SNCF

Cinquième Leçon

A la gare de Lyon

C'est le week-end juste avant les vacances de Noël. Solange et Raymond Macquet viennent d'accepter une invitation pour la fête de Noël. Leurs cousins les ont invités à[1] passer une semaine chez eux à Digne,* en Provence. Alors Solange et Raymond sont allés à la gare de Lyon* chercher leurs billets. A la gare ils ont d'abord regardé l'horaire. Ensuite, ils sont allés au guichet.

L'EMPLOYÉE	Vous désirez?
SOLANGE	Deux billets de deuxième classe, aller et retour, pour Digne, s'il vous plaît.
L'EMPLOYÉE	Il n'y a pas de train direct entre Paris et Digne, mademoiselle.
RAYMOND	Eh bien, qu'est-ce qu'il faut faire?
L'EMPLOYÉE	Vous changez de train à Grenoble,* et puis de Grenoble à Digne vous prenez l'omnibus.
SOLANGE	Tout ça, c'est compris dans le prix du billet?
L'EMPLOYÉE	C'est ça. Vous voulez des couchettes?*
RAYMOND	Oui, puisque nous comptons prendre[2] l'express de minuit.
L'EMPLOYÉE	Alors, ça fait 712 F.
SOLANGE	Voilà. Et merci bien, madame.

[1] *Inviter* is usually followed by *à* before an infinitive: *J'invite Jean à sortir ce soir.* Try to remember this as *inviter quelqu'un à faire quelque chose.*

[2] Note that when *compter* is followed by an infinitive, it means "to plan" or "to intend" or "to count on (doing something)."

At the Gare de Lyon

It's the weekend right before Christmas vacation. Solange and Raymond Macquet have just accepted an invitation for the Christmas holidays. Their cousins have invited them to spend a week at their house in Digne, in Provence. So Solange and Raymond have gone to the Gare de Lyon to get their tickets. At the station they looked first at the timetable. Then they went to the ticket window.

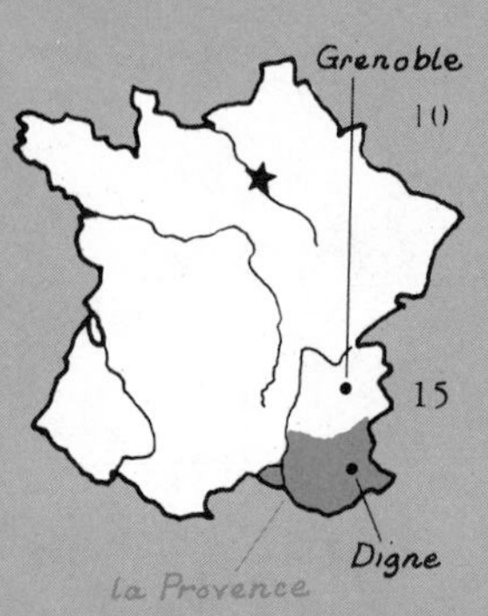

CLERK Can I help you?
SOLANGE Two second-class round-trip tickets to Digne, please.
CLERK There's no direct train between Paris and Digne, Miss.
RAYMOND What do we have to do then?
CLERK You change trains at Grenoble, and then you take the local from Grenoble to Digne.
SOLANGE All that's included in the price of the ticket?
CLERK That's right. Would you like bunks?
RAYMOND Yes, since we plan to take the midnight express.
CLERK All right, that will be 712 francs.
SOLANGE There you are. And thank you very much.

Notes culturelles

**Digne:* This small town in the northernmost part of Provence is in an area noted for its high, white limestone cliffs *(les Préalpes de Digne)* and deep, narrow gorges. The town is on *la route Napoléon,* the road taken by the Emperor when he escaped from exile on the Mediterranean island of Elba and returned to Paris. Three months later, on June 18, 1815, he met his final defeat at Waterloo, in Belgium.

**la gare de Lyon:* This station handles traffic between Paris and the southeast section of France. There are five other major stations in Paris, each handling traffic to and from a specific region: la gare Montparnasse (the West), la gare d'Austerlitz (the Southwest), la gare Saint-Lazare (the Northwest), la gare du Nord, and la gare de l'Est.

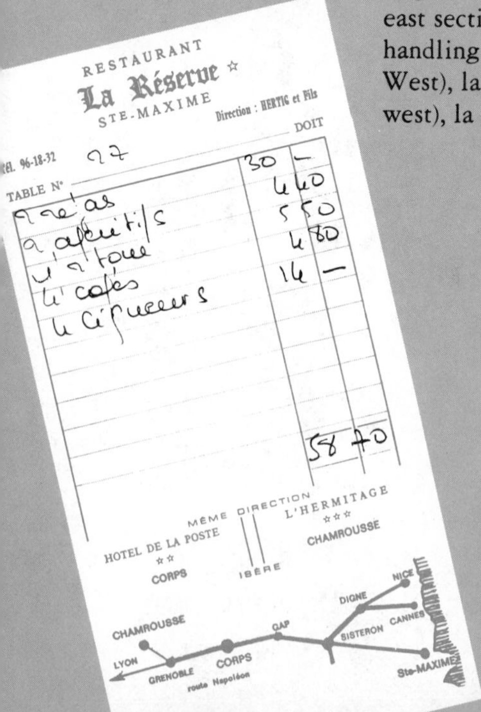

RESTAURANT
La Réserve ☆
STE-MAXIME
Direction : HERTIG et Fils
DOIT
Tél. 96-18-32
TABLE N° 27

2 repas	30 —
2 apéritifs	4 40
1/2 rosé	5 50
4 cafés	4 80
4 liqueurs	14 —
	58 70

MÊME DIRECTION
HOTEL DE LA POSTE ☆☆ CORPS
ISÈRE
L'HERMITAGE ☆☆☆ CHAMROUSSE

**Grenoble:* This fast-growing city in the foothills of the Alps is noted for its university, its many beautiful churches, its industry (gloves, electronics, nuclear research), and its excellent winter sports. The 1968 Winter Olympics were held there.

**la couchette:* Coaches as we know them are only now being introduced on long-distance trains. Instead a typical railroad car *(un wagon)* has compartments with fold-up sleeping bunks *(les couchettes)*. A first-class compartment has four *couchettes;* a second-class compartment, six. A regular sleeping car *(un wagon-lit)* has private compartments accommodating up to three people.

Questionnaire

1. Quel mois sommes-nous? Quel week-end? 2. Où est-ce que Raymond et Solange vont passer la fête de Noël? 3. Pourquoi est-ce qu'ils sont allés à la gare de Lyon? 4. Quand ils sont entrés dans la gare, qu'est-ce qu'ils ont fait d'abord? Et ensuite? 5. Quelle sorte ("kind") de billets Solange a-t-elle demandés? 6. Où est-ce que les jeunes gens vont changer de train? Pourquoi? 7. Pourquoi est-ce que Raymond a demandé des couchettes?
8. Combien ont coûté les billets?

PRONONCIATION

The nasal vowel sounds [ɑ̃] and [ɔ̃] are pronounced quickly and with tension. The lips are more rounded for the [ɔ̃] sound than for the [ɑ̃] sound.

Exercices

A. These words contain the nasal vowel sound [ɑ̃]. Listen, then repeat.

pendant   il attend   lentement   la tante   la banque   entendre

B. In these pairs, the first word contains the nasal vowel sound [ɑ̃]; the second contains the nonnasal sound [a] followed by the [n] sound. Listen, then repeat.

[ɑ̃]/[an]   an/Anne   Jean/Jeanne   quand/Cannes   six ans/Suzanne

C. These words contain the nasal vowel sound [ɔ̃]. Listen, then repeat.

on   le crayon   le wagon   comptons   comprenons   répondons

D. In these pairs, the first word contains the nasal vowel sound [ɔ̃]; the second contains the nonnasal sound [ɔ] followed by the [m] or [n] sound. Listen carefully, then repeat.

[ɔ̃]/[ɔm] or [ɔn]   on/homme   long/l'homme
bon/bonne   Simon/Simone

E. Now listen to these sentences, then say them aloud.

On comprend l'allemand.
Nous rencontrons Léon.
Maman et ta tante vont en banlieue.
Nous entendons la bande pendant longtemps.

MOTS NOUVEAUX I

le guichet

le haut-parleur

le compartiment

la couchette

le buffet

le quai

la voie

le wagon le wagon-restaurant le wagon-lit

Vous désirez, madame?	***Can I help you,*** *ma'am?*
Je voudrais **un aller** pour Nice.	*I'd like **a one-way ticket** to Nice.*
un aller et retour	***a round-trip ticket***
un billet de 1re classe	***a first-class ticket***
un billet de 2e classe	***a second-class ticket***
Je veux prendre **l'express** *(m.).*	*I want to take **the express.***
l'omnibus *(m.)*	***the local***
Le prix va **comprendre** la couchette?	*Will the price **include** the berth?*
Non, madame, ce n'est pas **compris.**	*No, ma'am, that's not **included.***
Ça fait combien?	*How much does that **come to?***
Ça fait soixante-douze francs.	*That'll be seventy-two francs.*
Soixante-douze?	*Seventy-two?*
C'est ça.	***That's right.***
Le voyageur fatigué / **La voyageuse** fatiguée } arrive.	*The weary **traveler** arrives.*
Il n'y a pas de train **direct.**	*There isn't any **direct** train.*
route **directe**	***direct** route*
Il faut **changer**[1] **de** train à Lyon.	*You have **to change** trains at Lyon.*
changer de route	***to take another** road*

[1]*Changer* follows the pattern of *manger.* Note that it requires *de* before the object, and that where a singular form exists, the object is usually in the singular: *Nous changeons de place; Je change d'habits.*

Puisqu'il n'y a pas d'express, on prend l'omnibus. — ***Since*** *there's no express, we're taking the local.*

L'aller *(m.)* / **Le retour** } est agréable? — *Is* { ***the trip there*** / ***the return trip*** } *pleasant?*

Non, c'est **tout à fait** ennuyeux. — *No, it's* ***totally*** *boring.*

D'après l'horaire, le train part à 3 h. 07. — ***According to*** *the timetable, the train leaves at 3:07.*

On va **avoir le temps de** prendre un café. — *We'll* ***have time*** *to have a cup of coffee.*

Voilà **le buffet**. — *There's* ***the snack bar.***

On peut **aller chercher** les billets après. — *We can* ***go get*** *the tickets afterward.*

"Les voyageurs pour Lyon, **en voiture**, s'il vous plaît. **Attention au départ!**" — *"Passengers for Lyon,* ***all aboard!****"*

Vite! **Montons** les bagages! — *Quick! Let's* ***take up*** *the baggage.*
Descendons la valise — ***take down*** *the suitcase*
Sortons les billets[1] — ***take out*** *the tickets*

Où sont les wagons-lits? — *Where are the sleeping cars?*
les wagons-restaurants? — *the dining cars?*
les haut-parleurs? — *the loudspeakers?*

Exercice de vocabulaire

Choose the word or phrase that best completes each sentence or fits the situation.

1. A l'intérieur du wagon on trouve *(des couchettes / des guichets)*.
2. Les voyageurs attendent le train *(sur le quai / sur la voie)*.
3. A la gare, on peut prendre un goûter *(au buffet / dans le wagon-restaurant)*.
4. Au guichet, l'employé nous dit: *(Attention au départ! / Vous désirez, messieurs?)*
5. Le train part à 11 h. 15 *(après / d'après)* ce nouvel horaire.
6. Il faut être à Evry avant midi. On n'a pas beaucoup de temps. Est-ce qu'il n'y a pas *(d'express / d'omnibus)?*
7. Combien de couchettes est-ce qu'il y a dans *(un billet / un compartiment)* de 1re classe?
8. A l'hôtel, je sors mes vêtements *(de la valise / du wagon-lit)*.
9. Si le service est compris il ne faut pas laisser *(de monnaie / de pourboire)*.
10. Puisque je ne sais pas quand je vais retourner, je voudrais seulement *(un aller / un aller et retour)*.
11. Mille francs? Oui, *(ça comprend / ça fait)* le voyage en avion, l'hôtel et tous les repas.
12. Ce monsieur qui parle là-bas est tout à fait désagréable. Au prochain arrêt je vais aller chercher *(le contrôleur / le haut-parleur)*.

[1]Note that when *sortir, descendre,* and *monter* are followed by a direct object, the meaning changes slightly: "to take or bring out (down, up)."

MOTS NOUVEAUX II

Une **invitation** vient d'arriver.	***An invitation*** *just arrived.*
Nos amis nous **invitent** à passer **le week-end** chez eux.	*Our friends* ***are inviting*** *us to spend* ***the weekend*** *with them.*
Nous acceptons **avec plaisir.**	*We accept* ***with pleasure.***
Qu'est-ce que tu **comptes** faire?	*What do you* ***intend*** *to do?*
Nous comptons être en Provence **entre** Noël et **le Jour de l'An.**	*We plan on being in Provence* ***between*** *Christmas and* ***New Year's.***
Est-ce que vous partez **juste** avant la fête?	*You're leaving* ***just*** *before the holidays?*
C'est ça. Nous partons à midi **juste.**	*That's right. We leave* ***exactly*** *at noon.*
Nous allons **fêter** Noël.	*We're going* ***to celebrate*** *Christmas.*
J'ai choisi le cadeau **parfait.**	*I chose the* ***perfect*** *gift.*
la chose parfaite	***the perfect thing***
Elle aime **le parfum.**	*She likes* ***perfume.***
On va **décorer** la maison.	*We'll* ***decorate*** *the house.*
Mettez **la bougie** sur l'arbre.	*Put* ***the candle*** *on the tree.*
la décoration	***the decoration***
la crèche[1] sous l'arbre	***the manger*** *under the tree*
le santon	***the santon***
Vous l'avez fait **parfaitement.**	*You did it* ***perfectly.***
On va à la **messe** de minuit.	*We're going to midnight* ***mass.***
Puis on va **goûter le champagne.**	*Then we'll* ***taste the champagne.***
réveiller les enfants	***wake*** *the children*
allumer les bougies	***light*** *the candles*
raconter des histoires	***tell*** *stories*
La veille on prépare **le réveillon.**[2]	*The night before we prepare* ***the holiday meal.***
On prend le repas **le lendemain.**	*We have the meal* ***the next day.***
Le lendemain de Noël je rentre chez moi.	*The day after Christmas I return home.*
Je vais te **raconter** mon voyage.	*I'll* ***tell*** *you* ***about*** *my trip.*

[1]The custom of *la crèche* originated in twelfth-century Provence, where the manger scene was originally placed inside or in front of the church. *Les santons,* which are small terra cotta figures, are made in Provence. They are grouped around the manger to represent the common people in the story of the Nativity: fishermen, millers, knife-grinders, priests, sailors, butchers, bakers, and so on.

[2]French families enjoy *le réveillon* together on Christmas Eve after returning home from midnight mass and again on New Year's Eve *(la Saint-Sylvestre).* A traditional main dish is *la dinde aux marrons,* turkey stuffed with chestnut dressing. (Note that the word for turkey is *le dindon.* A female turkey, or turkey served as food, is *la dinde.*) There are also regional specialties: in Brittany, *les crêpes au blé noir* (buckwheat pancakes); in Alsace, *l'oie farcie* (stuffed goose). *Le pâté de foie gras* (goose-liver pâté) is a traditional first course.

Exercice de vocabulaire

From the column on the right, choose the most logical response to each statement or question on the left.

1. Cet étudiant n'assiste jamais aux cours.
2. Comment est-ce qu'on fête le Jour de l'An aux Etats-Unis?
3. Guy, descends les bougies, s'il te plaît.
4. Il part déjà pour l'église?
5. Maintenant allons sortir nos santons. Où sont-ils?
6. Où est grand-papa?
7. Qu'est-ce que tu vas offrir à maman?
8. Tu as goûté ce champagne?
9. Voulez-vous venir chez nous pour le réveillon?

a. D'après papa, on les a mis au sous-sol l'année dernière.
b. Du parfum, peut-être.
c. Il compte quand même réussir à ses examens.
d. Il raconte des histoires aux enfants.
e. La veille on prend du champagne et le lendemain on regarde des matchs de football américain à la télé.
f. Non, je n'aime pas le vin.
g. Nous acceptons votre invitation avec plaisir.
h. Oui, la messe commence à minuit juste.
i. Tu vas les allumer ce soir?

Etude de mots

Mots associés 1: Le wagon is an English word that the French language has borrowed. *La crèche* is a French word that has become part of the English language. For your enjoyment, here are two lists of words that French and English have borrowed from each other. Can you think of others?

Quelques mots anglais qui existent aussi en français

le camping	le hot dog	le motel	le sandwich
le film	le jean	O.K.	le shopping
le football	le jet	le parking	le snack-bar
le gadget	le ketchup	le rock	le snob
le hobby	le knock-out (le K.O.)	le rocking-chair	le week-end

Quelques mots français qui existent aussi en anglais

à la carte	crêpe	faux pas	petit four
buffet	cuisine	fiancé(e)	rendez-vous
café	cul de sac	filet	route
camouflage	débris	gauche	salon
chef	début	hors d'œuvre	soirée
chic	entrée	mêlée	soufflé
coup	façade	parfait	tête-à-tête

Mots associés 2: Complete the sentences using the noun related to the verb in italics.

1. Je compte *retourner* par le train. Alors je voudrais un aller et ______.
2. Nous ne *fêtons* pas ______ des Mères.

3. On n'a pas besoin de *réveil.* On peut *réveiller* les enfants quand on rentre de la messe. Nous allons servir ______ entre 1 h. et 1 h. 30.
4. Monsieur Leblanc vient *décorer* la maison entière. ______ va coûter cher!
5. Elle vient de m'*inviter* à déjeuner avec elle. On ne peut pas refuser ______!
6. *Goûte* cette nouvelle confiture! Tu veux en prendre avec du pain pour ______?
7. Plusieurs jeunes gens font ce *voyage.* Il y a beaucoup de ______.

Synonymes: Substitute an appropriate synonym or synonymous expression for the word or words in italics.

1. Le prof va nous *dire* comment on fête le Jour de l'An en Europe.
2. Les voyageurs sont arrivés à Paris *le jour après.*
3. Evidemment, elles sont *complètement* à l'aise.
4. Est-ce que Paul a monté *sa malle et ses valises?*
5. Les devoirs de Marianne sont toujours *tout à fait sans fautes.*
6. Nous n'allons travailler *ni samedi ni dimanche.*

Mots à plusieurs sens: Note the differences in meaning of the words in italics depending upon the context.

1. Tu n'as pas *compris?* D'après le garçon, le service n'est pas *compris.*
2. Je *compte* partir dans un quart d'heure. Tu *as compté* ton argent?
3. Quel mauvais *temps!* Est-ce que j'ai *le temps* d'aller chercher un imperméable?

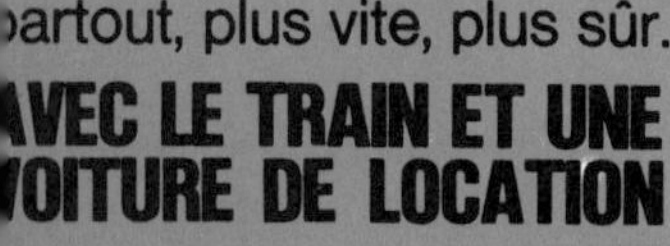

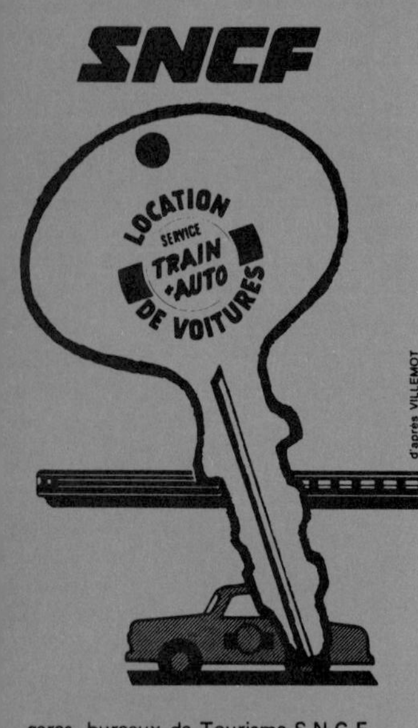

EXPLICATIONS I

Le verbe venir

VOCABULAIRE

convenir (à) *to suit, to be appropriate to*

venir chercher *to come to get, to come to pick up*

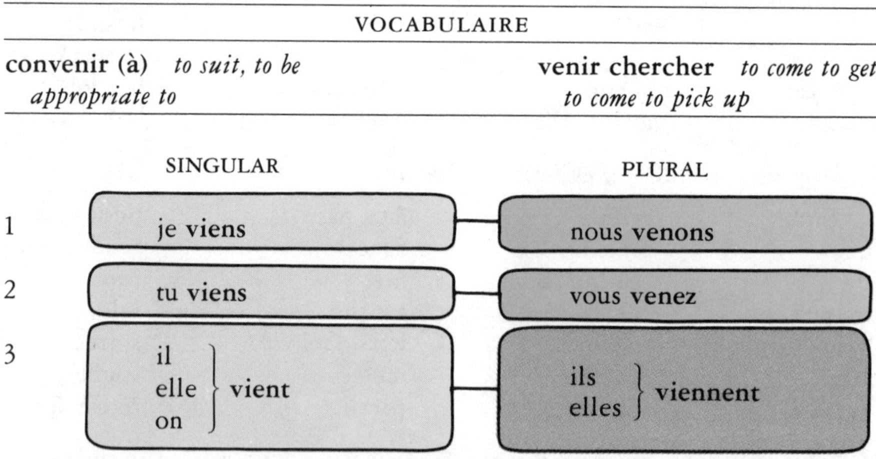

	SINGULAR	PLURAL
1	je viens	nous venons
2	tu viens	vous venez
3	il / elle / on } vient	ils / elles } viennent

IMPERATIVE: **viens! venons! venez!**

PAST PARTICIPLE: **venu**

1. All verbs whose infinitive forms end in *-venir* follow this pattern. Do you remember what these verbs mean? *Elle devient riche et célèbre. Nous revenons la veille de Noël.*

2. *Venir* + infinitive shows purpose. *Venir* + *de* + infinitive means "to have just." This is called the "immediate past":

Je viens manger.	***I'm coming to eat.***
but: **Je viens de manger.**	***I've just eaten.*** / ***I just ate.***

Exercices

A. Replace the verbs in italics with the appropriate present-tense form of the verb in parentheses. Follow the model.

1. Cela te *gêne,* n'est-ce pas? (convenir)
   Cela te convient, n'est-ce pas?
2. Ils *rentrent* à Digne. (revenir)
3. J'*arrive* par le train. (venir)
4. Comme vous *êtes* grands! (devenir)
5. Nous y *allons* à pied. (revenir)
6. *Ecoute* donc! (venir)
7. Elles *sont* avocates. (devenir)
8. Il *va* te chercher. (venir)
9. Il lui *parle.* (convenir)

B. Answer each question using the appropriate form of *venir de.* Follow the model.

1. Quand est-ce que tu vas aller chercher les billets?
   Je viens d'aller chercher les billets.
2. Quand est-ce que l'express va partir?
3. Quand est-ce que vous allez allumer les bougies?
4. Quand est-ce que je vais voir les nouvelles décorations?
5. Quand est-ce que l'omnibus va arriver?
6. Quand est-ce qu'elles vont choisir les santons?
7. Quand est-ce que tu vas réveiller papa?
8. Quand est-ce qu'ils vont goûter le pâté?
9. Quand est-ce que vous allez sortir les verres?

Le passé composé avec <u>être</u>

1. Review these verbs which form the passé composé with *être:*

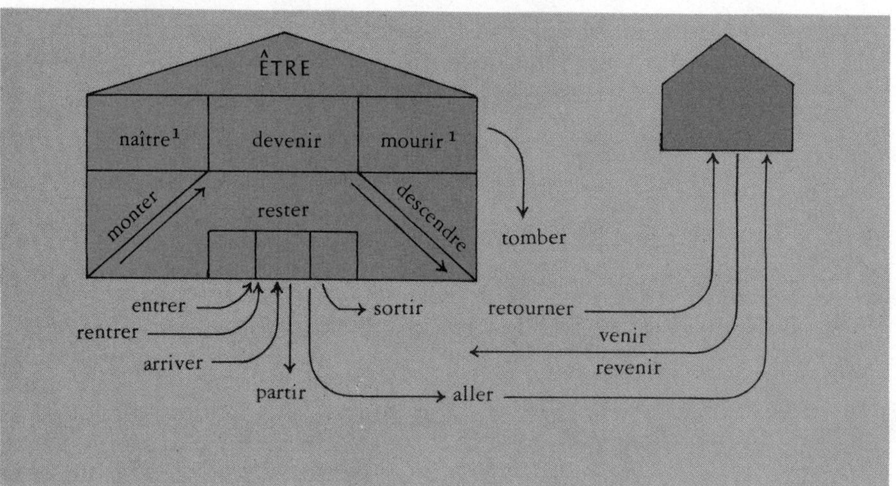

2. Remember that when a verb forms the passé composé with *être,* the past participle agrees with the subject of the verb in gender and number:

je suis { allé / allée	nous sommes { allés / allées
tu es { allé / allée	vous êtes { allé / allée / allés / allées
il est allé elle est allée on est allé	ils sont allés elles sont allées

3. When *sortir, monter,* and *descendre* are followed by a direct object, the passé composé is formed with *avoir:*

Je suis sorti du garage.	***I went out** of the garage.*
J'ai sorti l'auto du garage.	***I took the car out** of the garage.*
Je suis monté lentement.	***I came up** slowly.*
J'ai monté la malle lentement.	***I took the trunk up** slowly.*
Je suis descendu à la plage.	***I went down** to the beach.*
J'ai descendu la valise.[2]	***I brought down the suitcase.***

---

[1]*Naître,* "to be born," and *mourir,* "to die," are irregular verbs. You need only know their past participles, *né* and *mort.*

[2]Note that *avoir* is used in such sentences as *Elle a descendu la montagne; Nous avons monté l'escalier; Ils ont descendu la rue.* Even though the meaning is "to go up" or "to go down," *la montagne, l'escalier,* and *la rue* are direct objects.

Exercices

A. Put the sentences into the passé composé. If the verb has a direct object, remember to use *avoir.* When more than one form of the past participle is possible, show them all. Follow the model.

1. Nous arrivons entre minuit et 2 h.
   Nous sommes arrivés entre minuit et 2 h.
   Nous sommes arrivées entre minuit et 2 h.
2. La concierge reste chez elle pendant le week-end.
3. Elles sortent les santons de la boîte.
4. Tu entres dans le compartiment juste avant le départ.
5. Les bagages tombent du quai.
6. Vous rentrez tout de suite après la messe de minuit?
7. Nous devenons médecins.
8. Je monte les valises dans le compartiment.
9. Les élèves sortent du labo de langues.

B. Answer the questions in the passé composé using the cues in parentheses. When more than one form of the past participle is possible, show them all. Follow the model.

1. Tu vas aller chercher les décorations? (ce matin)
   Je suis allé chercher les décorations ce matin.
   Je suis allée chercher les décorations ce matin.
2. Les jeunes filles vont partir en vacances? (la veille de Noël)
3. Est-ce que le chien de ton voisin va mourir? (hier soir)
4. Nicole va-t-elle aller en Belgique? (le lendemain de son anniversaire)
5. Quand est-ce que l'enfant des Dupont va naître? (en octobre)
6. Tes parents vont revenir pour la fête? (la semaine dernière)
7. Vous allez descendre en ville pour faire des achats? (cet après-midi)
8. Quand est-ce que ces voyageurs allemands vont retourner à Berlin? (il y a deux jours)
9. Est-ce que les artistes vont venir à l'exposition? (mercredi)
10. Tu vas sortir la voiture? (il y a un quart d'heure)

Vérifiez vos progrès

Rewrite the paragraph in the passé composé.

Ce soir, Vincent et Jeanne *vont* à la gare. Ils *regardent* l'horaire, et puis ils *descendent* au quai. Leur mère *vient* leur dire "bon voyage." L'omnibus pour Nice *arrive.* Ils *montent* dans le train, *entrent* dans leur compartiment et le train *part.* Peu après ils *vont* au wagon-restaurant où ils *prennent* leur dîner. Le train *arrive* à Nice à 9 h. juste, le lendemain. Vincent et Jeanne *descendent* leurs valises du train et *entrent* dans la gare. Vincent *téléphone* à leur cousine, qui *vient* tout de suite les chercher.

CONVERSATION ET LECTURE

Parlons de vous

Voici les noms de quelques fêtes:

le Jour de l'An	le 14 juillet
la fête des Rois, le 6 janvier	Rosh Hashana
la Pâque ("Passover")	la Toussaint, le 1er novembre
Pâques ("Easter")	Chanouka
la fête du Travail, le 1er mai	Noël

1. Est-ce que vous fêtez Noël chez vous? Comment est-ce que vous le fêtez? 2. Qu'est-ce que vous faites la veille de Noël? Quand est-ce qu'on ouvre les cadeaux de Noël chez vous? 3. Est-ce que vous avez une crèche? Si oui, décrivez la crèche. 4. Est-ce qu'on prépare un repas traditionnel chez vous? Qu'est-ce qu'on y sert d'habitude? 5. Qu'est-ce que vous allez offrir à vos parents comme cadeau de Noël cette année? 6. Si vous ne fêtez pas Noël, vous fêtez peut-être Chanouka? Comment est-ce qu'on le fête? 7. Qu'est-ce que vous faites le Jour de l'An? Quelles équipes ("teams") de football américain jouent dans les "Bowl Games" cette année? 8. Quand est-ce que la fête du Travail a lieu dans notre pays? Qu'est-ce qu'on fait d'habitude ce week-end? 9. Qu'est-ce qu'on fait en Amérique la veille de la Toussaint? 10. Donnez les noms de quelques autres fêtes. Quand est-ce qu'elles vont avoir lieu l'année prochaine?

Noël en Provence

Les Français aiment beaucoup leurs traditions et leurs fêtes religieuses. Comme en Amérique, la fête de Noël est très importante pour la famille française. Cependant les coutumes° sont un peu différentes de celles° que nous connaissons. La veille de Noël, par exemple, les enfants mettent leurs chaussures, bien cirées,° devant la cheminée° où le Père Noël peut les trouver et les remplir° facilement de cadeaux. Toute la famille assiste à la messe de minuit à l'église. Après, quand on est rentré à la maison, on sert le repas du réveillon. D'habitude cela comprend

la coutume: *custom*
ceux, celles: *those*
ciré, -e: *polished*
la cheminée: *fireplace*
remplir: *to fill*

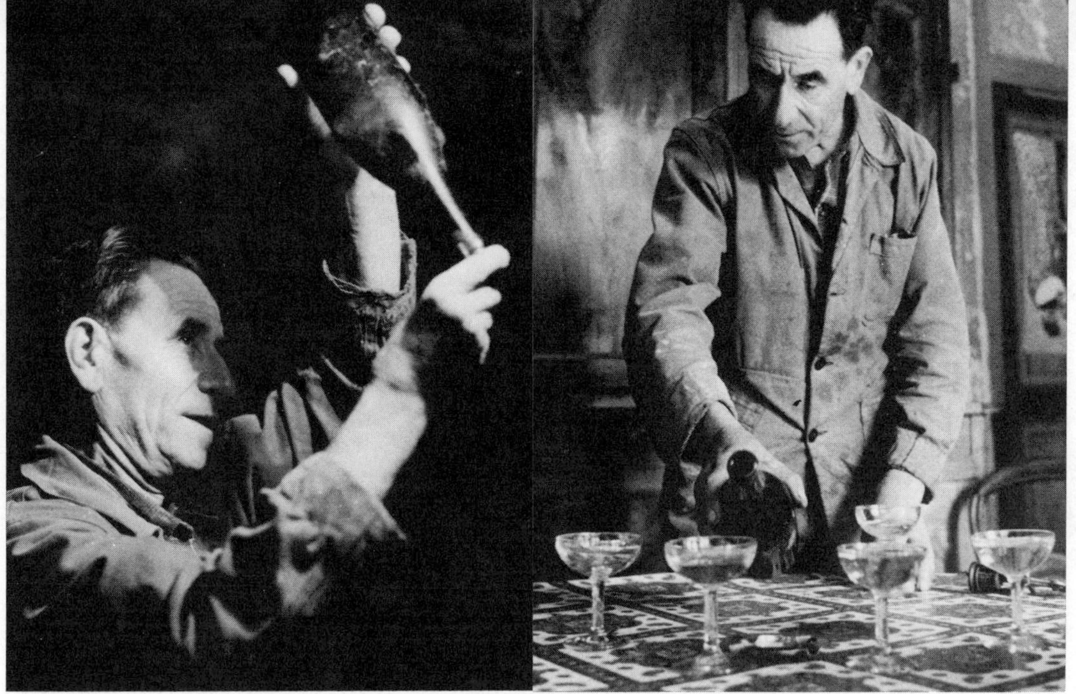

des huîtres comme hors-d'œuvre, une dinde aux marrons, du boudin blanc et, comme dessert, une bûche de Noël.* Comme boisson on sert du champagne. Le réveillon dure° longtemps, souvent jusqu'à 3 ou 4 h. du matin. Dans quelques familles on ouvre les cadeaux avant de° se coucher,° mais d'habitude on attend le matin suivant pour les ouvrir et pour voir les jouets que le Père Noël a apportés aux enfants.

durer: *to last*
avant de + *inf.* = avant
se coucher: *to go to bed*

Faisons maintenant une visite à une famille provençale. Les enfants de la famille, Nicolas et Isabelle, sont avec leur cousine Yolande, qui est venue passer les vacances de Noël en Provence. Les jeunes gens sont en train de décorer la crèche. (Nous savons que c'était° dans les églises provençales au XIIe siècle° qu'on a dressé° les premières crèches. De nos jours,° cependant, presque chaque famille a sa crèche qu'elle met à une place d'honneur dans la maison.)

était: *was*
le siècle: *century*
dresser: *to set up*
de nos jours = aujourd'hui

YOLANDE Comme votre crèche est belle!

ISABELLE Mais tu as pas mal de° santons chez toi, n'est-ce pas?

YOLANDE Oui, nous en achetons° toujours quand nous venons vous faire une visite. Mais vous en avez beaucoup plus . . . Zut! Vous savez où j'ai mis le bûcheron?° C'est le santon que j'aime le mieux.°

pas mal de: *quite a few*
acheter: *to buy*
le bûcheron: *woodcutter*
le mieux: *best*

NICOLAS Il est là, derrière l'aveugle° et son fils.

ISABELLE Moi, je préfère le berger° et son petit agneau.° Maman m'a donné le berger l'année dernière. Regarde! C'est joli, n'est-ce pas?

YOLANDE Très joli.

NICOLAS Ecoute, Yolande. Prends un de ces santons. Tu peux le garder° comme souvenir de ton voyage.

YOLANDE Merci mille fois. Mais tu peux le remplacer?°

NICOLAS Bien sûr. Prends le bûcheron, si c'est le santon que tu aimes le mieux. Je peux facilement en acheter un autre.

l'aveugle *(m.&f.)*: *blind person*
le berger: *shepherd*
l'agneau *(m.)*: *lamb*
garder: *to keep*
remplacer: *to replace*

Nice
La Provence

En France, comme ailleurs° en Europe, on ne reçoit° pas des cadeaux seulement à Noël. Au Jour de l'An, par exemple, on offre des étrennes.* Mais Noël et le Jour de l'An ne sont que les premières des fêtes religieuses importantes de l'hiver. Il y a aussi le 6 janvier, la fête des Rois,° quand on met trois nouveaux personnages° à la crèche—les trois rois mages.° Pour les enfants, c'est surtout la tradition de la galette des rois* qui fait l'importance de cette fête. Le mois suivant, le 2 février, beaucoup de

ailleurs: *elsewhere*
recevoir: *to receive*
le roi: *king*
le personnage: *character*
les rois mages: *Magi*

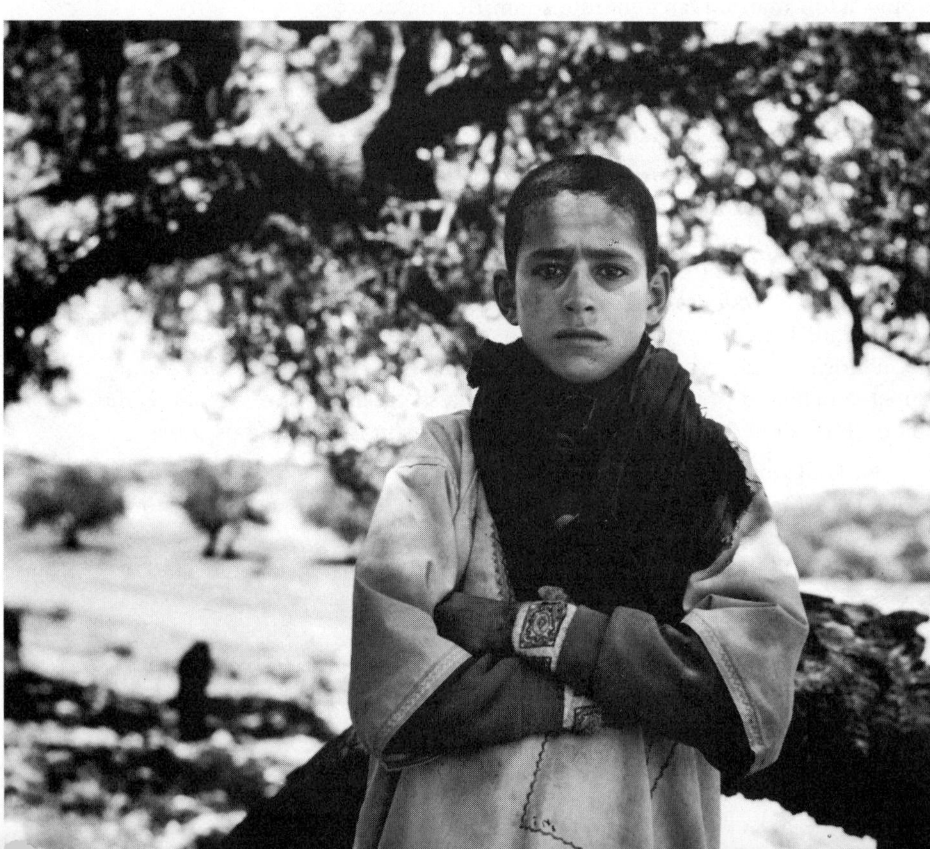

familles fêtent le Jour de la Chandeleur. Les pâtisseries traditionnelles qu'on prépare pour la Chandeleur, ce sont les crêpes.* Et après, vers le milieu de février, on fête le mardi gras.* C'est surtout à Nice, en Provence, qu'on voit de grandes foules qui sont venues assister aux défilés° et aux bals masqués° qui ont lieu pendant les quatre jours du Carnaval.

le défilé: *parade*
le bal masqué: *masked ball*

Noël, le Jour de l'An, la fête des Rois, la Chandeleur, le Carnaval, le mardi gras. Il n'est ni long ni ennuyeux, l'hiver en Provence.

Notes culturelles

****le boudin blanc . . . la bûche de Noël:*** *Le boudin blanc* is a white sausage made with light pork meat and milk. *La bûche de Noël* is a traditional cake shaped like a log, iced with chocolate, and sometimes decorated with a few pieces of meringue in the form of mushrooms.

****les étrennes:*** This is a New Year's gift, usually money, offered to employees or other adults (the mailman or concierge, for example). The French usually send holiday cards for New Year's, not Christmas, and these are more apt to be personal notes than commercial cards. New Year's Day itself is a time for families and close friends to visit each other.

****la galette des rois:*** Made of puff pastry, *la galette* contains a bean *(une fève)* put into the dough before baking. The person who gets the piece containing the bean is crowned king or queen and is supposed to have a year of good luck.

****les crêpes:*** These thin French pancakes may be sprinkled with sugar or spread with jam and then folded. La Chandeleur, or "feast of candles," commemorates the presentation of Jesus in the Temple. It is traditional on this holiday to hold a one-franc coin while flipping the *crêpes,* and for each guest to be given a turn. A perfect flip signifies good luck.

****le mardi gras:*** This is the day before Ash Wednesday *(le mercredi des Cendres),* which is the beginning of Lent. Mardi gras is the last day of Carnival time, and in certain towns is celebrated with costume parties, parades, and great feasts and festivities.

À propos . . .

1. Que font les enfants français la veille de Noël? 2. Décrivez le repas du réveillon. 3. Qu'est-ce que les jeunes gens de la lecture sont en train de faire? Où est-ce que la tradition de la crèche a commencé? Quand? 4. Quel santon est-ce que Yolande aime le mieux? Quel santon Isabelle préfère-t-elle? 5. Qu'est-ce que Nicolas offre à sa cousine? Est-ce qu'elle l'accepte? Est-ce qu'il va pouvoir en trouver un autre? 6. Comment est-ce qu'on fête le Jour de l'An en France? la fête des Rois? la Chandeleur? le mardi gras? 7. Et vous, est-ce qu'on sert des repas traditionnels pour quelques fêtes chez vous? Qu'est-ce qu'on y sert? Est-ce qu'il y a, par exemple, un repas traditionnel pour la Pâque ou pour Pâques?

EXPLICATIONS II

Le pronom y

1. In Lesson 4, you were reminded that *à* + person becomes the indirect object pronoun *lui* or *leur: Cela convient à Jean → Cela lui convient; Je parle à Jean et à Paul → Je leur parle.* The construction *à* + place or thing can be replaced by the pronoun *y:*

Les élèves pensent **à l'examen.**	Les élèves y pensent.
Je réponds **aux lettres.**	J'y réponds.
Elle ne va pas **à Paris.**	Elle n'y va pas.

   Note that there is elision *(j'y, n'y)* and liaison *(on‿y, nous‿y, vous‿y, ils‿y, elles‿y).*

2. *Y* is also used to replace expressions of location introduced by such words as *en, dans, chez, devant, derrière, sur,* etc.:

Je suis **en ville.**	J'y suis.
Nous ne sommes pas **chez Alice.**	Nous n'y sommes pas.

3. In negative sentences, in sentences where the verb is followed by an infinitive, and in the passé composé, *y* occupies the same position as any other indirect object pronoun:

Il vient d'y **aller.**	Il **ne** vient **pas** d'y **aller.**
Elle **y est rentrée.**	Elle **n'y est pas rentrée.**

Exercices

A. Answer the questions using the pronoun *y.* Follow the model.

1. Les décorations sont *sous l'arbre?* *Oui, elles y sont.*
2. Tu téléphones *à la gare?*
3. Vous assistez *aux matchs?*
4. Elle est *sur le quai?*
5. Tu es monté *dans l'autobus?*
6. On dîne *au wagon-restaurant?*
7. Il a mis les paquets *sur la table?*
8. Elles vont *au rez-de-chaussée?*
9. Il fait des courses *en banlieue?*

B. Answer the questions in the negative using the appropriate pronoun: *y* or *en.* Follow the model.

1. Tu es allé *au guichet?* *Non, je n'y suis pas allé.*
2. Ils vont arriver *de Paris* demain?
3. Les voyageurs sont restés *dans leurs compartiments?*
4. Il faut prendre l'omnibus *à Digne?*
5. Ils prennent *des boissons froides* après 9 h. 30?
6. Elle a attendu ses amies *en face du buffet de la gare?*
7. Vous avez laissé les motos *à côté du garage?*
8. Tu rentres *du bureau* pendant les heures de pointe?
9. Elles ont pris des boissons *à la terrasse du café?*
10. Il veut rester *à l'intérieur?*

C. Answer the questions using the cues in parentheses and replacing the words in italics with the appropriate object pronoun: *lui, leur,* or *y.* Follow the models.

1. L'employée donne le billet *à la dame?* (tout de suite)
   Oui, elle lui donne le billet tout de suite.
2. Tu vas aller *au wagon-restaurant?* (tout à l'heure)
   Oui, je vais y aller tout à l'heure.
3. Vous êtes allées *à la surprise-party?* (avec plaisir)
4. Le parfum convient *à ta cousine?* (parfaitement)
5. Le train va arriver *sur la voie 12?* (bientôt)
6. Est-ce que j'ai le temps d'aller *au buffet?* (si tu ne commandes pas beaucoup)
7. Ils écrivent *à leurs grands-parents?* (souvent)
8. Le mois de mars est agréable *sur la Côte d'Azur?* (tout à fait)
9. Tu viens de passer quinze jours *en Grèce?* (récemment)
10. Vous avez posé la question *au proviseur?* (hier)
11. Il faut faire la queue *près de l'entrée?* (si on arrive en retard)
12. Tu as demandé des horaires *à ces employés?* (il y a longtemps)

Les pronoms compléments d'objet direct

1. Remember that the French equivalent of the direct object pronouns "him," "her," and "it" are *le* and *la* (or *l'*), depending on the gender of the noun they are replacing. The equivalent of "them" is *les:*

   Je cherche **le** contrôleur.
   Je cherche **le** quai. } Je **le** cherche.

   Il regarde **la** dame.
   Il regarde **la** bougie. } Il **la** regarde.

   Elle voit **les** jeunes filles.
   Elle voit **les** essuie-glaces. } Elle **les** voit.

2. *Me, te, nous,* and *vous* can be used as either direct or indirect object pronouns. Before a verb beginning with a vowel sound, there is elision *(je l'invite, tu m'écoutes)* and liaison *(il les‿entend, il nous‿attend):*

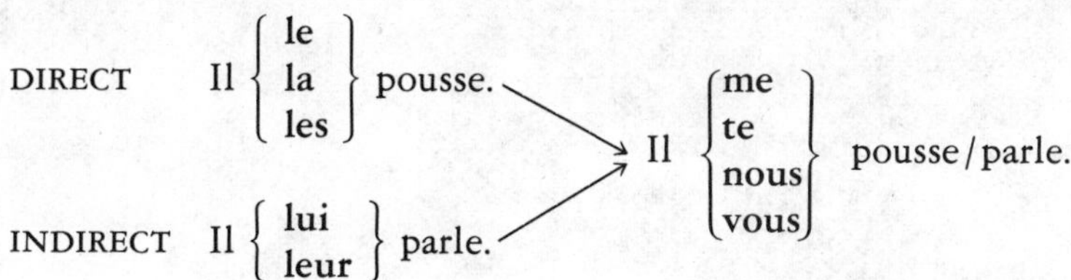

3. Note the position of the direct object pronoun in negative sentences and in sentences where it is the object of an infinitive:

   Le train? Je **ne l'**attends **pas**. Tu vas **l'**attendre?
   Adèle? Je **ne la** vois **pas**. Tu peux **la** voir?

4. In the passé composé, the past participle always agrees in gender and number with a *preceding* direct object pronoun:

   L'horaire? Il l'a **regardé.** | **Les garçons?** Il **les** a **écoutés.**
   La dame? Il l'a **attendue.** | **Les valises?** Il **les** a **montées.**

   When an *e* is added to a past participle that ends in a consonant, the consonant is pronounced. If the past participle already ends in an *s*, no *s* is added to make masculine plural agreement:

   Les devoirs? Il **les** a **faits** et il **les** a **compris.**
   Les fautes? Il **les** a **faites**, mais après il **les** a **comprises.**

5. When *me, te, nous,* and *vous* are used as *indirect* object pronouns, the past participle does not agree: *Il vous a parlé.* When they are used as *direct* object pronouns, the past participle does agree:

   Il **vous** a **poussé**, monsieur? | Il **vous** a **poussés**, messieurs?
   Il **vous** a **poussée**, madame? | Il **vous** a **poussées**, mesdames?

Exercices

A. Answer the questions, replacing the words in italics with the appropriate direct object pronoun: *le, la, l',* or *les.* Follow the model.

1. Est-ce que vous cherchez *vos couchettes?*
   Oui, nous les cherchons.
2. Les passagers écoutent *le haut-parleur?*
3. Ils attendent *leur ancien professeur d'anglais* au guichet?
4. Est-ce qu'on ferme *le wagon-restaurant* maintenant?
5. Elles décorent *la crèche* ensemble?
6. Vous goûtez *les huîtres?*
7. Est-ce que ce bruit gêne *ton petit garçon?*
8. Est-ce que l'addition comprend *les glaces?*
9. Il descend *la malle?*

B. Answer the questions in the negative, using the appropriate direct object pronoun: *me, te, nous,* or *vous.* Follow the model.

1. Est-ce que Paul et Nicole vous invitent chez eux?
   Non, ils ne nous invitent pas.
2. Est-ce que les bougies te gênent?
3. Tu m'accompagnes à la messe de minuit?
4. Cela vous surprend, madame?
5. Est-ce qu'on est venu te chercher à midi juste?
6. Est-ce qu'elles vont vous retrouver à l'église?
7. Est-ce que le caissier peut t'entendre?
8. Est-ce que tu vas me réveiller?
9. Est-ce que ce bonhomme là-bas nous écoute?

C. Answer the questions using the appropriate direct object pronoun. Make sure that the past participle agrees with the noun that is being replaced. Follow the model.

1. Elles ont fini *la leçon?*
   Oui, elles l'ont finie.
2. Il a sorti *ces choses?*
3. On a goûté *le champagne?*
4. Tu as descendu *les valises?*
5. Il a allumé *les bougies?*
6. Ils ont perdu *leurs billets?*
7. J'ai monté *la dernière boîte?*
8. Il a trouvé *tous les santons?*
9. Elles ont manqué *leurs trains?*

D. Answer the questions in the negative. Be careful! Some have direct and some have indirect objects. Follow the models.

1. Tu as téléphoné à l'infirmière? *Non, je ne lui ai pas téléphoné.*
2. Il a compris tes questions? *Non, il ne les a pas comprises.*
3. J'ai répondu à tes questions? *Non, tu n'y as pas répondu.*
4. Tu as choisi ce compartiment?
5. Elles ont fait leurs bagages?
6. Papa a réveillé Annette?

7. Elles ont descendu la montagne?
8. Tu es descendu à la plage?
9. Tu as raconté cette histoire?
10. Vous avez surpris votre sœur cadette?
11. Ils ont conseillé aux enfants de changer de place?
12. Tu as conseillé les étudiantes?
13. Vous avez fait cette valise?
14. Nous avons appris ces chansons?
15. Ce complet a convenu au garçon?

Vérifiez vos progrès

Write true "yes" or "no" answers to the questions, using the appropriate object pronoun: *l'*, *les*, *lui*, *leur*, or *y*. Be sure to make the past participle agree with any *direct* object pronoun.

1. Vous avez déjeuné *à la cantine du lycée* hier?
2. Vous êtes resté *chez vous* hier soir?
3. Vous avez regardé *la télé* hier soir?
4. Vous avez fait *vos devoirs* hier soir?
5. Vous avez parlé *au professeur de français* après le cours aujourd'hui?
6. Vous avez compris *toute cette leçon?*
7. Vous avez réussi *à votre dernier examen de français?*
8. Vous avez raté *cet examen de français?*
9. Vous avez répondu *à toutes ces questions?*

RÉVISION ET THÈME

Consult the model sentences, then put the English cues into French and use them to form new sentences.

1. *Je viens de donner le billet de retour au contrôleur.*
   (She just visited the Auto Show in Paris.)
   (We just told the Christmas story to the children.)
2. *Nous y avons fêté le Jour de l'An.*
   (I heard midnight mass there.)
   (He spent the day after Christmas there.)
3. *Il est sorti du bureau et il est allé chercher un sandwich au café.*
   (We got on the local and went to look for our compartment in the sleeping car.)
   (She entered the store and came to pick up her perfume at the cashier's desk.)
4. Ensuite *j'ai appris les chansons et je les ai chantées dans l'amphi.*
   (she took out the santons and showed them to her grandfather)
   (he brought down the candles and lit them in the hall)
5. Puisque *l'enfant est né à 1 h. juste, j'ai téléphoné d'abord au journal du soir.*
   (we arrived right at noon, we went quickly into the station's snack bar)
   (I worked until exactly 3:00, I spent a long time in the basement of the shop)

Now that you have done the *Révision,* you are ready to write a composition. Put the English captions describing each cartoon panel into French to form a paragraph.

1
Odile and Marie-France just left their grandparents' apartment in Lyon.

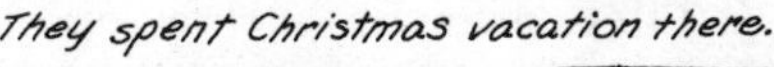

They spent Christmas vacation there.

BILLETS
3
They arrived at the station and went to pick up their tickets at the ticket window.

4
SNCF
Then they took their suitcases and brought them up into the compartment.

5
Since the train left at exactly 7:00, they went to the dining car right away.

AUTO-TEST

A. Rewrite the paragraph in the passé composé. Be careful! Some of the verbs require *être,* others require *avoir.*

Ce matin Alain et Anne *vont sortir* de bonne heure. Ils *vont descendre* en ville pour aller chercher des cadeaux de Noël. Juste avant midi ils *vont rentrer* chez eux pour avoir le temps de décorer l'arbre de Noël. Anne *va aller chercher* la crèche et les santons et Alain *va monter* les décorations du sous-sol. Vers 8 h. du soir, leurs grands-parents *vont arriver.* On *va passer* la soirée à la maison et ensuite, peu avant minuit, toute la famille *va aller* à l'église. Après, on *va retourner* à la maison, où on *va prendre* le repas du réveillon.

B. Write answers to the questions, replacing the words in italics with the appropriate object pronoun: *l', les, lui,* or *leur.* Follow the model.

1. Tu as parlé *à cet employé?*
   Oui, je lui ai parlé.
2. Ils ont préparé *les huîtres* pour le réveillon?
3. Nous avons fait une visite *à Marguerite et à Annick?*
4. Est-ce qu'elle a pris *la couchette?*
5. Il a trouvé *ses bagages* dans le compartiment?
6. Elles ont invité *leurs cousines* à venir avec elles?
7. Vous avez fait *la vaisselle* après le réveillon?

C. Rewrite the sentences, replacing the words in italics with the appropriate pronoun *y* or *en.* Follow the model.

1. Nous sommes allés *près de l'église.*
   Nous y sommes allés.
2. Elle a eu besoin *d'un billet de première classe.*
3. Ils sont tombés *dans le lac.*
4. Je ne suis pas rentrée *chez moi* après la messe de minuit.
5. Il n'est pas revenu *de l'aéroport.*
6. Nous n'avons pas le temps de déjeuner *en ville.*
7. Elles vont faire leurs études *en banlieue.*

Noël[1]

LES ANGES° DANS NOS CAMPAGNES

l'ange *(m.)*: angel

Les anges dans nos campagnes
Ont entonné° l'hymne des cieux,°
Et l'écho de nos montagnes
Redit° ce chant° mélodieux:
Gloria in excelsis Deo.

entonner = chanter
les cieux = *pl. of* le ciel
redire: *to repeat*
le chant = la chanson

Bergers,° pour qui cette fête?
Quel est l'objet de tous ces chants?
Quel vainqueur,° quelle conquête°
Mérite ces cris° triomphants?
Gloria in excelsis Deo.

le berger: *shepherd*
le vainqueur: *victor*
la conquête: *conquest*
le cri: *shout*

Ils annoncent la naissance°
Du libérateur d'Israël,
Et pleins° de reconnaissance,°
Chantent en ce jour solennel:°
Gloria in excelsis Deo.

la naissance: *birth*
plein, -e: *full*
la reconnaissance: *gratitude*
solennel, -le: *solemn*

Toujours remplis° du mystère
Qu'opère° aujourd'hui votre amour,°
Notre bonheur° sur la terre
Sera° de chanter chaque jour:
Gloria in excelsis Deo.

rempli, -e = plein
opérer: *to bring about*
l'amour *(m.)*: *love*
le bonheur: *happiness*
sera = va être

Proverbe

A la Chandeleur, l'hiver passe ou prend vigueur.

[1]*Le noël,* without a capital *N,* means "Christmas carol." Although most of our traditional carols are of English or German origin, you are probably familiar with this French carol.

Sixième Leçon

Mercredi matin chez les Durand

Les Durand habitent La Rochelle,* un beau port qui se trouve dans l'ouest de la France, sur l'Atlantique. Les Durand ont deux enfants. L'aînée s'appelle Christiane; le cadet, c'est Antoine. Ce matin, Antoine espère faire la grasse matinée. Il aime la faire, surtout le mercredi,[1] quand il n'y a pas de cours. Aujourd'hui, cependant, Christiane va l'emmener au Musée des Beaux-Arts, et elle veut partir avant 10 h. Elle réveille Antoine à 8 h. 30, mais il ne se lève pas et bientôt il se rendort. Un peu plus tard, elle monte encore l'escalier, frappe à la porte et le réveille pour la deuxième fois.

CHRISTIANE Antoine, tu ne te lèves pas encore?
ANTOINE Quelle heure est-il?
CHRISTIANE Neuf heures. Et nous voulons partir dans une heure, tu sais.
ANTOINE Oh, laisse-moi. Je préfère rester au lit le mercredi.
CHRISTIANE Tu te couches toujours trop tard le mardi soir. Mais aujourd'hui tu viens avec moi quand même. Lève-toi maintenant!
ANTOINE Bon, alors, prépare-moi un bol de café au lait, tu veux? Et du pain grillé.
CHRISTIANE D'accord, mais vite alors! Tu peux t'habiller après.
ANTOINE Est-ce qu'il y a des brioches?*
CHRISTIANE Mais non! Ce n'est pas la Tour d'Argent* ici!

---

[1]The definite determiner is used with days of the week when habitual action is being spoken of: *Mercredi je joue au tennis* ("Wednesday I'm playing tennis"), but *Le mercredi je joue au tennis* ("Wednesdays I play tennis"). To emphasize the habitualness, one can also use *tous les:*

Je leur conseille de travailler	samedi	*Saturday*
	le samedi	*Saturdays*
	tous les samedis	*every Saturday*

Wednesday morning at the Durands'

The Durands live in La Rochelle, a lovely port located in the west of France, on the Atlantic. The Durands have two children. The older one is named Christiane; the younger is Antoine. This morning Antoine hopes to sleep late. He likes to do that, especially Wednesdays, when there's no school. Today, however, Christiane is taking him to the Fine Arts Museum, and she wants to leave before 10:00. She wakes Antoine at 8:30, but he doesn't get up and soon goes back to sleep. A little later she goes upstairs again, knocks at the door, and wakes him a second time.

CHRISTIANE Antoine, aren't you getting up yet?
ANTOINE What time is it?
CHRISTIANE Nine o'clock. And we want to leave in an hour, you know.
ANTOINE Oh, leave me alone. I'd rather stay in bed on Wednesday.
CHRISTIANE Tuesday nights you always go to bed too late. But today you're coming with me anyway. Get up now!
ANTOINE All right, then, but make me a bowl of café au lait, will you? And some toast.
CHRISTIANE OK, but hurry up! You can get dressed afterward.
ANTOINE Are there any brioches?
CHRISTIANE Of course not! This isn't the Tour d'Argent!

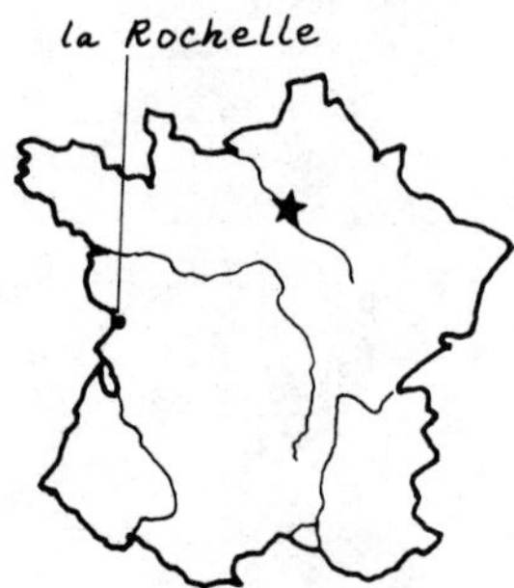

Notes culturelles

**La Rochelle:* This city is an important fishing center, and *le vieux port* has long been a favorite subject for artists. Each year at the end of May, a week-long international sailing regatta *(la Semaine internationale de la voile)* is held at La Rochelle.

La Rochelle is in one of the few largely non-Catholic areas of France. The city itself was one of the fortified places where Protestants could be safe during periods of religious persecution. Religious freedom was granted by Henri IV's *Edit de Nantes* (1598), but was revoked in 1685 by his grandson, Louis XIV. Protestants could no longer worship in public, and many of their churches *(les temples)* were destroyed. As a result, perhaps as many as 300,000 Protestants fled to other parts of Europe and to America. Many settled in the colony of South Carolina.

**la brioche:* This slightly sweet roll is made from a rich dough containing eggs and lots of butter. Though they come in different sizes, all brioches have a distinctive ball-shape on top. Brioches would be served at more elaborate breakfasts, such as one might have on Wednesday or Sunday mornings.

**la Tour d'Argent:* This old and extremely expensive restaurant is located in Paris, near *la cathédrale de Notre Dame.* Note that *l'argent* means "silver," as well as "money."

Questionnaire

1. Où se trouve La Rochelle? 2. Qu'est-ce qu'Antoine veut faire ce matin? Pourquoi est-ce qu'il ne peut pas la faire? 3. A quelle heure Christiane le réveille-t-elle pour la première fois? Qu'est-ce qui se passe? 4. Est-ce qu'Antoine veut se lever quand sa sœur le réveille pour la deuxième fois? D'après Christiane, pourquoi a-t-il encore sommeil? 5. Qu'est-ce qu'Antoine commande comme petit déjeuner? Il commande aussi des brioches. Est-ce qu'il y en a? 6. Quand Antoine va-t-il s'habiller?

PRONONCIATION

The [j] sound is similar to the first sound in the English word "yes." It is either followed by a vowel sound or occurs at the end of a word. The [w] sound is always followed by a vowel sound.

Exercices

A. Practice the [j] sound at the end of these words.

fille feuille famille vieille soleil sommeil

B. Now practice the distinction between the [i] and [j] sounds.

[i]/[j]	le lit/le lion	merci/monsieur	Paris/parisien
	Marie/marié	le pilote/la pièce	l'Italie/italien

C. In these pairs, the first word contains the [u] sound; the second, the [w] sound. Both words have only one syllable. Listen, then repeat.

[u]/[w] ou/oui joue/jouer tout/toi vous/voir sous/soif

D. Now listen to these sentences, then say them aloud.

Philippe vient de Lyon.
Moi, je vois François.
Lucien va avoir soif.

La voiture convient au monsieur.
Je crois qu'il voit que c'est toi.
Louis joue au football ce soir.

MOTS NOUVEAUX I

Ma petite sœur reste **au lit.**	*My little sister's staying* ***in bed.***
Je veux l'**emmener** au parc.	*I want* ***to take*** *her to the park.*
Je vais lui **acheter** un bateau.	*I'll* ***buy*** *her a boat.*
On va **jeter** du pain aux oiseaux.	*We'll* ***throw*** *bread to the birds.*
jeter ce vieux pain	***throw away*** *this old bread*
Il n'est **pas encore** 8 h. 15.	*It's* ***not yet*** *8:15.*
Ce n'est ni **tôt** ni **tard.**	*It's neither* ***early*** *nor* ***late.***
Je viens de frapper **encore.**	*I just knocked* ***again.***
Je frappe **encore une fois.**	*I knock* ***one more time.***
Je viens de **répéter:** "Debout!"	*I just* ***repeated:*** *"Get up!"*
Mais elle est **encore** au lit.	*But she's* ***still*** *in bed.*
Elle va **préférer** y rester?	*Will she* ***prefer*** *to stay there?*
Il faut **espérer** qu'il va faire beau.	*We have* ***to hope*** *it'll be nice out.*
Prends ton manteau quand même.	*Take your coat anyway.*
Il est dans **le placard.**	*It's in* ***the closet.***

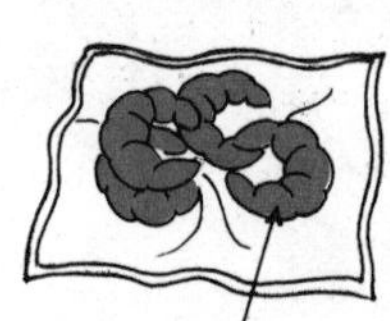
le croissant

la brioche

le pain grillé

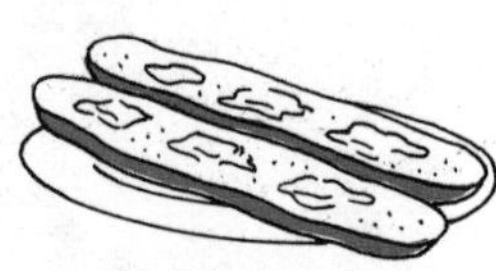
la tartine au beurre

12¢
12¢
12¢
DE RABAIS
à l'achat
d'un pot de délicieuses
confitures ou
marmelades pures
Laura Secord
12¢

Exercices de vocabulaire

A. Choose the word that best completes the sentence or fits the situation.

1. Il fait trop de soleil. Ferme *(les rideaux / les serviettes)!*
2. La petite fille a sommeil. Elle apporte son oreiller dans *(la chambre à coucher / la salle de bains).*
3. Mettez votre imperméable et vos bottes dans *(le placard / le tiroir).*
4. Je n'ai pas encore fait mon lit puisque je ne peux pas trouver *(les brioches / les draps).*
5. Maman veut *(acheter / emmener)* les enfants au grand magasin.
6. Va chercher ta brosse à dents et *(du dentifrice / des cheveux).*
7. Elle fait la grasse matinée. Elle est encore *(au lit / au téléphone).*
8. Viviane vient *(d'acheter / de jeter)* ses devoirs dans la corbeille.
9. Si Xavier n'aime pas la circulation, il va sûrement préférer faire ses courses *(en banlieue / en ville).*
10. J'ai froid! Je vais chercher *(des couvertures / des croissants).*
11. Maman! Il n'y a pas *(de lavabo / de savon).* Tu peux m'en apporter?

B. Answer the question according to the pictures. Follow the model.

Qu'est-ce que tu vas acheter?

1. *Je vais acheter une brosse à dents.*
2.
3.
4.
5.
6.
7.
8.
9.

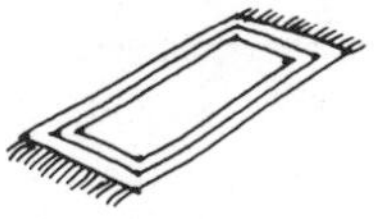

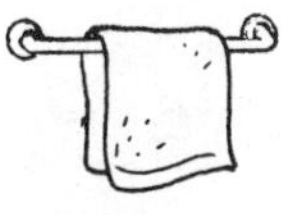

MOTS NOUVEAUX II

se coucher
s'endormir
se réveiller
se rendormir
Il se couche.
Il s'endort.
Il se réveille.
Il se rendort.
coucher
endormir
réveiller
rendormir
Elle couche le bébé.
Il endort le bébé.
Elle réveille sa fille.
Il rendort sa fille.

se lever
se laver
se brosser
Il se lève.
Il se lave la figure.
Il se lave les mains. (f.pl.).
Il se brosse les dents (f.pl.).
Il se brosse les cheveux (m.pl.).
lever
laver
brosser
Elle lève la main.
Elle lave son chien.
Elle brosse le manteau.

se peigner
s'habiller
s'appeler
se promener
Il se peigne.
Il s'habille.
Il s'appelle Jean.
Il se promène.
peigner
habiller
appeler
promener
Il peigne sa fille.
Elle habille sa fille
Elle appelle son chien.
Elle promène son chien.

se rencontrer
s'arrêter
se trouver
se retrouver
CAFÉ
CAFÉ
Ils se rencontrent.
Ils s'arrêtent
au coin de la rue.
Ils se trouvent
devant le café.
Ils se retrouvent
au café.
rencontrer
arrêter
trouver
retrouver
Elle rencontre
l'agent.
Il arrête
la circulation.
Elle trouve
le collier.
Elle retrouve
son chien.

Exercice de vocabulaire

Answer the question according to the pictures. Follow the model.

Qu'est-ce qui se passe?

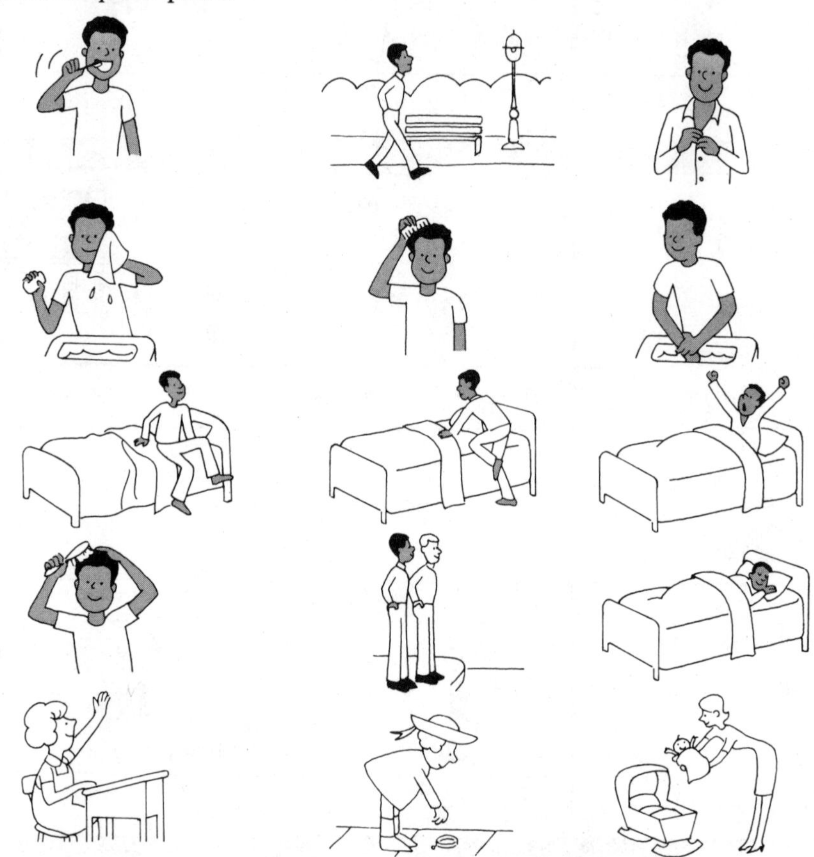

Etude de mots

Mots associés 1: Complete each sentence with the infinitive form of the verb from which the word in italics is derived.

1. Il n'est pas trop tard. Faisons une *promenade* ensemble! On peut _____ le chien aussi.
2. Il faut faire la queue au *lavabo* si on a envie de se _____ les mains.
3. A l'*arrêt* d'autobus l'agent vient d'_____ la circulation.
4. Il faut prendre une *couchette* si on veut se _____ pendant le voyage.
5. S'il apporte ses *habits* dans la salle de bains, il peut s'_____ pendant que je fais le lit.
6. Où est la *brosse?* Je voudrais _____ mon complet bleu.
7. Il a perdu son *peigne.* Alors il ne peut pas se _____.

---

[1]Note that the French usually use the definite determiner, not the possessive determiner, with parts of the body.

Mots associés 2: The prefix *re-* can mean "again" in French just as it does in English. Can you find a one-word synonym for the words in italics?

1. Comme le bébé a sommeil! Il vient de *s'endormir pour la deuxième fois.*
2. Il entre dans sa chambre. Il sort pour se brosser les dents, puis *il entre encore une fois* dans sa chambre pour se coucher.
3. Je viens de *trouver encore une fois* les dix francs que j'ai laissés dans le tiroir.
4. Le médecin va *venir encore* le lendemain.
5. Qu'est-ce qu'on dit aux gens qu'on veut *voir encore? A bientôt!*

Can you guess what the following words might mean?

rapporter recommencer recoucher refaire ressortir rhabiller

Antonymes: Complete each sentence using the appropriate form of the word that means the opposite of the word in italics.

1. Est-ce qu'ils veulent *vendre* ces tapis? Oui, mais je n'ai pas assez d'argent pour les ______.
2. Les jeunes avocats *commencent* à descendre le couloir. Quand ils voient le juge, ils ______.
3. Tu as *endormi* le bébé? Chut! Tu vas le ______.
4. Elle *se couche* trop *tard.* Oui, et elle ______ toujours très ______ le matin.

Mot à plusieurs sens: Quel est le mot?

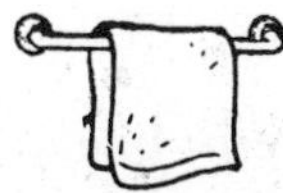

EXPLICATIONS I

Les verbes comme jeter, lever et répéter

Jeter, lever, and *répéter* represent the three types of "stem-changing" *-er* verbs. In all three types, the 1 and 2 pl. forms are regular. The other forms contain the stem change.

Here is the pattern for verbs like *jeter:*

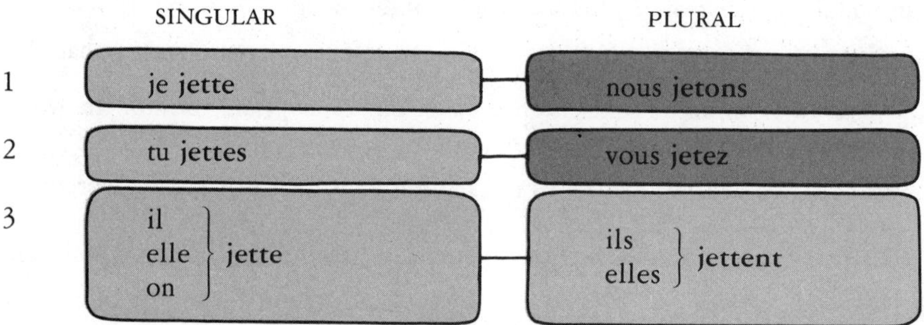

	SINGULAR	PLURAL
1	je jette	nous jetons
2	tu jettes	vous jetez
3	il / elle / on } jette	ils / elles } jettent

IMPERATIVE: **jette! jetons! jetez!**
PAST PARTICIPLE: **jeté**

The 1 and 2 pl. forms are regular. In the other four forms, the sound of the stem vowel changes from [ə] to [ɛ]. In spelling, the final stem consonant is doubled. *Appeler* and *s'appeler* follow this pattern.

Here is the pattern for verbs like *lever:*

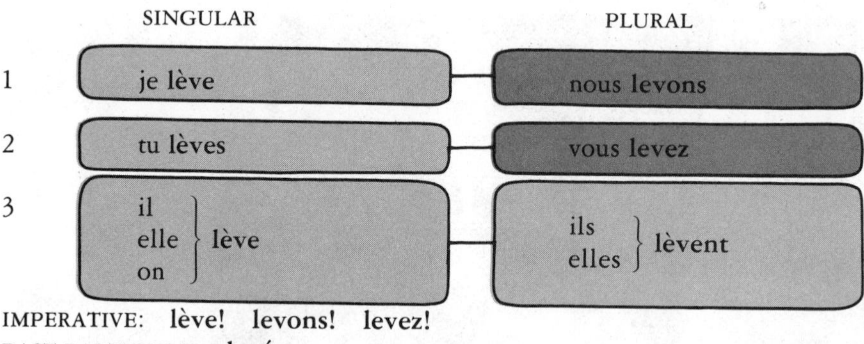

	SINGULAR	PLURAL
1	je lève	nous levons
2	tu lèves	vous levez
3	il / elle / on } lève	ils / elles } lèvent

IMPERATIVE: **lève! levons! levez!**
PAST PARTICIPLE: **levé**

The 1 and 2 pl. forms are regular. In the other four forms, the sound of the stem vowel changes from [ə] to [ɛ]. In spelling, the letter *e* changes to *è*. Other verbs that follow this pattern are *acheter, promener, se promener, emmener, geler,* and, of course, *se lever.*

Here is the pattern for verbs like *répéter:*

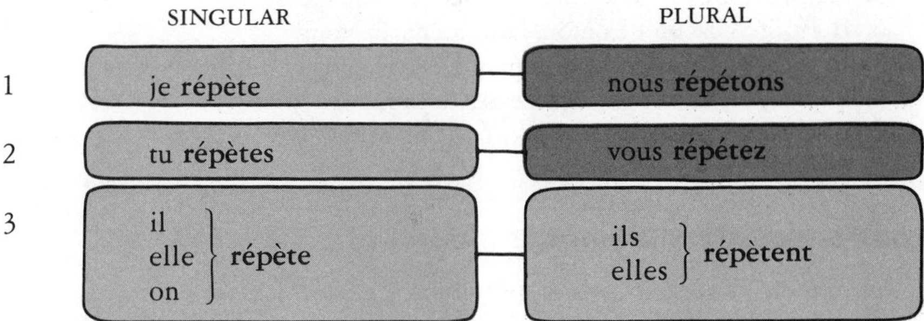

	SINGULAR	PLURAL
1	je **répète**	nous **répétons**
2	tu **répètes**	vous **répétez**
3	il / elle / on } **répète**	ils / elles } **répètent**

IMPERATIVE: **répète! répétons! répétez!**
PAST PARTICIPLE: **répété**

The 1 and 2 pl. forms are regular. In the other four forms, the sound of the stem vowel changes from [e] to [ɛ]. In spelling, the letter *é* changes to *è*. *Préférer* and *espérer* follow this pattern.

Exercices

A. Redo the sentences in the present tense. Follow the model.

1. Maman vient d'appeler papa.
   Maman appelle papa.
2. Je viens de jeter les crayons dans le tiroir.
3. Ils viennent de jeter leurs parapluies dans le placard.
4. Nous venons d'appeler le chien.
5. Ce monsieur vient de jeter des fruits aux singes.
6. Elles viennent d'appeler un médecin.
7. Nous venons de jeter du papier dans la corbeille.
8. Vous venez d'appeler la serveuse?
9. Tu viens de jeter tes vêtements sur le lit?

B. Answer the questions in the present tense, saying that the person never does the thing being asked. Follow the model.

1. Tu as acheté des lampes?
   Je n'achète jamais de lampes.
2. Ils ont promené le bébé?
3. Tu as levé la main?
4. J'ai acheté du pâté?
5. Il a levé les rideaux?
6. Ces fleuves ont gelé?
7. Vous avez acheté des croissants?
8. Nous avons promené les chevaux?
9. Elle a emmené Paul aux matchs?

C. Answer the questions, using the appropriate subject pronoun. Follow the model.

1. Nous préférons le pain grillé. Et toi?
   Je préfère le pain grillé aussi.
2. Le professeur répète la phrase. Et nous?

3. J'espère rencontrer des amis en ville. Et elles?
4. Elle préfère visiter le zoo. Et eux?
5. Nous espérons passer nos vacances à Cannes. Et toi?
6. Il répète chacun des mots lentement. Et vous?
7. Je préfère la tarte aux pommes comme dessert. Et nous?
8. Elle répète la réponse correcte. Et moi?
9. Ils espèrent aller à l'université. Et lui?
10. Elles préfèrent rester chez elles ce soir. Et vous?

Les pronoms compléments d'objet et l'impératif

1. You have reviewed how object pronouns are used and where they are placed in the sentence. Note how they are used with negative commands:

N'achète pas **cette armoire!**	Ne **l'**achète pas!
Ne répétons pas **les fautes!**	Ne **les** répétons pas!
Ne donnez pas ce couteau **au bébé!**	Ne **lui** donnez pas ce couteau!
Ne parle pas **de l'examen!**	N'**en** parle pas!

When object pronouns are used in negative commands, they come between *ne* and the verb.

2. But note the following:

Prends **cette couverture!**	Prends-**la!**
Répondons **au professeur!**	Répondons-**lui!**
Répondez **à la question!**	Répondez-**y!**
Va **dans ta chambre!**	Vas-**y!**
Achète **du jambon!**	Achètes-**en!**

In affirmative commands, the object pronoun follows the verb and is joined to it by a hyphen. Note that when *y* or *en* is used with plural commands, there is liaison. When they are used with the singular imperative of *aller (va!)* or of *-er* verbs, the *s* reappears: *tu vas → va! → vas-y!; tu achètes → achète! → achètes-en!*

3. The object pronoun *me* has a special form used in affirmative commands:

Ne **me** donne pas la bougie!	Donne-**moi** la bougie!
Ne **m'**écoutez pas!	Ecoutez-**moi!**

Exercices

A. Redo the commands using the appropriate direct object pronoun. Follow the model.

1. Ne laisse pas *ta brosse à cheveux* dans la salle de bains!
   Ne la laisse pas dans la salle de bains!
2. Ne réveille pas *le bébé!*
3. Ne fermez pas *la portière!*
4. N'oublie pas *ta brosse à dents!*
5. Ne perdez pas *les clefs!*
6. Ne jetez pas *ces oreillers!*
7. N'ouvre pas *ce tiroir!*
8. Ne répète pas *cette histoire!*
9. N'achetons pas *ces rideaux.*

B. Redo the commands using the appropriate object pronoun: *lui, leur,* or *y.* Then make the commands affirmative. Follow the model.

1. Ne faites pas de visite *à vos amis* ce soir!
   Ne leur faites pas de visite ce soir!
   Faites-leur une visite ce soir!
2. Ne va pas *dans la cuisine!*
3. Ne donne pas mon peigne *à ma sœur!*
4. Ne descendons pas *en ville* aujourd'hui!
5. Ne répondez pas *à la question* tout de suite!
6. Ne téléphonez pas *à Guillaume* après 10 h.!
7. N'emprunte pas d'argent *à ton grand-père!*
8. N'allons pas *chez Daniel!*
9. Ne prête pas ton électrophone *aux garçons!*

C. Redo the commands using the appropriate direct object pronoun or the pronoun *en.* Follow the model.

1. Invitons *Louise* à la fête!
   Invitons-la à la fête!
2. Répétez *les phrases!*
3. Achetons *des brioches!*
4. Levez *les mains!*
5. Ecoute *ce lion!*
6. Donne *du savon* à ta sœur!
7. Mets *les draps* sur le lit!
8. Empruntons *du sel* à Mme Droit!
9. Jette *la gomme* dans la corbeille!

D. Redo the commands in the affirmative, adding the appropriate expression: *s'il vous plaît* or *s'il te plaît.* Follow the model.

1. Ne nous apportez pas ces paquets!
   Apportez-nous ces paquets, s'il vous plaît.
2. Ne me réveille pas avant 8 h.!
3. Ne nous montrez pas les dessins animés!
4. Ne me donne pas ce dentifrice!
5. Ne m'achète pas ces serviettes!
6. Ne nous téléphonez pas demain!
7. Ne m'apportez pas de pain grillé!
8. Ne nous emmenez pas au Salon de l'Auto!
9. Ne nous donne pas les billets de retour!

Vérifiez vos progrès

Rewrite the following sentences as negative and affirmative commands. Note that you will always be able to tell whether to change the *l'* to *le* or *la* because the past participle will agree with the noun that the *l'* represents.

1. Tu m'as jeté la pomme.
   Ne me jette pas la pomme!
   Jette-moi la pomme!
2. Nous l'avons emmené en banlieue.
3. Tu les as répétées encore une fois.
4. Tu en as acheté pour le goûter.
5. Tu y as promené le bébé?
6. Vous l'avez levée?
7. Nous en avons jeté sous le lit.
8. Vous les avez emmenés au deuxième étage.
9. Tu m'as appelée tout de suite.

GOOD FOR YOU!
Kellogg's Special K breakfast

Shape up your day with rest, exercise and eating smart each morning with the Special K Breakfast. A bowlful of Special K with 4 ounces of skim milk and a teaspoon of sugar...juice...coffee...and two slices of toast with butter or margarine. Good for you. And a well-balanced breakfast, too. Just read the nutrition content on the side panel of this package.

Que c'est bon un p'tit déjeuner au Special K de Kellogg

Pour bien commencer la journée, assurez-vous une bonne nuit de sommeil, faites de l'exercice et prenez du Special K tous les matins au déjeuner. Un bol de Special K avec une cuillerée de sucre et quatre onces de lait écrémé, accompagné d'un jus, d'un café et de deux rôties tartinées de beurre ou de margarine . . . que c'est bien équilibré et que c'est bon! Voyez vous-même: toute la valeur nutritive du Special K est décrite sur le côté de la boîte!

CONVERSATION ET LECTURE

Parlons de vous

1. Décrivez votre chambre à coucher. De quelle couleur sont les rideaux? la couverture? le tapis (s'il y en a un)? Qui les a choisis? Vous? Vos parents? Vous faites votre lit le matin? 2. Vous avez un réveil ou est-ce que quelqu'un vous réveille le matin? Qui? A quelle heure? 3. Est-ce qu'il y a un bébé chez vous ou est-ce que vous gardez des enfants ("babysit") quelquefois? Vous les promenez? Si oui, où est-ce que vous aimez les emmener? Quand vous gardez des enfants qu'est-ce qu'il faut faire pour eux? 4. A quelle heure est-ce que vous déjeunez le matin? Vous avez le temps de prendre un bon petit déjeuner? Qu'est-ce que vous prenez d'habitude? Est-ce que vous avez jamais pris du café au lait? des croissants? des brioches? Vous les avez aimés? 5. Qu'est-ce que vous faites le samedi? Qu'est-ce que vous espérez faire samedi prochain?

Au pays des Acadiens

Deux jeunes gens français, Gabrielle Durandet et Guillaume Lorrieux, habitent le petit village de Chataignier en Louisiane. Ce sont des volontaires° invités en Louisiane par le Codofil (le Conseil° pour le développement du français en Louisiane).* Il y a, comme vous le savez, beaucoup de gens d'origine française qui habitent la Louisiane. Il y a, par exemple, les Cajuns.*

le/la volontaire: *volunteer*
le conseil: *council*

Les Cajuns sont, en effet, bilingues et la Louisiane elle-même° est récemment devenue officiellement bilingue. Le gouvernement de l'Etat fait maintenant de grands efforts pour maintenir° cette culture franco-américaine. Un des slogans de ce mouvement, c'est "Soyez à la mode; parlez français!" Vers le commencement des années soixante-dix,° le Codofil et l'Etat de la Louisiane ont demandé au gouvernement français d'envoyer° de jeunes gens pour enseigner le français aux enfants cajuns. Gabrielle et Guillaume sont parmi° ces volontaires.

elle-même: *itself*
maintenir: *to preserve*
les années soixante-dix: *the '70's*
envoyer: *to send*
parmi: *among*

Le travail de Gabrielle et de Guillaume est dans la paroisse d'Evangeline* au sud-est de l'Etat. Ils comptent y passer une année comme instituteurs° dans une école primaire où ils enseignent le français aux enfants de six et de sept ans. Puisque les enfants sont si jeunes, il n'y a pas de livres scolaires,° et la méthode d'enseignement comprend des activités orales, des chansons et des jeux,° par exemple. Alors maintenant ce sont les écoles qui encouragent les enfants

l'instituteur, -trice: *elementary school teacher*
scolaire: *school*
le jeu: *game*

à parler français, qui est, après tout, leur langue maternelle.

Tous les samedis, on oublie le travail au pays des Acadiens, et le soir on assiste à une fête hebdomadaire° de musique et de danse. Cette fête s'appelle un "fais-dodo,"[1] parce qu'on couche d'abord tous les bébés et les petits enfants et puis, aux sons du violon, de la guitare et de l'accordéon, les couples de tout âge, les jeunes et les vieux, commencent à danser. Plusieurs continuent à danser jusqu'au lever du soleil.°

hebdomadaire: *weekly*

le lever du soleil: *sunrise*

Il y a, bien sûr, des volontaires qui ont le mal du pays, qui se demandent° au commencement pourquoi ils ont accepté de passer une année si loin de leur pays et de leurs familles. Mais après peu de temps—et sans beaucoup d'efforts—les volontaires peuvent commencer à voir qu'ils sont chez eux dans ces villages français des Etats-Unis, parmi des gens qui travaillent énergiquement mais qui savent bien, d'après une chanson cajun, laisser le bon temps rouler.°

se demander: *to wonder*

rouler: *to roll*

Notes culturelles

**le Codofil:* This organization was formed in 1967 in an attempt to make Louisianians more aware of their State's cultural heritage and to help the many inhabitants who speak French or a form of French in the home. In the not too distant past, Cajun children were punished if they spoke their own language in the schools. Thanks in large part to the efforts of Codofil, French is now recognized as an official language in the State and, since 1972, in a program similar to the American Peace Corps, France has sent volunteers to live with the people and to teach in the schools. The French government pays their travel expenses, and the State of Louisiana pays them a small salary.

**les Cajuns:* Many Cajuns are descended from the French colonists in Acadia (now Nova Scotia) who were expelled from their homeland by the British in 1755. The name comes from the local pronunciation of *acadien.* Cajun French shares certain similarities with the local dialects once spoken in small towns in such western provinces as Normandy and Poitou.

**la paroisse d'Evangeline:* The State of Louisiana has parishes instead of counties. During the time of the French monarchy *(l'Ancien Régime),* the term was used to designate any rural administrative district. This parish is named after Henry Wadsworth Longfellow's poem *Evangeline,* whose Acadian heroine spent her life searching for the lover from whom she was separated when they were exiled from Canada.

---

[1] *Faire dodo* is baby talk for *s'endormir.* It is like "going night-night."

A propos . . .

1. Où habitent Gabrielle et Guillaume? Qui les a invités aux Etats-Unis? Pourquoi? 2. Qui sont les Cajuns? D'où est-ce qu'ils sont venus? 3. Combien de temps est-ce que Gabrielle et Guillaume comptent passer à Chataignier? Qu'est-ce qu'ils y font? Décrivez leur méthode d'enseignement. 4. Qu'est-ce qui se passe le samedi au pays des Acadiens? Décrivez la fête. 5. Pourquoi est-ce que les volontaires ont quelquefois le mal du pays? Comment cessent-ils d'avoir le mal du pays? 6. Et vous, est-ce que vous avez jamais eu le mal du pays? Quand? 7. Est-ce que vous croyez que c'est une bonne ou mauvaise idée ("idea") d'aller dans un pays étranger pour enseigner sa langue aux gens qui habitent là? Que pensez-vous du "Peace Corps"? 8. Le Canada est officiellement bilingue. Les Etats-Unis sont officiellement monolingues, mais il y a beaucoup de gens qui y habitent qui ne parlent pas anglais. Est-ce que vous pensez que notre pays doit ("should") être monolingue, ou est-ce que vous préférez un pays à ("with") plusieurs langues et cultures? Pourquoi? 9. Est-ce que vous avez jamais visité la Nouvelle Orléans ou la Louisiane? Si oui, qu'est-ce que vous y avez vu? Qu'est-ce que vous y avez appris sur la culture franco-américaine aux Etats-Unis?

EXPLICATIONS II

Les verbes pronominaux

1. You have learned that some verbs can change meaning when *se* is added: *Ils retrouvent Paris, Ils se retrouvent à Paris; Elle réveille le bébé, Le bébé se réveille.* Reflexive verbs are those that are used with the reflexive pronouns: *me, te, se, nous,* and *vous.* Here is the pattern:

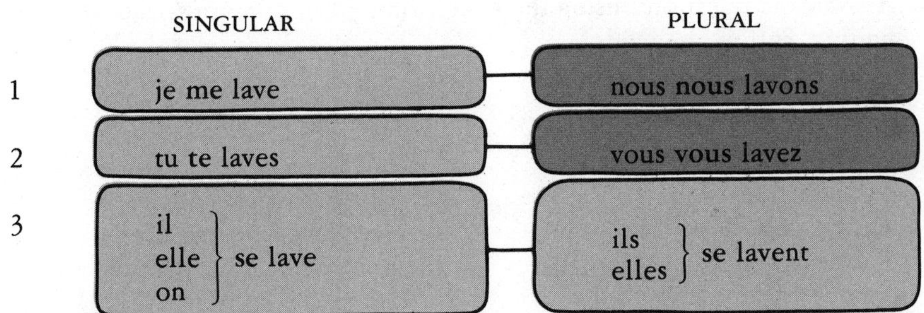

SINGULAR
PLURAL
1
je me lave
nous nous lavons
2
tu te laves
vous vous lavez
3
il
elle
on
se lave
ils
elles
se lavent

   Before a vowel sound, *me, te,* and *se* become *m', t',* and *s': je* ***m'****appelle, tu t'endors, elle s'habille, ils s'arrêtent.*

2. Note what happens when parts of the body are referred to:

Je me lave les mains.	*I'm washing* ***my*** *hands.*
Tu te laves la figure?	*Are you washing* ***your*** *face?*
Nous nous brossons les dents.	*We're brushing* ***our*** *teeth.*

   The French usually use the definite determiner, not the possessive determiner, with parts of the body.

3. In negative sentences, the reflexive pronouns occupy the same position as other object pronouns:

Je ne me rendors pas.	*I'm not going back to sleep.*
Il ne se peigne plus.	*He doesn't comb his hair anymore.*

4. Look at the following:

Je vais me **promener.**	*I'm going* ***to take a walk.***
Tu préfères **te coucher** tard?	*Do you prefer* ***to go to bed*** *late?*
Ils viennent de **se lever.**	*They just* ***got up.***

When reflexive verbs are used in the infinitive following another verb, the reflexive pronoun refers back to the subject of the sentence.

Exercices

A. Answer the questions affirmatively and negatively, using the appropriate subject and reflexive pronouns. Follow the model.

1. Nous nous levons vers 7 h. du matin. Et toi?
   Je me lève vers 7 h. du matin aussi.
   Je ne me lève pas vers 7 h. du matin.
2. Elle s'habille trop lentement. Et nous?
3. Nous nous rendormons. Et lui?
4. Vous vous arrêtez devant la boulangerie. Et eux?
5. Je me couche à minuit juste. Et elle?
6. Mon frère se réveille tard le dimanche. Et toi?
7. Ils se lavent avec de l'eau froide. Et moi?
8. Vous vous retrouvez au quai. Et elles?
9. Je me lève toujours avant 9 h. Et vous?

B. Answer the questions, using the appropriate form of *venir de* and the infinitive. Follow the model.

1. Tu te laves?
   Non, je viens de me laver.
2. Vous vous peignez?
3. L'enfant se rendort?
4. Elle s'arrête au coin?
5. Elles s'endorment?
6. Tu te promènes dans le parc?
7. Tu te brosses les dents?
8. Vous vous levez?
9. Ils se lavent les cheveux?

C. Use the correct forms of the appropriate verbs to complete the sentences. Follow the model.

1. Je *(laver/se laver)* pendant que maman *(habiller/s'habiller)* le bébé.
   Je me lave pendant que maman habille le bébé.
2. Il ne *(rendormir/se rendormir)* pas; il *(lever/se lever)* toujours à l'heure.
3. Elles *(arrêter/s'arrêter)* à la boutique qui *(trouver/se trouver)* en face du restaurant.
4. Nous *(peigner/se peigner)* mais tu préfères *(brosser/se brosser)* les cheveux.
5. Papa *(réveiller/se réveiller)* les enfants pendant que je *(promener/se promener)* le chien.
6. Quand vous *(promener/se promener)*, vous *(arrêter/s'arrêter)* toujours pour acheter de la glace.
7. Je viens de *(rencontrer/se rencontrer)* une amie de Jean-Pierre qui *(appeler/s'appeler)* Christiane.
8. Où *(trouver/se trouver)* le café où nous allons *(retrouver/se retrouver)* après le match?

D. Describe a typical school day. Begin with "Je me réveille . . ."

L'impératif des verbes pronominaux

1. Look at the following:

Tu ne te couches pas.	Ne te couche pas!
Nous ne nous arrêtons pas ici.	Ne nous arrêtons pas ici!
Vous ne vous rendormez pas.	Ne vous rendormez pas!

Negative commands with reflexive verbs are formed in the same way as all other negative commands. Simply drop the subject pronoun *tu, nous,* or *vous.*

2. Note how the affirmative commands are formed:

Tu t'endors.	Endors-toi!
Nous nous levons.	Levons-nous!
Vous vous brossez les dents.	Brossez-vous les dents!

Again, as with any other command, the subject pronoun is dropped. The reflexive pronoun follows the verb and is joined to it by a hyphen. The reflexive pronoun *te* becomes *toi.*

Exercices

A. Make the sentences into negative commands. Follow the model.

1. Tu ne te couches jamais tard.
   Ne te couche jamais tard!
2. Vous ne vous lavez pas les mains dans l'évier.
3. Nous ne nous promenons pas ce soir.
4. Vous ne vous levez pas encore.
5. Tu ne t'habilles pas si lentement.

6. Nous ne nous arrêtons pas à la charcuterie.
7. Nous ne nous retrouvons pas au wagon-restaurant.
8. Vous ne vous rendormez pas ce matin.
9. Tu ne te brosses jamais les cheveux avec ma brosse.

B. Change the negative commands to affirmative ones. Follow the model.

1. Ne te peigne pas avec ce peigne!
   Peigne-toi avec ce peigne!
2. Ne vous couchez pas maintenant!
3. Ne nous lavons pas avec ce savon!
4. Ne te promène pas dans le jardin!
5. Ne nous levons pas très tôt!
6. Ne t'arrête pas en route!
7. Ne vous habillez pas dans la salle de bains!
8. Ne nous retrouvons pas devant la salle de permanence!
9. Ne t'endors pas pendant que nous attendons l'arrivée de l'avion.

C. Answer the statements, using the command and any appropriate adverb of time *(maintenant, aujourd'hui, à midi,* etc*)*. Follow the model.

1. Je vais me laver les cheveux dans une demi-heure.
   Non, lave-toi les cheveux tout de suite!
2. Nous allons nous coucher à minuit.
3. Je vais me lever quand il va faire jour.
4. Nous allons nous brosser les dents demain matin.
5. Je vais me promener ce soir.
6. Je vais me laver la figure après le petit déjeuner.
7. Nous allons nous endormir plus tard.
8. Je vais m'habiller bientôt.
9. Nous allons nous retrouver vers 9 h. 45.

Vérifiez vos progrès

Write complete sentences using the correct form of the words given. Follow the model. (The abbreviation *imper.* means *imperative.*)

1. Se peigner *(2 sing. imper.)* / dans / ta / chambre à coucher
   Peigne-toi dans ta chambre à coucher!
2. Quand / je / promener / le bébé / il / ne jamais / s'endormir
3. Nous / venir de / se rencontrer / à / le guichet
4. Ne pas / se laver *(2 pl. imper.)* / les cheveux
5. Puisque / tu / s'habiller / toujours / je / avoir le temps de / se peigner
6. Ne pas / coucher *(1 pl. imper.)* / les enfants / à côté de / la lampe
7. Je / accepter de / s'arrêter / quand / tu / lever / la main
8. Se lever *(2 sing. imper.)* / tout de suite
9. La conductrice / gentil / arrêter / l'autobus / juste / en face de / le lycée

RÉVISION ET THÈME

Consult the model sentences, then put the English cues into French and use them to form new sentences.

1. *Nous nous couchons à 10 h. 30 le samedi.*[1]
   (They (f.) *take a walk at 2:00 every Sunday.)*
   (I'm getting up at 5:45 Monday.)
2. *Tu te peignes;* puis *tu retrouves tes amis dans la salle de permanence.*
   (I stop) *(I buy a bed in the furniture department)*
   (We wake up) *(we throw the blankets in Jean's closet)*
3. *Maman le répète: "Ne vous levez pas tard! Levez-vous tôt!"*
   (You (sing.) *repeat it: "Don't* (sing.) *stop over there! Comb your hair later!")*
   (We repeat it: "Let's not wash up now! Let's take a walk first!")
4. *Ils espèrent* qu'il y a *des croissants. Et donnons-leur du thé.*
   (We hope) *(some toast. And give* (pl.) *us some coffee.)*
   (She hopes) *(bread and butter. And give* (sing.) *her some milk.)*
5. Il répond: "Si *vous préférez les tapis, achetez-en au magasin! Allez-y!"*
   (we prefer brioches, let's buy some at the bakery! Let's go!)
   (you (sing.) *prefer combs, buy some at the shop. Go ahead!)*

Now that you have done the *Révision,* you are ready to write a composition. Put the English captions describing each cartoon panel into French to form a paragraph.

Alain wakes up at 8:00 on Wednesdays.

He gets up; then he raises the curtains in his bedroom.

His mother calls him: "Don't go back to sleep! Get dressed now!"

"I hope there are some brioches. And fix some café au lait for me, please."

His mother answers: "If you prefer brioches, buy some at the bakery! Go ahead!"

[1]Be careful! The structures in these three sentences are not totally identical.

AUTO-TEST

A. Write the paragraph using the correct forms of the verbs in parentheses.

Samedi matin. J'*(espérer)* que maman va nous laisser dormir. Mais elle nous *(appeler)* toujours de bonne heure. Nous *(préférer)* rester au lit, mais elle *(répéter)*: "Laure! Guy! Vous ne vous *(lever)* pas?" Enfin, nous *(descendre)* et nous *(prendre)* notre petit déjeuner. Après, je *(promener)* le chien pendant que Laure va au marché où elle *(acheter)* des légumes et des fruits. Quand nous rentrons chez nous, maman dit: "Guy, ne *(jeter)* pas ton manteau sur la chaise. Laure, tu as *(acheter)* du pain? Guy, tu *(préférer)* laver la vaisselle ou faire les lits?" Voilà pourquoi je *(préférer)* faire la grasse matinée.

B. Write both negative and affirmative commands, replacing the words in italics with the correct object pronoun. Follow the model.

1. Vous achetez *des croissants* au supermarché?
   N'en achetez pas au supermarché!
   Achetez-en au supermarché!
2. Tu promènes *tes chiens* après le dîner?
3. Nous achetons *l'arbre de Noël* demain?
4. Vous répétez *ces phrases* encore une fois?
5. Nous jetons les oreillers *sur le lit?*
6. Tu n'appelles pas *ton frère?*
7. Tu répètes l'histoire *à tes profs?*

C. Write both negative and affirmative commands. Follow the model.

1. Tu vas te laver les mains.
   Ne te lave pas les mains! Lave-toi les mains!
2. Nous allons nous coucher.
3. Vous allez vous réveiller.
4. Tu vas te lever.
5. Tu vas t'habiller vite.
6. Nous allons nous retrouver en ville.
7. Vous allez vous brosser les dents.

COMPOSITION

Ecrivez une composition sur ce que ("what") vous faites tous les matins.

Poème

LE MESSAGE

La porte que quelqu'un a ouverte
La porte que quelqu'un a refermée
La chaise où quelqu'un s'est assis°
Le chat que quelqu'un a caressé
Le fruit que quelqu'un a mordu°
La lettre que quelqu'un a lue
La chaise que quelqu'un a renversée°
La porte que quelqu'un a ouverte
La route où quelqu'un court° encore
Le bois° que quelqu'un traverse°
La rivière° où quelqu'un se jette
L'hôpital où quelqu'un est mort.

Jacques Prévert, *Paroles*

s'asseoir: *to sit*
mordre: *to bite*
renverser: *to knock over*
courir: *to run*
le bois: *woods*
traverser: *to cross*
la rivière = le fleuve

Proverbe

Comme on fait son lit on se couche.

METRO URBAIN
CHARLES DE GAULLE
ÉTOILE
Lesieur 100% arachide.
Lesieur
Exigez
une huile pure
comme vous exigez
des produits frais.

Septième Leçon

Dans le métro

Sur la rive droite de la Seine se trouve le Palais de Chaillot* avec ses musées et sa Cinémathèque. Ce "cinéma-bibliothèque" ne joue que des films classiques de tous les pays du monde. Ce soir, deux amis ont pris rendez-vous pour y aller. Huguette arrive bien en avance, et elle a déjà attendu longtemps à la place de la Bastille* quand elle voit enfin Louis qui traverse la rue. Ils se serrent la main, se dirigent vers l'entrée du métro* et descendent l'escalier.

LOUIS Dis, tu sais quelle ligne il faut prendre?

HUGUETTE Si je ne me trompe pas, c'est la ligne numéro 1 jusqu'à Franklin Roosevelt* et puis la ligne . . .

LOUIS Mais non, je crois qu'il y a un chemin plus direct.

HUGUETTE Alors, regardons le plan-indicateur. Mais dépêchons-nous!

LOUIS Attends, tu vas voir. Je presse le bouton Trocadéro* pour trouver le meilleur chemin . . . et voilà! Nous prenons la ligne numéro 1 . . .

HUGUETTE . . . jusqu'à Franklin Roosevelt et puis la ligne 9, direction Pont de Sèvres.*

LOUIS Ah, bon? Huguette, est-ce que tu ne te trompes jamais?

HUGUETTE Bien sûr, de temps en temps. Mais c'est vrai que personne n'est aussi parfait que moi.

In the métro

On the right bank of the Seine one finds the Palais de Chaillot with its museums and Cinémathèque. This "theater-library" shows only film classics from all over the world. Tonight two friends have made a date to go there. Huguette arrives quite early, and she has already waited a long time at the Place de la Bastille when at last she sees Louis crossing the street. They shake hands, head toward the métro entrance, and go down the stairs.

LOUIS — Say, do you know which line we have to take?

HUGUETTE — If I'm not mistaken, it's line number 1 up to Franklin Roosevelt and then line . . .

LOUIS — Oh no, I think there's a more direct route.

HUGUETTE — Let's look at the automatic map. But let's hurry!

LOUIS — Wait! You'll see. I push the Trocadéro button to find the best route . . . and there you go! We take line number 1 . . .

HUGUETTE — . . . up to Franklin Roosevelt and then line 9 toward Pont de Sèvres.

LOUIS — Well, I'll be . . . Huguette, don't you ever make a mistake?

HUGUETTE — Sure, once in a while. But it's true that nobody's as perfect as I am.

Notes culturelles

******le Palais de Chaillot:*** Directly across the Seine from la Tour Eiffel, le Palais de Chaillot is actually two long, curved buildings separated by a wide terrace. Among the museums at Chaillot are le Musée de la Marine and le Musée de l'Homme, the latter one of the world's greatest anthropological museums. Before the movies were widely accepted as an important art form, la Cinémathèque was created to preserve the great films from around the world. It is a particularly popular spot for students.

******la place de la Bastille:*** On this spot, the famous armory and political prison stood from 1382 until July 14, 1789, when the people of Paris captured and began to demolish it. Although by 1789 it was no longer in use, it was nonetheless a hated symbol of the injustices suffered under *l'Ancien Régime.* In the center of la place de la Bastille is a tall column, *la colonne de juillet.* Beneath it are buried the victims of the two later revolutions of 1830 and 1848.

******le métro:*** The Parisian subway opened in 1900 and remains a fast, cheap, and pleasant way to get around the city. There are first- and second-class tickets and a book of ten tickets, *un carnet,* can be purchased at a reduced price. The various métro lines are numbered, but the passenger needs to know the names of the two end points of the line in order to take the train going in the right direction. A major métro station where several lines stop may have an automatic map, *un plan-indicateur.* When the passenger pushes the button for a particular destination, the correct route lights up, showing which line to take and, if necessary, any transfer point *(une correspondance).*

******Franklin Roosevelt:*** This major métro stop is on l'avenue Franklin Roosevelt at le Rond-Point des Champs-Elysées.

**Trocadéro:* This is the métro stop for le Palais de Chaillot. Les Jardins du Trocadéro extend from le Palais down to the Seine and offer a beautiful view of la Tour Eiffel.

**Pont de Sèvres:* This end point of métro line 9 is in the southwestern suburbs. It is the site of the Sèvres porcelain factory, one of Europe's oldest and finest manufacturers of fine china and figurines, and of le Musée de Céramique.

Questionnaire

1. Où se trouve le Palais de Chaillot? Qu'est-ce que le Palais comprend? 2. Où est-ce que Louis et Huguette comptent aller ce soir? Qui est arrivé en avance pour le rendez-vous? 3. Qu'est-ce que Louis est en train de faire quand Huguette le voit enfin? Que font-ils ensuite? 4. Qui sait comment aller de la Bastille jusqu'au Palais de Chaillot—Louis ou Huguette? Quel est le meilleur chemin? A quelle station de métro est-ce qu'il faut changer de ligne? A quelle station est-ce qu'on descend du train pour arriver au Palais? 5. D'après Huguette, qui est presque parfait? 6. Si un voyageur de métro ne connaît pas son chemin, qu'est-ce qu'il peut faire?

PRONONCIATION

The [ɥ] sound has no English equivalent. It is pronounced with the lips pursed and is always followed by a vowel sound.

Exercices

A. Practice the [y] and [ɥ] sounds in these pairs.

[y]/[ɥ] eu/huile lu/lui su/suis pu/puis plu/pluie

B. Practice the [y] and [ɥ] sounds in these sentences.

En juillet, je suis en Suède.
Lui aussi, il a vu les nuages.
Je suis sûr qu'il a plu dans les rues.
Ensuite je suis allé à l'université.

C. Practice the [w] and [ɥ] sounds in these pairs.

[w]/[ɥ] oui/huit Louis/lui jouer/juillet noir/nuit soir/suis

D. Listen to the sentences, then say them aloud.

Puis il croit qu'on a froid.
Oui, je vois Louis chez lui.
Cette fois, c'est lui qui fait du bruit.
Je reste chez moi au mois de juillet.

MOTS NOUVEAUX I

Ce monsieur va prendre **le métro.**	*That man's going to take **the métro.***
Il va **traverser** la rue.	*He's going **to cross** the street.*
marcher dans la rue	***to walk** in the street*
descendre à **la station**	*to go down to **the station***
Il ne veut pas **se tromper de**[1] station.	*He doesn't want **to make a mistake about** the stop.*
Il sort **le plan**[2] du métro.	*He takes out the métro **map.***
regarde **le plan-indicateur**	*looks at **the automatic map***
cherche **le bouton**	*looks for **the button***
Il va le **presser.**	*He's going **to press** it.*
Il trouve **le chemin.**	*He finds **the way.***
la direction	***the direction***
Il achète **un carnet.**	*He buys **a book of tickets.***
Il va **dans la direction de** l'Etoile.	*He's going **toward** l'Etoile.*
C'est la ligne numéro 1.	*It's line number 1.*
Il la prend **de temps en temps.**	*He takes it **from time to time.***
la plupart du temps	***most of the time***
La plupart des lignes sont bonnes.	*Most of the lines are good.*
Pardon, monsieur, **quel est le chemin pour** la Cinémathèque?	*Excuse me, sir, **which way to** the Cinémathèque?*
Vous voyez **le bout** de la rue?	*Do you see **the end** of the street?*
Allez **tout droit.**	*Go **straight ahead.***
Il faut **continuer à**[3] marcher.	*You have **to keep** walking.*
Continuez **jusqu'au bout.**	*Continue **to the end.***
Il faut **tourner** à gauche là-bas.	*You have **to turn** left there.*
Là il faut traverser **le pont.**	*There you have to cross **the bridge.***
C'est à un kilomètre d'ici.	***It's one kilometer from** here.*
On va **se serrer la main.**	*We're going **to shake hands.***
se dépêcher	***to hurry***
se diriger vers la Seine	***to head toward** the Seine*
Nous voilà sur **la rive droite.**[4]	*Here we are on **the Right Bank.***
le côté droit	***the right side***
la rive gauche	***the Left Bank***
le côté gauche	***the left side***

[1]Like *changer de,* the expression *se tromper de* is not followed by a definite determiner: *Je change de ligne; Je me trompe de ligne.*

[2]*Un plan* is a detailed map, such as a street map. *Une carte* is a less detailed map of a larger geographical area.

[3]*Continuer* requires *à* before the infinitive: *J'ai continué à parler.*

[4]Note that *voici* and *voilà* can be used with direct object pronouns: *Où est le Palais de Chaillot? Le voilà. Où es-tu? Me voici, derrière l'arbre.*

Exercices de vocabulaire

A. From the column on the right, choose the most logical response to each statement or question on the left.

1. Combien coûte un aller et retour?
2. Comment est-ce qu'on traverse ce fleuve?
3. Je n'entends pas l'ascenseur.
4. Où se trouve le château de Versailles?
5. Pourquoi est-ce qu'elles se serrent la main?
6. Pourquoi est-ce que tu te dépêches?
7. Tu vas de temps en temps à la Cinémathèque?
8. Zut! Je suis descendue trop tôt du train.

a. Ce sont des amies qui viennent de se rencontrer.
b. C'est à 23 kilomètres de Paris.
c. Douze francs, mais je vous conseille d'acheter un carnet.
d. Il y a un petit pont à deux kilomètres d'ici.
e. Je ne veux pas manquer le train.
f. Moi aussi, je me trompe quelquefois de station.
g. Moi non plus. Tu as bien pressé le bouton?
h. Oui, j'aime la plupart des films qu'on y joue.

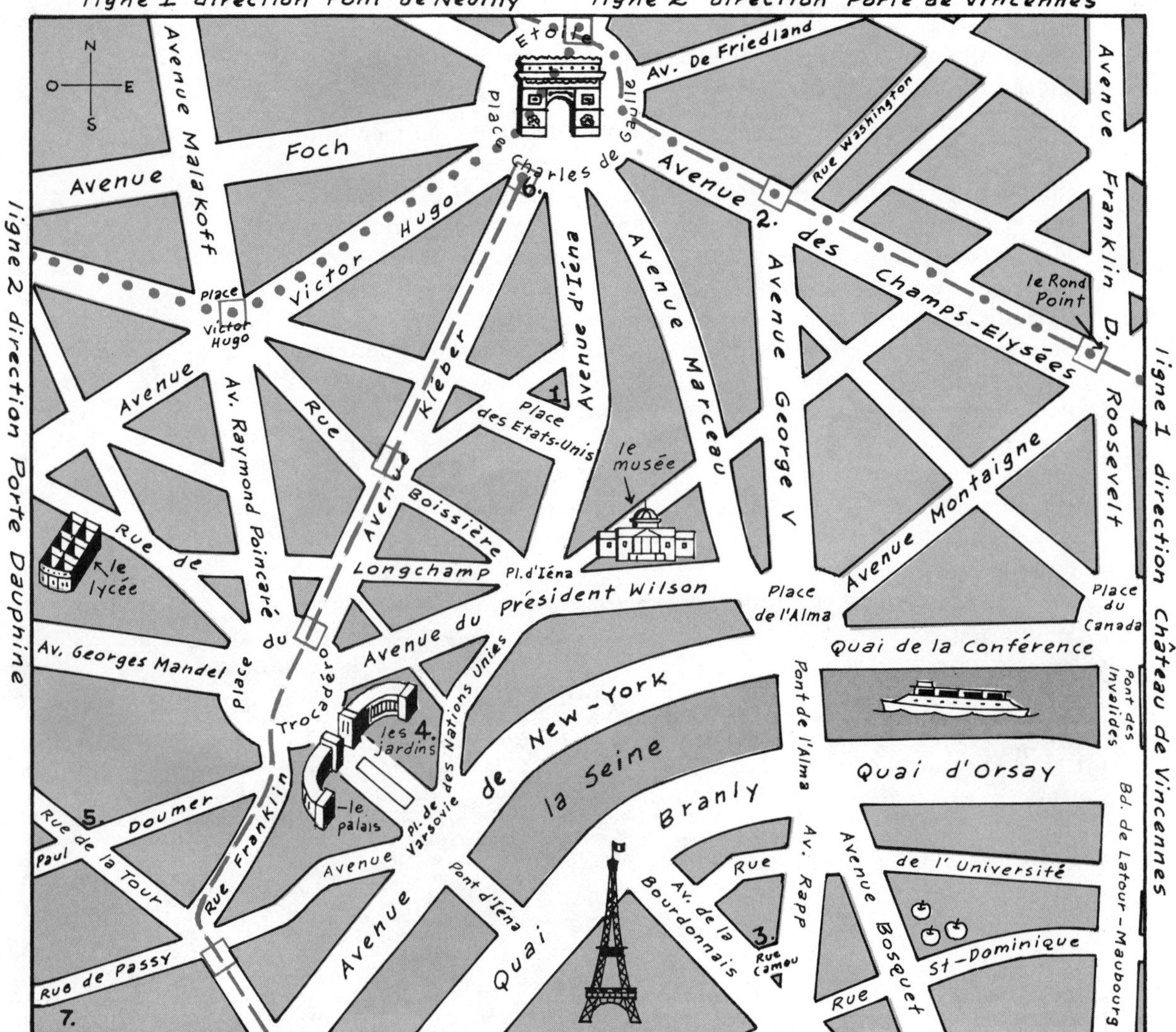

B. Give directions according to the map. In each instance, the starting point is numbered and the destination is marked with a building or other symbol.

1. Un ami américain s'arrête à un hôtel, place des Etats-Unis. Bon touriste, il espère prendre un bateau-mouche pour bien voir la ville. Les bateaux-mouches partent de la rive droite, juste à l'est du Pont de l'Alma. Comment votre ami peut-il y arriver?
2. Quelqu'un part du coin de l'avenue des Champs-Elysées et de l'avenue George V pour aller au lycée Janson. Il veut prendre le métro. Quel chemin prend-il?
3. Vous quittez la bibliothèque américaine, rue Camou, et vous vous dépêchez vers la Cinémathèque. Quel est votre chemin?

4. Vous rencontrez une amie à l'Aquarium du Trocadéro. Elle veut aller à l'Arc de Triomphe. Allez avec elle.
5. Vous vous trouvez au coin de la rue de la Tour et de la rue Paul Doumer. Décrivez le chemin pour aller au Musée Galliera.
6. Vous êtes avec des camarades devant l'Arc de Triomphe. Tout le monde veut aller voir la Tour Eiffel. Allez-y à pied.
7. Quelle journée pour M. Antoine! Décrivez tous ses trajets:

   Il habite rue de Passy. Ce matin il a pris rendez-vous avec un ancien voisin. Ils se retrouvent à la place Victor Hugo, d'où ils vont ensemble au Drugstore, qui se trouve au Rond-Point des Champs-Elysées. (Ils prennent le métro.) Après un très bon déjeuner, M. Antoine quitte son ami et va à la rive gauche pour faire des courses. Il aime bien le marché de la rue St-Dominique. Il n'est pas encore tard et M. Antoine décide de passer un peu de temps aux Jardins du Trocadéro.

MOTS NOUVEAUX II

C'est le film **original.**	*It's the **original** film.*
la pièce **originale**	*the **original** play*
Ce sont les titres **originaux.**	*They're the **original** titles.*
les histoires **originales**	*the **original** stories*
Ce n'est pas un film **classique.**	*It's not a **classic** film.*
On vient de le **tourner.**	*They just **made** it.*

king-kong

Origine : U.S.A., 1933 ; v.o.
Réalisation : Ernest B. Schoedsack, Merian C. Cooper
Production : R.K.O.
Décors et truquages : Willis O'Brien
Interprétation : Fay Wray, Bruce Cabot, Franck Reicher, Robert Armstrong

Des explorateurs découvrent dans une île de Malaisie un singe à la taille colossale, King Kong, qui s'éprend de la jeune femme qui les accompagne.
Un film fantastique classique, dans lequel s'esquissent bien d'autres perspectives.

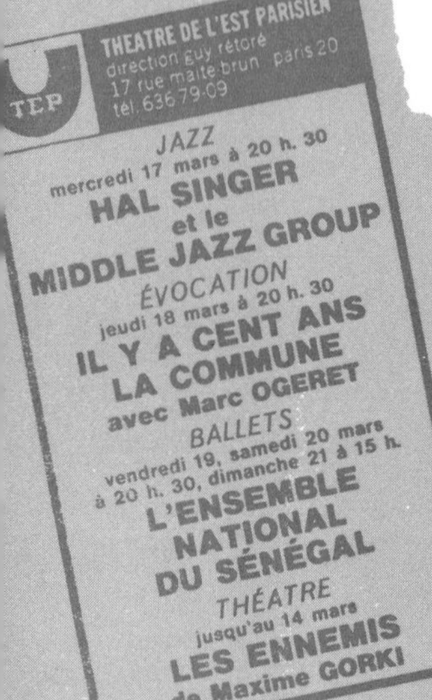

C'est une sorte de documentaire.	*It's **a kind** of documentary.*
Tu peux le décrire?	*Can you **describe** it?*
Qui en est la vedette?[1]	*Who's **the star**?*
Quel en est le titre?	*What's **the title**?*
"L'Amour (*m.*) et l'épouvante" (*f.*).	***"Love** and **Horror."***
C'est un film d'amour?	*Is it **a love story**?*
un film d'épouvante	***a horror film***
Non, c'est un film drôle.	*No, it's **a comedy**.*
une histoire drôle	*a **funny** story*
Le metteur en scène est polonais.	*The director is **Polish**.*
La technicienne est polonaise.	*The technician is **Polish**.*
Je ne comprends pas le polonais.	*I don't understand **Polish**.*
Moi non plus. Et je n'aime ni les sous-titres ni le doublage.	*I don't either. And I don't like subtitles or **dubbing**.*
Les spectateurs ne peuvent pas entendre la voix de la vedette.	*The audience can't hear the star's **voice**.*
Je lui dis de parler[2] plus haut.	*I tell him to speak **louder**.*
plus bas	***more softly***
à haute voix	***out loud***

Exercices de vocabulaire

A. Choose the word or phrase that best completes the sentence or fits the situation.

1. Qui est cette femme qui montre aux acteurs comment jouer leurs rôles? C'est (*un metteur en scène/un titre*) célèbre.
2. Qui est la dame qui prend les billets des spectateurs? C'est (*l'ouvreuse/la vedette*)—et quand elle vous montre vos places, n'oubliez pas de lui donner un pourboire.
3. Pour montrer les films il faut avoir (*un grand écran/une belle voix*).
4. Ne réveillez pas le bébé, s'il vous plaît. Parlez (*plus haut/plus bas*)!
5. Quand on joue les films russes ou polonais en Amérique, des acteurs américains ou canadiens (*font le doublage/tournent le film*).

---

[1]Note that *la vedette* is always a feminine noun: *Cet acteur est la vedette de beaucoup de films classiques.*

[2]Like *demander*, the verb *dire* requires *de* before an infinitive: ***dire à** quelqu'un **de** faire quelque chose.*

6. Si vous savez la bonne réponse, donnez-la *(à haute voix/en sous-titres).*
7. *(Les techniciens/Les vedettes)* travaillent quelquefois dans un laboratoire.
8. Tu sais le titre original de ce film? Je regrette mais je ne peux pas lire *(le doublage/le japonais).*

B. La ville de Paris offre tous les jours un grand choix de films français ou étrangers, anciens ou nouveaux. Six jeunes gens sont allés au cinéma, chacun au film qu'il a choisi. Nous vous donnons les films qu'ils préfèrent; vous dites quelle sorte de film chacun des jeunes gens est allé voir.

1. Luc a vu *Les Cow-boys* plusieurs fois; il aime bien les films de John Wayne.
2. Louise aime seulement les films comme *Love Story* et *Un Homme et une femme.*
3. Anne est passionnée par les histoires de Sherlock Holmes et de l'Inspecteur Maigret.
4. Colette aime les frères Marx; Yves préfère Mickey Mouse.
5. Eve ne manque jamais les films de Dracula et de Frankenstein.

Etude de mots

Mots associés: Often the French spelling *é* + consonant is related to the English spelling *s* or *es.* Give English words related to these French words that you know; for example: *dépêcher* → "dispatch."

décrire	l'écran	l'état	l'étudiant
l'école	l'épicerie	l'étude	la réponse

Now can you guess what the following words might mean?

dépenser   l'éponge   l'établissement   étrangler   suggérer

Synonymes: From each group, select the two words or expressions that are similar in meaning. Then use each in a sentence.

1. aller   se dépêcher   se diriger   se promener
2. s'arrêter   avoir l'air triste   avoir tort   se tromper
3. l'affiche   la carte   la marque   le plan
4. de temps en temps   plusieurs fois   quelquefois   toujours
5. arrêter   cesser   tourner   traverser
6. aller à pied   manquer   marcher   venir chercher

Antonymes: Change the meaning of each sentence by replacing the word in italics with an antonym from this lesson.

1. Les sous-titres gênent *peu de* gens.
2. Monsieur le proviseur va bientôt arriver. *Cessez de* travailler, s'il vous plaît.
3. Je voudrais voir *la nouvelle version* de ce film.
4. Leur appartement se trouve sur *la rive gauche.*
5. Ce monsieur nous a dit de continuer tout droit. Je n'en suis pas sûr, mais je crois qu'il *a raison.*

CINEMA

12e
nation, gare de lyon

159 **ATHENA,** 275, av. Daumesnil. Did 07-48. M° Porte Dorée. Lun., jeu., sam., 15 h. T.l.s. 21 h. Relâche mardi. Sam. 20 h, 22 h 15. Dim. 14 h, 17 h 30, 21 h. Pl. : 5,50 F, 6,90 F Étud. sem. : 5 F
Le Chat.

160 **BRUNIN,** 133, bd Diderot. Did 04-67. M° Nation. Lun., mer., jeu., ven. 21 h, jeu. 15 h, sam. 15 h, 19 h 30, 22 h. Dim. 14 h 30, 17 h, 21 h : **L'Arnaqueuse** (v.f.)

161 **DAUMESNIL** 216, avenue Daumesnil. Did 52-97. M° Michel-Bizot. T.l.j. 21 h. Lun., jeu., sam. 15 h, dim. et fêtes : 14 h, 17 h, 21 h. Pl. : 3,50 F, 4,50 F.

FESTIVAL DE WESTERNS

Mer., jeu. : **Une corde pour te pendre.** Ven., sam. : **Nevada Smith.** Dim., au mar. : **Cinq cartes à abattre.**

162 **LE DIDEROT** 12, rue de Rambouillet. Did 19-29. M° Reuilly-Diderot. T.l.s. 21 h (sf mar.), jeu., lun. 15 h ; sam. 15 h, 19 h 30, 22 h ; dim., fêtes, perm. de 14 h à 24 h. Pl. : 6,90 et 8 F. Jusqu'au Dim. 1er août, inclus.

QUAND SIFFLE LA DERNIERE BALLE

163 **LIBERTE-CLUB** 12, rue de Lyon. 343-01-59. M° Gare de Lyon. T.l.s. 21 h, lun., jeu., 15 h ; sam., dim., et fêtes, perm. de 14 h 30 à 24 h.

VENEZ DONC PRENDRE LE CAFÉ CHEZ NOUS

163 bis **LIBERTE-STUDIO** 12, rue de Lyon. 343-01-59. M° Gare de Lyon. T.l.s. 21 h ; lun., jeu., 15 h ; sam., dim, fêtes, perm. de 14 h 30 à 24 h.

ATTAQUE AU CHEYENNE CLUB

164 **LUX BASTILLE** 2, place de la Bastille. Did. 79-17. M° Bastille. Perm. t.l.j. de 14 h 30 à 18 h 30, soir 21 h. Sam., dim., fêtes, perm. 14 h à 24 h. Pl. : 5 F, 6,50 F. Etud. sf sam., dim. : 5 F.

LA VIE PRIVEE DE SHERLOCK HOLMES

Mots à plusieurs sens: Note the differences in meaning of the words in italics depending upon the context. Can you make sentences where each of these words is used in both senses?

1. "*Tournez* à la page 123," a dit le metteur en scène qui *tourne* le film.
2. *Vers* midi nous nous dirigeons *vers* la caisse pour acheter un carnet.
3. Elle reste au bureau *jusqu'*aux heures de pointe. Ensuite elle marche *jusqu'*à la station George V pour prendre le métro.

EXPLICATIONS I

Les verbes écrire, lire et dire

Review the present-tense forms of *écrire, lire,* and *dire.* The verb *décrire* follows the pattern of *écrire.*

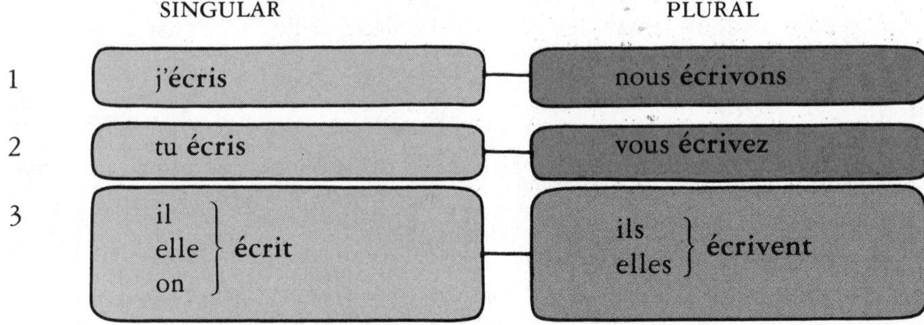

SINGULAR
PLURAL
1
j'écris
nous écrivons
2
tu écris
vous écrivez
3
il
elle
on
écrit
ils
elles
écrivent

IMPERATIVE: **écris! écrivons! écrivez!**
PAST PARTICIPLE: **écrit**

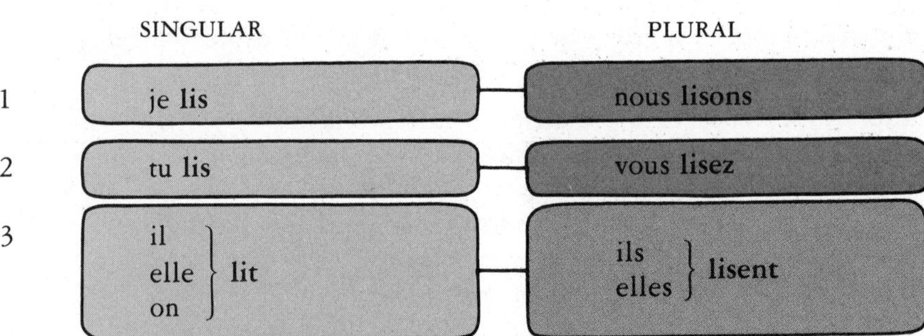

SINGULAR
PLURAL
1
je lis
nous lisons
2
tu lis
vous lisez
3
il
elle
on
lit
ils
elles
lisent

IMPERATIVE: **lis! lisons! lisez!**
PAST PARTICIPLE: **lu**

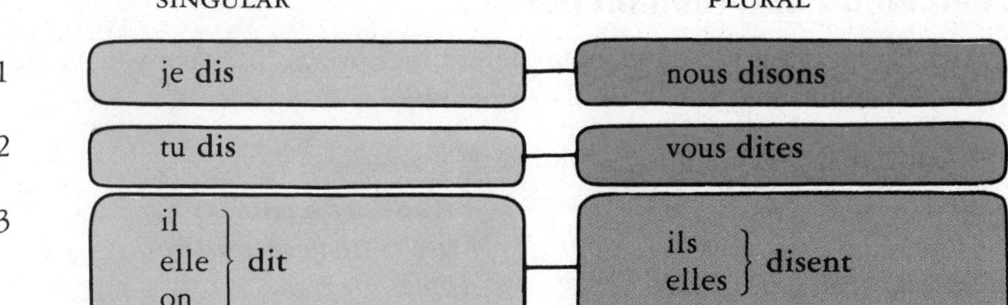

SINGULAR
PLURAL
1
je dis
nous disons
2
tu dis
vous dites
3
il
elle } dit
on
ils
elles } disent

IMPERATIVE: **dis! disons! dites!**
PAST PARTICIPLE: **dit**

Exercices

A. Redo the sentences in the present tense. Follow the model.

1. Ils vont me dire de faire la vaisselle.
   Ils me disent de faire la vaisselle.
2. Je vais lire l'autre version.
3. Elle va lui dire "bon voyage."
4. Nous allons décrire le voyage.
5. Vous allez dire quelque chose au metteur en scène?
6. Elles vont lire les journaux du soir.
7. Tu vas écrire une lettre à cette vedette.
8. Il va te dire "bon anniversaire."
9. Tu vas lui écrire cet après-midi.

B. Answer the questions using the cues in parentheses and the appropriate form and tense of the verb. Follow the model.

1. Qu'est-ce que tu as fait? (lire la première leçon)
   J'ai lu la première leçon.
2. Qu'est-ce qu'il fait? (dire "non" à ses enfants)
3. Qu'est-ce que nous faisons? (écrire des cartes postales)
4. Qu'est-ce qu'elles font? (lire les sous-titres)
5. Qu'est-ce que tu n'as pas fait? (ne pas écrire à mes copains)
6. Qu'est-ce que vous faites? (lire les dernières pages du roman)
7. Qu'est-ce que nous faisons? (leur dire de traverser le pont)
8. Qu'est-ce que tu fais? (décrire les images que je viens de voir)
9. Qu'est-ce qu'ils ont fait? (décrire le plan)

L'emploi du déterminant défini

In French, you often use the definite determiner *(le, la, les)* when you would not use its equivalent in English. For example:

1. When you speak of a thing or things *in general:*

Le pain ne coûte pas cher.	***Bread*** *isn't expensive.*
J'aime étudier **la chimie.**	*I like to study* ***chemistry.***
Les pommes sont rouges.	***Apples*** *are red.*

2. In dates:

Je quitte Paris **le 18 mars.**	*I'm leaving Paris* ***March 18.***

3. With the names of seasons, except after the preposition *en:*

L'été commence le 20 juin.	***Summer*** *begins June 20.*
J'aime **l'hiver.**	*I like* ***winter.***
but: Je nage souvent **en été.**	*I often swim* ***in the summer.***

4. With days of the week, when you mean *every* Monday, *every* Tuesday, etc.

Le samedi je joue au tennis.	***Saturdays*** *I play tennis.*
but: **Samedi** je joue au tennis.	***Saturday*** *I'm playing tennis.*

5. With names of languages, except after the verb *parler* or the preposition *en:*

Tu apprends **le français.**	*You're learning* ***French.***
Nous aimons **l'espagnol.**	*We like* ***Spanish.***
but: Nous parlons **anglais.**	*We speak* ***English.***
Il écrit **en italien.**	*He writes* ***in Italian.***

6. With names of countries: ***La France*** *est un beau pays; J'aime* ***le Japon.*** Remember that the definite determiner is retained with *à* and *de* + masculine countries, but not with *en* and *de* + feminine countries:

Elle va **au Canada.**	*She's going* ***to Canada.***
Ils sont arrivés **du Japon.**	*They arrived* ***from Japan.***
but: Je vais **en Pologne.**	*I'm going* ***to Poland.***
Il est venu **d'Autriche.**	*He came* ***from Austria.***

Exercices

A. Form complete sentences, using a noun with its definite determiner and each noun below. Follow the model.

1. un animal — *La vache est un animal.*

2. un pays	6. une langue	10. un fruit
3. un sport	7. un continent	11. une saison
4. un dessert	8. une science	12. une bête
5. une boisson	9. une sorte de marché	13. une viande

B. Complete the sentences using the definite determiner where necessary. Follow the model.

1. *(Le, —)* samedi il y a toujours trop de monde à la Cinémathèque. Alors j'y suis allé *(le, —)* vendredi dernier.
   Le samedi il y a toujours trop de monde à la Cinémathèque. Alors j'y suis allé vendredi dernier.
2. J'aime aller aux matchs de football *(le, —)* dimanche.
3. Nous avons fait des courses *(le, —)* samedi dernier.
4. N'oubliez pas! *(Le, —)* jeudi c'est l'anniversaire de maman.
5. En France, il n'y a pas de cours *(le, —)* mercredi.
6. Cette jeune fille sénégalaise parle *(le, —)* français et *(le, —)* wolof. Elle a aussi étudié *(l', —)* anglais pendant quatre ans.
7. Lise et Annette sont allées en ville *(le, —)* lundi soir. Je n'aime pas y aller *(le, —)* soir.
8. *(Le, —)* vendredi on est allé en banlieue pour chercher une nouvelle maison.
9. Vous partez pour *(le, —)* Canada *(le, —)* lundi ou *(le, —)* mardi?

C. Form sentences using the cues to tell what language you are learning and why. Follow the models.

1. le grec / la Grèce — *J'apprends le grec pour aller en Grèce. Mes grands-parents sont venus de Grèce.*
2. l'espagnol / le Mexique — *J'apprends l'espagnol pour aller au Mexique. Mes grands-parents sont venus du Mexique.*
3. l'anglais / l'Angleterre
4. le hollandais / les Pays-Bas
5. le polonais / la Pologne
6. le français / le Canada
7. le norvégien / la Norvège
8. le suédois / la Suède
9. le chinois / la Chine
10. le portugais / le Portugal
11. l'allemand / l'Autriche
12. le danois / le Danemark
13. l'allemand / l'Allemagne
14. le japonais / le Japon

Vérifiez vos progrès

Complete the paragraph, using the correct form of each verb and the definite article where necessary.

Vous m'avez *(dire)*: *(Décrire)* votre cours de français! Eh bien, d'abord il faut *(dire)* que j'aime *(le, —)* français. J'ai un prof très gentil qui est récemment venu *(de, de la)* France. Il ne parle pas très bien *(l', —)* anglais. *(Le, —)* vendredi on *(lire)* toujours un poème. Le prof le *(lire)* et puis nous le *(lire)* chacun notre tour. Les autres élèves *(lire)* assez bien, mais moi, je *(lire)* mal à haute voix.

De temps en temps nous *(écrire)* des lettres. Les profs *(dire)* que c'est un bon exercice. Moi, je *(dire)* que c'est peut-être vrai, mais que c'est aussi très difficile. Qu'est-ce que vous en *(dire)*?

CONVERSATION ET LECTURE

Parlons de vous

1. Est-ce que vous allez souvent au cinéma? Quel jour de la semaine est-ce que vous y allez d'habitude? 2. Quelles sortes de films est-ce que vous aimez voir? Est-ce que vous préférez les films d'aujourd'hui ou les films classiques? Pourquoi? 3. Comment s'appellent l'acteur et l'actrice que vous aimez le mieux? De quels films ont-ils été les vedettes? Pourquoi les aimez-vous? 4. Est-ce qu'on offre un cours sur le cinéma dans votre lycée? Si oui, décrivez le cours. On y tourne des films? Vous avez tourné un film? Parlez-en! 5. Est-ce que vous lisez quelquefois des pièces ou des scénarios de film? Qu'est-ce que vous aimez lire—des romans? des poèmes? Pourquoi?

A la Cinémathèque

Pourquoi aller au cinéma? Si vous posez cette question à la plupart des gens, ils vous répondront° qu'ils y vont pour s'amuser. Il y a, bien sûr, des gens qui espèrent apprendre quelque chose, qui veulent voir des films pour mieux° comprendre d'autres cultures, d'autres mœurs.° Il y a aussi des gens qui refusent d'aller au cinéma. "La violence—on en a assez. La vie° est déjà assez triste," disent-ils. Les étudiants ont souvent une autre raison pour ne pas aller au cinéma: "Les places sont trop chères. Dix ou 15 francs pour voir un film? C'est trop cher!"

répondront = vont répondre
mieux: *better*
les mœurs *(f.pl.)*: *customs*
la vie: *life*

Heureusement, à Paris il y a la Cinémathèque où on peut voir les grands films classiques à un prix d'entrée très bon marché—3 F. 75 environ.° Contrairement aux° cinémas commerciaux, à la Cinémathèque il n'y a pas d'ouvreuses—alors, pas de pourboire—et il n'y a pas non plus de réclame° entre les films. Chaque film joue une fois par jour, et chaque jour on joue plusieurs films, de 3 h. jusqu'à minuit.

environ: *about*
contrairement à: *in contrast to*
la réclame: *advertising*

Ce soir, Judith et Bruno sont à la Cinémathèque. Ils viennent d'y entrer quand Judith remarque une camarade de classe près de la caisse. C'est une jeune fille marocaine,° Jamila Mansour. Ils se dirigent vers le comptoir pour lui dire "bonjour." Les trois jeunes gens se serrent la main.

marocain, -e: *Moroccan*

JAMILA Est-ce qu'il y a toujours tant de monde ici?

JUDITH Oh, ça dépend du° film. Par exemple, quand il y a un western—comme ce soir—qu'on ne joue pas souvent, tous les fanas° se dépêchent pour le voir.

BRUNO Judith, sais-tu s'il y aura° des sous-titres?

dépendre (de): *to depend (on)*
le/la fana: *fan*
il y aura = il va y avoir

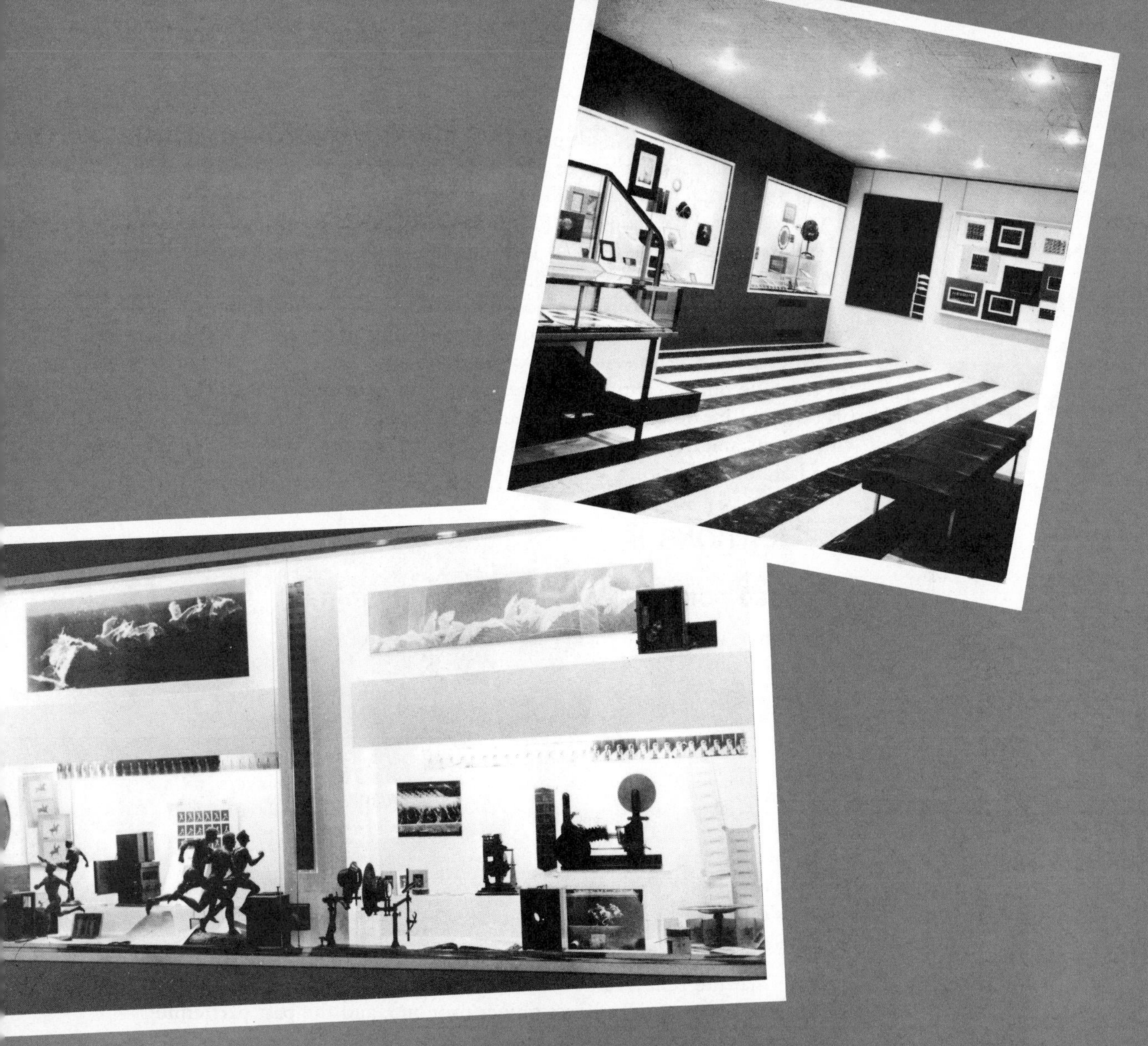

JUDITH Je n'en suis pas sûre.

JAMILA Oh, je l'espère. Je n'aime pas du tout le doublage.

JUDITH D'habitude c'est la version originale qu'on voit ici, avec des sous-titres, mais de temps en temps on joue la version française.

BRUNO La dernière fois que je suis venu ici, on a joué un film russe—mais les sous-titres étaient° en allemand!

JAMILA Alors, tu es parti avant la fin du film?

BRUNO Mais non! J'ai regardé les images! Je n'ai rien compris, mais c'était° passionnant.

étaient: *were*

était: *was*

A propos . . .

1. Pourquoi est-ce que la plupart des gens vont au cinéma? 2. Pourquoi est-ce que beaucoup de jeunes gens français préfèrent la Cinémathèque aux cinémas commerciaux? En quoi est-elle différente du cinéma commercial? 3. Où se trouve Jamila quand Judith la voit? Que font les jeunes gens quand ils se rencontrent? 4. D'après Judith, quand est-ce qu'il y a surtout beaucoup de monde à la Cinémathèque? 5. Qu'espère Jamila? Pourquoi? 6. Quelle version est-ce qu'on voit d'habitude à la Cinémathèque? 7. Et vous, est-ce que vous voyez quelquefois des films étrangers? Si oui, qu'est-ce que vous préférez, les sous-titres ou le doublage? Pourquoi? 8. Quels sont les titres de quelques films étrangers que vous avez vus? 9. Quel est le prix d'un billet de cinéma chez vous? 10. Est-ce que vous regardez les vieux films américains à la télé? Est-ce que vous préférez les voir au cinéma ou à la télé? Pourquoi?

EXPLICATIONS II

Le passé composé des verbes pronominaux

1. Reflexive verbs form their passé composé with *être:*

je me suis { lavé / lavée	nous nous sommes { lavés / lavées
tu t'es { lavé / lavée	vous vous êtes { lavé / lavée / lavés / lavées
il s'est lavé elle s'est lavée on s'est lavé	ils se sont lavés elles se sont lavées

Note that the reflexive pronoun comes before the form of *être.* Here the reflexive pronoun is a direct object pronoun, and the past participle agrees with it in gender and number.

2. In the negative, the same pattern is followed as with other object pronouns—the *ne* precedes the reflexive pronoun and the *pas* comes after the form of *être:*

Il s'est couché.	Il **ne** s'est **pas** couché.
Elles se sont rendormies.	Elles **ne** se sont **pas** rendormies.

3. Look at the following:

Ils se sont lavés.	*but:* **Ils se sont lavé les cheveux.**
Elle s'est lavée.	*but:* **Elle s'est lavé les mains.**

If the reflexive verb is followed by a direct object, the past participle does *not* agree with the reflexive pronoun.

Exercices

A. Put the sentences into the passé composé. Follow the model.

1. Le train s'arrête à la station de métro.
   Le train s'est arrêté à la station de métro.
2. Elles se dépêchent.
3. Il se trompe de wagon-lit.
4. Tu te couches trop tard.
5. Le bébé s'endort.
6. Vous vous rencontrez en ville?
7. Je me réveille après 7 h.
8. Qu'est-ce qui se passe?
9. Nous nous levons vers 6 h.

B. Put the sentences into the passé composé, saying that the person has not yet done the thing mentioned. Follow the model.

1. Je vais m'habiller.
   Je ne me suis pas encore habillé.
   or: *Je ne me suis pas encore habillée.*
2. Il va se coucher.
3. Elles vont se peigner.
4. Ils vont se rendormir.
5. Nous allons nous lever.
6. Je vais me laver.
7. Nous allons nous promener.
8. Tu vas t'arrêter au Japon?
9. Ils se dirigent vers le quai.

C. Answer the questions using the passé composé. Follow the model.

1. Vous vous lavez les mains?
   Non, nous nous sommes déjà lavé les mains.
2. Ils se serrent la main?
3. Il se brosse les cheveux?
4. Elle se lave la figure?
5. Vous vous serrez la main?
6. Elles se lavent les cheveux?
7. Tu te brosses les dents?

D. Answer the questions using the appropriate past-tense forms of the cues in parentheses. Follow the model.

1. Qu'est-ce qu'elle a fait pour arriver à l'heure? (se dépêcher)
   Elle s'est dépêchée.
2. Qu'est-ce qu'ils ont fait avant le dîner? (se laver les mains)
3. Qu'est-ce qu'elle a fait à la fin de la leçon? (s'arrêter)
4. Qu'est-ce que tu as fait hier soir, Louise? (se coucher de bonne heure)
5. Qu'est-ce qu'elles ont fait samedi? (se promener dans le parc)
6. Qu'est-ce qu'elle a fait après le petit déjeuner? (se brosser les cheveux)
7. Qu'est-ce que vous avez fait, mesdames, quand vous êtes arrivées à Washington? (se diriger vers la Maison Blanche)
8. Qu'est-ce qu'ils ont fait quand ils se sont rencontrés? (se serrer la main)
9. Qu'est-ce que tu as fait à la station de métro, Paul? (se tromper de ligne)
10. Qu'est-ce que vous avez fait, monsieur, quand vous avez perdu votre carnet? (s'arrêter au guichet pour en acheter un autre)

Comparaison des adjectifs et des adverbes

VOCABULAIRE			
aussi . . . que	*as . . . as*	moins . . . que	*less . . . than*
meilleur, -e	*better*	le / la moins	*the least*
le meilleur, la meilleure	*the best*	plus . . . que	*more . . . than*
mieux	*better*	le / la plus	*the most*
le mieux	*best*		

1. In comparing two people or things, the French constructions *plus . . . que, moins . . . que,* and *aussi . . . que* are the equivalent of the English "more . . . than," "less . . . than," and "as . . . as":

   Jean est beau. — *Jean is handsome.*
   Guy est **plus** beau **que** Jean. — *Guy is {**more** handsome / handsom**er**} **than** Jean.*
   Jean est **moins** beau **que** Guy. — *Jean is **less** handsome **than** Guy.*
   Il n'est pas **aussi** beau **que** Guy. — *He isn't **as** handsome **as** Guy.*

   Note that the adjective always agrees with the subject of the sentence:

   Jean est **plus paresseux que** Marie.
   but: **Alice** est **aussi paresseuse que** Jean.

2. Note the following:

   Henri est **le plus bel** étudiant. — *Henri is **the handsomest** student.*
   Alice est **la plus belle** étudiante. — *Alice is **the prettiest** student.*
   Henri et Alice sont **les plus beaux** étudiants. — *Henri and Alice are **the best-looking** students.*

   To form the superlative, put the appropriate definite determiner in front of the word *plus* or *moins.* If the adjective comes after the noun, the definite determiner is repeated: *Alice est **la** technicienne **la plus intelligente;** Voilà **le** chemin **le moins direct.***

3. In English, the word "in" usually follows a superlative construction. The French use *de:*

   Elle a acheté la robe **la plus chère de** la boutique. — *She bought **the most expensive** dress **in the** shop.*
   C'est l'élève **le plus calé du** lycée. — *He's **the smartest** student **in** school.*

4. Adverbs follow the same pattern:

   Il parle **plus souvent que** moi. — *He speaks **more often than** I do.*
   Elle parle **moins souvent que** moi. — *She speaks **less often than** I do.*
   Tu parles **aussi souvent que** moi. — *You speak **as often as** I do.*
   Louise parle **le plus souvent.**[1] — *Louise speaks **the most often.***

[1]With adverbs, the determiner in the superlative is always *le.*

CINEMA

STERNS (W)

TTEZ DJANGO LE PREMIER 1970 ital. coul. ergio Garrone, avec Giacomo Rossi Stuart, a Nell. **Saint-Antoine 191** v.f.

BON, LA BRUTE, LE TRUAND 1967 ital.- scope coul. de Sergio Leone, avec Clint wood, Lee Van Cleef, Eli Wallach. **U.G.C.** on 84 v.o. **Ermitage 103** v.o. **Rex 17** v.f. C. **Gobelins 199** v.f. **Miramar 208** v.f. oléon 249 v.f.

BRIGADE DU TEXAS. **Posse** 1975 am. coul. Kirk Douglas, avec Kirk Douglas, Bruce n, Bo Hopkins, James Stacy. **Danton 66** v.o. **Helder** mandie 117 v.o. **Bretagne 63** v.f. v.f. **Liberté 188** v.f. **U.G.C. Gobelins 199** v.f. **lurat 238** v.f. **Les 3 Secrétan 280** v.f.

TCH CASSIDY ET LE KID 1969 am. scope l. de George Roy Hill, avec Paul Newman, herine Ross. **Elysées Point Show 102** v.o.

S COLTS DE LA VIOLENCE 1967 ital. scope ul. d'Albert Cardiff, avec Anthony Steffen, ka Blanc. Int. — 18 ans. **Maillot Palace 247** Voir horaires.

S CORDES DE LA POTENCE 1973. am. nav. coul. de Anrew McLaglen, avec John ayne, Gary Grimes. **Cinéac Italiens 9** v.f.

PISTOLERO. **The Master gunfighter** 1975 . coul. de Frank Laughlin, avec Tom Laugh- , Ron O'Neal, Lincoln Kilpatrick, Geo Anne osa. **Publicis St-Germain 77** v.o. **Balzac 91** o. **Capri 8** v.f. **Paramount Opéra 154** v.f. **aramount Orléans 218** v.f. **Paramount Maillot** 50 v.f. **Moulin Rouge 265** v.f.

T POUR QUELQUES DOLLARS DE PLUS 965 ital.-all. scope coul. de Sergio Leone, vec Clint Eastwood, Lee Van Cleef, Gian Maria Volonte. **Grand Pavois 226** v.f.

ESTIVAL WESTERNS : **Le Solitaire de Fort Humbolt** 1975 am. coul. de Tom Griès, avec Charles Bronson, Ben Johnson, Jill Ireland, Richard Crenna. **La Dernière Flèche** 1952 am. coul. de J. M. Newman, avec T. Power, C. Mitchell, T. Gomez. **Les Chevaliers du Texas** 1948 am. coul. de R. Enright, avec J. McCrea, A. Smith, Z. Scott. **Action Lafayette « 2 » 130** v.o.

GRINGO JOUE SUR LE ROUGE 1970 ital. coul. de George Siciliano, avec Anthony Steffen, Fernando Sancho. **Barbizon 193** v.f.

IL ETAIT UNE FOIS DANS L'OUEST 1968-1969 ital. scope coul. de Sergio Leone, avec Henry Fonda, Claudia Cardinale, Charles Bronson. **Elysées Point Show 100** v.o. **Gaumont-Théâtre 11** v.f.

JOE KIDD 1972 am. panavision coul. de John Sturges, avec Clint Eastwood, Robert Duvall. **Paris Ciné 170** v.f.

LITTLE BIG MAN 1970 am. scope coul. d'Arthur Penn, avec Dustin Hoffman, Faye Dunaway. **La Clef 34** v.o.

LA LOI DE LA HAINE 1976 am. scope coul. d'Andrew McLaglen, avec Charlton Heston, James Coburn, Christopher Mitchum, Barbara Hershey. **Biarritz 92** v.o.

LES QUATRE DESPERADOS 1969 ital. coul. de Julio Buchs, avec George Hilton, Ernest Borgnine. **Maillot Palace 247** v.f. Voir horaires.

LE SHERIF EST EN PRISON 1973 am. panav. coul. de Mel Brooks, avec Cleason Little, Gene Wilder. **La Clef 34** v.o. Voir horaires.

T'AS LE BONJOUR DE TRINITÁ 1975 ital. coul. de Ferdinando Baldi, avec Terence Hill, Rita Pavone. **Maxeville 150** v.f.

cinémathèque

Cinémathèque française

Musée du Cinéma. Palais de Chaillot, angle des avenues A.-de-Mun et du Président-Wilson, 75016 Paris. Mº Trocadéro. Tél. . 704-24-24.

MERCREDI 4 AOUT

15 h : **Barberousse,** d'Akira Kurosawa, 1965. 18 h 30 : **Les Carabiniers,** de Jean-Luc Godard, 1963. 20 h 30 : **Le Carosse d'or,** de Jean Renoir, 1952. 22 h 30 : **L'Avventura,** de Michelangelo Antonioni, 1960. 24 h 30 : **Le Brigand** (Le Proscrit), de Phil Karlson, 1953.

JEUDI 5 AOUT

15 h : **Les Niebelungen,** de Fritz Lang, 1924. 18 h 30 : **L'Atalante,** de Jean Vigo, 1934. 20 h 30 : **L'Ombre d'un doute** (Shadow of doubt), de Alfred Hitchcock, 1942. 22 h 30 : **L'Année dernière à Marienbad,** de Alain Resnais, 1961. 24 h 30 : **Lawless Street,** de J.H. Lewis, 1953.

VENDREDI 6 AOUT

14 h 45 : **La Faute d'orthographe, Travail,** de J. Feyder, 1919. 15 h : **Les salauds se portent bien,** de Akira Kurosawa, 1959. 16 h : **Barrabas (I),** de Feuillade, 1919. 17 h 15 : **Barrabas (II),** de Feuillade, 1919. 18 h 30 : **A bout de souffle,** de Jean-Luc Godard, 1960. 20 h 30 : **La Vérité,** de Georges-Henri Clouzot, 1960. 22 h 30 : **Huit et demi,** de Federico Fellini, 1963. 24 h 30 : **L'Embuscade,** de Sam Wood, 1949.

SAMEDI 7 AOUT

14 h 45 : **La Fête espagnole,** de G. Dulac, 1919. **La Mort du soleil,** de G. Dulac, 1920. **Rose France,** de M. L'Herbier, 1919. 15 h : **La Dolce Vita,** de Federico Fellini, 1960. 16 h : **Le Chemin d'Ernoa,** de L. Delluc. **Le Carnaval des vérités,** de M. L'Herbier, 1920. 18 h : **L'Homme du large,** de M. L'Herbier ; **Fièvres,** de L. Delluc, 1921. 18 h 30 : **La Contestation,** de Pasolini, Rosi, Godard, 1967. 20 h 30 : **Viridiana,** de Luis Bunuel, 1961. 22 h 30 : **L'Amour l'après-midi,** de Eric Rohmer, 1971. 24 h 30 : **Gun fury** (Bataille sans merci), de Raoul Walsh, 1953.

DIMANCHE 8 AOUT

14 h 45 : **Narayana,** de Poirier, 1921. 15 h : **Touchez pas la femme blanche,** de Marco Ferreri, 1974. 16 h : **Eldorado,** de M. L'Herbier, 1921. 18 h : **La Roue,** d'Abel Gance, 1922. 18 h 30 : **Tirez sur le pianiste,** de François Truffaut, 1960. 20 h 30 : **La Fureur de vivre** (Rebel Without a cause), de Nicholas Ray, 1955. 22 h 30 : **Bus stop** (Arrêt d'autobus), de Joshua Logan, 1958. 24 h 30 : **Call of the wild** (L'Appel de la forêt), de William Wellmann, 1935.

LUNDI 9 AOUT

14 h 45 : **Don Juan et Faust,** de M. L'Herbier, 1922. 15 h : **Le Messie,** de Roberto Rossellini, 1975. 16 h : **La Femme de nulle part,** de L. Delluc, 1922. 17 h 30 : **La Souriante Mme Beudet,** de G. Delluc ; **Crainquebille,** de J. Feyder, 1922. 18 h 30 : **Les Sœurs de Gion,** de Kenji Mizoguchi, 1936. 20 h 30 : **L'homme qui en savait trop,** de Alfred Hitchcock, 1956. 22 h 30 : **Tout va bien,** de Jean-Luc Godard, 1972. 24 h 30 : **Duel dans la Sierra** (The last of the fast guns), de George Shermann, 1958.

MARDI 10 AOUT

15 h : **L'Aurore,** de Murnau, 1927. 18 h 30 : **Pickpocket,** de Robert Bresson, 1959. 20 h 30 : **Rashomon,** de Akira Kurosawa, 1950. 22 h 30 : **Macbeth,** de Orson Welles, 1948. 24 h 30 : **L'Homme de la Sierra** (The appaloosa), de Sidney Furie, 1966.

5. The adjective *bon* has an irregular comparative and superlative form:

C'est un **bon** livre.	*It's a* ***good*** *book.*
Il est **meilleur que** les autres.	*It's* ***better than*** *the others.*
Ce sont **les meilleures** histoires **du** livre.	*These are* ***the best*** *stories* ***in the*** *book.*

The comparative and superlative forms of the adverb *bien* are also irregular:

Alice écrit **bien.**	*Alice writes* ***well.***
Elle écrit **mieux que** moi.	*She writes* ***better than*** *I do.*
Elle écrit **le mieux.**	*She writes* ***the best.***

After *moins,* however, the word *bien* is used: *moins bien, le moins bien.*

Exercices

A. Combine the sentences, using the construction *plus . . . que.* Then recombine them, using *moins . . . que.* Follow the model.

1. Caroline est énergique. Pauline est très énergique.
   Pauline est plus énergique que Caroline.
   Caroline est moins énergique que Pauline.
2. Marguerite est paresseuse. Sylvie est très paresseuse.
3. Jean-Claude est fatigué. Guillaume est très fatigué.
4. Jeanne est avare. Suzanne est très avare.
5. Chantal est calée. Valérie est très calée.
6. Françoise est sympa. Nicole est très sympa.
7. Paul est sage. Joseph est très sage.

B. Combine the sentences, using *aussi . . . que.* Follow the model.

1. Victor est heureux. Elle aussi, elle est heureuse.
   Victor est aussi heureux qu'elle.
2. Robert est content. Eux aussi, ils sont contents.
3. Ma sœur est grande. Moi aussi, je suis grande.
4. Thérèse est intelligente. Toi aussi, tu es intelligent.
5. Elle est sage. Vous aussi, vous êtes sage.
6. Le prof est amusant. Elle aussi, elle est amusante.
7. Mon frère est maigre. Elles aussi, elles sont maigres.

C. Redo each sentence, replacing the adjective given with the appropriate form of the adjective in parentheses. Follow the model.

1. C'est le plus vieux pont de la ville. (ancien)
   C'est le pont le plus ancien de la ville.
2. C'est la plus jeune vedette du film. (charmant)
3. C'est le plus bel acteur de la pièce. (ennuyeux)
4. Ce sont les plus vieux musées du pays. (moderne)
5. C'est la plus grande voiture de l'exposition. (rapide)

6. Ce sont les plus beaux garçons de la classe. (sérieux)
7. C'est la plus jeune technicienne de l'usine. (patient)

D. Combine the two sentences using *plus . . . que* and the adverb. Then recombine them using *moins . . . que.* Follow the model.

1. Lucien apprend facilement les langues. Yves est nul en langues.
   Lucien apprend les langues plus facilement qu'Yves.
   Yves apprend les langues moins facilement que lui.
2. Claire se peigne souvent. Tu ne te peignes pas assez.
3. Les camions circulent vite. Les autobus ne vont pas si vite.
4. Les élèves parlent bas. Vous parlez très bas.
5. Ce passager attend patiemment. Sa femme ne veut plus attendre.
6. Paul s'habille vite. Ses frères s'habillent très lentement.
7. Ce caissier répond poliment. Cette caissière est tout à fait impolie.
8. L'école est loin d'ici. Le cinéma est très loin d'ici.
9. Florence se lève tôt le matin. Moi, je fais la grasse matinée.

E. Answer these questions.

1. Qu'est-ce qui est plus gros, un éléphant ou un hamster?
2. Qu'est-ce qui est plus long, un bas ou une chaussette?
3. Qu'est-ce qui est plus petit, une vache ou une poule?
4. Qu'est-ce qui est plus grand, une assiette ou une soucoupe?
5. Qu'est-ce qui est plus cher, un disque ou un électrophone?
6. Qu'est-ce qui est plus court, un roman de mille pages ou un roman de cent pages?
7. Qu'est-ce qui est plus beau, un cheval ou un rhinocéros?
8. Qu'est-ce qui est plus rapide, le métro ou les autobus?
9. Qui marche plus lentement, l'escargot ou la souris?
10. Qui nage mieux, les poissons ou vous?
11. Qu'est-ce qui est meilleur, les sous-titres ou le doublage?
12. Qu'est-ce qui est plus amusant, un film d'épouvante ou un film d'amour?
13. Est-ce que vous aimez les films drôles mieux que les films policiers?
14. Qui se trompe le moins souvent, vous ou votre voisin?

SAMEDI	DIMANCHE	LUNDI	MARDI	MERCREDI	JEUDI	VENDRED
20.30 THEATRE **LE SOLDAT ET LA SORCIERE**	21.00 CINEMA **TROIS CHAMBRES A MANHATTAN**	20.30 ACTUALITE **PROCES**	20.30 SERIE **OPERATION VOL**	20.30 VARIETES **UNE VARIETE D'AMIS**	20.30 DRAMATIQUE **ROMULUS LE GRAND**	20.30 FEUILLETON **LE MIROIR 2**
Estella Blain			Robert Wagner	Albert Raisner	Michel Lonsdale	J.-C. D
Divertissement d'Armand Salacrou. Le maréchal Maurice de Saxe emploie tous les moyens pour séduire Justine Favart, comédienne.	Film de Marcel Carné (1965), d'après le roman de Georges Simenon. Un comédien se retrouve, seul à New York. Un soir, il lie connaissance avec une femme seule, elle aussi. Referont-ils leur vie ensemble? Avec Annie Girardot et Maurice Ronet.	« Pour ou contre l'abolition de la peine de mort », tel est le thème sur lequel deux avocats, Mᵉ Pollak et Mᵉ Sarda, mènent un procès, en direct, et à l'aide de documents filmés. Le rôle du président est tenu par Etienne Mougeotte. Une émission d'E. Victor.	Alexander Mundi (Robert Wagner), voleur patenté, est libéré par le gouvernement américain pour être mis au service du contre-espionnage.	Albert Raisner a réuni des talents variés : Enrico Macias, Marcel Amont, Jean Ferrat, Avron et Evrard, Adamo et Alexandre Lagoya.	En l'an 476, Romulus Auguste est à la tête de l'Empire de Campanie qui s'effondre. Il est le seul à rester calme dans la tourmente. Avec M. Lonsdale.	Pierre renvoyé revient Les ha très par de la sports
★★★	★★	★	★★	★★	★★★	

CHAINE

Pour vous permettre de mieux choisir vos émissions, nous les avons précédées d'un signe distinctif destiné à établir vos soirées de la semaine. Nous ne jugeons, bien entendu, que **le sujet** proposé dans l'émission sans préjuger la valeur de la réalisation et de l'interprétation.

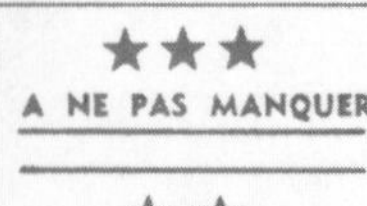

★★★ A NE PAS MANQUER

★★ A VOIR

★ SELON VOTRE GOUT

CHAINE

Vérifiez vos progrès

A. Form sentences in the passé composé. Follow the model.

1. La plupart de / les gens / se laver / les mains / avant / le dîner
   La plupart des gens se sont lavé les mains avant le dîner.
2. Paul / se tromper de / la direction
3. Les spectateurs / se dépêcher / vers / l'entrée
4. Elles / s'arrêter / pour / presser / le bouton / de / le plan-indicateur
5. Vous / se peigner / mais / elle / se brosser / les cheveux
6. Nous / se diriger / vers / la rive / droit
7. Les acteurs / se serrer / la main

B. Write full-sentence answers to the questions based on the paragraph.

Hélène travaille aussi vite que Thomas, mais ils travaillent moins vite que Georges. Georges apprend bien, mais pas aussi bien que Valérie. Paul est le seul élève qui apprend mieux que Valérie. Paul est le meilleur élève de la classe. Suzanne, cependant, est plus sérieuse que lui; elle travaille très sérieusement, mais elle est forte seulement en maths. Elle est tout à fait nulle en langues.

1. Qui travaille plus vite, Hélène ou Georges?
2. Est-ce que Thomas travaille moins vite qu'Hélène?
3. Qui apprend mieux, Valérie ou Georges?
4. Qui apprend le mieux de la classe?
5. Paul est un élève aussi sérieux que Suzanne?
6. Si Suzanne travaille sérieusement, pourquoi n'est-elle pas la meilleure élève de la classe?

RÉVISION ET THÈME

Consult the model sentences, then put the English cues into French and use them to form new sentences.

1. *Nous sommes lundi. Elle s'est réveillée* à 9 h.
   (It's Wednesday. They (f.) *went to bed)*
   (It's Tuesday. We (m.) *got up)*
2. *Tu t'es dirigé vers l'entrée* qui se trouve *à 500 mètres d'ici.*
   (I stopped in front of the theater) *(two kilometers from my house)*
   (They (m.) *met in the park)* *(at the end of the street)*
3. *Il leur a écrit une carte postale.*
   (We told her the title.)
   (I read them the map.)
4. Il pense que *d'habitude les romans sont plus longs que les pièces.*
   (most of the time the directors are better than the stars)
   (sometimes buses are quicker than the subway)
5. *Nous comprenons le grec,* mais *nous lisons moins bien que vous.*
   (I'm learning Polish) *(I write more slowly than he does)*
   (I understand German) *(they* (m.) *write better than I do)*
6. *Ils préfèrent les carnets.*
   (We prefer history.)
   (You (sing.) *prefer Spain.)*

Now that you have done the *Révision,* you are ready to write a composition. Put the English captions describing each cartoon panel into French to form a paragraph.

It's Saturday. We got dressed at 7:00.

We hurried to a theater which is located on the Right Bank. We saw a horror film there.

I think that from time to time horror films are more interesting than love stories.

My friend likes subtitles, but I read slower than he does. I prefer dubbing.

AUTO-TEST

A. Write each sentence using the correct present-tense form of the verb in parentheses, and choosing the correct preposition or form of the definite determiner, if one is necessary.

1. Nous *(écrire)* des lettres à nos amis *(en, au, dans)* Portugal.
2. Il me *(dire)* que d'habitude il descend en ville *(—, le)* samedi.
3. Elles ne *(lire)* pas *(—, en, le)* flamand, mais elles parlent bien *(—, en, l')* allemand.
4. Vous *(écrire)* à vos parents quand vous n'êtes pas chez vous *(en, l')* été?
5. Tu *(dire)* que *(les, des)* pâtisseries sont excellentes?
6. Elle *(lire)* dans l'horaire que cet avion ne part que *(—, le)* dimanche.
7. J'aime passer mes vacances *(à la, au, en)* Grèce. Je *(décrire)* ce pays dans l'histoire que j'*(écrire)*.

B. Answer the questions in the passé composé. Follow the model.

1. Ils viennent de se laver les mains. Et elle?
   Elle s'est lavé les mains aussi.
2. Nous venons de nous arrêter au café. Et lui?
3. Elle vient de se coucher. Et eux?
4. Je viens de me brosser les dents. Et elles?
5. Vous venez de vous promener sur le quai. Et eux?
6. Il vient de se diriger vers le pont. Et nous?
7. Elles viennent de se serrer la main. Et vous?
8. Tu viens de te tromper. Et elles?

C. Based on the statements given, write complete answers to the questions.

1. Voici trois sœurs: Jeannette est petite, Elisabeth est moins petite qu'elle, et Nathalie est plus petite que Jeannette.
   (a) Qui est plus petite, Elisabeth ou Jeannette?
   (b) Qui est moins petite, Jeannette ou Nathalie?
   (c) Qui est la plus petite sœur de la famille?
2. Voici deux frères et deux sœurs: Henri est calé, Marc est plus calé qu'Henri, Anne est moins calée qu'Henri, et Sophie est aussi calée que Marc.
   (a) Qui est moins calé, Marc ou Henri?
   (b) Qui est plus calé, Anne ou Henri?
   (c) Qui sont le frère et la sœur les plus calés?
3. Voici trois étudiants: Marianne lit bien, Victor lit moins bien, mais Barbara lit mieux que Marianne.
   (a) Qui lit mieux, Marianne ou Victor?
   (b) Qui lit moins bien, Marianne ou Barbara?
   (c) Qui lit le mieux?

COMPOSITION

Décrivez un film que vous avez vu récemment au cinéma ou à la télé.

Poème

CHANSON POUR LES ENFANTS L'HIVER°

Dans la nuit de l'hiver
galope° un grand homme blanc
galope un grand homme blanc

C'est un bonhomme de neige°
avec une pipe en bois°
un grand bonhomme de neige
poursuivi° par le froid

Il arrive au village
il arrive au village
voyant° de la lumière°
le voilà rassuré°

Dans une petite maison
il entre sans frapper

Dans une petite maison
il entre sans frapper
et pour se réchauffer°
et pour se réchauffer
s'assoit° sur le poêle° rouge
et d'un coup° disparaît°
ne laissant° que sa pipe
au milieu d'une flaque° d'eau
ne laissant que sa pipe
et puis son vieux chapeau . . .

Jacques Prévert, *Histoires*

l'hiver = en hiver
galoper: *to gallop*
le bonhomme de neige: *snowman*
en bois: *wooden*
poursuivi, -e: *pursued*
voyant: *seeing*
la lumière: *light*
rassuré, -e: *reassured*
se réchauffer: *to get warm*
s'asseoir: *to sit down*
le poêle: *stove*
d'un coup = tout à coup
disparaître: *to disappear*
laissant: *leaving*
la flaque: *puddle*

Proverbe

Ne réveillez pas le chat qui dort.

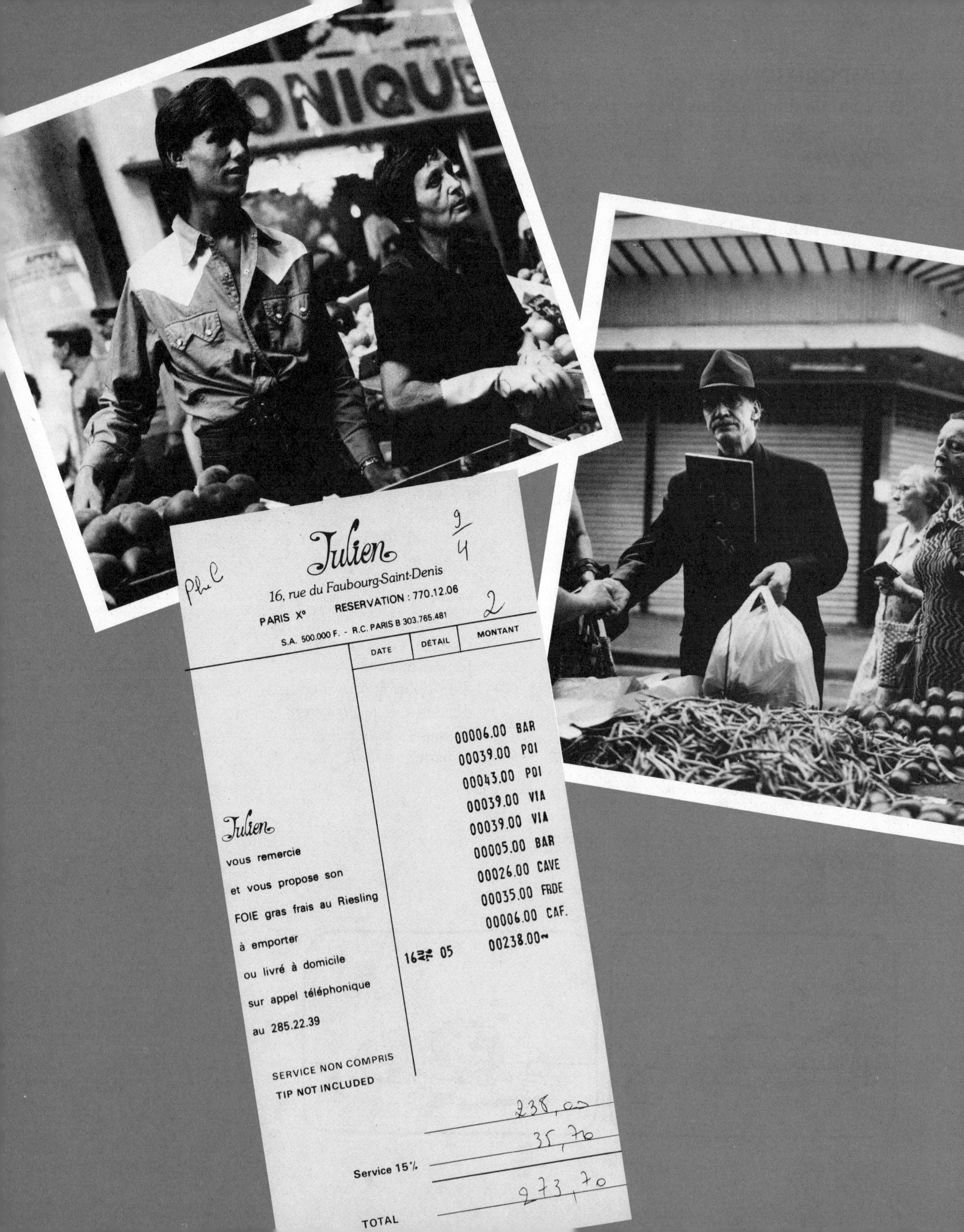

Julien

16, rue du Faubourg-Saint-Denis

PARIS X° RESERVATION : 770.12.06

S.A. 500.000 F. - R.C. PARIS B 303.765.481

9/4

2

DATE	DÉTAIL	MONTANT
		00006.00 BAR
		00039.00 POI
		00043.00 POI
		00039.00 VIA
		00039.00 VIA
		00005.00 BAR
		00026.00 CAVE
		00035.00 FRDE
		00006.00 CAF.
162 05		00238.00~

Julien
vous remercie
et vous propose son
FOIE gras frais au Riesling
à emporter
ou livré à domicile
sur appel téléphonique
au 285.22.39

SERVICE NON COMPRIS
TIP NOT INCLUDED

238,00

35,70

Service 15%

273,70

TOTAL

Huitième Leçon

A la cuisine

Il est sept heures et Martin Séverac est à la cuisine, en train de préparer le dîner pour la famille. Ses parents ne rentreront qu'à sept heures et demie, parce qu'ils travaillent tard ce soir. Nathalie, la sœur cadette de Martin, est au salon, où elle regarde le journal télévisé. Martin l'appelle de la cuisine.

MARTIN Nathalie, tu veux me donner un coup de main?

NATHALIE Je viendrai t'aider dans cinq minutes.

MARTIN Si je ne fais pas attention au poulet,[1] il va brûler. Viens tout de suite!

NATHALIE D'accord, d'accord. J'arrive! Eh bien, qu'est-ce que je peux faire?

MARTIN Si tu coupes les carottes, je pourrai faire une purée de pommes de terre.

NATHALIE Tu as déjà lavé les carottes?

MARTIN Oui, je les ai mises au frigo.

NATHALIE Voyons! Oh, les voici. Dis, tu n'as pas fait de vinaigrette[2] non plus?

MARTIN Je n'ai que deux mains! Donne-moi cette baguette.*

NATHALIE Cette odeur affreuse! Qu'est-ce que c'est?

MARTIN Oh, la vache! C'est le poulet qui brûle.

NATHALIE Oui, mon vieux, et maman et papa te cuisineront à coup sûr!

---

[1]You have learned that the word for hen is *la poule* and for rooster, *le coq*. *Le poulet* refers to any young chicken that is used for food.

[2]Made of three parts oil to one part wine vinegar plus simple seasonings (salt and freshly ground pepper), this is the basic salad dressing in France. "French dressing" as we know it does not exist there.

In the kitchen

It's 7:00, and Martin Séverac is in the kitchen making dinner for the family. His parents won't come home until 7:30, because they're working late this evening. Nathalie, Martin's younger sister, is in the living room, watching the news. Martin calls her from the kitchen.

MARTIN Nathalie, will you give me a hand?
NATHALIE I'll come help you in five minutes.
MARTIN If I don't watch the chicken, it'll burn. Come now!
NATHALIE OK, OK, I'm coming. Now what can I do?
MARTIN If you cut the carrots, I'll be able to make mashed potatoes.
NATHALIE Did you wash the carrots already?
MARTIN Yes, I put them in the fridge.
NATHALIE Let's see. Oh, here they are. Say, didn't you make the salad dressing either?
MARTIN I only have two hands! Hand me that bread.
NATHALIE That awful smell! What is it?
MARTIN Oh rats! It's the chicken burning.
NATHALIE Yeah, pal, and Mom and Dad will give you a good roasting for sure.

Note culturelle

la baguette: The ingredients, sizes, and prices of French bread are controlled by the government. *Une baguette,* the familiar long loaf, weighs 250 grams; *un pain de campagne,* a round loaf, weighs around 500 grams.

Questionnaire

1. Que fait Martin? 2. A quelle heure est-ce que ses parents rentreront? Pourquoi si tard? 3. Que fait Nathalie? Où est-elle? 4. Pourquoi Martin demande-t-il à Nathalie de l'aider? 5. Qu'est-ce que Martin peut faire pendant que Nathalie coupe les carottes? 6. Où est-ce que Martin a mis les carottes? Pourquoi est-ce qu'il n'a pas encore fait de vinaigrette pour la salade? 7. Quelle sorte d'odeur est-ce qu'il y a à la cuisine? D'où vient l'odeur?

PRONONCIATION

Practice the liaison [z] and [n] sounds.

Exercices

A. Practice liaison [z] with the object pronouns *les, nous,* and *vous.*

Il les‿endort.	Il nous‿écoute.
Vous les‿acceptez.	La serveuse nous‿entend.
Je les‿allume.	L'ouvreuse vous‿attend.
Nous les‿invitons.	Le prof vous‿appelle.

B. Practice liaison [n] with the object pronoun *en.*

Elle en‿a beaucoup.	Il en‿accepte deux.
Elle en‿emprunte un peu.	J'en‿offre à mon frère.

C. Practice liaison [z] with the object pronouns *y* and *en* in the imperative.

Vas-y!	Restes-y!	Allons-y!
Réponds-y!	Attendons-y!	Pensez-y!
Achetons-en!	Commandes-en!	Donnez-en‿à Guy.
Prenez-en!	Apportez-en!	Empruntes-en‿à Marc!

MOTS NOUVEAUX I

Il faut **faire attention à** l'heure.	*We have* ***to watch*** *the time.*
Qui peut **aider** maman?	*Who can* ***help*** *Mom?*
Je vais l'**aider à** mettre[1] le couvert.	*I'll* ***help*** *her set the table.*
Tu peux faire **une vinaigrette.**	*You can make* ***a salad dressing.***
Où est **le vinaigre?**	*Where's* ***the vinegar?***
le frigo	***the fridge***
Descends la bouteille à la cave.	***Take the bottle*** *down* ***to the cellar.***
La cave est en bas.	***The wine cellar*** *is* { ***below. / downstairs.***
Le grenier est **en haut.**	***The attic*** *is* { ***above. / upstairs.***
Allons dans **le salon.**	*Let's go into* ***the living room.***
Les meubles *(m.pl.)* y sont confortables.	***The furniture*** *there is comfortable.*
Regarde **le tableau.**	*Look at* ***the painting.***
le divan	***the couch***
le fauteuil	***the armchair***
le miroir	***the mirror***
la cheminée	***the fireplace*** *(or* ***chimney****)*
le mur	***the wall***
le toit	***the roof***

[1]*Aider* requires *à* before an infinitive.

J'ai envie de prendre **un bain.**	*I want to take **a bath.***
une douche	***a shower***
La baignoire se trouve en haut.	***The bathtub's** upstairs.*
Mais il faut allumer **un feu.**	*But we have to light **a fire.***
Donne-moi un coup de main.	***Give me a hand.***
Attends **un moment!**	*Wait **a moment!***
une minute	***a minute***
J'arrive!	***I'm coming!***
Oh, la vache!	***Oh rats!***
Ce papier ne va pas **brûler.**	*This paper won't **burn.***
Fais attention!	*Pay attention!*
A coup sûr!	***For sure!***

Exercices de vocabulaire

A. Identify the numbered objects in the picture. Follow the model.

1. *C'est un miroir.*

B. Answer the questions according to the picture on page 168.

1. Est-ce que la salle de bains se trouve au premier étage?
2. Quand on n'est pas en vacances, où peut-on mettre ses malles, ses valises, etc.?
3. Est-ce que le grenier est en bas?
4. Est-ce qu'il y a du feu dans la cheminée?
5. Madame Duval veut appeler son fils. Est-il en bas? Que fait-il?
6. Qu'est-ce qu'il y a au mur du salon?
7. Est-ce que le salon se trouve au premier étage?
8. Qu'est-ce qu'on met dans la cave?
9. Combien de cheminées est-ce qu'il y a sur le toit?

MOTS NOUVEAUX II

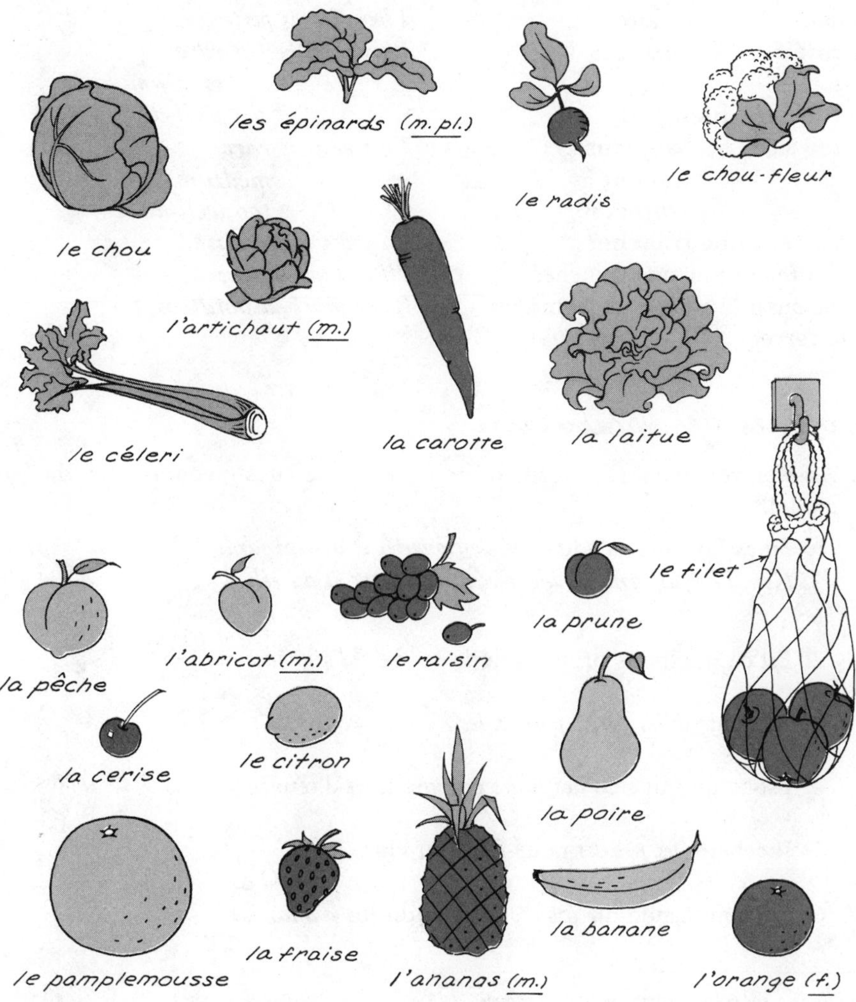

J'aime **cuisiner.**	*I like **to cook.***
Tu as ton **filet?**	*Do you have your **shopping bag?***
Achetons les provisions *(f.pl.)*	*Let's buy **the food.***
un kilo[1] de sucre	***a kilo** of sugar*
le jus	***the juice***
les choux	***the cabbages***
les choux-fleurs	***the cauliflowers***
le poulet	***the chicken***
le rosbif	***the roast beef***
une baguette	***a loaf of bread***
N'oublie pas d'acheter[2]	*Don't forget to buy*
une dizaine de pommes	***about ten** apples*
une douzaine d'œufs	***a dozen** eggs*
On reste ici **une huitaine de jours.**	*We're staying here **about a week.***
une quinzaine de jours.	***about two weeks.***
L'odeur *(f.)* est parfaite.	***The odor** is perfect.*
Ce rosbif est **saignant.**	*This roast beef is **rare.***
à point	***medium***
bien cuit	***well-done***
Cette **viande** est **saignante.**	*This meat is **rare.***
à point	***medium***
trop cuite	***too well-done***
Tu en veux **une tranche?**	*Do you want **a slice?***
Je vais te **couper** une tranche.	*I'll **cut** you a slice.*
J'aime aussi **la purée de pommes de terre.**	*I like **mashed potatoes,** too.*

Exercices de vocabulaire

A. Answer, replacing the words in italics with the cues given. Follow the model.

1. Tu as fait une salade avec *des tomates et des épinards?*
   Non, j'ai fait une salade avec de la laitue et du céleri.

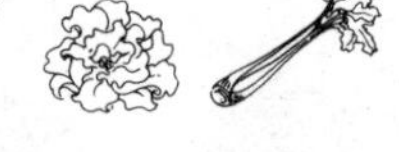

2. Est-ce que nous prenons de la soupe *à l'oignon?*

3. Aiment-ils *les petits pois* et *les haricots verts?*

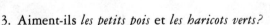

4. Est-ce que tu sers *des radis* comme hors-d'œuvre?

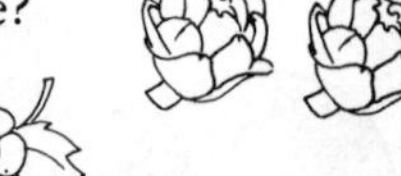

5. Il achète *des prunes* pour faire du vin?

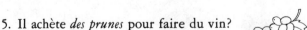

6. On commande du jus *d'orange* et du jus *d'ananas?*

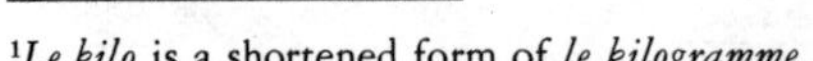

[1]*Le kilo* is a shortened form of *le kilogramme.*

[2]The verb *oublier* requires *de* before the infinitive: *J'ai oublié de mettre un manteau.*

7. Ton père va faire une tarte *aux pommes?* 
8. Est-ce que *les épinards* ont de temps en temps une mauvaise odeur? 
9. Vous avez préparé une tarte *aux poires?* 
10. Vous allez acheter un kilo *de raisins?* 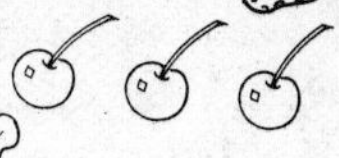
11. Tu veux *des carottes?* 
12. *Les oranges* ont beaucoup de jus? 
13. Elle aime *les pêches?*

B. Choose the word or phrase that best completes the sentence or fits the situation.

1. Quels sont les fruits de cet arbre? Ce sont *(des cerises / des fraises).*
2. Nicole, tu peux aller chez la voisine emprunter du lait? *(J'arrive! / Oh, la vache!)* Je regarde un film d'amour à la télé.
3. Je n'aime le bifteck ni saignant ni bien cuit. Je le prends *(à coup sûr / à point).*
4. Tu veux couper cette poire? Oui, *(j'ai un petit couteau / donne-moi un coup de main).*
5. Je vais préparer *(le jus / la purée)* de pommes de terre.
6. Pour une vinaigrette, il faut du vinaigre et *(de l'huile / du poulet).*
7. Il y a trop *(d'immeubles / de meubles)* dans ce salon.
8. Il y a un grenier *(en bas / en haut).*

Etude de mots

Mots associés 1: Complete each sentence with a word related to the word in italics.

1. Mon père vient d'acheter une nouvelle *cuisinière.* Maintenant il veut toujours ______.
2. Vous cherchez le rayon d'*ameublement?* ______ sont en haut.
3. Il n'y a pas assez de *vinaigre* dans ______.
4. On prend *un bain* dans ______.

Mots associés 2: The suffix *-aine* is sometimes added to numbers to give an approximation *(une dizaine,* "about ten"; *une quinzaine,* "about fifteen"). Complete the sentences with approximate numbers by adding *-aine* to the cues in parentheses. *(Note:* Numbers ending in *e* drop the *e: quinze → quinzaine.)*

1. Il y a une ______ de passagers à l'arrêt d'autobus. (20)
2. Des abricots? Elle en a acheté une ______ pour sa tarte. (30)
3. J'ai vu une ______ de motos derrière le lycée. (40)
4. Ils ont acheté ce tableau affreux? Oui, pour une ______ de francs. (50)
5. Nous avons compté une ______ de wagons sur la voie. (10)
6. Des touristes? Sûrement! J'en ai remarqué une ______ à l'entrée. (100)

Synonymes: Substitute a synonym from this lesson for the word or expression in italics.

1. Mettez le céleri et les carottes *au réfrigérateur.*
2. Nous sommes samedi soir. Ton ami va te téléphoner *sûrement.*
3. Je veux descendre ces bouteilles à la cave. Tu peux *me donner un coup de main?*
4. Nous allons rester en Suède *une semaine peut-être.*
5. Madame Dumouchel et sa mère *font la cuisine.*
6. J'ai besoin *de fauteuils, d'un divan, de chaises, d'une table, d'un lit, etc.*

Antonymes: Replace the words in italics with a word or expression that means the opposite.

1. Paul, ta sœur est très occupée. Aide-la à *débarrasser la table.*
2. Madame, comment est-ce que vous prenez le bifteck? *Bien cuit?*
3. Ma chambre se trouve *en bas.*
4. La famille met les vieux jouets, les vieux vêtements, etc., *à la cave.*

Mots à plusieurs sens: Quel est le mot?

EXPLICATIONS I

Les verbes comme mettre

VOCABULAIRE	
permettre (à) . . . (de) *to let, to permit (s.o. to do sth.)*	**promettre (à) . . . (de)** *to promise (s.o. to do sth.)*

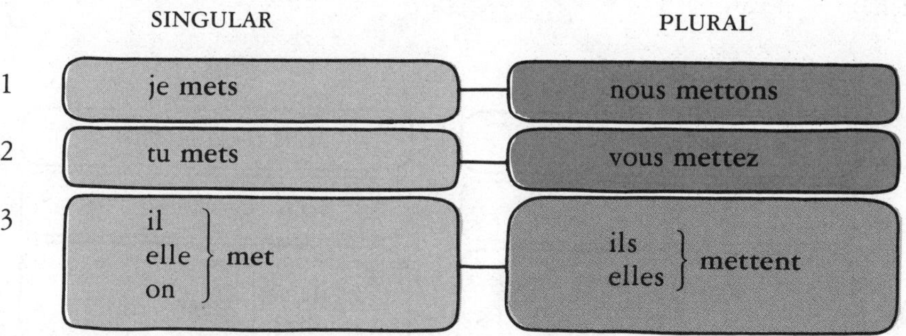

	SINGULAR	PLURAL
1	je mets	nous mettons
2	tu mets	vous mettez
3	il / elle / on } met	ils / elles } mettent

IMPERATIVE: **mets! mettons! mettez!**
PAST PARTICIPLE: **mis**

Do you remember what the following mean? *Est-ce que vous mettez le couvert? Est-ce qu'elle met une jupe aujourd'hui?* All verbs whose infinitive forms end in *-mettre* are conjugated in the same way.

Exercices

A. Redo the sentences in the present tense. Follow the model.

1. Elle va mettre le couvert maintenant.
   Elle met le couvert maintenant.
2. Nous allons mettre des radis dans la salade.
3. Ils vont mettre du vin sur la table.
4. Tu vas permettre aux enfants d'acheter des provisions?
5. Elles vont y mettre une dizaine de tranches de jambon.
6. Qui va promettre à maman et à papa de faire la cuisine?
7. Qu'est-ce que vous allez mettre dans la salade niçoise?
8. Je vais mettre des habits chauds.

B. Answer the questions in the passé composé. Follow the model.

1. Tu ne mets pas d'ail dans la bouillabaisse?
   J'ai déjà mis de l'ail dans la bouillabaisse.
2. Elles ne leur permettent pas d'aller à la cave?
3. Il ne met pas ses bottes et son imperméable?
4. Vous allez promettre à vos amis de leur donner un coup de main?
5. Ils ne mettent ni mouchoirs ni chaussettes dans la valise?

6. Elle ne va pas promettre de venir nous voir?
7. Vous allez mettre les bouteilles en bas?
8. Il met l'eau sur la cuisinière?

Le futur

You have seen how the French use a form of the verb *aller* plus an infinitive to talk about the future: *Je vais regarder la télé.* This is called the immediate future and is very common in spoken French. There is another way of forming the future which is the equivalent of the English "will" or "shall" ("I'll watch").

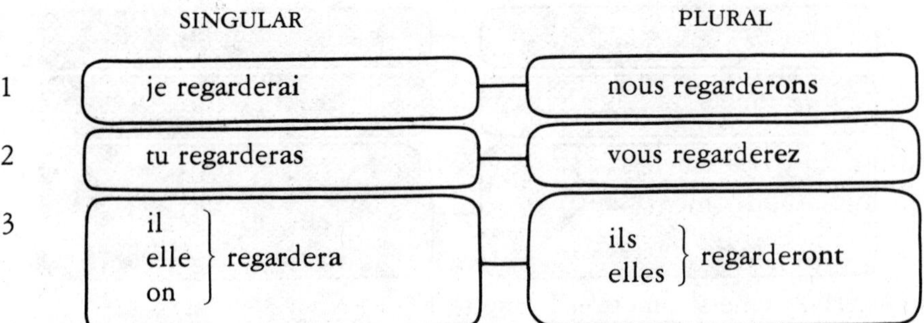

	SINGULAR	PLURAL
1	je regarderai	nous regarderons
2	tu regarderas	vous regarderez
3	il / elle / on } regardera	ils / elles } regarderont

1. For regular *-er, -ir,* and *-ir/-iss-* verbs, the future stem is the infinitive: *regarder-, dormir-, finir-* (*tu dormiras, il finira,* etc.).

2. In the 1 and 2 pl. forms, the endings *-ons* and *-ez* are added to the future stem. In the singular forms and in the 3 pl. form, the future endings are the same as the present tense forms of *avoir: -ai, -as, -a, -ont.*

3. For all verbs ending in *-re* except *être* and *faire,* the future is the infinitive minus the final *-e: vendr-, prendr-, mettr-, lir-, dir-, écrir-, (je vendrai, tu prendras, il mettra, nous lirons, vous direz, elles écriront).*

Exercices

A. Redo the sentences, replacing the verb given with the correct form of the verb in parentheses. Follow the model.

1. Je m'habillerai vite. (se peigner)
   Je me peignerai vite.
2. Nous changerons de ligne à coup sûr. (se tromper de)
3. Il annoncera l'examen. (passer)
4. Vous chanterez dans la classe de musique. (danser)
5. Ils examineront la bouteille. (ouvrir)
6. Il se réveillera bientôt. (se coucher)
7. Tu commanderas des fraises et des bananes. (manger)
8. Elle lui empruntera un kilo de sucre. (offrir)
9. On lavera les épinards. (cuisiner)

B. Put the sentences into the future. Follow the model.

1. Je maigris pendant l'été.
   Je maigrirai pendant l'été.
2. Il s'endort dans le salon.
3. Elle tourne un film d'épouvante.
4. Nous débarrassons la table après le repas.
5. Ils réussissent à acheter des ananas.
6. Vous partez pour le stade à midi?
7. Tu sers du chou-fleur comme légume?
8. Elles se dirigent vers la place de la Bastille.
9. Tu sors du métro vers 6 h.
10. Les feuilles jaunissent, n'est-ce pas?

C. Put the sentences into the future. Follow the model.

1. Nous n'attendons pas devant l'épicerie.
   Nous n'attendrons pas devant l'épicerie.
2. Je ne descends rien à la cave.
3. Vous ne vendez pas votre vieux fauteuil?
4. Il n'écrit jamais de longues lettres.
5. Nous ne perdons ni les billets ni l'argent.
6. Tu ne lis jamais les poèmes à haute voix.
7. Elle ne met plus son jean?
8. Ils n'entendent rien que le haut-parleur.
9. Je ne prends pas de douche ce matin.
10. Tu ne permets à personne de goûter cette vinaigrette.

D. Answer the questions, replacing the words in italics with the appropriate direct object pronoun. Follow the model.

1. Tu couperas *les choux pour la soupe?*
   Oui, je les couperai.
2. Vous inviterez *vos cousins* à passer le week-end à la campagne?
3. Est-ce qu'il aidera *maman* à préparer le pamplemousse?
4. Vous servirez *ces artichauts* comme hors-d'œuvre?
5. Elle mettra *son anorak chaud* en hiver?
6. Tu finiras *tes devoirs* avant minuit?
7. Elles presseront *les boutons* pour voir les chemins les plus courts?
8. Je descendrai *le miroir.*
9. Nous vendrons *ce vieux tapis bleu?*

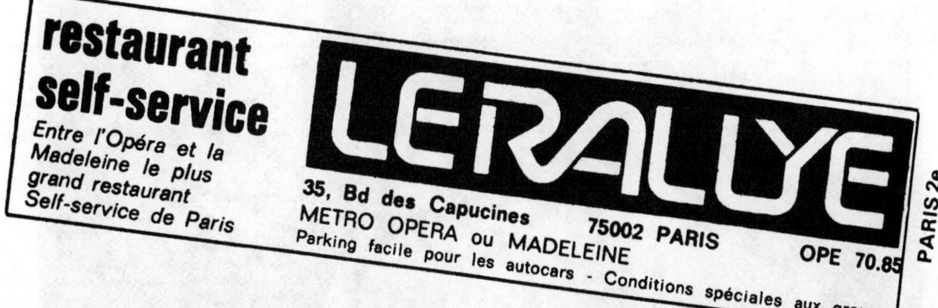

E. Answer the questions in the future using the appropriate pronoun: *y* or *en*. Follow the model.

1. Vous êtes descendus à la plage?
   Non, nous y descendrons demain.
2. Ils sont arrivés à la campagne?
3. Tu as mangé des carottes?
4. Elles ont pris des fruits?
5. Tu as pensé à la fête?
6. Vous avez cherché du parfum?
7. Il a déjeuné au restaurant?
8. Elle a répondu aux lettres?
9. Ils ont joué en haut?

Vérifiez vos progrès

Rewrite the paragraph, putting the verbs in italics into the future.

Samedi je *vais me réveiller* très tôt parce que nous *allons descendre* en banlieue. Nous *allons y retrouver* Sara et Madeleine. Nous *allons nous diriger* tout de suite vers le zoo. Sara *va regarder* les ours et je suis sûr que Madeleine *va passer* presque toute la matinée dans le parc des oiseaux. Je te promets qu'on *va rentrer* très tard. Tu *vas accepter* cette invitation? Tu *vas me dire* "oui"?

CONVERSATION ET LECTURE

Parlons de vous

1. Qui fait la cuisine chez vous? Est-ce que vous aimez cuisiner de temps en temps? Qu'est-ce que vous aimez préparer? 2. Est-ce que vous aimez les légumes? les fruits? Quels légumes est-ce que vous préférez? Quels fruits? 3. Est-ce que vous avez planté un jardin? Qu'est-ce que vous y avez planté? 4. Est-ce que vous habitez une maison? Si oui, est-ce qu'il y a un grenier? Qu'est-ce que vous y avez mis? 5. S'il y a une cave chez vous, qu'est-ce qu'on peut y trouver? 6. Décrivez un tableau que vous avez dans votre maison ou appartement.

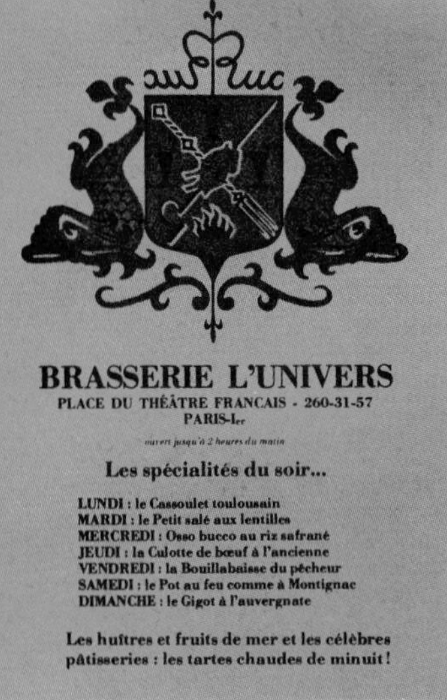

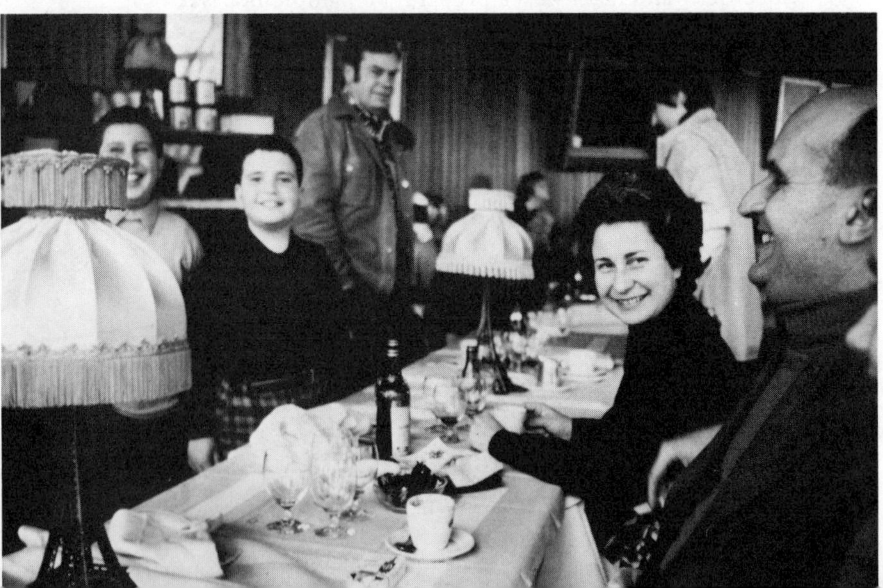

La gastronomie

Qui n'a pas rêvé de° dîner comme un roi° dans un restaurant à trois étoiles* en France? Ce n'est pas tout à fait impossible. Par exemple, il n'y a pas longtemps que deux Américains ont commandé un repas à Paris qui a coûté vingt mille francs. Mais c'est vrai que ce n'est pas normal et qu'il ne faut pas du tout être millionnaire pour apprécier la haute cuisine° française. Partout en France, dans le restaurant le plus chic de Paris ou dans un petit bistrot* de province, on peut savourer° le raffinement° d'un repas français.

Grâce au° climat varié° du pays, et aux caractéristiques particulières de chaque province, la cuisine française est très diverse. En Bretagne, une province maritime, les fruits de mer° règnent,° et aussi certains légumes qui aiment ce climat pluvieux° et tempéré° (les artichauts, par exemple). La Normandie, une province voisine au nord-est de la Bretagne, est célèbre pour ses produits laitiers,° y compris une vingtaine de fromages différents. En Alsace, une province sur le Rhin dans l'est de la France, on peut sentir° l'influence allemande dans les spécialités culinaires aussi bien que dans l'accent. On y trouve, par exemple, la choucroute garnie,* la bière, les pâtés, et de très bonnes pâtisseries. Au sud-est, la Provence offre une cuisine très variée. La plupart des plats° sont cuits à° l'ail, à l'huile, aux tomates et surtout au pistou,° une herbe qu'on trouve partout au bord de la Méditerranée. Et, comme en Bretagne, les fruits de mer sont roi. On les trouve dans la bouillabaisse marseillaise et dans la salade niçoise, qui comprend non seulement des crudités,° mais aussi du thon° et des anchois.°

Mais si la France honore sa haute cuisine, elle n'est pas immunisée non plus contre° l'influence américaine. Aujourd'hui vous verrez,° surtout dans les grandes villes, la cafétéria "self-service" et le "snack-bar," deux versions continentales de la cuisine pour ceux° qui sont pressés. Cependant, la plupart de ces restaurants continuent à offrir une cuisine uniquement française. Car,° même° si le mode de vie° des Français est en train de changer, et si le sandwich commence à remplacer° le grand repas du milieu du jour, les Français sont toujours fiers° de leurs chefs et des qualités uniques de leur cuisine.

rêver (de): *to dream of*
le roi: *king*
la haute cuisine: *fine cooking*
savourer: *to relish*
le raffinement: *refinement*
grâce à: *thanks to*
varié, -e: *varied*
les fruits de mer: *shellfish*
régner: *to reign*
pluvieux, -euse: *rainy*
tempéré, -e: *temperate*
le produit laitier: *dairy product*
sentir: *to sense*
le plat: *dish*
à: *(here) with*
le pistou: *basil*
les crudités *(f.pl.)*: *raw vegetables*
le thon: *tuna*
l'anchois *(m.)*: *anchovy*
contre: *against*
verrez = allez voir
ceux, celles: *those*
car: *for*
même: *(here) even*
le mode de vie: *way of life*
remplacer: *to replace*
fier, fière: *proud*

la Normandie
la Bretagne
l'Alsace
la Provence

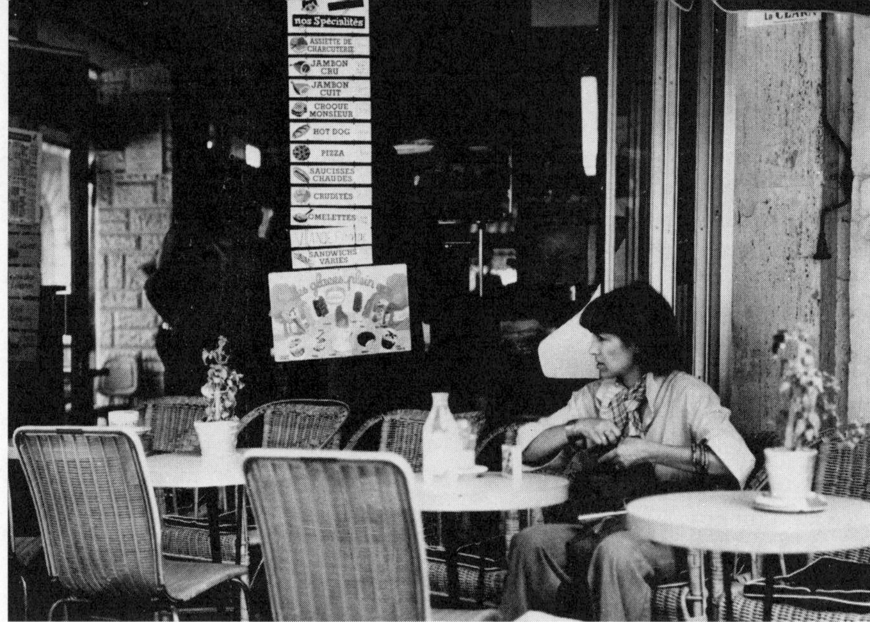

DRUGSTORES PUBLICIS

les suggestions du jour

au drugstore champs-élysées
133 av. champs-élysées paris 8e - 720 94 40

lundi	ris de veau sauce madère	11,50
mardi	fricassée de poulet basquaise	11,50
mercredi	épaule d'agneau farcie	12,00
jeudi	escalope de dindonneau	11,50
vendredi	haddock à l'anglaise	11,50
samedi	canard aux cinq parfums	12,00
dimanche	paupiettes de veau à l'indienne	11,50

au drugstore la défense
station r.e.r. puteaux 92 - 788 02 95

lundi	langue de bœuf parisienne	11,50
mardi	paëlla	11,50
mercredi	poivrons farcis	11,50
jeudi	sauté de veau provençal	12,00
vendredi	darne de saumon sauce tartare	12,00
samedi	osso-bucco	12,00
dimanche	poulet au noilly-prat	11,50

au drugstore matignon
rond-point des champs-élysées paris 8e
359 38 70

lundi	côte de mouton champvallon	12,00
mardi	travers de porc barbecue	11,50
mercredi	escalope de veau riva-bella	12,00
jeudi	poivrons farcis	11,50
vendredi	crevettes à l'américaine	12,00
samedi	poulet aux amandes	11,50
dimanche	veau à l'indienne	11,50

au pub renault
53 av. des champs-élysées paris 8e 225 28 17

lundi	ris de veau « ivoire »	11,50
mardi	entrecôte tyrolienne	12,00
mercredi	sauté d'agneau à la hongroise	11,50
jeudi	coquelet côte d'azur	11,50
vendredi	scampi à l'indienne	11,50
samedi	escalope dijonnaise	12,00
dimanche	poulet maïs à la piémontaise	11,50

Notes culturelles

****trois étoiles:*** Restaurants and hotels in France are rated by the Guide Michelin. A restaurant that receives three stars (and there are never very many) is sure to be among the finest in the world.

****le bistrot:*** A neighborhood café that serves family-style meals, *un bistrot* would usually cater to a small, faithful clientele.

****la choucroute garnie:*** This dish consists of sauerkraut *(la choucroute)* garnished with slices of ham, sausages, and smoked bacon. It is served with boiled potatoes.

A propos . . .

1. Combien d'étoiles est-ce que le Guide Michelin donne aux meilleurs restaurants? 2. Combien a coûté le repas que les deux Américains ont commandé? C'est un prix normal pour un bon dîner en France? 3. Où est-ce qu'on peut savourer le raffinement d'un repas français? 4. Pourquoi est-ce que la cuisine française est si variée? 5. Quels sont les produits culinaires les plus importants de Bretagne? de Normandie? 6. Décrivez la choucroute garnie. C'est un plat typique de quelle province? 7. Qu'est-ce qu'on met d'habitude dans les plats provençaux? 8. Qui dîne dans les restaurants "self-service"? Les repas qu'on y sert sont-ils tout à fait américains? 9. Est-ce que les Français commencent à oublier les qualités uniques de leur cuisine? 10. Et vous, est-ce que vous aimez la cuisine étrangère? Quelle sorte de cuisine est-ce que vous aimez le mieux? 11. Aux Etats-Unis, surtout dans les grandes villes, il y a des "snack-bars" qui servent des plats étrangers—grecs, espagnols, etc. Vous y avez pris des repas? Vous aimez cette sorte de cuisine—les tacos du Mexique, les gyros de la Grèce, etc.? 12. Décrivez un repas typique chez vous.

EXPLICATIONS II

Le futur irrégulier

1. You have seen how to form the regular future. The following verbs have irregular future stems, though the endings are the same *(-ai, -as, -a; -ons, -ez, -ont):*

INFINITIVE	FUTURE STEM	FUTURE
aller	**ir-**	elles iront
avoir	**aur-**	vous aurez
être	**ser-**	nous serons
faire	**fer-**	tu feras
falloir	**faudr-**	il faudra
pleuvoir	**pleuvr-**	il pleuvra
venir[1]	**viendr-**	je viendrai

2. In the present tense, the following verbs contain stem changes in the 3 pl. form and in all three singular forms. These stem changes also occur in the future stem:

INFINITIVE	PRESENT	FUTURE STEM	FUTURE
appeler[2]	il appelle	**appeller-**	elles appelleront
jeter	il jette	**jetter-**	vous jetterez
acheter	il achète	**achèter-**	nous achèterons
emmener	il emmène	**emmèner-**	elle emmènera
geler	il gèle	**gèler-**	il gèlera
lever[2]	il lève	**lèver-**	tu lèveras
promener[2]	il promène	**promèner-**	je promènerai

3. The following verbs also contain stem changes in the present tense. Their future stems, however, are regular:

INFINITIVE	FUTURE
espérer	j'espérerai
préférer	ils préféreront
répéter	tu répéteras

Exercices

A. Answer the questions, using the correct pronoun. Follow the model.

1. Elle ira à l'université cet automne. Et eux?
   Ils iront à l'université cet automne aussi.
2. Je serai à la surprise-party à 8 h. Et vous?
3. Elle fera un stage à l'hôpital l'année prochaine. Et toi?

[1]*Convenir, devenir,* and *revenir* follow the same pattern: *conviendr-, deviendr-, reviendr-.*
[2]The reflexive verbs *(s'appeler, se lever,* and *se promener)* follow the same pattern.

4. Vous aurez besoin d'un carnet. Et lui?
5. Ils seront devant la cheminée. Et elle?
6. Tu feras du jus d'orange. Et elles?
7. Elles deviendront femmes d'affaires. Et moi?
8. Nous irons à la terrasse d'un café. Et eux?
9. Il reviendra demain matin. Et vous?
10. Nous ferons attention au feu. Et lui?

B. Put the sentences into the future. Follow the model.

1. Nous allons à la ferme en camion.
   Nous irons à la ferme en camion.
2. Ils font le ménage.
3. Il pleut ce soir.
4. Elle va au grenier.
5. Il est sur le toit.
6. Vous faites la purée?
7. La fête a lieu au gymnase.
8. Il faut revenir avant 1 h.
9. Vous devenez avocat?
10. Elles ne sont pas dans ton filet.
11. Il n'y a plus de prunes.

C. Answer the questions using the appropriate direct object pronoun. Follow the model.

1. Ils achèteront le rosbif?
   Oui, ils l'achèteront.
2. Vous appellerez le garçon?
3. Tu promèneras le chien?
4. Il préférera ces tableaux?
5. Elles répéteront le poème?
6. Nous jetterons les tomates?
7. Elle emmènera sa nièce au cinéma?
8. Vous lèverez la glace?
9. J'achèterai les provisions?

D. Put the sentences into the future. Follow the model.

1. Vous préférez des fraises ou des cerises?
   Vous préférerez des fraises ou des cerises?
2. Nous nous promenons sur la plage.
3. Elles se lèvent dans un moment.
4. Vous jetez la couverture sur le lit.
5. Tu le répètes encore une fois.
6. Ils appellent leur chat.
7. Nous achetons des raisins, des oranges et des citrons.
8. Vous emmenez vos frères cadets au théâtre.

Vérifiez vos progrès

Write answers to the questions using the future tense and the expression of time in parentheses. Follow the model.

1. Elle est venue hier soir? (demain)
   Non, elle viendra demain.
2. Ils sont allés en ville hier? (mardi prochain)
3. Tu as fait la vaisselle ce soir? (demain soir)
4. Vous avez déjà promené le chien ce matin? (à 11 h.)

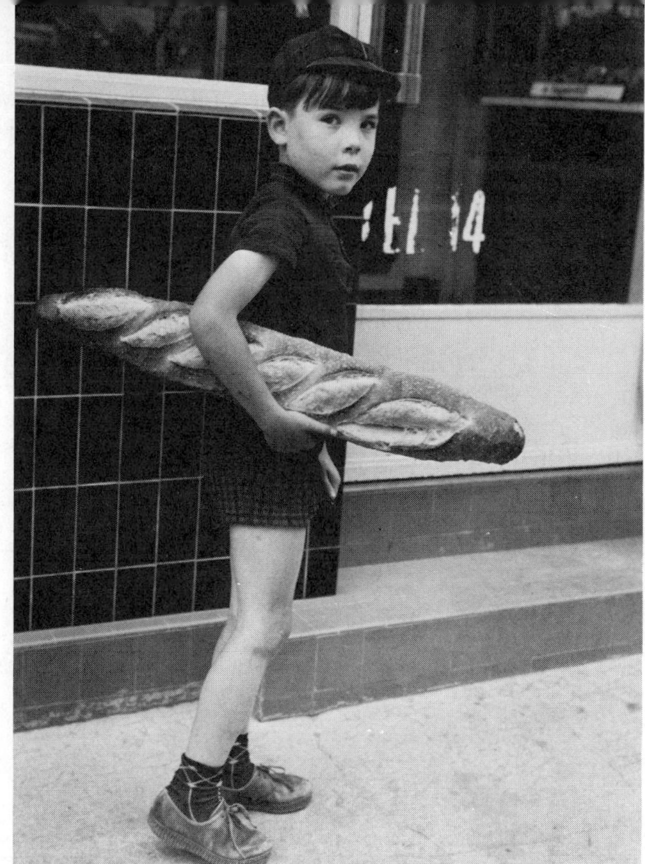

5. Il a plu cet après-midi? (ce soir)
6. Elles se sont levées tard aujourd'hui? (le lendemain de la fête)
7. Il a fallu les aider à faire des achats hier? (cet après-midi)
8. Tu as acheté les poires et les bananes ce matin? (demain)
9. Vous avez déjà jeté le vieux divan? (samedi)

RÉVISION ET THÈME

Consult the model sentences, then put the English cues into French and use them to form new sentences.

1. *Nous arriverons tard* ce soir.
   (They'll (m.) *leave on time)*
   (I'll have dinner late)
2. *Elle emmènera des enfants dans le parc.*
   (You (sing.) *will throw paper in the fireplace.)*
   (They'll (m.) *prefer grapefruit* (pl.) *after lunch.)*
3. *Je couperai quinze tranches de jambon et une dizaine de tomates.*
   (We'll buy a dozen peaches and a kilo of grapes.)
   (They'll (f.) *take about fifteen plums and two bottles of wine.)*
4. Ensuite *ils s'arrêteront au marché* pour acheter *deux choux.*
   (you'll (pl.) *head for the pastry shop)* *(two pies)*
   (we'll meet at the department store) *(a mirror)*
5. *Elle lira les lettres et les cartes aux enfants.*
   (I'll put the armchair and couch in the living room.)
   (They'll (m.) *sell the maps and ticket books to the passengers.)*
6. Après, *nous ferons le ménage.*
   (I'll be upstairs)
   (they'll (f.) *have the answer)*

Now that you have done the *Révision,* you are ready to write a composition. Put the English captions describing each cartoon panel into French to form a paragraph.

1
Jean-Claude will come home early tonight.
2
He'll buy some food at the grocery store.
3
He'll take a kilo of pears and about twenty onions.
4
Then he'll stop at the bakery to buy two loaves of bread.
5
He'll prepare the chicken and the spinach in the kitchen.
6
Afterwards, he'll serve the dinner.

AUTO-TEST

Write the sentences putting the verbs in parentheses into the future.

1. Ils *(acheter)* des oranges et des abricots demain parce qu'ils en *(avoir)* besoin pour le dessert.
2. Qu'est-ce que tu *(lire)* dans ton cours de français cette année? Je crois que nous *(étudier)* des poèmes, et que nous les *(apprendre)* par cœur.
3. Je *(se lever)* à 7 h. 30 demain matin. Je *(ne pas faire)* la grasse matinée parce qu'il *(falloir)* aller en ville.
4. Elles *(emmener)* leurs camarades au théâtre. Elles *(aller)* là-bas parce qu'on *(jouer)* une nouvelle pièce canadienne.
5. Qui *(mettre)* le couvert ce soir? Maman *(ne pas avoir)* le temps parce qu'elle *(être)* très, très occupée à la cuisine.
6. D'abord le prof *(dire)* la phrase. Puis il la *(répéter)*. Tout le monde l'*(écrire)* dans son cahier et après, le prof *(choisir)* un élève qui la *(lire)* à haute voix.

COMPOSITION

Décrivez votre maison ou votre appartement—les chambres, les meubles, etc.

Poème

LIBERTÉ

Sur mes cahiers d'écolier°
Sur mon pupitre et les arbres
Sur le sable sur la neige
J'écris ton nom°

Sur toutes les pages lues
Sur toutes les pages blanches
Pierre° sang° papier ou cendre°
J'écris ton nom

Sur les images dorées°
Sur les armes des guerriers°
Sur la couronne° de rois°
J'écris ton nom . . .

Et par le pouvoir° d'un mot
Je recommence ma vie
Je suis né pour te connaître
Pour te nommer
LIBERTÉ

Paul Eluard, *Poésie et vérité*
Used by permission of
Georges Borchardt, Inc.

l'écolier = l'étudiant
le nom: *name*
la pierre: *stone*
le sang: *blood*
la cendre: *ash*
doré, -e: *gilded*
le guerrier: *warrior*
la couronne: *crown*
le roi: *king*
le pouvoir: *power*

Proverbe

Aide-toi, le ciel t'aidera.

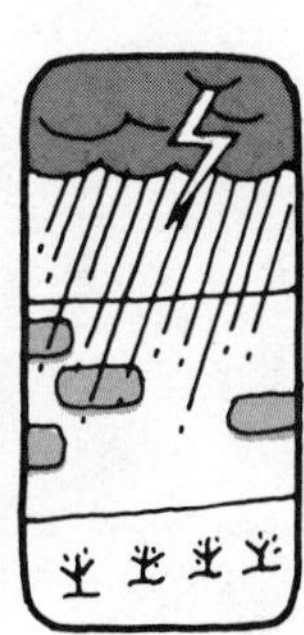

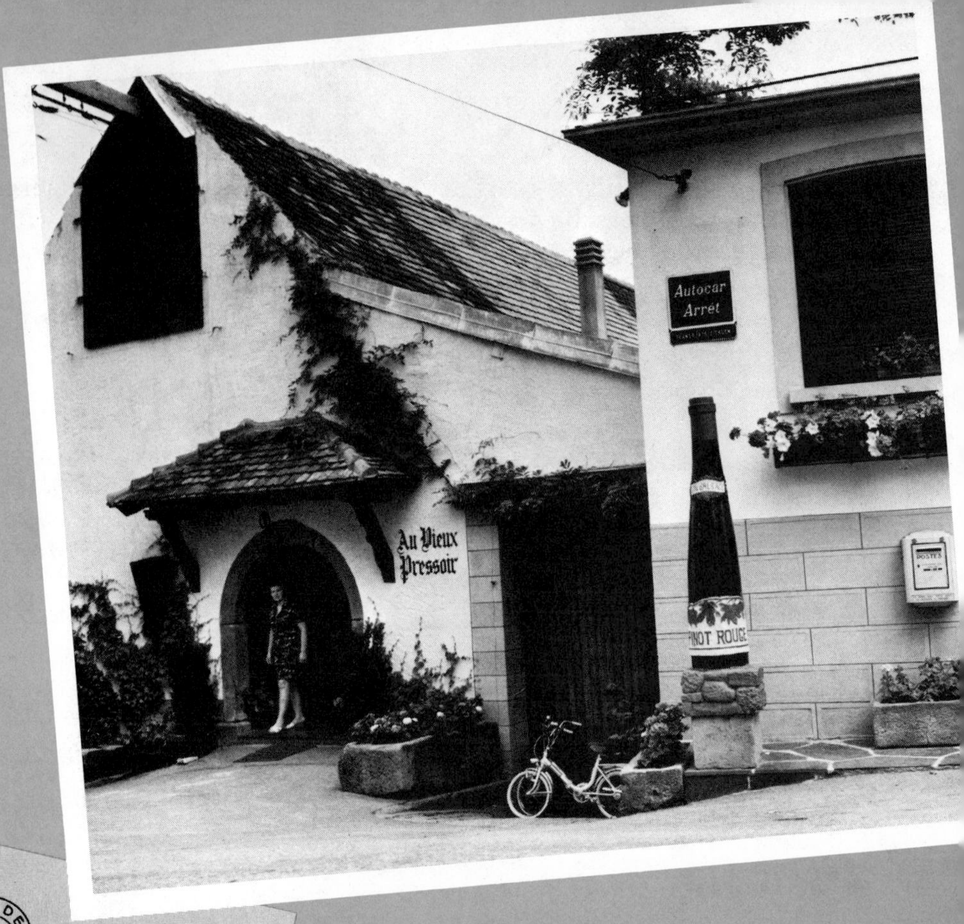

HOTEL SOLFÉRINO

91, RUE DE LILLE
PARIS-VIIE

ASCENSEUR
GRAND CONFORT

Tél. : 705 85-54
(lignes groupées)

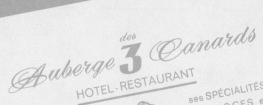

HOTEL-RESTAURANT

ses SPÉCIALITÉS
NOCES et
BANQUETS
REPAS
AFFAIRES
BAR

Claude NAVILLE
CHEF de CUISINE
TÉLÉPHONE
43.06.94 Valence
S.A.R.L. au Capital
de 40.000 France

GRANGES-LÈS-VALENCE
ARDÈCHE

Neuvième Leçon

A l'Auberge des Mimosas

C'est le 15 février et la famille Rochard, qui habite Bordeaux,* est descendue à Villefranche-sur-Mer* pour assister au festival du mardi gras.* Quand ils sont arrivés à l'Auberge des Mimosas,* M. Rochard et sa fille, Diane, ont sorti les bagages du coffre. Ils les ont apportés à la réception pendant que Mme Rochard garait la voiture.

M. ROCHARD — Bonjour, madame. Je vous ai écrit il y a une quinzaine de jours pour retenir deux chambres au nom de Rochard.

L'AUBERGISTE — Oui, monsieur. Je me suis souvenue[1] de votre nom. Vous vous êtes arrêtés ici l'année dernière.

M. ROCHARD — Mais oui, madame. Mais j'espère que vous ne nous donnerez pas de chambres au troisième étage. Je n'aime pas monter l'escalier, surtout avec toutes ces valises.

L'AUBERGISTE — Mais monsieur, la vue de la mer du troisième étage est magnifique. Et d'ailleurs mon mari pourra vous aider à monter vos bagages.

DIANE — Oh, papa, prenons des chambres en haut.

L'AUBERGISTE — Ces chambres sont vraiment les plus claires et les plus confortables. Madame les aimera, j'en suis sûre. Voici les clefs des chambres numéros 14 et 15, au troisième.

M. ROCHARD — Bon, madame.

DIANE — Est-ce que vous avez un programme du festival?

L'AUBERGISTE — Oui, bien sûr. Demain aura lieu le grand défilé à Nice.

---

[1] *Retenir* and *se souvenir (de)* both follow the pattern of *venir. Retenir* forms its passé composé with *avoir (j'ai retenu)* and *se souvenir de,* being a reflexive verb, forms its passé composé with *être (ils se sont souvenus de).*

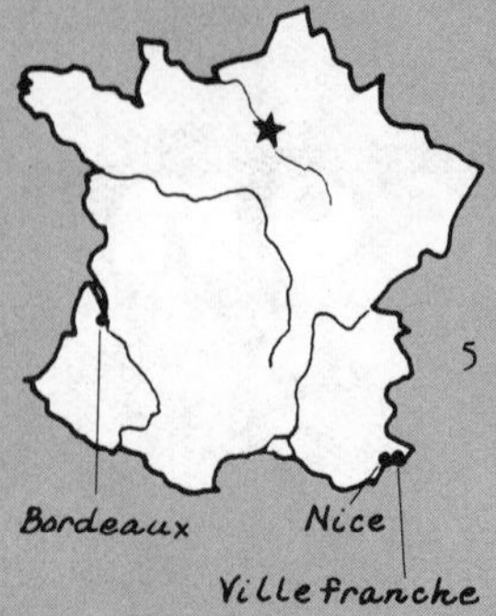

At the Auberge des Mimosas

It's February 15, and the Rochard family, who live in Bordeaux, have gone down to Villefranche-sur-Mer to attend the Mardi Gras festival. When they arrived at the Auberge des Mimosas, M. Rochard and his daughter, Diane, took the luggage out of the trunk. They carried it to the reception desk while Mme Rochard was parking the car.

M. ROCHARD Good morning. I wrote to you a couple of weeks ago to reserve two rooms in the name of Rochard.

INNKEEPER Yes, sir. I remembered your name. You stayed here last year.

M. ROCHARD Why, yes! But I hope that you won't give us rooms on the fourth floor. I don't like to climb stairs, especially with all these suitcases.

INNKEEPER But, sir, the view of the sea from the fourth floor is magnificent. And besides, my husband will be able to help you carry up your luggage.

DIANE Oh, Dad, let's take rooms upstairs.

INNKEEPER Those rooms are truly the brightest and most comfortable. Your wife will like them, I'm sure. Here are the keys to rooms 14 and 15, on the fourth floor.

M. ROCHARD All right.

DIANE Do you have a program for the festival?

INNKEEPER Of course. Tomorrow will be the big parade in Nice.

AUBERGE RUSTIQUE
La Chaumière × ×
Route de Lacanau Téléphone 23.73.17
33 - SAINT-MÉDARD-EN-JALLES
G. BAYSSE, Prop.

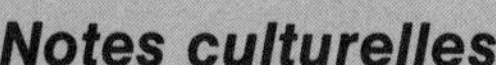

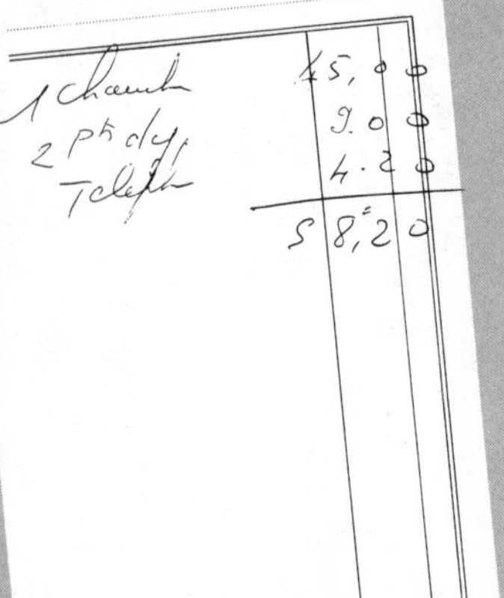

45,00
9.00
4.20
58,20
SPÉCIALITÉS LOCALES

Notes culturelles

**Bordeaux:* A large industrial city in southwestern France, Bordeaux is located on the Gironde, a large bay of the Atlantic Ocean. It is a major port in an area noted especially for its wine production.

**Villefranche-sur-Mer:* This is a small, picturesque fishing port on the Mediterranean, just east of Nice.

**le mardi gras:* While all francophone countries celebrate Mardi Gras, customs differ in various parts of the world. On the Côte d'Azur there is a series of parades with floats (often constructed entirely of flowers), and the festival culminates in fireworks, music, dancing, masked balls, and all-night revelry.

**l'Auberge des Mimosas:* The mimosa is a flowering shrub native to southern France. The climate on the Côte d'Azur is temperate, and the bright yellow mimosas are usually in bloom by mid-February.

Questionnaire

1. Où est-ce que la famille Rochard est descendue? Pourquoi? 2. Où habitent les Rochard? 3. Qu'est-ce qui s'est passé quand les Rochard sont arrivés? Qu'est-ce qui se passe en ce moment? 4. Pourquoi M. Rochard a-t-il écrit à l'auberge? 5. Pourquoi M. Rochard ne veut-il pas de chambres au troisième étage? 6. D'après l'aubergiste, ce sont les meilleures chambres. Pourquoi? 7. Que demande Diane? 8. Qu'est-ce qui aura lieu demain?

PRONONCIATION

The nasal vowel sound [ɛ̃] is somewhat like the vowel sound in the English word "sang," but it is shorter, more nasal, and pronounced with greater tension.

Exercices

A. These words contain the sound combination [jɛ̃]. Listen, then repeat.

bien	rien	Lucien	je viens
tu deviens	il convient	elle revient	je me souviens

B. In the following pairs, the first word contains the [ɛ̃] sound, the second contains the sound combination [ɛn]. Listen, then repeat.

[ɛ̃]/[ɛn]	mexicain/mexicaine	il retient/ils retiennent
	italien/italienne	le lycéen/la lycéenne
	américain/américaine	canadien/canadienne

C. Listen to these sentences, then say them aloud.

Lucien devient ingénieur.
Alain invite ses voisins.
Les anciens lycéens sont impolis.
Ton cousin canadien revient à Berlin?

MOTS NOUVEAUX I

Quel est **le nom** de votre hôtel?	*What's **the name** of your hotel?*
L'Auberge des Fleurs.	*The Inn of the Flowers.*
Il y a **une** belle **vue.**	*There's **a** beautiful **view.***
une vue **magnifique**	***a magnificent** view*
Je voudrais **retenir** une chambre.	*I'd like **to reserve** a room.*
Il fait un temps magnifique!	***The weather's** wonderful!*
affreux	*awful!*
Ce sera **un séjour** agréable **d'ailleurs.**	*It will be **a** pleasant **stay, besides.***
Le jour est si **clair.**	*The day is so **clear.***
obscur	***dark***
La chambre est si **claire.**	*The room is so **bright.***
obscure	***dim***
Qui va **se charger de** la clef?	*Who'll **take charge of** the key?*
se souvenir de	***remember***
Veuillez me donner la clef.	***Please** give me the key.*
On peut **garer** la voiture ici?	*Can we **park** the car here?*
Il y a de la place **dans la rue.**	*There's room **on the street.***
sur le boulevard	***on the boulevard***
dans l'avenue *(f.)*	***on the avenue***
Je vous laisse la garer ici.[1]	*I'll let you park it here.*

Exercice de vocabulaire

Choose the word or phrase that best completes the sentence or fits the situation.

1. La mer est très loin d'ici, mais on peut la voir assez bien *(du balcon/du plafond).*
2. Je n'aime pas monter jusqu'au 4e étage. *(D'ailleurs/D'après),* la chambre n'est pas confortable.
3. Où est la voiture? Il faut la *(garer/retenir)* derrière l'auberge.
4. Mettez le tapis sur *(le plafond/le plancher)* devant la porte.
5. Les Beaulieu sont en voyage. Ils veulent retenir une chambre *(à deux lits/à deux chefs).*
6. Je vais à la boulangerie *(dans la rue/dans la vue)* voisine.
7. Nous laissons les bagages *(au nom de/à la réception de)* l'auberge.
8. Veuillez lever les rideaux. La chambre est trop *(claire/obscure).*
9. L'aubergiste peut faire des courses maintenant. Son mari *(se charge de/se souvient de)* la réception.
10. Elle les a laissés aller à Cannes? Oui, ils auront *(un séjour/un temps)* de deux nuits seulement.

[1]Note that when *laisser* is followed by an infinitive, it means "to let" or "to allow."

Hôtel de France ☆☆
Restaurant réputé
24 chambres tout confort
Garage intérieur
Terrasse fleurie
Téléphone : (47) 59-00-32

MOTS NOUVEAUX II

C'est aujourd'hui **le festival.**	*Today's* ***the festival.***
le défilé	***the parade***
C'est **un spectacle** très **animé.**	*It's* ***a*** *very* ***lively show.***
La musique est très **animée.**	*The music's very* ***lively.***
C'est **un participant.**	*He's* ***a participant.***
une participante	*She's* ***a participant.***
Je vais **participer à** la fête.	***I'll take part in*** *the celebration.*
Regarde **le costume** magnifique.	*Look at* ***the*** *wonderful* ***costume.***
Regarde **le roi** et **la reine.**	*Look at* ***the king*** *and* ***queen.***
La foule continue à **crier.**	*The crowd continues to* ***shout.***
On veut **s'amuser.**	*We want to* ***have a good time.***
Ce sera **un souvenir** agréable.	***It will be a*** *pleasant* ***memory.***
Voilà **le programme.**	*Here's* ***the program.***
un souvenir	***a souvenir***
Regarde **la lumière.**	*Look at* ***the light.***
les illuminations[1]	***the lights***
les feux d'artifice *(m.pl.)*	***the fireworks***
Ecoute **le son.**	*Listen to* ***the sound.***
les cris *(m.pl.)*	***the shouts***
Maintenant, nous allons voir un spectacle "Son et Lumière."[2]	*Now we're going to see a sound and light show.*
C'est la fin du spectacle.	*It's the end of the show.*
Nous voilà dans **un embouteillage.**	*Here we are in* ***a traffic jam.***
Il y a **trop de monde!**	*There are* ***too many people!***
beaucoup de monde	***a lot of people***
On ne **s'arrête** pas **de pousser.**[3]	***They don't stop pushing.***
Mais n'ayons pas peur! On ne va pas **se perdre.**	*But let's not be afraid! We won't* ***get lost.***

Exercice de vocabulaire

In each group, choose the word that by meaning does not belong, then use that word in a sentence.

1. le concert   la pièce   le souvenir   le spectacle
2. l'embouteillage   les feux d'artifice   les illuminations   la lumière
3. le balcon   le costume   le plafond   le plancher
4. l'avenue   le boulevard   le roi   la rue
5. le cri   la musique   le son   la vue

---

[1] *La lumière* means "light" in a general sense. *Les illuminations* refer to outdoor spotlights or display lights.

[2] *Son et Lumière* shows are very popular in France. They are generally presented outdoors and offer a narration or re-enactment of a story related to a particular monument or holiday. There are usually very brilliant light and sound effects and sometimes a fireworks display following the performance.

[3] *S'arrêter* requires *de* before the infinitive.

6. les acteurs   les participants   les spectateurs   les vedettes
7. s'amuser   déjeuner   dîner   manger
8. se coucher   s'endormir   se lever   se perdre
9. crier   regarder   remarquer   voir

Etude de mots

Mots associés 1: Complete each sentence with the verb related to the noun or adjective in italics. Be sure to form the infinitives of reflexive verbs correctly.

1. Tu entends *ces cris?* Les spectateurs sont en train de ______.
2. J'ai de bons *souvenirs* de notre séjour à Bordeaux. Tu peux ______ de ton voyage là-bas?
3. Cette pièce est si *amusante!* Nous aimons ______ au théâtre.
4. Voilà tous *les participants* en costume. Tu veux aussi ______ au défilé?
5. *La vue* du balcon est tout à fait magnifique. Venez ______!
6. Il y a *un garage* près de *la gare?* Je veux ______ la voiture.

Mots associés 2: Do you see the relationships between the pairs of words or expressions? Make a sentence with each word.

le feu / les feux d'artifice
animé, -e / le dessin animé
le spectacle / les spectateurs
la bouteille / l'embouteillage
l'auberge / l'aubergiste

Antonymes: Change the meaning of each sentence by replacing the words in italics with an antonym from this lesson.

1. Henri *s'est trouvé* dans des rues inconnues de la rive gauche.
2. Regarde la couleur que la lumière du soleil fait sur *le plancher!*
3. Quoi! Vous *oubliez* mon nom!
4. Chut! Bientôt tu entendras les cris *des spectateurs.*
5. Cette église ancienne est vraiment *très laide!*
6. Il y a *peu de monde* au spectacle "Son et Lumière."
7. Les lycéens *commencent à* garer leurs motos dans l'avenue.
8. Je n'aime pas ma chambre à coucher parce qu'elle est beaucoup trop *claire.*

EXPLICATIONS I

Les verbes vouloir et pouvoir

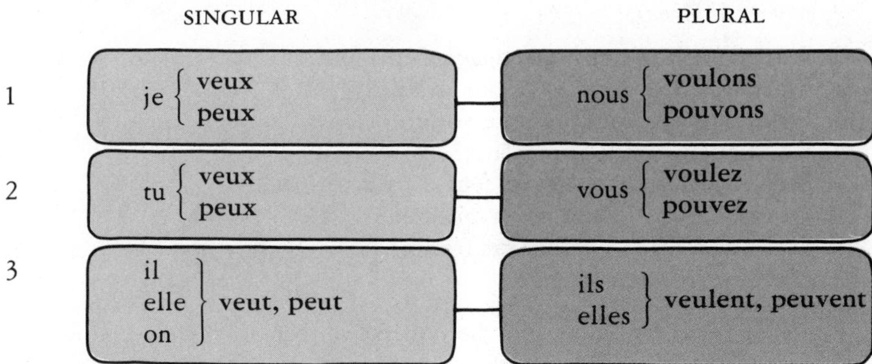

	SINGULAR	PLURAL
1	je { veux / peux	nous { voulons / pouvons
2	tu { veux / peux	vous { voulez / pouvez
3	il / elle / on } veut, peut	ils / elles } veulent, peuvent

PAST PARTICIPLE: **voulu, pu**
FUTURE STEM: **voudr-** (**je voudrai**, etc.)
pourr- (**je pourrai**, etc.)

1. You also know the 1 sing. and pl. forms of *vouloir* that mean "would like." They are called "conditional":

   Je voudrais le voir demain. — ***I'd like** to see him tomorrow.*
   Nous voudrions prendre le métro. — ***We'd like** to take the subway.*

2. *Vouloir* has imperative forms that are sometimes used instead of *s'il te plaît* or *s'il vous plaît.* They are always followed by an infinitive:

   Veux-tu m'apporter une serviette. — ***Please** bring me a napkin.*
   Veuillez me donner le numéro. — ***Please** give me the number.*

Exercices

A. Redo the sentences adding the appropriate form of the verb *pouvoir.* Follow the model.

1. Personne n'y participe.
   Personne ne peut y participer.
2. Dimanche nous allons à la fête.
3. Elle décore les chambres.
4. Ils y achètent des baguettes et des brioches.
5. Tu attends l'aubergiste à la réception.
6. Vous retenez les places.
7. Maintenant nous mettons nos manteaux et nos gants.
8. Elles l'aident à faire la cuisine.

B. Answer the questions using the correct present-tense or conditional form of the verb *vouloir* and the appropriate direct object pronoun. Follow the model.

1. Est-ce que tu prendras cet avion?
   Je veux le prendre.
2. Est-ce que vous nous accompagnerez? *(cond.)*
3. Est-ce qu'elle traversera le boulevard?
4. Est-ce que vous garerez cette voiture? *(cond.)*
5. Est-ce qu'on lavera le plancher?
6. Est-ce que tu regarderas les feux d'artifice? *(cond.)*
7. Est-ce que vous étudierez la musique?
8. Est-ce qu'elles achèteront ces fraises?
9. Est-ce qu'il écrira son nom?

C. Rephrase the commands using the imperative form of *vouloir*. Follow the model.

1. Commande ton repas! *Veux-tu commander ton repas.*
2. Aide tes camarades!
3. Téléphonez-moi!
4. Descends maintenant!
5. Mange les épinards!
6. Entrez, monsieur!
7. Montez les valises au grenier!

L'imparfait

The imperfect is used to describe something that *was* taking place or that *used to* take place. For almost all verbs, it is formed by dropping the *-ons* from the 1 pl. form of the present tense and then adding the imperfect endings. For example, drop the *-ons* from *nous voulons* to get the imperfect stem *voul-:*

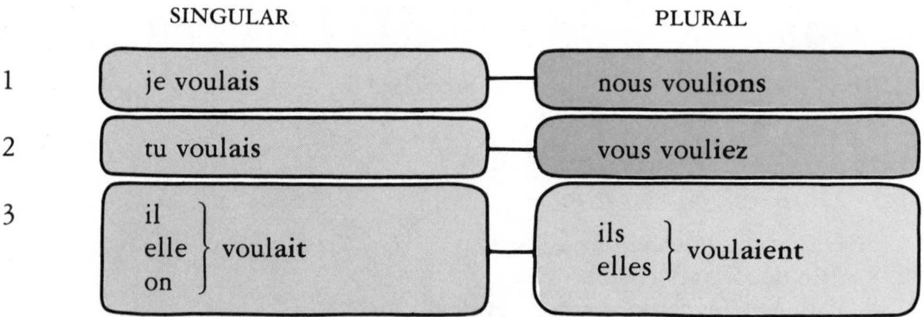

	SINGULAR	PLURAL
1	je voulais	nous voulions
2	tu voulais	vous vouliez
3	il / elle / on } voulait	ils / elles } voulaient

1. Note the letter *i* in the 1 and 2 pl. forms. Verbs whose stems end in *i* have two *i*'s in these forms: *nous oubliions, vous étudiiez.* The first *i* is pronounced as an [i] sound and the second *i* as a [j] sound.
2. The singular forms and the 3 pl. form are pronounced the same.
3. Verbs whose infinitives end in *-ger* and *-cer* show a spelling peculiarity in the imperfect just as they do in the present tense. Remember the 1 pl. forms: *nous mangeons* and *nous commençons:*

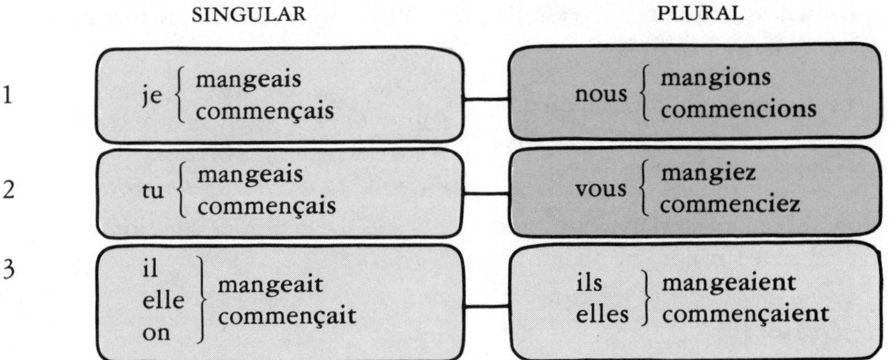

	SINGULAR	PLURAL
1	je mangeais / commençais	nous mangions / commencions
2	tu mangeais / commençais	vous mangiez / commenciez
3	il / elle / on mangeait / commençait	ils / elles mangeaient / commençaient

The *e* does not appear in the 1 and 2 pl. imperfect forms of *manger,* and the *ç* does not appear in the 1 and 2 pl. forms of *commencer.*

4. You know four verbs that occur only or mostly in the 3 sing. form. Here are their imperfect forms:

INFINITIVE	PRESENT	IMPERFECT
pleuvoir	il pleut	il **pleuvait**
geler	il gèle	il **gelait**
neiger	il neige	il **neigeait**
falloir	il faut	il **fallait**

5. Only one verb—*être*—is irregular in the imperfect. The 1 pl. form is *nous sommes,* but the imperfect stem is *ét-:*

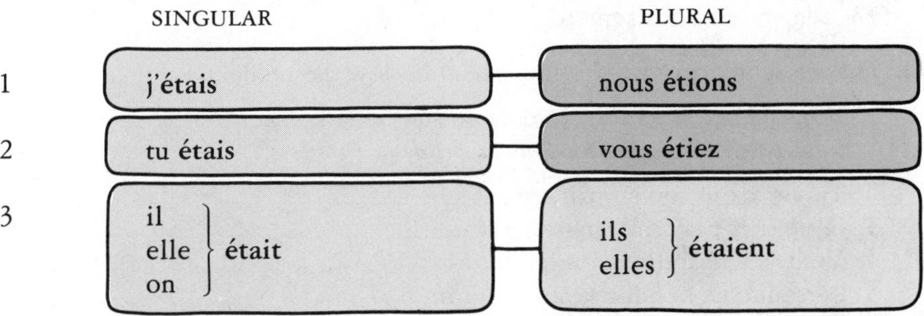

	SINGULAR	PLURAL
1	j'étais	nous étions
2	tu étais	vous étiez
3	il / elle / on était	ils / elles étaient

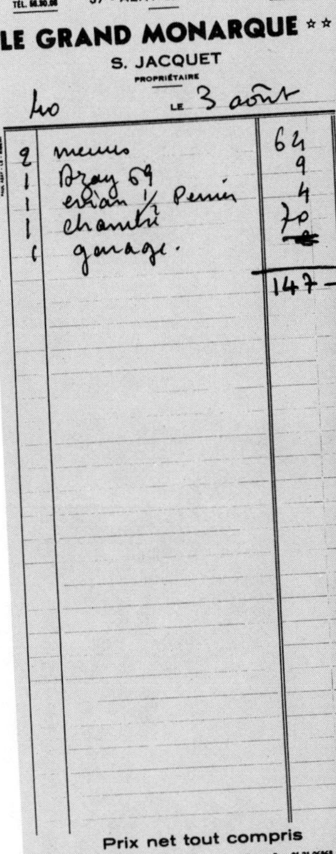

37 - AZAY-LE-RIDEAU

LE GRAND MONARQUE ★★

S. JACQUET

PROPRIÉTAIRE

40 LE 3 août

2	menus	64
1	Azay 69	9
1	evian ½ Perrier	4
1	chambre	70
1	garage.	
		147

Prix net tout compris

6. The imperfect is used for description:

Elle était riche.	*She was rich.*
Il faisait beau.	*It was nice out.*
J'avais faim.	*I was hungry.*

It is used to describe a *continuing action or condition,* and is often the equivalent of the English construction "was (were)" + verb + "-ing":

Elles faisaient du ski.	*They **were skiing.***
Il neigeait ce soir.	*It **was snowing** this evening.*

It is used to describe an action that took place or a condition that existed *regularly or repeatedly:*

Le dimanche je jouais au tennis.	*Sundays* ***I played*** *tennis.* ***I used to play*** *tennis on Sunday.*
Nous étions fatigués le soir.	***We were*** *tired in the evening.* ***We used to be*** *tired in the evening.*

Note that in all of these cases, the time when the action or condition began or ended is not important.

Exercices

A. Give the appropriate imperfect forms for the pronouns in parentheses.

1. finir: nous finissons (je / nous)
   je finissais / nous finissions
2. dormir: nous dormons (tu / elles)
3. vendre: nous vendons (je / vous)
4. prendre: nous prenons (il / nous)
5. aller: nous allons (elle / ils)
6. avoir: nous avons (je / elles)
7. faire: nous faisons (tu / vous)
8. pouvoir: nous pouvons (il / nous)
9. mettre: nous mettons (tu / ils)
10. écrire: nous écrivons (je / vous)
11. venir: nous venons (elle / nous)
12. lire: nous lisons (il / ils)
13. remercier: nous remercions (elles / vous)

B. Put the sentences into the imperfect. Follow the model.

1. Vous passez vos vacances dans le sud de la France?
   Vous passiez vos vacances dans le sud de la France?
2. Tu visites le zoo au printemps?
3. Je ne sors pas de la maison avant 8 h.
4. Vous vous habillez vite le matin.
5. Personne ne s'endort avant minuit.
6. Nous oublions souvent nos filets.
7. On s'amuse bien au festival.
8. Elles portent de très beaux foulards.
9. Il fait la queue à la réception.

C. Answer the questions, using the imperfect form of the expression in parentheses. Follow the model.

1. Qu'est-ce que vous faisiez? (participer aux matchs)
   Nous participions aux matchs.
2. Qu'est-ce qu'ils faisaient? (examiner la chambre)
3. Qu'est-ce que tu faisais? (chercher les clefs)
4. Qu'est-ce qu'il faisait? (allumer les lumières)

5. Qu'est-ce qu'on faisait? (descendre à l'hôtel)
6. Qu'est-ce que vous faisiez? (monter l'escalier jusqu'au 13ᵉ étage)
7. Qu'est-ce qu'elle faisait? (attendre ses amis dans le couloir)
8. Qu'est-ce qu'elles faisaient? (se brosser les dents)
9. Qu'est-ce que vous faisiez? (finir le déjeuner)

D. Put the sentences into the imperfect. Follow the model.

1. Tu prononces assez bien les phrases.
   Tu prononçais assez bien les phrases.
2. Il commence la dernière leçon d'algèbre.
3. Nous nageons tous les jours.
4. Elle plonge dans la piscine.
5. Je prononce bien ces mots d'allemand.
6. Vous ne mangez jamais de salade.
7. Ils se chargent des provisions pour la surprise-party.
8. Le professeur n'annonce jamais les examens.
9. Nous nous dirigeons vers la cuisine pour parler au chef.

E. Put the verbs in parentheses into the imperfect. Follow the model.

1. Je *(avoir)* tort. Toi, tu *(avoir)* raison.
   J'avais tort. Toi, tu avais raison.
2. D'ailleurs, nous *(être)* un peu inquiets parce que nos amis *(être)* en retard.
3. Les programmes *(être)* sur le comptoir.
4. Ils *(avoir)* soif. Nous, nous *(avoir)* faim.

5. Vous ne *(être)* jamais à l'heure.
6. Nous ne *(être)* pas assis parce qu'il n'y *(avoir)* que deux fauteuils et ce vieux divan.
7. Je *(être)* heureuse parce que les chambres *(être)* bon marché.
8. On ne *(avoir)* pas besoin d'une fourchette, mais d'une cuillère.

F. Put the sentences into the imperfect. Follow the model.

1. Papa lit un roman pendant que je mets le couvert.
   Papa lisait un roman pendant que je mettais le couvert.
2. Je parle au téléphone pendant qu'elle les aide à faire la purée de pommes de terre.
3. Il fait mauvais? Oui, il pleut.
4. Ils pensent que le prof ne peut pas les entendre.
5. Il dit qu'il faut aller au Mexique pour sa société.
6. Tu presses le bouton, mais je ne peux rien entendre.
7. Elle veut aller au spectacle, mais je ne peux pas sortir ce soir.
8. Il faut rentrer à La Rochelle puisque lundi c'est la rentrée des classes.
9. Nous sommes en train de téléphoner, mais la ligne est occupée.
10. Vous criez parce que vous vous amusez?

G. Put the sentences into the imperfect. Follow the model.

1. Je promène le chien après le dîner.
   Je promenais le chien après le dîner.
2. Elles répètent les phrases une dizaine de fois.
3. Madame Lebrun appelle ses enfants tous les soirs vers 6 h.
4. Nous préférons les robes rouges ou orange.
5. Ils se lèvent de très bonne heure.
6. J'espère y assister.
7. Vous emmenez vos cousins au spectacle "Son et Lumière"?
8. Ils jettent des fleurs du balcon.

Vérifiez vos progrès

Answer the questions using the cues in parentheses. Follow the model.

1. Tu faisais du ski nautique. Et lui? (nager dans le lac)
   Il nageait dans le lac.
2. Je restais à la maison. Et eux? (s'amuser au festival)
3. Nous voulions nous arrêter à cet auberge. Et toi? (espérer continuer le voyage)
4. Elle commençait à faire la cuisine. Et vous? (jouer aux cartes)
5. Ils allaient jouer dehors. Et elle? (vouloir rester à l'intérieur)
6. Vous vous laviez la figure. Et lui? (se lever)
7. J'avais besoin d'un portefeuille. Et elles? (acheter des souvenirs)
8. Tu lisais dans la salle de permanence. Et nous? (faire des courses)
9. Elles partaient pour la surprise-party. Et toi? (écrire à mon avocat)
10. Il quittait l'hôtel. Et vous? (avoir envie de retenir une chambre)

CONVERSATION ET LECTURE

Parlons de vous

1. Est-ce que vous avez jamais passé quelques jours dans un hôtel ou dans une auberge? Où est-ce qu'il se trouvait? Combien d'étages y avait-il? 2. Qu'est-ce que vous avez fait avec les bagages? 3. Décrivez votre chambre. Est-ce qu'il y avait un balcon? Comment en était la vue? La chambre a coûté cher? C'était une chambre à combien de lits? 4. Comment est-ce que vous y êtes allé? C'était un long séjour? Vous étiez en vacances? Si vous y êtes allé en voiture, où l'avez-vous garée? 5. Est-ce que vous avez pris vos repas à l'hôtel? 6. Est-ce que vous avez des souvenirs de ce voyage? Parlez-en.

La nuit du mardi gras

Villefranche-sur-Mer
le 16 février

Cher° David et chère Caroline,

Vos lettres sont arrivées la semaine dernière et je vous remercie tous les deux° de vos nouvelles.° Chez nous la famille va bien—maman vous envoie° toute son affection. Je vous écris, chers cousins, parce que j'ai tant de choses à vous raconter.

Vous savez qu'on vient de fêter le mardi gras. Le Carnaval de Nice* est—j'en suis sûre—la plus magnifique, la plus animée, la plus intéressante, la plus élégante, la plus éblouissante° de toutes les fêtes françaises. Pendant une quinzaine de jours, la ville devient le royaume° du roi Carnaval. Les bals masqués et les défilés se succèdent° sans interruption pendant les jours de fête. Puisque Nice n'est qu'à 10 km. d'ici, nous avons pu y aller hier soir. On s'est bien amusé!

En ville il y avait des décorations et des lumières dans les rues, sur les arbres, dans les vitrines des magasins—partout! Cette année le thème du Carnaval* était l'Orient; donc,° on a décoré les chars° d'après les histoires et les légendes de la Chine et du Japon. Nous y avons vu d'immenses dragons qui crachaient° du feu, des tigres qui menaçaient° les spectateurs, Aladin et sa lampe merveilleuse,° des cavalcades de chevaux et des fanfares.° Ces chars étaient si beaux qu'il est impossible de croire qu'on les fait uniquement pour ce festival. Mais c'est vrai.

Je regardais tout ce monde de fantaisie quand tout à coup un grand hourra° s'est levé de la foule. C'était

cher, chère: *(here) dear*
tous les deux: *both of you*
les nouvelles *(f.pl.): news*
envoyer: *to send*
éblouissant, -e: *dazzling*
le royaume: *kingdom*
se succéder: *to follow each other*
donc: *therefore*
le char: *float*
cracher: *to spit*
menacer: *to threaten*
merveilleux, -euse: *(here) magic*
la fanfare: *brass band*
le hourra: *hurrah*

le Corso* qui commençait, le grand défilé du mardi gras. Plus tard, à la fin du Corso, on a brûlé la reine et le roi Carnaval, derniers symboles de joie avant le commencement du Carême. Mais ce n'était pas la fin du festival. Vers 11 h., on a entendu "Fffsss! Boum!" et les premiers feux d'artifice ont éclaté° dans le ciel au-dessus du port. Je m'en souviendrai toujours.

éclater: *to explode*

Enfin, après le bal masqué, la musique et la danse, nous sommes rentrés chez nous, fatigués et couverts de° confettis. Un jour peut-être vous viendrez nous voir pendant ces jours de fête. En tout cas,° promettez-nous de venir à Villefranche cet été! D'ailleurs, un séjour au bord de la mer sera tout à fait agréable et vous vous amuserez bien.

couvert, -e (de): *covered (with)*
en tout cas: *in any case*

Bons baisers,*
Antoinette

Notes culturelles

le Carnaval de Nice: Although other Mardi Gras celebrations are held, the one at Nice is the most famous and elaborate.

le thème du Carnaval: Every year the carnival has a different theme, often linked to a foreign culture. The music, floats, costumes, and so forth are tied to this theme. The floats may feature hundreds of enormous figures made of wood or papier mâché. One such figure is *le roi Carnaval,* which is burned at the end of the parade as a symbol of the end of the revelry before the more serious period of Lent *(le Carême).*

le Corso: This is the name given to the final parade on the night of Mardi Gras. It is the Italian word for "avenue."

bons baisers: This is a very informal way to end a letter. Its literal meaning is "good kisses." A less informal phrase might be *bien à vous,* which would be equivalent to "best wishes."

A propos ...

1. La personne qui écrit cette lettre s'appelle Antoinette. A qui est-ce qu'elle écrit? Pourquoi? 2. Où habite Antoinette? C'est loin de Nice? 3. Quel était le thème du Carnaval? Alors qu'est-ce qu'on voyait? 4. Qu'est-ce que c'est que le Corso? Qu'est-ce qu'on fait à la fin du Corso? Pourquoi? 5. Qu'est-ce qu'il y a après le Corso? 6. Antoinette espère que David et Caroline pourront lui faire une visite. Quand donc? 7. Et vous, est-ce que vous avez assisté à un Carnaval? Si oui, décrivez-le. 8. Vous aimez les défilés—les foules, la musique, les fanfares, les décorations, les embouteillages, etc.? Pourquoi donc? 9. Décrivez un défilé que vous avez regardé. Vous y étiez ou l'avez-vous regardé à la télé? Vous avez participé à un défilé? 10. Quelle est la date de notre fête nationale? Qu'est-ce qu'on fait pour la fêter dans votre ville?

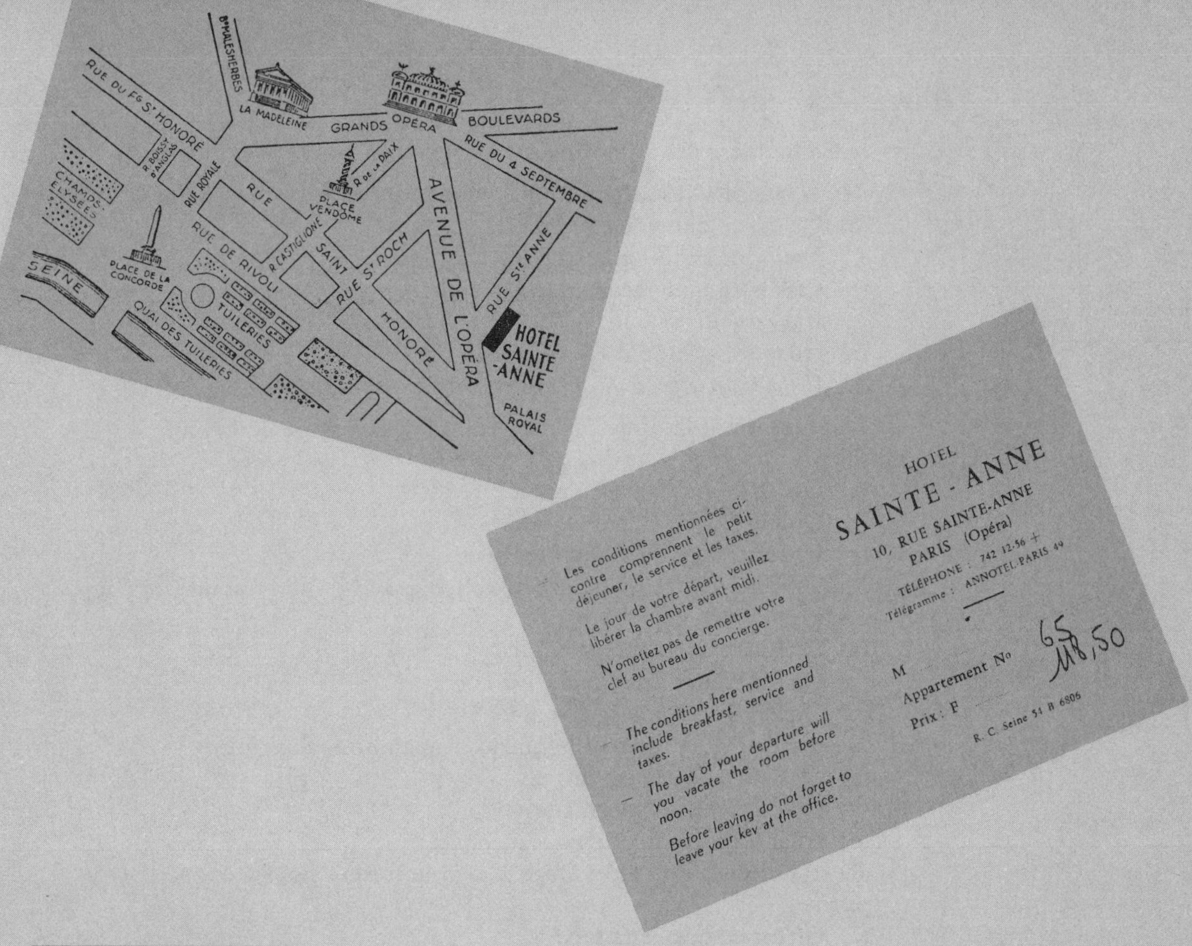

Les conditions mentionnées ci-contre comprennent le petit déjeuner, le service et les taxes.

Le jour de votre départ, veuillez libérer la chambre avant midi.

N'omettez pas de remettre votre clef au bureau du concierge.

The conditions here mentionned include breakfast, service and taxes.

The day of your departure will you vacate the room before noon.

Before leaving do not forget to leave your kev at the office.

HOTEL
SAINTE - ANNE
10, RUE SAINTE-ANNE
PARIS (Opéra)
TÉLÉPHONE : 742 12-56 +
Télégramme : ANNOTEL-PARIS 49

M
Appartement No 65
Prix : F 118,50

R. C. Seine 51 B 6806

EXPLICATIONS II

L'imparfait et le passé composé

1. The imperfect is used when you do not know if or when an action was completed. The passé composé is used when you know or can assume that an action was completed. They often occur in the same sentence.

Quand **j'ai vu** Luc, il **parlait.**	*When I **saw** Luc he **was talking.***
Il **était** pressé quand je l'ai **vu.**	*He **was** in a hurry when I **saw** him.*

In the first sentence, Luc was talking when I saw him and may still be talking. In the second sentence, he was in a hurry when I saw him and may still be in a hurry.

2. The passé composé and the imperfect are also used together when one action interrupts another:

Nous **regardions** la télé quand elle **a téléphoné.**	*We **were watching** television when she **phoned.***
J'**étais** occupé quand tu **es arrivé.**	*I **was** busy when you **arrived.***

In the first sentence, her phone call interrupted our watching television. In the second sentence, your arrival interrupted my work.

Exercices

A. Answer the questions according to the remarks. Follow the models.

1. Nous faisions des achats en ville quand Eugène a trouvé cette veste.
   (a) Qu'est-ce que vous faisiez?
   Nous faisions des achats.
   (b) Qu'est-ce qu'Eugène a fait?
   Il a trouvé cette veste.
   (c) Quand est-ce qu'il l'a trouvée?
   Il l'a trouvée pendant que nous faisions des achats.
2. Ils préparaient le dîner quand Claudine est rentrée de la bibliothèque.
   (a) Qu'est-ce qu'ils faisaient?
   (b) Qu'est-ce que Claudine a fait?
   (c) Quand est-ce qu'elle en est rentrée?
3. Margot était en train de faire sa valise quand je lui ai donné un coup de main.
   (a) Qu'est-ce que Margot faisait?
   (b) Qu'est-ce que tu as fait?
   (c) Quand est-ce que tu l'as aidée?
4. Nous débarrassions la table quand maman nous a appelés.
   (a) Qu'est-ce que vous faisiez?
   (b) Qu'est-ce que maman a fait?
   (c) Quand est-ce qu'elle vous a appelés?
5. Tu travaillais au premier étage quand le facteur nous a donné le paquet.
   (a) Qu'est-ce que je faisais?
   (b) Qu'est-ce que le facteur a fait?
   (c) Quand est-ce qu'il vous a donné le paquet?
6. Nous finissions le dessert quand le garçon m'a apporté l'addition.
   (a) Qu'est-ce que vous faisiez?
   (b) Qu'est-ce que le garçon a fait?
   (c) Quand est-ce qu'il vous a apporté l'addition?
7. Les enfants jouaient à la plage quand David est arrivé.
   (a) Qu'est-ce que les enfants faisaient?
   (b) Qu'est-ce que David a fait?
   (c) Quand est-ce qu'il est arrivé?
8. Nous étudiions notre leçon de géométrie quand Maryse nous a invités à aller au musée.
   (a) Qu'est-ce que vous faisiez?
   (b) Qu'est-ce que Maryse a fait?
   (c) Quand est-ce qu'elle vous a invités à aller au musée?
9. Jean faisait son lit quand le tableau est tombé du mur.
   (a) Qu'est-ce que Jean faisait?
   (b) Qu'est-ce qui s'est passé?
   (c) Quand est-ce que le tableau est tombé?

10. Ils quittaient l'auberge quand Danielle s'est souvenue de la clef.
    (a) Qu'est-ce qu'ils faisaient?
    (b) Qu'est-ce que Danielle a fait?
    (c) Quand est-ce qu'elle s'est souvenue de la clef?
11. Elle garait la voiture quand je me suis perdu dans la foule.
    (a) Qu'est-ce qu'elle faisait?
    (b) Qu'est-ce qui s'est passé?
    (c) Quand est-ce que tu t'es perdu?

B. Study the use of the passé composé and the imperfect in this paragraph.

Samedi, c'*était* l'anniversaire de maman et nous *avons dîné* dans un restaurant, près du port. Nous *voulions* une table près de la fenêtre pour mieux regarder les bateaux qui *allaient* et *venaient.* Nous *avons attendu* pendant que le garçon *mettait* un nouveau couvert, et ensuite le garçon nous *a apporté* le menu. Tout le monde *avait* faim, mais qu'est-ce qu'on *voulait* prendre? Le garçon *a dit* que le coq au vin et la bouillabaisse *étaient* excellents. Papa et moi, nous *avons pris* de la bouillabaisse; maman *a dit* qu'elle *voulait* du coq au vin. Plus tard, pendant que nous *attendions* l'addition, maman *a dit* qu'on *jouait* un nouveau film anglais dans un petit cinéma pas loin du restaurant. Nous *avons décidé* tout de suite d'y aller. Papa *a sorti* son portefeuille et *a donné* de l'argent au caissier. Il *n'a pas laissé* de pourboire puisque le service *était* compris.

C. Put the italicized verbs into the appropriate past tense—the imperfect or the passé composé.

C'*est* dimanche le premier mai. Il *fait* chaud, les oiseaux *chantent,* le ciel *est* bleu et il n'y *a* pas de nuages. Alors, Alain et moi, nous ne *voulons* pas rester à la maison et nous *décidons* d'aller au zoo. D'abord nous *voyons* les hippopotames et les rhinocéros, mais ils *dorment.* Alors nous nous *dirigeons* vers les éléphants. Comme ils *sont* gros! Nous *passons* une vingtaine de minutes devant les singes, qui *sont* très amusants. Il y *a* un petit garçon qui leur *jette* des fruits. Evidemment ces singes *ont* faim. Tout à coup nous *entendons* beaucoup de bruit. Il y *a* une grande foule devant les cages des grands chats. Nous *pouvons* voir qu'on leur *donne* de la viande. Alors nous *quittons* les singes pour aller voir les tigres et les lions. Nous les *regardons* pendant longtemps, mais nous *avons* faim aussi et nous *allons* déjeuner au buffet du zoo. Nous nous *amusons* cet après-midi.

19
hostellerie du château de la chèvre d'or
Nid d'aigles dominant la mer
Eagle's nest overlooking the Mediterranean, a gourmet's delight

Eze-Village (06-Alpes-Maritimes) Tél. (15-93) 01.51.16 - 01.50.35 et 30.82.44. Entre Nice et Monaco, sur la Moyenne Corniche. Prés. Dir. Gl. M. Bruno Ingold. 9 ch. 50 à 180. Menu 30 et carte. Sce 15 %. **Spécialités : Gratin du Chevrier, Carré d'agneau aux herbes du Rocher, Piccata de veau Ezasque.** Ouv. du 20 déc. au 20 oct. Chiens admis. Piscine, jardin. Golf du Mont-Agel.

Vérifiez vos progrès

Rewrite the sentences in the past tense. In each case one of the verbs should be in the imperfect and the other in the passé composé. Follow the model.

1. Quand tu es à Paris, est-ce que tu vas au Louvre?
   Quand tu étais à Paris, est-ce que tu es allé au Louvre?
2. Tu prends quelque chose pendant que tu attends tes amis?
3. Elle bavarde avec des camarades quand le prof de maths entre.
4. Je me dirige vers le lycée quand Albert et moi, nous nous rencontrons.
5. Pierre arrive pendant qu'on sert le dessert.
6. Tu me téléphones pendant que je lis le journal.
7. Nous nous promenons dans le parc quand il commence à pleuvoir.
8. Ils dansent quand on annonce les feux d'artifice.

RÉVISION ET THÈME

Consult the model sentences, then put the English cues into French and use them to form new sentences.

1. Mardi dernier *elle est allée au marché* à Nice.
   (we (f.) *went to the parade)*
   (she talked about the traffic jams)
2. *J'entendais les feux d'artifice.*
   (We were preparing the mashed potatoes.)
   (She used to like horror films.)
3. *Le salon était très grand, avec une cheminée et un feu trop chaud.*
   (The meal was very good, with artichokes and well-done roast beef.)
   (The parade was quite long, with lights and a very lively crowd.)
4. *Vous chantiez* quand *elles sont rentrées.*
   (It was snowing) *(you* (m.sing.) *left)*
   (He was eating) *(I* (f.) *came in)*
5. *Bien sûr, le samedi nous nagions toute la matinée.*
   (Besides, the night before we were studying all evening long.)
   (Then Mondays I used to work all morning long.)
6. Alors *ils ne voulaient pas garer la moto dans la rue.*
   (we couldn't hear the shouts from the reception desk)
   (he didn't want to reserve a room on the ground floor)

Now that you have done the *Révision,* you are ready to write a composition. Put the English captions describing each cartoon panel into French to form a paragraph.

Last year we went down to an inn near Cannes.

We had a double room. The room was very bright, with a balcony and a really magnificent view.

It was nice out when we arrived.

However, the next day it rained all day long. So we weren't able to watch the parade on the boulevard.

AUTO-TEST

A. Write answers to the questions using the correct form of the verb and replacing the words in italics with the appropriate object pronoun: *y* or *en.* Follow the model.

1. Elle peut descendre *à cette auberge.* Et nous?
   Vous pouvez y descendre.
2. Tu veux acheter un *programme.* Et eux?
3. Je voudrais participer *au spectacle.* Et vous?
4. Ils peuvent garer la voiture *dans l'avenue.* Et toi?
5. Vous voulez retenir *des places.* Et elle?
6. Il peut continuer *tout droit.* Et moi?
7. Nous voulons aller *sur le balcon.* Et elles?

B. Rewrite the sentences in the imperfect, replacing the expressions of time in italics with those in parentheses. Follow the model.

1. *Cette semaine* je ferai du ski. (l'hiver dernier)
   L'hiver dernier je faisais du ski.
2. Nous jouerons au basketball *mardi.* (le mercredi)
3. Il emmènera ses camarades au stade *demain soir.* (l'année dernière)
4. Elles auront besoin de partir avant 8 h. *demain.* (tous les jours)
5. Vous prendrez le petit déjeuner chez vous *aujourd'hui.* (la semaine dernière)
6. *Demain* il faudra nous lever de bonne heure. (le dimanche)
7. *L'été prochain* nous irons au bord de la mer. (l'été dernier)
8. Qui sera ici *pendant les vacances?* (il y a deux mois)

C. Rewrite the paragraph, putting the verbs in the appropriate past tense—the imperfect or the passé composé.

Albert Camus *(être)* un auteur célèbre. Il *(naître)* en Afrique du Nord en 1913. Il *(aller)* à l'université d'Alger et quand il *(avoir)* 26 ans, il *(arriver)* en France. Pendant six ans il *(travailler)* pour le journal *Combat.*

Camus *(écrire)* trois romans célèbres: *L'Etranger, La Peste* et *La Chute.* Il *(aimer)* aussi le théâtre et il *(écrire)* plusieurs pièces. Au mois de janvier 1960, il *(mourir)* dans un accident de voiture.

Un voyage d'affaires à l'hôtel Commonwealth Holiday Inn d'un centre-ville, c'est presque une partie de plaisir.

COMPOSITION

Ecrivez une composition sur un hôtel ou un motel où vous avez passé une nuit, un week-end ou des vacances entières. Décrivez votre chambre aussi bien que l'ambiance ("atmosphere")—le restaurant, les repas, la piscine, etc.

Poème

QUARTIER LIBRE°

J'ai mis mon képi° dans la cage
et je suis sorti avec l'oiseau sur la tête°
Alors
on ne salue° plus
a demandé le commandant
Non
on ne salue plus
a répondu l'oiseau
Ah bon
excusez-moi je croyais qu'on saluait
a dit le commandant
Vous êtes tout° excusé tout le monde peut
se tromper
a dit l'oiseau.

quartier libre: *off duty*
le képi: *military cap*
la tête: *head*
saluer: *to salute*
tout: *(here) entirely*

Jacques Prévert, *Paroles*

Proverbe

Si jeunesse savait, si vieillesse pouvait.

LAFAYETTE 3 CENTRE DE BRICOLAGE
location outillage
La Samaritaine:
tout pour votre maison
dans le même grand magasin
Spécial bricolage
du 6 Juillet au 14 Août
Samaritaine
PORTE DA

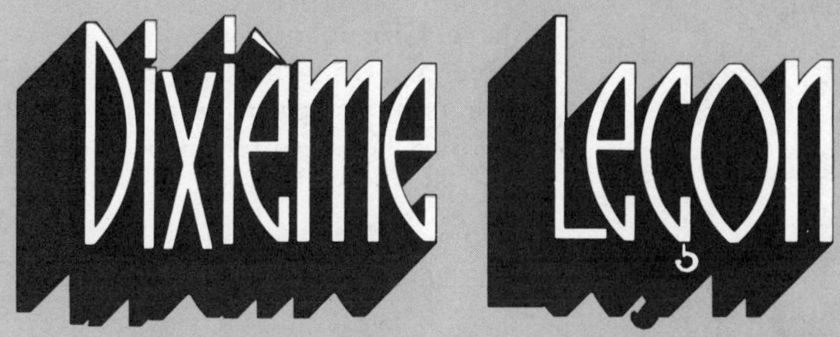

Le bricoleur

Marcel Chandonnay, qui habite Arles,* espérait passer la journée en Camargue.* Malheureusement, sa moto ne marchait pas. Alors il a dû remonter à son appartement pour aller chercher sa boîte à outils. Après être redescendu avec ses outils, il a commencé à réparer la moto. Il travaillait dessus quand son frère cadet, Raoul, s'est approché de lui.

RAOUL Qu'est-ce que tu fais là?

MARCEL Elle ne démarre pas. Il y a quelque chose qui ne marche pas dans le moteur et je dois le réparer.

RAOUL Tu as vérifié les bougies?

MARCEL Non, pas encore.

RAOUL Alors, tu dois le faire.

MARCEL Ecoute! C'est moi le bricoleur. J'ai déjà réparé cette moto une douzaine de fois. Ce n'est pas grave, j'en suis sûr.

RAOUL Ne te fâche pas. Je croyais que c'était peut-être à cause de ces bougies que ça ne marchait pas. Elles sont très sales. Mais ta moto, c'est ton problème.

MARCEL Hé, Raoul!

RAOUL Oui.

MARCEL Viens m'aider.

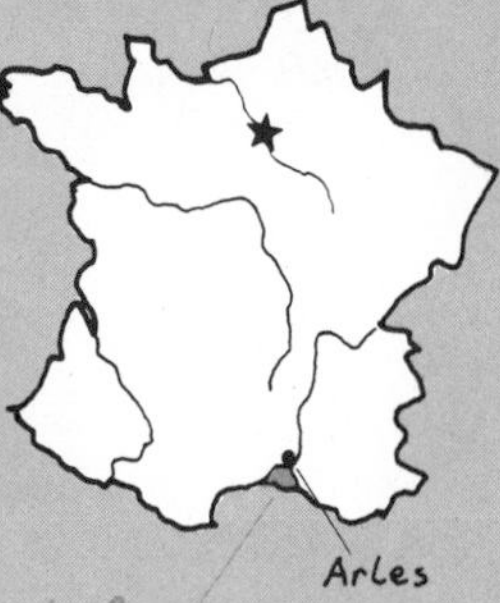

CAMARGUE

2 - 21 août

Lieu de séjour : **Le Sambuc.**
à 20 km au sud d'**Arles,** au cœur de la **Camargue.**

Activités de vacances.

Centres d'intérêt :

La Camargue.

Découverte et approche de la nature à travers : ses paysages d'eau, ses grands espaces, les zones les plus typiques du delta du Rhône : les sensouïres, les dunes et l'étang du Vaccarès... des aspects scientifiques de la protection de la nature en liaison avec la Réserve naturelle zoologique et botanique.

la vie, les traditions et les coutumes camarguaises.

Le pays d'Arles, quelques aspects de la Provence :

monuments et villes d'art, création artistique.

participation à des manifestations culturelles de la région (festivals nombreux à cette époque de l'année).

Le littoral méditerranéen.

Remarque : les centres d'intérêt évoqués ci-dessus pourront donner lieu pendant le séjour, à des activités par option, portant en particulier sur :

l'étude des oiseaux (identification, mœurs...),

l'expression par la peinture, le dessin...

Limites d'âge : 18-25 ans.

Séjour : 510 FF
Voyage : 147 FF

10

The handyman

Marcel Chandonnay, who lives in Arles, was hoping to spend the day in the Camargue. Unfortunately, his motorcycle wasn't working. So he had to go back up to his apartment to get his toolbox. After coming back down with his tools, he began to repair the motorcycle. He was working on it when his younger brother, Raoul, came up to him.

RAOUL What are you doing?

MARCEL It won't start. There's something wrong with the motor and I have to fix it.

RAOUL Did you check the spark plugs?

MARCEL No, not yet.

RAOUL You should do that.

MARCEL Listen! *I'm* the handyman. I've fixed this motorcycle a dozen times already. I'm sure it's not serious.

RAOUL Well, don't get angry. I thought maybe it was because of those spark plugs that it wasn't working. They're very dirty. But your motorcycle is your problem.

MARCEL Hey, Raoul!

RAOUL Yeah.

MARCEL Come help me.

Notes culturelles

**Arles:* This Provençal city is the site of many architectural treasures remaining from Roman days. The ancient theater and arena are particularly well preserved. Today, bloodless bullfights, in which the bull is not harmed, are popular attractions in the arena.

**la Camargue:* This is a large, marshy delta between two branches of the Rhône River south of Arles. It was once inhabited by wild horses, some of which remain there in a national wildlife preserve, but most of which were captured and tamed by local cowboys known as *les manadiers.* The horses are noted for their great strength and endurance. Much of la Camargue consists of rice paddies, and the area around Arles is one of the leading rice-producing regions in Europe.

Questionnaire

1. Où habite Marcel? Où voulait-il passer la journée? Pourquoi est-ce qu'il n'y est pas allé? 2. Pourquoi est-il remonté à son appartement? 3. Que faisait-il quand son frère s'est approché? 4. Qu'est-ce que Raoul a conseillé à Marcel de faire? 5. Pourquoi Marcel s'est-il fâché? C'est la première fois qu'il a réparé la moto? 6. A la fin, qu'est-ce que Marcel demande à son frère?

PRONONCIATION

The French [r] sound has no English equivalent. The tongue is in more or less the same position as for the English [g] sound, but the back of the tongue does not quite touch the roof of the mouth.

Exercices

A. Practice the [r] sound when it is followed by another consonant sound.

la marque   partout   confortable   parler   marcher   bavarder

B. Practice the [r] sound when it occurs between two vowel sounds.

Paris   direct   la cerise   la carotte   l'arrivée   l'aéroport

C. Practice the [r] sound at the ends of words.

clair   obscur   la lumière   le séjour   le départ   le souvenir

D. Practice the [r] sound at the beginnings of words.

le roi   la reine   le repas   le réveil   le rideau   le rayon

E. Now listen to these sentences, then say them aloud.

Robert parlera à Pierre.
Richard servira des hors-d'œuvre.
Tu brûleras les haricots verts.
Tu perdras ton programme, Rémi.

MOTS NOUVEAUX I

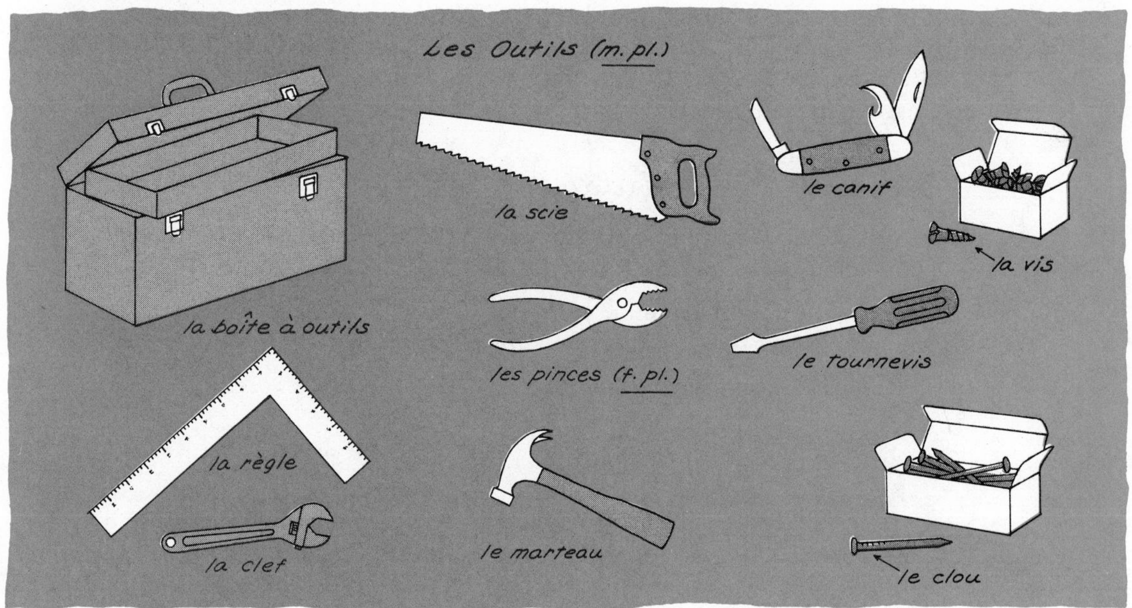

Le début du voyage était affreux.	***The beginning** of the trip was awful.*
"L'auto ne va pas **démarrer,**" a crié papa.	*"The car isn't going **to start,**" Dad shouted.*
C'était **à cause de** la pluie.	*It was **because of** the rain.*
Donc, il fallait la **réparer.**	***Therefore,** we had **to repair** it.*
La machine ne **marche** pas.	***The machine** { **isn't working** / **won't run***
Il faut travailler **dessus.**	*We have to work **on it.***
Sinon, on ne pourra pas partir.	***If not,** we won't be able to leave.*
Papa ne va pas **se fâcher.**	*Dad won't **get angry.***
C'est **un bricoleur.**	*He's **handy.***
Il va **vérifier** le moteur.	*He'll **check** the motor.*
se pencher sur (vers)	***lean over (toward)***
Qu'est-ce que c'est que **ce machin?**	*What's **this thingamajig?***
Il est **sale.**	*It's **dirty.***
propre	***clean***
C'est **une bougie.**	*It's **a spark plug.***
Elle est **sale.**	*It's **dirty.***
propre	***clean.***
Voilà **le problème!**	*There's **the problem!***
Il est **grave.**	*It's **serious.***
Anne fait **une étagère.**	*Anne's making **a shelf.***
Elle va **se servir de** vis.	*She'll **use** screws.*
remonter[1] les clous	***take** the nails **back up***
redescendre[1] les marteaux	***take** the hammers **down again***
Elle se sert de vis **au lieu de** clous.	*She'll use screws **instead of** nails.*
Elle va **rendre**[2] les clous à papa.	*She'll **give** the nails **back** to Dad.*
Elle aime **bricoler.**	*She likes **to tinker.***
C'est **une bricoleuse.**	*She's **a "do-it-yourselfer."***

Exercices de vocabulaire

A. Answer the questions according to the pictures using the appropriate indefinite determiner. Follow the model.

1. Avec quoi est-ce que le bricoleur réparait l'escalier?
   Il réparait l'escalier avec un marteau et des clous.
2. Qu'est-ce qui ne marchait pas?
3. Avec quoi est-ce que sa femme a réparé le lavabo?

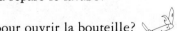

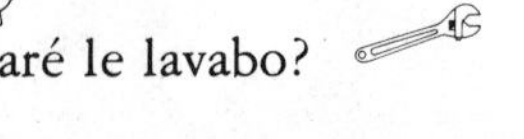

4. De quoi est-ce qu'il s'est servi pour ouvrir la bouteille?

---

[1] *Remonter* and *redescendre* are like *monter* and *descendre.* They form their passé composé with *être* (*Elle est **redescendue** en ville; Nous **sommes remontées** au grenier*) unless there is a direct object: *Elle **a redescendu** l'escalier; Nous **avons remonté** la boîte à outils.*

[2] *Rendre* is a regular *-re* verb.

5. Qu'est-ce que ton ami t'a rendu?

6. Avec quoi est-ce que Marc réparera la lampe?

7. Où est-ce qu'il mettra ces machins?

8. Sur quoi est-ce que le bricoleur a marché?

9. Je ne peux pas fermer cette fenêtre. De quoi est-ce que nous aurons besoin pour la réparer?

B. Choose the word or phrase that best completes the sentence or fits the situation.

1. Ma sœur est toujours en train de bricoler. Elle aime *(réparer / vérifier)* les meubles.
2. Tu peux me retrouver à 7 h.? *(Donc / Sinon),* nous manquerons le début du film!
3. Qu'est-ce que c'est que ce machin au-dessus du moteur? C'est *(la bougie / le canif).*
4. Pourquoi est-ce qu'elle s'est fâchée? Elle *(s'est arrêtée devant le / s'est servi du)* guichet, mais on venait de le fermer.
5. Hugues, regarde ta chemise! Elle est tout à fait *(grave / sale)!*
6. En hiver ma voiture de sport ne *(démarre / redescend)* jamais!
7. Si on veut maigrir, il faut *(se fâcher / se pencher)* de temps en temps.
8. On ne pouvait pas circuler facilement *(à cause des / au lieu des)* embouteillages.
9. Lavez-vous les mains! Elles sont si *(propres / sales).*
10. Tu aimes réparer le moteur de ton auto? Oui, j'aime bien travailler *(là-bas / dessus).*
11. Ce lait a une mauvaise odeur! C'est parce que le frigo ne *(démarre / marche)* plus.
12. *(Les bricoleuses / Les étagères)* s'amusent à réparer les choses qu'on a cassées.

MOTS NOUVEAUX II

Voici **la salle d'attente.**	*Here's* ***the waiting room.***
Elle est **énorme.**	*It's* ***enormous.***
Cet **aéroport** est énorme.	*This* ***airport*** *is* ***enormous.***
Où est **la porte d'embarquement?**	*Where's* ***the boarding gate?***
la tour de contrôle	***the control tower***
la piste	***the runway***
On a annoncé **le vol.**	*They've announced* ***the flight.***
C'est un vol direct.	*It's a direct flight.*
sans escale	***nonstop***
transatlantique	***transatlantic***

Le point de départ, c'est Paris.	***The departure point*** *is Paris.*
La destination, c'est Québec.	***The destination*** *is Quebec.*
On va **faire escale** à Londres.	*We'll* ***stop*** *in London.*
Je compte rester dans l'avion pendant **l'escale** *(f.).*	*I plan on staying in the plane during* ***the stopover.***
L'avion va bientôt **décoller.** / **atterrir**[1]	*The plane will* ***take off*** *soon.* / ***land***
Les voyageurs vont **s'approcher de** la porte d'embarquement.	*The travelers will* ***approach*** *the boarding gate.*
Tant de voyageurs **en même temps!**	*So many travelers* ***at once!***
J'y arrive **en même temps que** toi.	*I arrive* ***at the same time as*** *you.*
Tu ne vas pas **changer d'avis?**	*You won't* ***change your mind?***
Zut! J'ai perdu les billets!	*Darn! I lost the tickets.*
Tu en es **certain?** / **certaine**	*Are you* ***certain?***
Certainement!	***Of course!***
Tu es toujours si **distrait.** / **distraite**	*You're always so* ***absent-minded.***

Exercice de vocabulaire

From the column on the right, choose the most logical response to each statement or question on the left.

1. Est-ce que l'avion traverse l'océan?
2. Est-ce qu'il faudra rester dans l'avion pendant l'escale?
3. L'avion est déjà arrivé?
4. J'ai manqué mon vol?
5. On a fait escale à Montréal?
6. Où est-ce qu'on attend l'avion?
7. Où est-ce qu'on fait la queue pour monter dans l'avion?
8. Quel est le point de départ?
9. Quelle est la destination?
10. Quoi? Tu as changé d'avis encore une fois?

a. A la porte d'embarquement.
b. Certainement. C'est un vol transatlantique.
c. Dans la salle d'attente.
d. Il va à Casablanca.
e. L'avion part de Marseille.
f. Non, c'était un vol direct.
g. Non, il atterrira tout à l'heure.
h. Non, on pourra descendre pendant quelques minutes.
i. Oui, j'irai en Espagne au lieu d'aller au Portugal.
j. Oui, l'avion vient de décoller.

Etude de mots

Mots associés 1: Complete the sentences with a word related to the word or words in italics.

1. Vous pouvez *attendre* votre vol dans la salle d'______.
2. Je mets ma boîte à outils au 3e *étage* où il y a beaucoup d'______.
3. Pour bien *tourner* les *vis* on se sert d'un ______.

[1]*Atterrir* is a regular *-ir/-iss-* verb.

4. Si un *voyageur* est en train de partir, dites-lui "Bon ______!"
5. Robert *bricole* tous les week-ends. C'est un ______ sérieux!

Mots associés 2: You may have noticed that many French nouns are formed by combining words with the preposition *à: la boîte à outils, la chambre à coucher, la salle à manger.* This use of *à* is equivalent to the English word "for." Can you guess what these words mean?

la boîte à musique	la machine à laver
la boîte aux lettres	la machine à laver la vaisselle
la boîte à gants *(dans une auto)*	la machine à écrire

Synonymes: Replace the words in italics with a synonym.

1. Le bricoleur voulait *venir plus près* de la moto.
2. Tu avais *sûrement* un canif pour ouvrir la boîte.
3. L'hippopotame qui se trouvait dans le fleuve était *très grand!*
4. Tu vois *cette chose?* Qu'est-ce que c'est?
5. Ne te fâche pas parce tu es arrivé en retard. Ce n'est pas très *sérieux.*
6. *Au début* du cours, on a lu des poèmes.
7. Tu as manqué l'autobus. *Alors* il fallait attendre un peu.
8. Nous avions envie d'acheter *des pinces, un tournevis, une clef et un marteau.*
9. Le vol 213 vient de décoller. On l'a annoncé par le haut-parleur. J'en suis *sûre.*

Antonymes: Complete the sentences with an antonym of the word in italics.

1. Elle a *remonté* l'escalier roulant. Ensuite elle l'a ______.
2. J'ai *cassé* ce jouet, mais je peux le ______ facilement.
3. Est-ce que Chicago est *la destination* du vol 301? Non, c'est ______.
4. Au lieu de lire *la fin* de la pièce, lis ______!
5. Cet avion *atterrit* en même temps que d'autres avions ______.
6. La machine a *cessé* de marcher. Maintenant elle ne ______ pas.
7. Tu t'es penché sur ce vélo *sale* et maintenant ton pull-over n'est plus ______.
8. Elles sont *redescendues de* l'avion pour dire au revoir à leurs maris. Puis elles y sont ______.
9. Si j'*emprunte* ce marteau, à qui est-ce que je vais le ______?

EXPLICATIONS I

Les verbes voir et croire

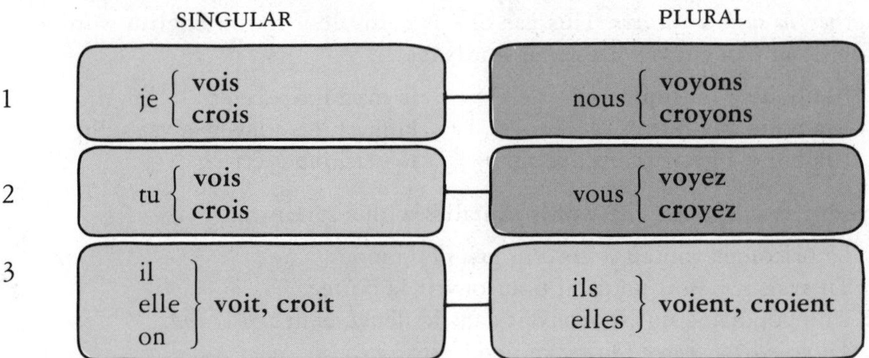

	SINGULAR	PLURAL
1	je { vois / crois	nous { voyons / croyons
2	tu { vois / crois	vous { voyez / croyez
3	il / elle / on } voit, croit	ils / elles } voient, croient

IMPERATIVE: **vois! voyons! voyez!**
crois! croyons! croyez!

PAST PARTICIPLE: **vu; cru**

IMPERFECT STEM: **voy-** (**je voyais,** etc.); **croy-** (**je croyais,** etc.)
FUTURE STEM: **verr-** (**je verrai,** etc.); **croir-** (**je croirai,** etc.)

Remember that in English we often omit the word "that," but *que* is never omitted:

Je **vois que** c'est assez grave.	*I see (that) it's rather serious.*
Tu **croyais que** j'étais bricoleur.	*You **thought (that)** I was handy.*

Exercices

A. Redo the sentences, using the cues in parentheses. Follow the model.

1. Il est presque sept heures. (je / voir)
   Je vois qu'il est presque sept heures.
2. Ils sont en retard à cause de la circulation. (vous / croire)
3. Vous réparez la voiture ce soir. (nous / voir)
4. Ce vol décollera dans une dizaine de minutes. (elle / croire)
5. Elle veut être médecin. (tu / croire)
6. Il y a quelque chose qui ne marche pas. (je/croire)
7. Elles n'ont pas apporté leurs boîtes à outils. (tu / voir)
8. Georges fera un excellent pilote. (nous / croire)
9. Les deux vols partiront presqu'en même temps. (elles / croire)

B. Redo the sentences replacing the verb in italics with the equivalent form of the verb in parentheses. Follow the model.

1. Elle n'*écoutera* jamais cette histoire. (croire)
   Elle ne croira jamais cette histoire.
2. Tu as *vérifié* les petites vis? (voir)
3. J'*espérais* qu'elle *comprenait* le problème. (croire / voir)

4. Vous *entendrez* bientôt les avions qui décollent. (voir)
5. Ils ne te *remarqueront* pas, j'en suis certain. (voir)
6. Nous *savions* que c'étaient tes pinces. (croire)
7. Toutes ces mauvaises réponses! Tu les as *acceptées?* (croire)
8. Tu me *comprendras* quand tu *regarderas* cette lettre. (croire/voir)
9. *Vouloir,* c'est *pouvoir.* (voir/croire)

Les verbes boire et recevoir

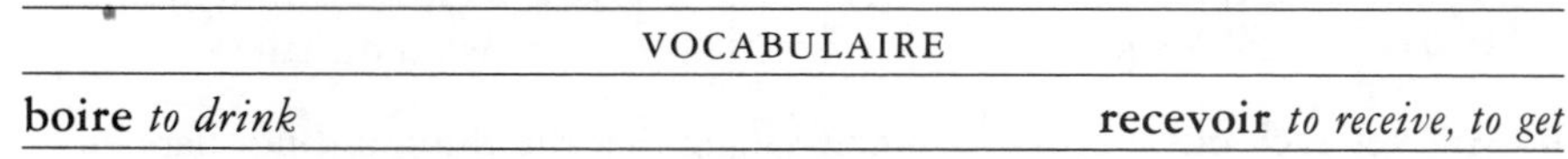

VOCABULAIRE

boire *to drink* **recevoir** *to receive, to get*

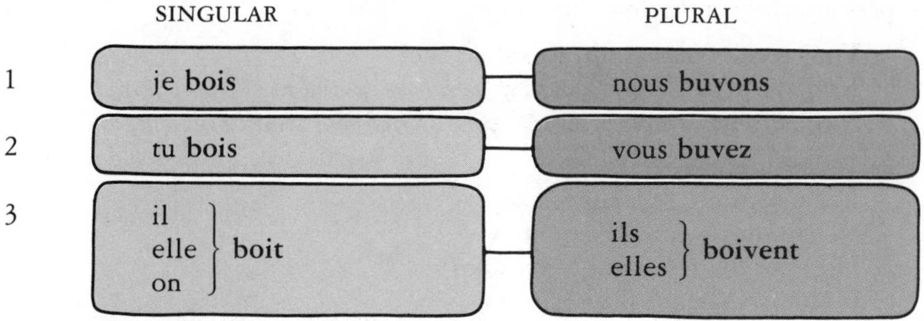

	SINGULAR	PLURAL
1	je bois	nous buvons
2	tu bois	vous buvez
3	il / elle / on } boit	ils / elles } boivent

IMPERATIVE: **bois! buvons! buvez!**
PAST PARTICIPLE: **bu**
IMPERFECT STEM: **buv-** (**je buvais,** etc.)
FUTURE STEM: **boir-** (**je boirai,** etc.)

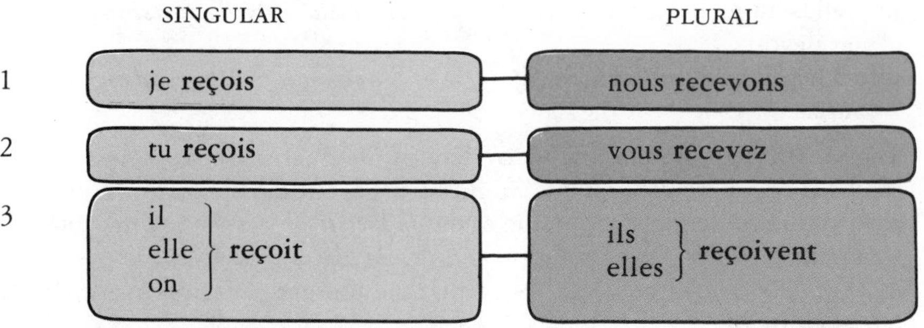

	SINGULAR	PLURAL
1	je reçois	nous recevons
2	tu reçois	vous recevez
3	il / elle / on } reçoit	ils / elles } reçoivent

IMPERATIVE: **reçois! recevons! recevez!**
PAST PARTICIPLE: **reçu**
IMPERFECT STEM: **recev-** (**je recevais,** etc.)
FUTURE STEM: **recevr-** (**je recevrai,** etc.)

Exercices

A. Answer the questions in the negative, using the present tense and the object pronoun *en.* Follow the model.

1. Tu as bu du café au lait?
   Non, je n'en bois jamais.
2. Vous avez bu du thé?
3. J'ai reçu des lettres?
4. Elle a bu du Coca?
5. Tu as reçu des paquets?
6. Il a reçu des cartes postales?
7. Elles ont bu de la grenadine?
8. Vous avez reçu des félicitations?
9. Nous avons bu du lait?

B. Answer each question twice—first saying that the thing did not happen when the person was young, then saying that it will happen when the person is bigger. Follow the model.

1. Vous recevez des coups de téléphone?
   Nous ne recevions pas de coups de téléphone quand nous étions jeunes.
   Nous recevrons des coups de téléphone quand nous serons plus grands.
2. Tu as bu du café?
3. Elle a reçu des cadeaux chers?
4. Nous avons reçu de l'argent?
5. Elles ont bu des boissons chaudes?
6. Il boit des citrons pressés?
7. J'ai bu du champagne?
8. Ils ont reçu des marteaux et des clous?

Le participe présent

1. Look at the following:

Je prends un goûter en finissant mes devoirs.	*I have a snack **while finishing** my homework.*
Elle a bu du café en lisant le journal.	*She drank coffee **while reading** the paper.*

The present participle is the equivalent of the English verb + "-ing." It can be used where *pendant que* would be used, but the subject of both parts of the sentence must be the same: *Je prends un goûter **en finissant** (**= pendant que je finis**) mes devoirs; Elle a bu du café **en lisant** (**= pendant qu'elle lisait**) le journal.* Note that the present participle is usually preceded by *en.*

2. The present participle of most verbs is formed by dropping the *-ons* from the 1 pl. form of the present tense and adding the ending *-ant.* For example: *choisir → nous choisissons → choisissant; faire → nous faisons → faisant; commencer → nous commençons → commençant.* With the present participle of reflexive verbs, the reflexive pronoun agrees with the subject of the sentence:

Je chante en me peignant.	*I sing **while combing my hair.***

3. Three verbs have irregular present participles:

avoir → ayant être → étant savoir → sachant

Exercice

Redo the sentences using the present participle. Follow the model.

1. Nous lisons le journal pendant que nous écoutons la radio.
   Nous lisons le journal en écoutant la radio.
2. Je bavarde avec mes amis pendant que j'attends le début du film.
3. Il apprend ses leçons pendant qu'il répète les mots difficiles.
4. Elle a cassé son tournevis pendant qu'elle réparait le tiroir du bureau.
5. Elles voient leurs camarades pendant qu'elles se promènent sur le boulevard.
6. J'ai perdu mon portefeuille pendant que je garais la voiture.
7. Nous avons rencontré François pendant que nous nous dirigions vers la porte d'embarquement.
8. Nous avons vu les feux d'artifice pendant que nous nous approchions du parc.
9. Je me suis fâchée pendant que je parlais à ce bonhomme distrait.
10. Il s'est servi de ma scie pendant qu'il faisait ces étagères.

Vérifiez vos progrès

Using the correct form of the words given, write complete sentences. The abbreviations are as follows: *fut.* = future; *imp.* = imperfect; *pres. part.* = present participle; *p.c.* = passé composé. If there is no abbreviation, use the present tense. Follow the model.

1. Tu / croire / que / l'avion / atterrir *(fut.)* / bientôt?
   Tu crois que l'avion atterrira bientôt?
2. Il / recevoir *(p.c.)* / un marteau et des clous / mais / il / ne pas s'en servir
3. Vous / voir *(fut.)* / que / la voiture / ne pas démarrer *(fut.)*
4. Elles / recevoir / les renseignements / de / la tour de contrôle
5. Nous / se pencher *(p.c.)* / sur / le moteur / en / travailler *(pres. part.)* / dessus
6. Ils / redescendre *(p.c.)* / la piste / pour mieux décoller
7. Nous / boire *(imp.)* / de / le champagne / en / attendre *(pres.part.)* / le départ
8. Je / faire *(p.c.)* / une faute / en / prononcer *(pres.part.)* / son nom

CONVERSATION ET LECTURE

Parlons de vous

1. Est-ce qu'il y a un aéroport dans votre ville? Il est grand ou petit? Décrivez-le. 2. Vous habitez près de l'aéroport? Si oui, est-ce que le bruit vous gêne? 3. Est-ce que vous aimez faire des voyages en avion? Vous préférez peut-être les voyages en voiture ou par le train? Pourquoi? 4. Est-ce que vous voudriez ("would like") travailler dans un aéroport? Qu'est-ce que vous voudriez y faire? Vous voudriez être hôtesse de l'air ou steward? Pourquoi? 5. Est-ce que vous aimez bricoler? Qu'est-ce que vous aimez réparer? les meubles? votre vélo? des machines? des voitures ou des motos? 6. Quelles sortes d'outils est-ce que vous avez? De quels outils se sert-on pour fabriquer des étagères? pour réparer une machine? pour réparer un évier, un lavabo, une baignoire? 7. Est-ce que vous réparez quelquefois des choses pour vos amis? pour vos parents? Quelles choses?

A l'aéroport d'Orly

Monsieur Lebret est journaliste. Il travaille comme correspondant pour *Le Monde,** un des quotidiens° les plus célèbres du monde. Ce soir il ira à l'aéroport d'Orly,* d'où il partira pour un séjour de quinze jours en Tunisie.* Sa femme et sa fille, Marion, l'accompagneront à l'aéroport.

le quotidien: *daily paper*

MME LEBRET Tu as tous tes bagages, Victor?
M. LEBRET Oui, je crois.
MARION Je peux les mettre dans le coffre?
M. LEBRET Oui, mais je garderai° cette serviette.° Tous mes papiers sont là-dedans.°

garder: *to keep*
la serviette: *(here) briefcase*
là-dedans: *in it*

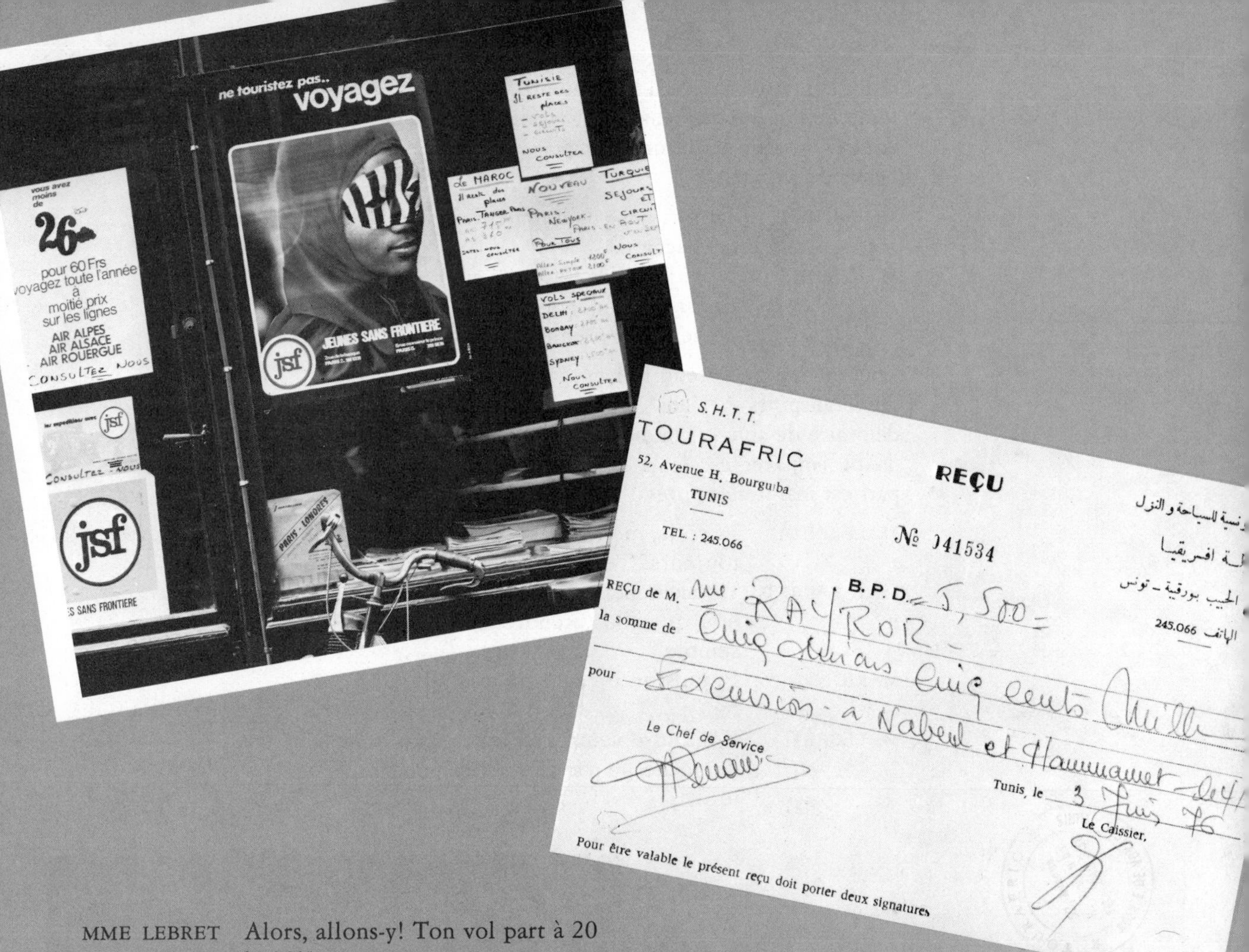

S. H. T. T.
TOURAFRIC
52, Avenue H. Bourguiba
TUNIS
TEL. : 245.066

REÇU

№ 041534

B.P.D.

REÇU de M.

la somme de

pour

Le Chef de Service

Tunis, le 3 Juin 76

Le Caissier,

Pour être valable le présent reçu doit porter deux signatures

MME LEBRET Alors, allons-y! Ton vol part à 20 h. 10!*

Les Lebret traversent le Quartier Latin, et se dirigent vers l'Autoroute du Sud.* Enfin ils voient, d'un° côté, les pistes, les hangars et la tour de contrôle d'Orly, et, de l'autre côté, un énorme ensemble° de bâtiments.° Ce sont les Halles de Rungis.*

de: *(here) on*

l'ensemble *(m.)*: *group*

le bâtiment: *building*

MME LEBRET Victor, tu te souviens du petit café où on prenait de la soupe à l'oignon au milieu de la nuit? Comment s'appelait-il?

MARION Oh, maman, c'est de la préhistoire, ça!

M. LEBRET Malheureusement, tu as raison, Marion! Mais moi aussi, je me souviens des anciennes Halles avec nostalgie.

MME LEBRET Mais le progrès, tu sais . . . On a dit qu'il fallait installer le marché ailleurs,° à cause des embouteillages.

ailleurs: *elsewhere*

Enfin la famille arrive à l'entrée principale d'Orly. Mme Lebret dépose° son mari, sa fille et les bagages, et elle va garer la voiture. Quand elle revient, elle demande:

déposer: *to let off*

MME LEBRET Tu n'as pas encore fait enregistrer° tes bagages?

faire enregistrer: *to check*

M. LEBRET Non, j'attends toujours mon tour. Regarde ces queues! Il y a beaucoup de gens qui prennent ce vol.

Tout à coup on entend le haut-parleur: "L'Union des Transports Aériens* annonce un changement° d'horaire de son vol numéro 314 à destination d'Abidjan, avec escales à Tunis et à Dakar.* Le départ est maintenant prévu° pour 21 h. 45."

le changement: *change*

prévu, -e: *expected*

M. LEBRET Et voilà, mon vol est retardé,° comme toujours. C'est ça, ton progrès.

retardé, -e: *delayed*

MME LEBRET Doucement,° mon chéri. Maintenant nous pouvons prendre un café ensemble.

doucement: *take it easy*

MARION Et puis on ira avec toi à la salle d'attente.

M. LEBRET Bon. Et je veux aussi acheter un livre de poche. Je n'ai rien à lire pendant le vol.

Notes culturelles

******Le Monde:* One of the most respected newspapers in the world, *Le Monde* is one of three major daily newspapers published in Paris. The other two are *Le Figaro* and *France-Soir.*

******l'aéroport d'Orly:* This large airport is located south of Paris. The newer, even larger airport, *l'aéroport Charles de Gaulle* is located to the north of the city, in the suburb of Roissy.

******la Tunisie:* A former French protectorate, la Tunisie is located on the Mediterranean in North Africa. It became independent on March 20, 1956. Tunis is the capital city.

******20 h. 10:* Remember that in France official times—as in timetables and schedules—are given on a twenty-four-hour system. Thus 8:10 A.M. would be listed as 8 h. 10; 8:10 P.M. would be 20 h. 10.

******l'Autoroute du Sud:* This major expressway goes all the way to Marseille.

******les Halles de Rungis:* From the Middle Ages to the late 1960's, this great farmers' market was located on *la rive droite,* in the center of Paris. It was moved to Rungis, a suburb near Orly, because of the monstrous traffic jams that it caused. Most of the activity in the market area took place from midnight to dawn, when the narrow streets were crowded with wholesalers, retailers, tourists, trucks, and produce. It was a very popular spot to have a late-night bowl of onion soup, for which the nearby cafés were famous.

******l'Union des Transports Aériens:* This is one of the three main airlines in France. It serves Africa, Asia, and the Pacific islands. Air France is the largest international line; Air Inter handles most flights within the country.

******Abidjan . . . Dakar:* Abidjan is the capital of la Côte d'Ivoire; Dakar is the capital of Sénégal. They are two of the most prosperous of the former French territories in West Africa.

AU PIE
DE
COCHO
AU PIED DE COCHON
Le fameux
RESTAURANT
des Halles
Ses fruits de mer
Sa gratinée - Ses Grillades
6, rue Coquillière — 236.11.

A propos . . .

1. Que fait M. Lebret comme profession? Pour qui est-ce qu'il travaille? Pourquoi ira-t-il à Orly ce soir? Qui l'accompagnera à l'aéroport? 2. Où Marion mettra-t-elle les bagages? Pourquoi son père ne la laissera-t-il pas y mettre sa serviette? 3. Quelle route prennent les Lebret pour aller à Orly? Qu'est-ce qu'on voit en route? 4. Que sont les Halles? Où se trouvaient-elles il y a quelques années? Pourquoi est-ce qu'elles ne se trouvent plus sur la rive droite? 5. Qu'est-ce qui se passe quand les Lebret arrivent à l'aéroport? 6. Quand sa femme revient, pourquoi M. Lebret n'a-t-il pas encore fait enregistrer ses bagages? 7. Qu'est-ce qu'on annonce par le haut-parleur? A quelle heure décollera le vol 314? 8. Qu'est-ce que la famille va faire en attendant le départ de l'avion? 9. Et vous, qu'est-ce que vous voudriez faire comme profession? Vous voudriez faire des voyages pour une société? Vous voudriez avoir un emploi en Europe, en Afrique ou en Asie? Vous connaissez des gens qui travaillent dans un pays étranger? Que font-ils? Quelles langues parlent-ils? Vous pouvez décrire leurs emplois?

EXPLICATIONS II

Le verbe devoir

The verb *devoir* means "to have to," "to be supposed to," or "to owe":

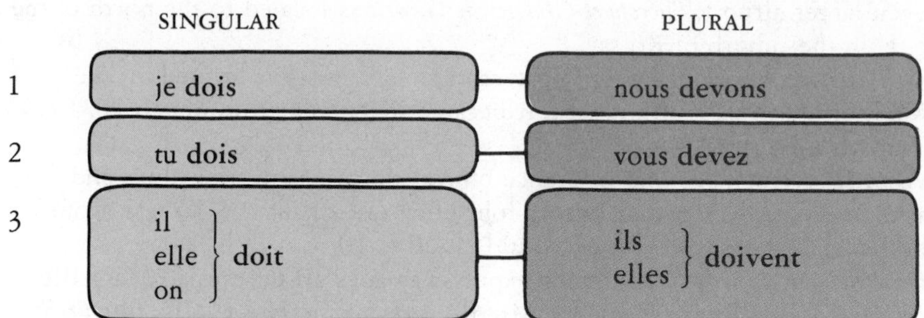

SINGULAR
PLURAL
1
je dois
nous devons
2
tu dois
vous devez
3
il
elle } doit
on
ils
elles } doivent

PAST PARTICIPLE: **dû**
IMPERFECT STEM: **dev-** (je devais, etc.)
FUTURE STEM: **devr-** (je devrai, etc.)

1. One meaning of *devoir* is "to owe":

Je **dois** cinq francs à Jean.	*I **owe** Jean five francs.*
Nous lui **devions** de l'argent.	*We **owed** him money.*

2. Before an infinitive, *devoir* means "to have to" or "must":

Tu **dois aller** tout droit.	***You have to go** straight ahead.*
Vous **devez être** fatigué.	***You must be** tired.*
Je **dois vérifier** la lumière.	{ *I **must check** the light.* / *I **have to check** the light.* }

3. In the passé composé, *devoir* means "had to" or "must have." The context will usually make clear which is the better English equivalent.

Il **a dû** y atterrir.	{ *It **had to land** there.* / *It **must have landed** there.* }

4. In the imperfect, *devoir* means "to be supposed to":

Je **devais** vérifier la lumière.	*I **was supposed** to check the light.*
Il **devait** y atterrir.	*It **was supposed** to land there.*

Exercices

A. Complete the sentences using the correct present-tense form of *devoir.*

1. Tu lui empruntes beaucoup d'argent. Alors, tu lui ______ beaucoup d'argent.
2. Ils m'ont prêté un kilo de sucre. Donc, je leur ______ un kilo de sucre.
3. Je leur ai écrit une lettre. Alors, elles me ______ une lettre.
4. Il m'a demandé quelques timbres. Donc, il me ______ quelques timbres.

5. Elle nous a donné dix francs. Alors, nous lui ______ dix francs.
6. Ils ne m'empruntent jamais d'argent. Alors, ils ne me ______ jamais d'argent.
7. Je ne vous donne rien. Donc, vous ne me ______ rien.

B. Based on the remarks, choose the logical response.

1. Jeanne est très contente.
   (a) Elle doit passer un examen ce matin.
   (b) Elle a dû bien étudier pour l'examen.
2. Où est Caroline? Il est déjà 4 h. 25.
   (a) Elle a dû oublier notre rendez-vous.
   (b) Nous devons nous retrouver à 4 h.
3. Je ne peux pas trouver ma règle. J'ai dû la perdre.
   (a) Tu dois la trouver avant demain.
   (b) Tu as dû la trouver.
4. Ils ont manqué leur vol.
   (a) Ils ont dû arriver à l'aéroport à l'heure.
   (b) Ils ont dû attendre le prochain vol.
5. Elle ne peut pas trouver sa bague.
   (a) Elle a dû la trouver dans l'appartement.
   (b) Elle a dû la laisser chez elle.
6. J'ai donné toutes les bonnes réponses.
   (a) Tu as dû bien étudier.
   (b) Tu as dû faire beaucoup de fautes.
7. Il y a quelque chose qui ne marche pas.
   (a) Vous devez le réparer tout de suite.
   (b) Vous avez dû bien réparer la voiture la dernière fois.
8. Si tu n'as pas la clef, nous ne pouvons pas y entrer.
   (a) Mais elle devait te rendre la clef. Elle ne l'a pas fait?
   (b) Mais vous deviez fermer la porte à clef.
9. Pourquoi est-ce que tu attends toujours le facteur?
   (a) Il devra frapper à la porte.
   (b) Je devais recevoir un paquet de maman.

Quelques emplois de l'infinitif

1. You know that the infinitive is often used after *pour: Je sors les outils pour réparer le frigo.* It is also used after *avant de* and *sans:*

Elle se brosse les dents avant de se coucher.	*She brushes her teeth* ***before going to bed.***
Il s'habille avant de déjeuner.	*He dresses* ***before having breakfast.***
Elles sont parties sans parler.	*They left* ***without speaking.***
Je mangerai les raisins sans les laver.	*I'll eat the grapes* ***without washing them.***

2. Infinitives can be used after adjectives of feeling or emotion:

Elle sera contente d'arriver.	*She'll be* ***happy to arrive.***
Il est fatigué de lire ce livre.	*He's* ***tired of reading*** *that book.*

3. Verbs also have a past infinitive, which is formed by using the infinitive *avoir* or *être* and the past participle of the verb:

Tu es triste de l'avoir perdu.	*You're* ***sad that you lost it.***
Il était heureux d'y être allé.	*He was* ***happy to have gone there.***
Je suis contente de m'être promenée dans le parc.	*I'm* ***glad I walked*** *in the park.*

4. The past infinitive is used after *après:*

Après avoir fini le repas, on a dû débarrasser la table.	***After finishing*** *the meal, we had to clear the table.*
Après être rentrées, elles nous ont parlé de leur voyage.	***After coming back,*** *they spoke to us about their trip.*
Elle s'est endormie tout de suite, après s'être couchée tard.	*She fell asleep right away,* ***after having gone to bed late.***

UNE LIAISON TRAIN+BUS
TOUS LES QUARTS D'HEURE
PARIS ←→ ROISSY PARIS ←→ ORLY

Allez bon train prendre l'avion

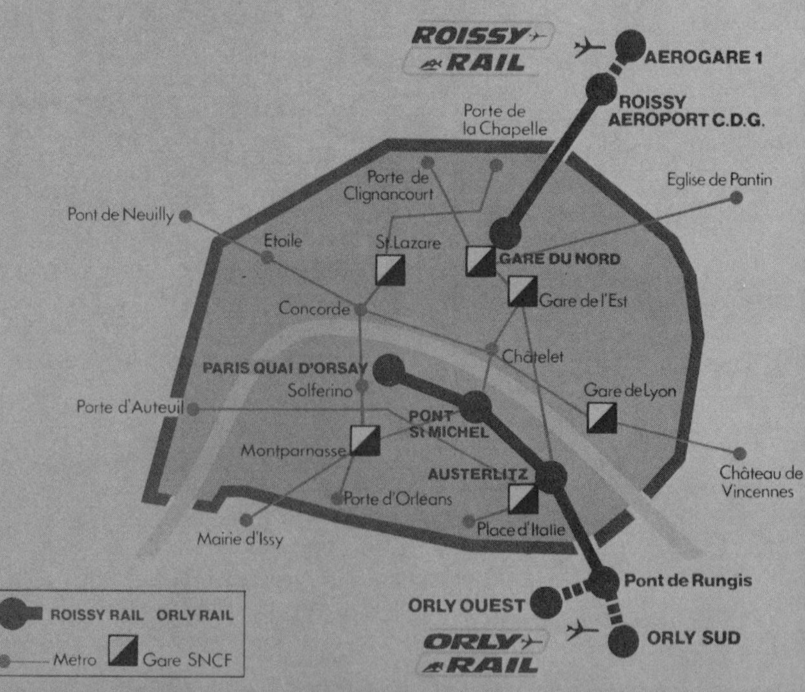

Exercices

A. Combine the two sentences using *avant de* + infinitive. Follow the model.

1. Elle a révisé la leçon. Puis elle a écrit le thème.
   Elle a révisé la leçon avant d'écrire le thème.
2. Nous avons fait les valises. Puis nous les avons descendues.
3. Il a lavé les murs. Puis il a lavé le plancher.
4. Elle a acheté un carnet. Puis elle est montée dans le train.
5. Il a pensé longtemps. Puis il a répondu à la question.
6. J'ai bu un citron pressé. Puis je me suis promené dans les jardins.
7. Nous avons tourné à droite. Puis nous avons traversé la rue.
8. Ils ont regardé les pneus. Puis ils ont examiné les freins.

B. Redo the sentences using *sans* + infinitive. Follow the model.

1. Elle a lu les romans mais elle ne les a pas compris.
   Elle a lu les romans sans les comprendre.
2. Il est venu chercher son billet mais il n'a pas demandé l'heure du vol.
3. J'ai quitté la maison mais je n'ai pas fermé la porte à clef.
4. Il croit qu'il peut réparer la moto mais qu'il n'aura pas les mains sales.
5. Il est sorti du restaurant mais il n'a pas laissé de pourboire.
6. Je voulais jouer avec les enfants mais je ne me penchais pas.
7. Ils ont passé devant la caisse mais ils ne l'ont pas remarquée.
8. Le représentant nous décrivait la voiture mais il ne nous disait pas le prix.
9. Nous avons atterri à Nice mais nous n'avons pas fait escale à Marseille.

C. Redo the sentences using the past infinitive. Follow the model.

1. Jean-Claude est triste parce qu'il a perdu son tournevis.
   Jean-Claude est triste d'avoir perdu son tournevis.
2. Hélène est heureuse parce qu'elle s'est levée de bonne heure.
3. Jeanne est contente parce qu'elle a reçu une lettre.
4. Nous sommes mal à l'aise parce que nous avons oublié nos cahiers.
5. Il est heureux parce qu'il est allé à la Cinémathèque.
6. Ils sont contents parce qu'ils se sont rencontrés à l'aéroport.
7. Je suis fatigué parce que j'ai dû faire la queue pendant longtemps.
8. Elles sont heureuses parce qu'elles ont pris rendez-vous pour lundi.
9. Vous êtes contents parce que vous êtes revenus très tôt.

D. Combine the two sentences using *après* + the past infinitive. Follow the model.

1. J'ai dîné en ville. Ensuite, je suis allée au Salon de l'Auto.
   Après avoir dîné en ville, je suis allée au Salon de l'Auto.
2. Il a mis sa valise sous le siège. Puis il a appelé l'hôtesse.
3. Elle a acheté des draps et des serviettes. Puis elle s'est dirigée vers le rayon d'ameublement.
4. Ils ont fait leurs études. Ensuite ils sont devenus avocats.
5. Nous avons mis le couvert. Ensuite nous avons servi le repas.
6. Elle s'est approchée lentement du guichet. Puis elle a demandé un aller et retour.
7. Nous avons cherché une clef et des pinces. Ensuite nous sommes redescendus au sous-sol.

Vérifiez vos progrès

Replace the expressions in italics with the *past infinitive* form of the expressions in parentheses. Follow the model.

1. Il a rencontré mon ami *sans lui parler.* (après / me / voir)
   Il a rencontré mon ami après m'avoir vu.
2. Cela nous gêne *de partir si vite.* (de / manquer / notre vol)
3. Elle s'est brossé les dents *avant de prendre le petit déjeuner.* (après / se laver)
4. Je suis contente *de vous voir ici, monsieur.* (de / trouver / mon canif)
5. Vous avez dû quitter la maison *sans les apporter avec vous.* (après / recevoir / son coup de téléphone)
6. Ils se sont promenés dans le parc *avant de rentrer.* (après / faire des achats / au marché)
7. Tu dois être triste *parce que ton vélo ne marche pas.* (de / rater / l'examen)
8. Elles ont bu du café *sans commander ni fruits ni pâtisseries.* (après / prendre / des croque-monsieur)

RÉVISION ET THÈME

Consult the model sentences, then put the English cues into French and use them to form new sentences.

1. *En s'approchant de la réception, il a dû faire la queue à l'entrée.*
   (Heading toward England, you (sing.) *must have stopped over in Copenhagen.)*
   (Hurrying to the airport, I had to watch out for the traffic.)
2. *Après avoir décollé, le pilote s'est trouvé au milieu des nuages.*
   (After going back down, the handyman got lost in the middle of the crowd.)
   (After leaving, the queen got angry because of the traffic jam.)
3. *En nous dépêchant vers la cuisine, nous voyons le chef.*
   (Heading for the stairs, I see the nails.)
   (Stopping in front of the shelves, they (f.) *see the pliers.)*
4. *Je devrai me souvenir du nom au lieu du numéro.*
   (You (pl.) *will have to approach the judge instead of the lawyer.)*
   (We'll have to take charge of the food instead of the drinks.)
5. *Les voyageurs descendent. Nous sommes heureux de les avoir vus.*
   (The tools arrive. I (f.) *am happy to have received them.)*
   (The machine works. You (m.pl.) *are sad to have sold it.)*

Until now, you have written *thèmes* by putting English cartoon captions into French. Now you are ready for more independent writing. Study the following French paragraph. You will notice that it is based on, but is not identical to, the sentences in the *Révision.* Afterwards, using the French paragraph as a model, put the English paragraph into French to form a composition.

Modèle: En nous dirigeant vers la montagne, nous avons dû faire de l'autostop. Les freins de notre voiture ne marchaient plus. Après avoir attendu pendant deux heures, nous nous sommes endormis au bord de la route.

Maintenant, en se réveillant, Claude voit l'heure. Il est déjà 6 h. 30. Nous devrons nous diriger vers la ville au lieu de la montagne. Une voiture s'approche de nous. Claude et moi, nous sommes très contents de l'avoir vue!

Thème: Heading toward its destination, the plane had to make a stop at Granville. The motor wasn't working well. After landing, the plane stopped in the middle of the runway.

Now, leaning over the motor, the pilot sees the problem. He will have to use a pocketknife instead of a screwdriver. His plane starts. He's happy to have repaired it.

AUTO-TEST

A. Write the sentences, replacing the verbs in italics with the equivalent form of the verbs in parentheses.

   1. Ils *prenaient* du café l'après-midi. (boire)
   2. Elle *écrit* une lettre. (recevoir)
   3. Nous *avons remarqué* la boîte à outils en haut. (voir)

4. Elles *veulent* voyager en avion. (devoir)
5. Je *pense* que je peux réparer le vélo. (croire)
6. Il *a pu* vérifier la voiture. (devoir)
7. Vous *regarderez* les pistes à droite. (voir)
8. Elle *pensait* que tu allais atterrir à 21 h. (croire)

B. Write the sentences, changing the verbs in italics to the present participle. Follow the model.

1. Je l'ai vu *quand je sortais.*
   Je l'ai vu en sortant.
2. Ils ont lu le journal *pendant qu'ils mangeaient.*
3. Elle a cassé les pinces *quand elle travaillait* sur la moto.
4. Nous avons remarqué la tour de contrôle *quand nous nous sommes approchés* de l'aéroport.
5. Tu as perdu ton portefeuille *pendant que tu faisais des courses.*
6. Elles ont rencontré des amis *quand elles promenaient* le chien.

C. Write each sentence twice, first using *avant de* + infinitive, then *après* + the past infinitive. Follow the model.

1. Il est parti *sans réparer le vélo.*
   Il est parti avant de réparer le vélo.
   Il est parti après avoir réparé le vélo.
2. Nous avons quitté la maison *sans dire au revoir.*
3. Elles sont sorties *sans rendre les clefs.*
4. J'ai changé d'avis *sans me fâcher.*
5. J'ai écrit la composition *sans réviser la leçon.*
6. Vous y êtes allés *sans faire le ménage.*

COMPOSITION

Ecrivez une composition sur un voyage que vous avez fait (ou que vous espérez faire) en avion ou par le train. Décrivez l'aéroport ou la gare, l'avion ou le train, les repas, etc.

LE CHAT

Je souhaite° dans ma maison:
Une femme ayant sa raison,
Un chat passant parmi° les livres,
Des amis en toute saison
Sans lesquels° je ne peux pas vivre.°

souhaiter = vouloir
parmi: *among*
lesquels: *which*
vivre: *to live*

ANNIE

Sur la côte° du Texas
Entre Mobile et Galveston il y a
Un grand jardin tout plein de° roses
Il contient° aussi une villa
Qui est une grande rose

Une femme se promène souvent
Dans le jardin toute seule
Et quand je passe sur la route bordée° de tilleuls°
Nous nous regardons

Comme cette femme est mennonite[1]
Ses rosiers° et ses vêtements n'ont pas de boutons[2]
Il en manque deux à mon veston
La dame et moi suivons° presque le même rite

la côte: *coast*
tout plein de: *filled entirely with*
contenir: *to contain*
bordé, -e: *bordered*
le tilleul: *linden tree*
le rosier: *rosebush*
suivre: *to follow*

Guillaume Apollinaire, *Alcools*

Proverbe

L'appétit vient en mangeant.

[1]Mennonites are members of a Protestant sect. Though it is no longer always true, they were known for their utmost simplicity of dress and life style. For example, the use of buttons was considered improper because they were too ornamental.

[2]This is a play on words. *Le bouton* can mean "bud (of a flower)" as well as "button."

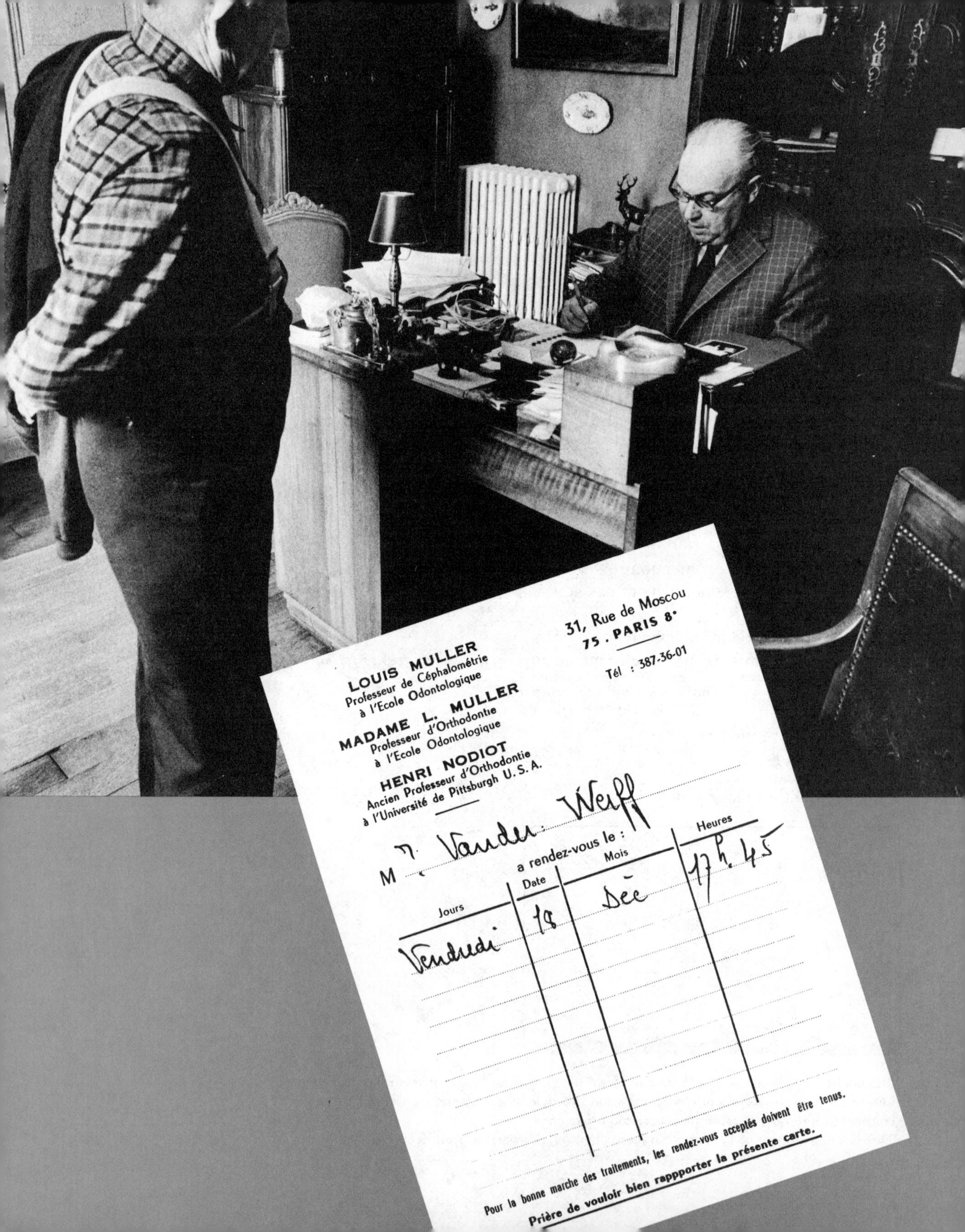

LOUIS MULLER
Professeur de Céphalométrie
à l'Ecole Odontologique

MADAME L. MULLER
Professeur d'Orthodontie
à l'Ecole Odontologique

HENRI NODIOT
Ancien Professeur d'Orthodontie
à l'Université de Pittsburgh U.S.A.

31, Rue de Moscou
75 . PARIS 8e

Tél : 387-36-01

M r. Vander Weiff a rendez-vous le :

Jours	Date	Mois	Heures
Vendredi	18	Déc	17 h. 45

Pour la bonne marche des traitements, les rendez-vous acceptés doivent être tenus.

Prière de vouloir bien rapporter la présente carte.

Onzième Leçon

Un accident de ski

Suzette Joubert, qui a passé une semaine dans l'Ariège,* où elle faisait du ski, est au lit dans un hôpital à Toulouse.* Après avoir passé trois beaux jours sur les pentes, elle a eu un accident et elle s'est cassé la jambe. Ses amis Eugène et Louise lui font une visite. En s'approchant du lit, ils lui offrent une boîte de bonbons.

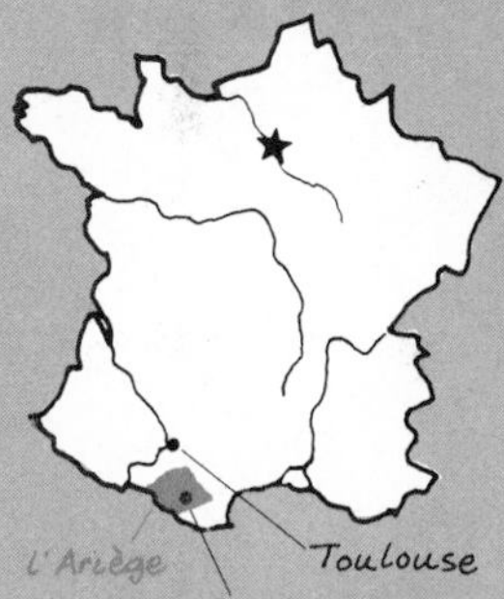

LOUISE Dis donc, Suzette! Je croyais que tu étais plus adroite que ça.

SUZETTE Mais tu connais la longue pente près d'Ax-les-Thermes.* Elle était couverte de glace, et j'allais trop vite . . .

EUGÈNE D'habitude, notre amie n'est pas tellement maladroite. Mais cette fois elle était un peu trop ambitieuse en voulant impressionner deux beaux Autrichiens.[1]

LOUISE Je parie que tu les as impressionnés quand tu es tombée.

SUZETTE Bien sûr! Mais je ne savais pas qu'ils faisaient partie d'une équipe de ski.

EUGÈNE Ah! La pauvre![2]

SUZETTE Le médecin m'a dit que la jambe guérira vite quand même.

LOUISE J'espère que l'hiver prochain tu resteras à Toulouse. C'est évidemment moins dangereux que le ski avec de beaux Autrichiens.

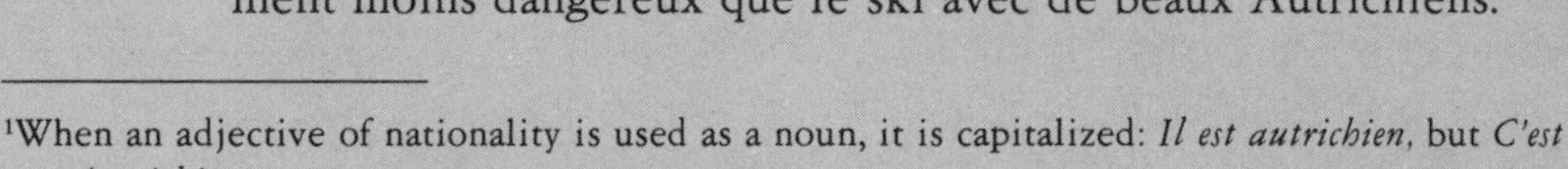
[1]When an adjective of nationality is used as a noun, it is capitalized: *Il est autrichien,* but *C'est un Autrichien.*

[2]Note that adjectives are sometimes used as nouns.

A skiing accident

Suzette Joubert, who spent a week in the Ariège where she was skiing, is in bed in a hospital in Toulouse. After spending three gorgeous days on the slopes, she had an accident and broke her leg. Her friends Eugène and Louise are visiting her. Approaching the bed, they offer her a box of candy.

LOUISE Say, Suzette! I thought you were more skillful than this.

SUZETTE But you know the long slope near Ax-les-Thermes. It was covered with ice, and I was going too fast . . .

EUGÈNE Usually our friend isn't so clumsy. But this time she was a little too ambitious in wanting to impress two handsome Austrian guys.

LOUISE I bet you impressed them when you fell.

SUZETTE Sure! But I didn't know they were part of a ski team.

EUGÈNE Poor thing!

SUZETTE The doctor told me the leg will heal quickly anyway.

LOUISE I hope next winter you'll stay in Toulouse. It's obviously less dangerous than skiing with handsome Austrians.

Notes culturelles

***l'Ariège:** This mountainous *département* is located in the central Pyrénées, on the Spanish border.

***Toulouse:** Formerly the capital of le Languedoc (the name once given to the southern provinces of France), Toulouse is today a major industrial center of almost 400,000 inhabitants. Among its industries are aeronautics, chemicals, and shoes. Toulouse is noted for its large university center, fine old mansions, museums, and churches.

***Ax-les-Thermes:** This is the principal resort of l'Ariège. Like much of the Pyrénées, it is noted for both its winter sports and its thermal baths.

Questionnaire

1. Où est Suzette? Pourquoi est-ce qu'elle est là? 2. Qui est venu lui faire une visite? Qu'est-ce qu'ils lui ont apporté? 3. Décrivez la pente où Suzette est tombée. 4. Avec qui est-ce qu'elle faisait du ski quand elle est tombée? 5. Est-ce que vous croyez que c'était vraiment à cause de la glace qu'elle est tombée? Sinon, pourquoi est-elle tombée? 6. Est-ce que les Autrichiens savaient bien faire du ski? Comment le savez-vous? 7. Qu'est-ce que le médecin a dit à Suzette? 8. Pourquoi est-ce que Louise espère que Suzette restera à Toulouse l'hiver prochain?

PRONONCIATION

Practice distinguishing between the [u] and [y] sounds.

Exercices

A. First practice the [u] sound.

le clou   debout   la route   le goûter   le bouton   le retour

B. Now practice the [y] sound.

la rue   le début   l'avenue   l'étude   la lumière   sûrement

C. In these pairs, the first word contains the [u] sound, the second contains the [y] sound. Listen, then repeat.

[u]/[y]   ou/eu   tout/tu   bout/bu   sous/su   vous/vu

D. Now practice the [u] and [y] sounds in the following sentences.

Tu as dû nous surprendre.
Tu t'amuses? Pas du tout.
Tu as vu la poule rouge?

Tu as vu la nouvelle couverture?
Pour nous—du chou, du poulet et du jus.

MOTS NOUVEAUX I

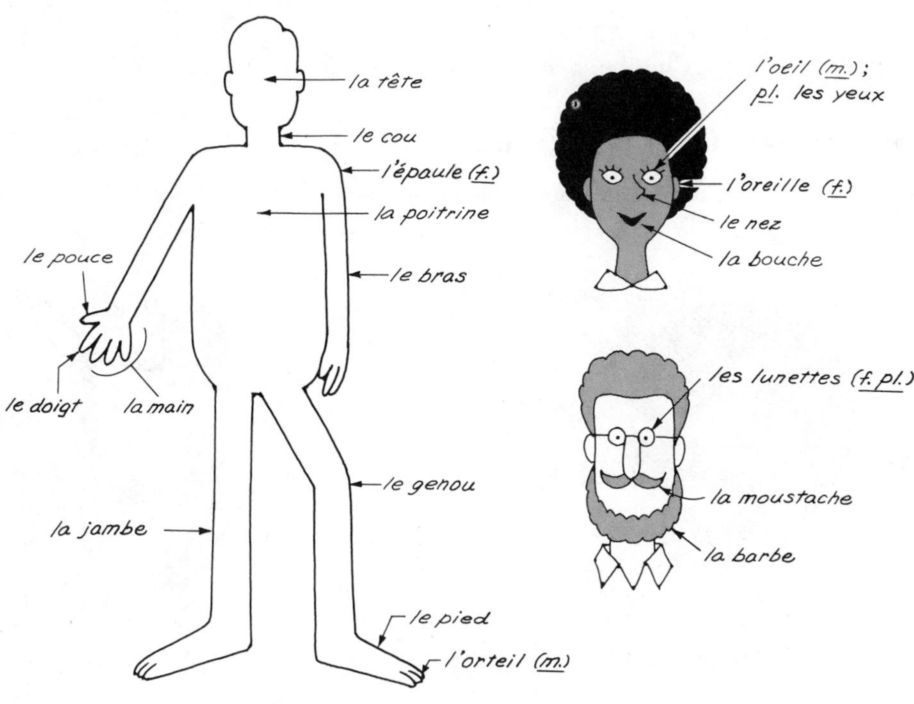

Le malade } va chez le médecin. **La malade** }	***The sick person*** *goes to the doctor.*
Le médecin examine **la gorge.**	*The doctor examines **the throat.***
le cœur	***the heart***
le ventre	***the stomach***
le dos	***the back***
(Le dentiste examine **la dent.**)	*(The dentist examines **the tooth.**)*
Il veut le **guérir.**	*He wants **to cure** him.*
Il lui donne **un médicament.**	*He gives him **some medicine.***
Le malade va **guérir** vite.	*The patient will **get well** fast.*
Tu peux **parier** dessus.	*You can **bet** on that.*
La santé de Paul est bonne.	*Paul's **health** is good.*
Il est toujours en bonne santé.	*He's always in good health.*
Albert **va mal.**	*Albert **is not feeling well.***
va mieux	***is feeling better***
va bien	***is feeling fine***
Il est **malade.**	*He's **sick.***
Il doit avoir **mal à la tête.**	*He must have **a headache.***
mal à la gorge	***a sore throat***
mal au ventre	***a stomach ache***
mal au dos	***a backache***
mal aux dents	***a toothache***
Sa sœur est **malade** aussi.	*His sister is **sick,** too.*
Elle a **un rhume.**	*She has **a cold.***
de la fièvre	***a fever***
On lui apporte **les bonbons** *(m.pl.).*	*We're bringing him **the candy.***

Exercices de vocabulaire

A. Identify the numbered parts. Follow the model.

1. *C'est l'œil.*

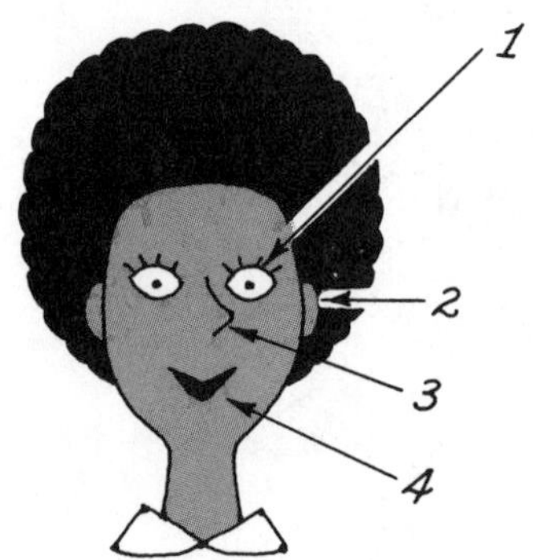

B. Identify the parts of the body. Follow the model.

1. *C'est le pouce.*

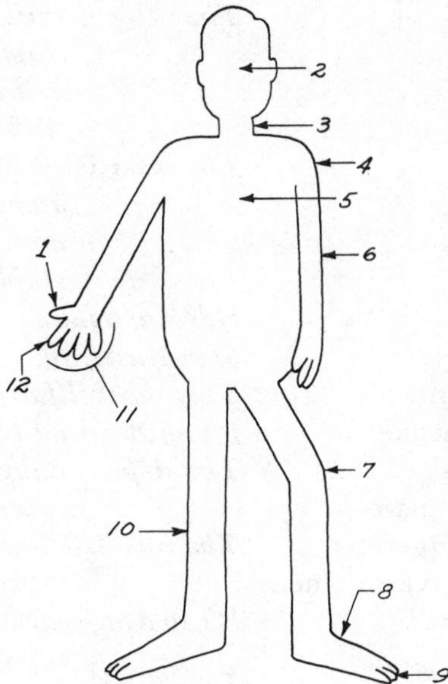

C. Complete the paragraph, using the words from the following list:

des bonbons	la fièvre	le malade	un médicament	la santé
son cœur	la gorge	le médecin	un rhume	

Paul est malade. Alors, il va chez ______. "Je crois que j'ai ______," dit Paul. "Est-ce que vous avez de ______?" lui demande le médecin. "Oui, j'ai très chaud," répond ______. "Et quand je parle j'ai aussi mal à ______." Alors, le médecin examine Paul. Il écoute ______. Il lui donne ______. Heureusement, ______ de Paul est bonne, et il ira bientôt mieux. Demain, je vais lui apporter ______.

D. Choose the word or phrase that best completes the sentence or fits the situation.

1. Oh! J'ai trop mangé! Maintenant, j'ai mal *(aux dents | au ventre).*
2. Le médecin pourra te *(réparer | guérir).*
3. Hélène n'est jamais malade. Elle *(est en bonne santé | a de la fièvre).*
4. Ta sœur était malade? Oui, mais elle *(va mal | va mieux)* maintenant.
5. Je lisais sans lunettes. Maintenant, j'ai mal *(au dos | à la tête).*
6. Mets ton pull-over si tu vas jouer dehors. Sinon, tu vas avoir *(un pouce | un rhume).*
7. C'est vrai que tu es malade, mais je crois que tu prends trop de *(médicaments | médecins),* quand même.
8. Ne parle pas avec *(le doigt | l'orteil)* dans la bouche.

MOTS NOUVEAUX II

Le skieur est **adroit**.	*The skier is* ***skillful.***
maladroit	***clumsy***
ambitieux	***ambitious***
têtu	***stubborn***
La skieuse est **adroite**	*The skier* is ***skillful.***
maladroite	***awkward***
ambitieuse	***ambitious***
têtue	***stubborn***
Il est **autrichien.**	*He's* ***Austrian.***
Elle est **autrichienne.**	*She's* ***Austrian.***
Ils font du ski **adroitement.**	*They ski* ***skillfully.***
C'est **une équipe** autrichienne.	*It's an Austrian* ***team.***
La pente est **dangereuse.**	***The slope*** *is* ***dangerous.***
couverte de glace	***covered*** *with ice*
Le remonte-pente est **dangereux.**	***The rope lift*** *is* ***dangerous.***
couvert de neige	***covered*** *with snow*
Il est **tellement** dangereux.	*It's so dangerous.*
Il faut aller **doucement.**	*You have to go* { ***slowly.*** / ***carefully.***
Doucement!	***Careful!***
Le bruit va le **rendre**[1] **sourd.**	*The noise will* ***deafen*** *him.*
la rendre **sourde**	*make her* ***deaf***
La lumière le **rendra aveugle.**	*The light will* ***blind*** *him.*
la rendra **aveugle**	*make her* ***blind***
Paul a eu **un accident.**	*Paul had* ***an accident.***
Il vient de **se casser** la jambe.	*He just* ***broke his*** *leg.*
se couper à la jambe	***cut his*** *leg*
Il voulait m'**impressionner.**	*He wanted* ***to impress*** *me.*
Il veut **faire partie de** l'équipe.	*He wants* ***to be part of*** *the team.*
Allons à **la patinoire.**	*Let's go to* ***the skating rink.***
On peut **patiner** là-bas.	*We can* ***skate*** *there.*
J'ai perdu **un patin à glace.**	*I lost* ***an ice skate.***
mes patins à glace	*my ice skates*
les lunettes de soleil	***the sunglasses***
Il est **patineur.**	*He's* ***a skater.***
Elle est **patineuse.**	*She's* ***a skater.***

[1]*Rendre* can mean "to make (someone be something)": *Les tomates les ont rendus malades,* "The tomatoes made them sick."

Exercices de vocabulaire

A. Choose the word or phrase that best completes the sentence or fits the situation.

1. La vedette a déjà appris ce long rôle par cœur. Elle espère *(guérir / impressionner)* le metteur en scène.
2. J'attends à la patinoire et Roger n'arrive pas. Je *(parie / patine)* qu'il a oublié notre rendez-vous.
3. Marc ne voit pas parfaitement, mais il n'est pas tout à fait *(aveugle / sourd)*. Alors il porte des *(patins / lunettes)*.
4. Attention au couteau! Sinon, tu vas *(avoir un accident / en faire partie)*.
5. Je ne peux rien voir. Va chercher mes *(lunettes de soleil / patins à glace)*, s'il te plaît.
6. Je lui ai conseillé d'étudier si elle veut réussir, mais elle ne m'écoute jamais. Elle est tellement *(ambitieuse / têtue)*.
7. Comment est-ce qu'elle s'est coupé à la main? Elle se servait *(de la scie / du cou)* de son père.

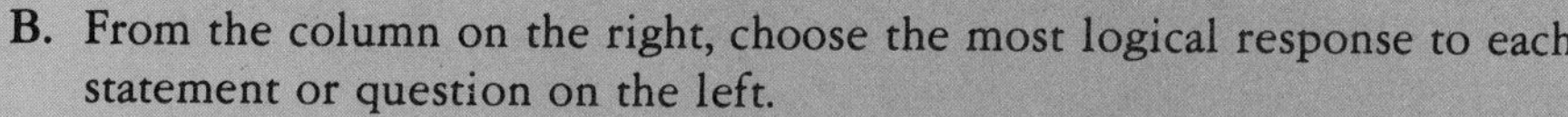

B. From the column on the right, choose the most logical response to each statement or question on the left.

1. Eve joue au hockey avec vous le mercredi?
2. Hélène se sert de ses doigts pour lire?
3. Henri veut être le meilleur élève de la classe.
4. Les rues sont couvertes de glace?
5. Pourquoi va-t-on si doucement?
6. Un agent doit arrêter ces types dangereux.

a. Il est tellement ambitieux.
b. Oui. Ils circulent sans faire attention aux autres voitures.
c. Les freins ne marchent plus.
d. Oui. Elle est presque tout à fait aveugle.
e. Oui. Elle fait partie de notre équipe.
f. Oui, il est surtout difficile de traverser les ponts.

Etude de mots

Mots associés: Complete each sentence with a noun related to the word in italics.

1. Jean est *têtu;* il ne change jamais d'avis quand il a quelque chose dans ______.
2. Pourquoi est-ce qu'on l'appelle *un oreiller?* On met plus que ______ dessus, n'est-ce pas?
3. *Le remonte-pente* aide les skieurs à monter ______.
4. *Le médecin* donne ______ aux malades.
5. Si tu as envie de *patiner,* va mettre ______.
6. *Le dentiste* dit que tu dois te servir du *dentifrice* quand tu te brosses ______.

Synonymes: Substitute a synonym or synonymous expression for the words in italics.

1. Si vous *allez mal,* il faut rester au lit.
2. Pour mieux comprendre, ma grand-mère regarde nos bouches quand nous lui parlons. Elle *ne peut plus entendre.*
3. Le boulanger vient de goûter ces brioches qui sont *si* bonnes.
4. Allez *lentement* si vous ne voulez pas tomber.

Antonymes: Complete each sentence with an antonym of the word in italics.

1. Léon était tellement *paresseux,* n'est-ce pas? Au contraire, il espérait devenir riche et célèbre. Il était ______.
2. Quand elle marche, elle a de temps en temps l'air un peu *maladroit.* Mais quand elle patine, elle est toujours très ______.
3. Est-ce que *toute* la classe part maintenant? Non, seulement ______ de la classe.
4. Bonjour, Cécile. Vous allez *bien* aujourd'hui? Non, je vais ______.
5. Vous croyez que vous êtes *en bonne santé?* Mais non, je suis sûrement ______.

EXPLICATIONS I

Les verbes connaître et savoir

1. Remember that *connaître* means "to know" in the sense of "to be acquainted with": *Je connais Marie; Je connais Paris; Je connais ce livre. Reconnaître,* "to recognize," follows the same pattern.

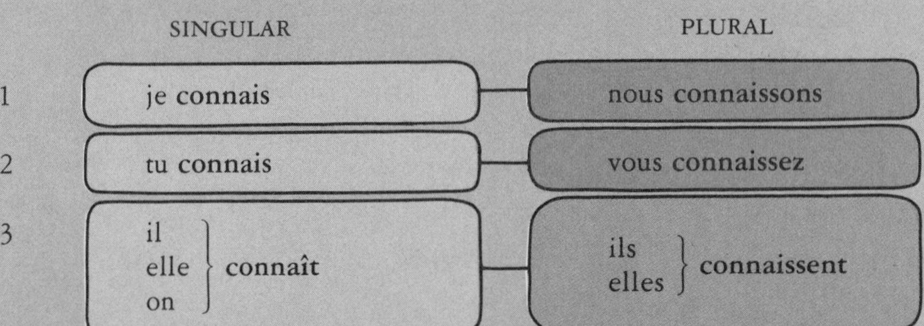

	SINGULAR	PLURAL
1	je connais	nous connaissons
2	tu connais	vous connaissez
3	il / elle / on } connaît	ils / elles } connaissent

PAST PARTICIPLE: connu
PRESENT PARTICIPLE: connaissant
IMPERFECT STEM: connaiss- (je connaissais, etc.)
FUTURE STEM: connaîtr- (je connaîtrai, etc.)

2. *Savoir* means "to know" in all other senses: *Je sais qu'il est têtu; Je sais la réponse correcte.* When *savoir* is followed by a verb in the infinitive, it means "to know how": *Je sais impressionner les patineurs; Nous savons guérir cette fièvre.*

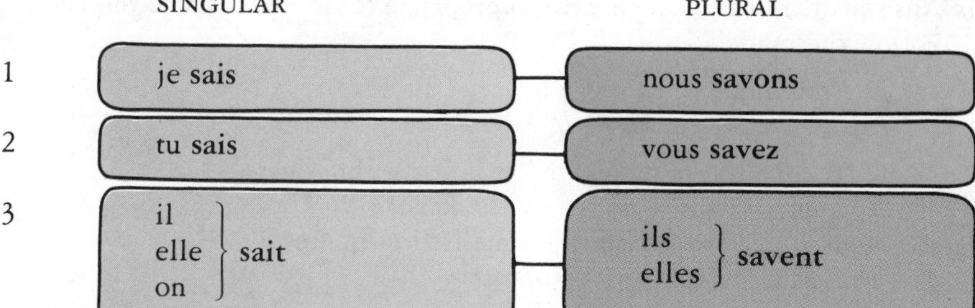

	SINGULAR	PLURAL
1	je sais	nous savons
2	tu sais	vous savez
3	il / elle / on } sait	ils / elles } savent

PAST PARTICIPLE: **su**
PRESENT PARTICIPLE: **sachant**
IMPERFECT STEM: **sav- (je savais, etc.)**
FUTURE STEM: **saur- (je saurai, etc.)**

Exercices

A. Complete the sentences using the correct present-tense form of the appropriate verb: *connaître* or *savoir.*

1. Tu ______ les Dupont, n'est-ce pas?
2. Vous ______ bien jouer de la guitare et du piano.
3. Nous ______ l'Ariège parce que nous y habitions.
4. Je ______ qu'il sera en retard parce que les routes sont couvertes de neige.
5. Elle ______ la musique russe.
6. Elles ______ réparer leurs patins à glace.
7. Est-ce qu'il ______ où je peux trouver des lunettes de soleil?
8. Mon prof d'anglais ______ mes parents.
9. Le médecin ______ que tu es malade.
10. Vous ______ les vendeuses dans cette boutique?
11. Ils ______ bien les auberges de cette partie du pays.

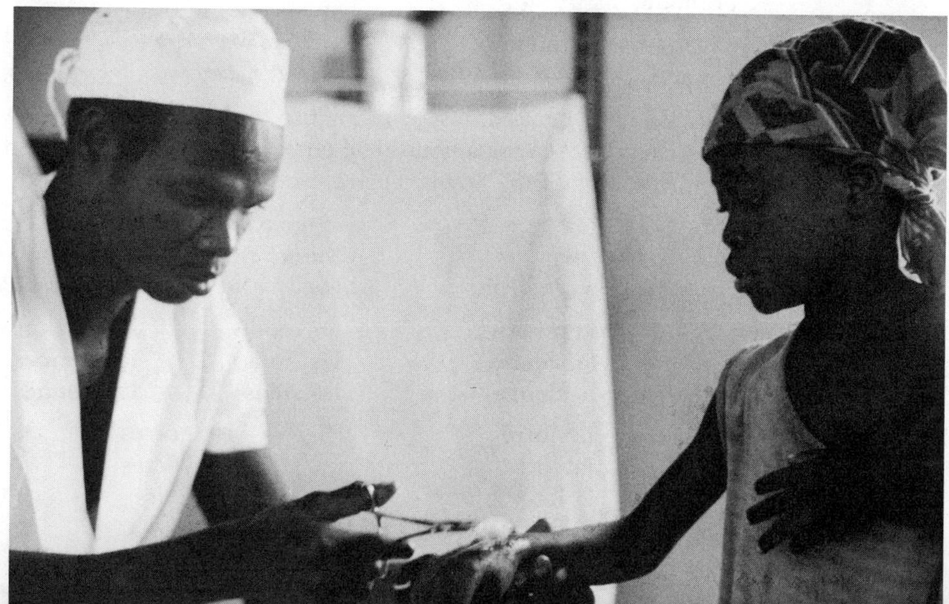

B. Answer the questions using the appropriate tense and form of the verb. Follow the model.

1. Elle saura que tu as mal à la gorge. Et eux?
   Ils sauront que j'ai mal à la gorge aussi.
2. Je reconnaîtrai la moustache et la barbe. Et vous?
3. Ils connaissaient bien cette ville. Et toi?
4. Nous connaissions toutes les meilleures pentes. Et elles?
5. Vous saurez parler grec. Et moi?
6. Elles ont reconnu la malade. Et toi?
7. Tu savais pourquoi il vérifiait les outils. Et elles?
8. Elles sauront que nous étions là. Et lui?
9. Il savait qu'elle était ambitieuse. Et toi?
10. Il reconnaîtra le musée. Et nous?

Les pronoms possessifs

1. Look at the following:

C'est **mon** mouchoir.	Il est **à moi**.	*It's* ***mine.***
C'est **ta** cravate.	Elle est **à toi**.	*It's* ***yours.***
C'est **sa** bague.	Elle est **à lui**.	*It's* ***his.***
	Elle est **à elle**.	*It's* ***hers.***
C'est la veste **de Marc**.	Elle est **à Marc**.	*It's* ***Marc's.***
C'est **notre** réveil.	Il est **à nous**.	*It's* ***ours.***
Ce sont **vos** sacs.	Ils sont **à vous**.	*They're* ***yours.***
Ce sont **leurs** filets.	Ils sont **à eux**.	*They're* ***theirs.***
	Ils sont **à elles**.	*They're* ***theirs.***
C'est l'auto **de mes amis**.	Elle est **à mes amis**.	*It's* ***my friends'.***

One way to express possession is to use *à* before an emphatic pronoun, a noun, or a person's name.

2. Another way of expressing "mine," "yours," "theirs," etc., is to use a possessive pronoun:

J'ai ton savon—pas **le mien**.	*I have your soap—not* ***mine.***
Voici ta lampe. Où est **la mienne**?	*Here's your lamp. Where's* ***mine?***

Possessive pronouns are used, just as in English, in order to contrast ownership and to avoid repeating a noun. The possessive pronouns agree in number and gender with the nouns they replace:

to replace a masculine singular noun:	*to replace a feminine singular noun:*	*to replace a masculine plural noun:*	*to replace a feminine plural noun:*
le mien	la mienne	les miens	les miennes
le tien	la tienne	les tiens	les tiennes
le sien	la sienne	les siens	les siennes
le nôtre	la nôtre	les nôtres	
le vôtre	la vôtre	les vôtres	
le leur	la leur	les leurs	

Exercices

A. Answer the questions using *à* and the correct disjunctive pronoun. Follow the models.

1. C'est ta couverture? *Oui, elle est à moi.*
2. Ce sont les brosses de ton oncle? *Oui, elles sont à lui.*
3. Ce sont vos armoires?
4. C'est leur placard?
5. C'est mon dentifrice?
6. Ce sont nos oreillers?
7. Ce sont mes peignes?
8. Ce sont les draps de maman?
9. C'est la brosse de ton cousin?
10. Ce sont vos tiroirs?
11. C'est ta chambre à coucher?
12. C'est le lit de Jean-Pierre?

B. Replace the words in italics with the appropriate possessive pronoun. Follow the model.

1. Cette bague a coûté peu. *Sa bague* a coûté cher.
   Cette bague a coûté peu. La sienne a coûté cher.
2. Tu sais où maman a laissé son parapluie? *Mon parapluie* est sale.
3. Ces gants sont à moi. *Tes gants* ne sont pas bleus.
4. J'ai besoin d'une nouvelle montre. *Ma montre* ne marche plus.
5. Elle a envie d'acheter de nouvelles lunettes. *Ses lunettes* sont très vieilles.
6. Ces patins sont assez beaux, mais je préfère *tes patins.*
7. Je dois donner mon réveil à mon père. J'ai cassé *son réveil.*
8. Papa croit que mes cravates sont trop larges, mais *ses cravates* ne sont plus à la mode.
9. Où est-ce que tu as acheté ce portefeuille? *Mon portefeuille* était très vieux et je l'ai jeté dans la corbeille.

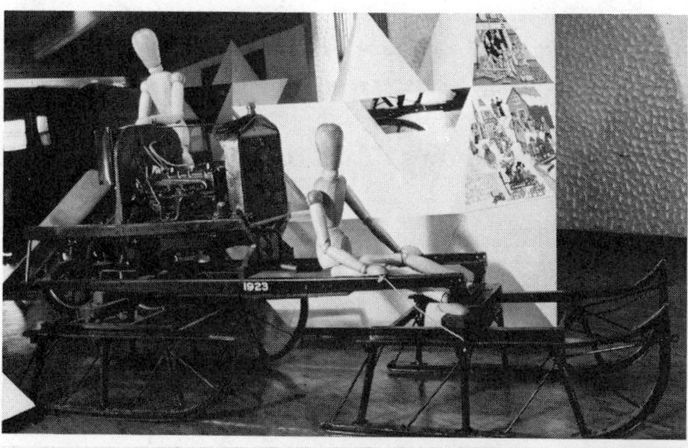

C. Answer using the appropriate possessive pronoun. Follow the model.

1. Cet électrophone est à vous? *Oui, c'est le nôtre.*
2. Ce divan est à eux?
3. Ces tapis sont à elles?
4. Ce fauteuil est à eux?
5. Ces meubles sont à vous?
6. Cette cuisinière est à elles?
7. Ces tableaux sont à nous?
8. Ce téléphone est à vous?
9. Cette cheminée est à nous?

D. Redo the sentences using the appropriate possessive pronouns. Follow the model.

1. Cette boîte n'est pas à moi. Elle est à lui.
   Ce n'est pas la mienne. C'est la sienne.
2. Ces valises ne sont pas à nous. Elles sont à eux.
3. Cet horaire n'est pas à vous. Il est à moi.
4. Cette malle n'est pas à eux. Elle est à lui.
5. Ces lettres ne sont pas à toi. Elles sont à moi.
6. Ces bagages ne sont pas à nous. Ils sont à elles.
7. Ce paquet n'est pas à moi. Il est à vous.
8. Cette clef n'est pas à elle. Elle est à toi.
9. Ces timbres ne sont pas à lui. Ils sont à nous.

Vérifiez vos progrès

Write complete sentences using the appropriate form of the verb and replacing the noun in the second sentence with the appropriate possessive pronoun. Follow the model.

1. Je ne *(reconnaître)* pas son nom. Est-ce qu'il *(reconnaître—fut.) mon nom?*
   Je ne reconnais pas son nom. Est-ce qu'il reconnaîtra le mien?
2. Elles ne *(savoir—fut.)* pas ta destination. Tu *(savoir) leur destination?*
3. Nous ne *(connaître)* pas leur auberge. Elles *(connaître) votre auberge?*
4. Je ne *(savoir)* pas chanter vos chansons. Vous *(savoir)* chanter *nos chansons?*
5. Il ne *(reconnaître)* pas vos voix. Vous *(reconnaître—p.c.) sa voix?*
6. Elle ne *(savoir—imp.)* pas décrire vos santons. Vous *(savoir)* décrire *ses santons?*

CONVERSATION ET LECTURE

Parlons de vous

1. Est-ce que vous vous êtes jamais cassé une jambe? un bras? un doigt? Qu'est-ce que vous faisiez quand cela s'est passé? Est-ce que vous avez dû aller à l'hôpital? Combien de temps est-ce que vous y avez passé? 2. Vous êtes quelquefois malade? En quelle saison surtout est-ce que vous avez des rhumes? 3. Est-ce que vous devez prendre des médicaments? Qu'est-ce que vous prenez quand vous avez mal à la tête? à la gorge? quand vous avez de la fièvre? 4. Vous connaissez quelqu'un qui est sourd? aveugle? Quels problèmes est-ce qu'ils rencontrent tous les jours?

Le ski dans les Pyrénées

Un jour gris d'hiver, un groupe de lycéens de Perpignan* ont pris l'autocar° pour l'Hospitalet,* dans l'Ariège, où ils allaient passer leurs vacances de février.* L'autocar débordait° d'élèves, de bagages, de skis, de bâtons,° etc. Il allait très lentement puisque la route était étroite et couverte de glace et de neige. Les jeunes gens étaient très animés. Ils s'amusaient bien—en chantant, en racontant des blagues,° etc.

l'autocar *(m.): intercity bus*
déborder: *to overflow*
le bâton: *pole*
la blague: *(here) joke*

Quand l'autocar a pris enfin la dernière courbe° de la route qui monte vers l'Hospitalet, les nuages ont disparu.° Rendus aveugles par la lumière, les élèves ont commencé à mettre leurs lunettes de soleil. Tout à coup ils ont vu les magnifiques sommets° blancs autour du° col de Puymorens* et les longues pentes blanches, parsemées de° skieurs.

la courbe: *curve*
disparaître: *to disappear*
le sommet: *summit*
autour de: *around*
parsemé, -e (de): *dotted with*

L'autocar s'est arrêté devant une petite auberge, et tous les élèves en sont descendus et se sont dépêchés vers la porte, apportant leurs skis, leurs valises et leur équipement. Ils sont entrés et sont montés à leurs chambres. Un peu plus tard, après un bon déjeuner, la plupart des élèves ont décidé de se diriger tout de suite vers les pentes.

HUGUES On commence par° la pente noire?*
ROBERT Tu ne veux pas te casser le cou, hein?
HUGUES Je n'ai pas fait de ski depuis° un an. Alors je n'ai pas envie de passer les vacances au lit avec une jambe dans le plâtre.°

par *(here): with*
depuis: *for*
dans le plâtre: *in a cast*

Deux camarades de classe, Julie et Suzanne, ont rejoint° les garçons devant l'auberge. Après quelques

rejoindre: *to join*

moments les voilà, se dirigeant vers les remonte-pentes, glissant° facilement sur la neige poudreuse.° Il ne neigeait pas, mais il faisait assez froid (—10°* peut-être). Mais ni les skieurs ni les patineurs ne sentent° le froid. (Ce sont des sports vigoureux, le ski et le patinage.) Bientôt les jeunes gens sont arrivés devant le remonte-pente. Les garçons ont continué à marcher; les filles se sont arrêtées.

glisser: *to glide*
poudreux, -euse: *powdery*
sentir: *to feel*

JULIE — Vous ne prenez pas le remonte-pente, vous deux?
HUGUES — Non, nous prendrons le téléski° pour la pente noire.
SUZANNE — Vous n'allez pas commencer par la verte?
ROBERT — Mais non! Ça c'est pour les vrais débutants.°
JULIE — Ecoute les casse-cou!° Eh bien, Suzanne, achetons nos tickets.
ROBERT — On vous verra plus tard.
SUZANNE — On vous fera des visites de temps en temps à l'hôpital.
JULIE — Bon courage, mes amis. Vous en aurez besoin, j'en suis sûre.

le téléski: *chair lift*
le/la débutant, -e: *beginner*
le casse-cou: *dare-devil*

Notes culturelles

**Perpignan:* This town of 100,000 inhabitants is located on the Mediterranean, not far from the Spanish border. It is noted throughout France for its fine fruits, vegetables, and vineyards.

**l'Hospitalet:* This is a small village near Ax-les-Thermes, but the mountains there are far more rugged and the area is less resort-like.

**les vacances de février:* The French school system provides for a midwinter vacation. However, the vacation period is staggered over three different times, so that the very popular winter sport areas around the country are never overcrowded.

**le col de Puymorens:* This mountain pass *(le col)* is 33 kilometers from Andorra, a tiny country in the Pyrénées between France and Spain. The surrounding peaks reach heights of up to 3000 meters. Andorra *(l'Andorre)* has

a population of about 19,000 and is ruled jointly by France and the bishop of the Spanish town of Urgel. The language is Catalan, which is also widely spoken in eastern Spain.

**la pente noire:* Some French ski resorts rate their slopes by posting colored flags. A green flag indicates a beginner's slope, a black flag an intermediate slope, a red flag a slope for advanced skiers.

**—10°:* Remember that in Europe only the Celsius scale is used. This would be said as *moins dix (degrés).*

A propos . . .

1. D'où venaient les élèves? Où allaient-ils? Comment est-ce qu'ils y allaient? 2. Comment était la route? 3. Qu'est-ce que les jeunes gens ont fait pendant le voyage? 4. Qu'est-ce qu'ils ont dû faire quand les nuages ont tout à coup disparu? Qu'est-ce qu'ils ont vu? 5. Qu'est-ce que les élèves ont fait quand l'autocar s'est arrêté? Qu'est-ce qu'ils ont fait avant d'aller faire du ski? 6. Est-ce que Hugues voulait commencer par la pente la plus difficile? Pourquoi? 7. Qui a rejoint les garçons? Vers où se sont-ils dirigés? 8. Quel temps faisait-il? Est-ce qu'on sent le froid quand on fait du ski? 9. Où est-ce que les jeunes filles se sont arrêtées? Pourquoi les garçons ne se sont-ils pas arrêtés? 10. Pourquoi est-ce que Suzanne a dit qu'on allait faire des visites aux garçons à l'hôpital? 11. Et vous, est-ce que vous faites du ski? Si oui, où est-ce que vous allez pour faire du ski? Il y a un remonte-pente? un téléski? Les pentes sont dangereuses? difficiles? 12. Vous êtes débutant ou expert? 13. Est-ce que vous patinez? Si oui, où est-ce que vous allez pour le faire? à une patinoire? au lac? Sinon, est-ce qu'il y a d'autres sports d'hiver que vous aimez? Quels sports?

EXPLICATIONS II

Il y a

1. The passé composé + *il y a* + an expression of time is the equivalent of "ago":

Il a habité ici **il y a un an.**	*He lived here **a year ago.***
Il a neigé **il y a deux jours.**	*It snowed **two days ago.***

2. *Il y a* + expression of time + *que* + passé composé indicates that something began and ended in the past. In this case, *il y a* implies "since":

Il y a un an qu'il a habité ici.	***It's been a year since** he lived here.*
Il y a deux jours qu'il a neigé.	***It's been two days since** it snowed.*

3. When this construction is used with the *present tense* it indicates that something began in the past and is still going on. Here it is the equivalent of "for":

Il y a un an qu'il habite ici.	***He's lived** here **for a year.***
Il y a deux jours qu'il neige.	***It's been snowing for two days.***

Exercices

A. Answer the questions using *il y a* and the cues in parentheses. Then answer using *il y a . . . que*. Follow the model.

1. Quand est-ce que tu es revenu de Suisse? (quinze jours)
   Je suis revenu de Suisse il y a quinze jours.
   Il y a quinze jours que je suis revenu de Suisse.
2. Quand est-ce que vous avez fait du ski? (deux jours)
3. Quand est-ce que Jeanne d'Arc est morte? (cinq cents ans)
4. Quand est-ce qu'ils sont arrivés en Suisse? (une demi-heure)
5. Quand est-ce que tu as eu cet accident de voiture? (trois semaines)
6. Quand est-ce qu'elle a vérifié l'huile? (quelques jours)
7. Quand est-ce qu'il s'est cassé le bras? (une huitaine de jours)
8. Quand est-ce que vous avez retenu la chambre? (un mois)
9. Quand est-ce que tu as mis tes patins? (quelques minutes)

B. Answer in the present tense using *il y a . . . que*. Follow the model.

1. Il a commencé à faire de l'espagnol il y a deux ans?
   Oui, il y a deux ans qu'il fait de l'espagnol.
2. Tu as commencé à laver ces étagères il y a des heures?
3. Elle a commencé à mettre le couvert il y a quinze minutes?
4. Tu as commencé à lire ce journal il y a trois heures?
5. Vous avez commencé à écrire cette lettre il y a deux jours?
6. Ils ont commencé à bavarder au téléphone il y a une demi-heure?
7. Vous avez commencé à boire ces grenadines il y a une heure?
8. Elle a commencé à bricoler il y a longtemps?
9. Ils ont commencé à examiner leurs yeux il y a quelques minutes?
10. Nous avons commencé à faire partie de l'équipe il y a six mois?

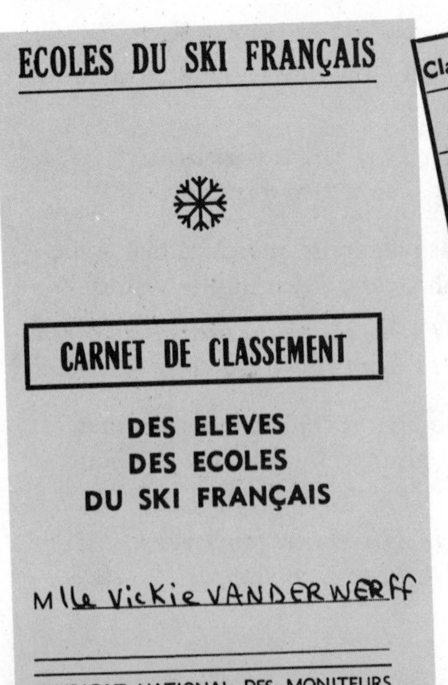

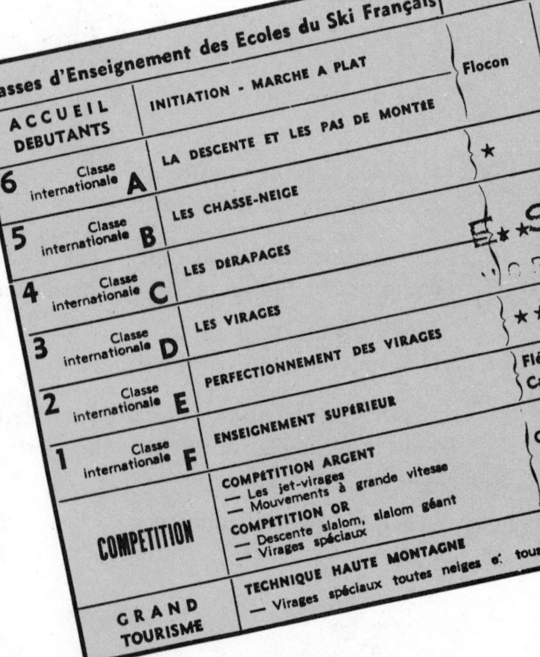

Depuis

1. Like *il y a . . . que, depuis* is used with the *present tense* to indicate that something began in the past and is still going on:

Elle habite ici **depuis deux ans.**	*She's lived here* ***for two years.***
Je lis **depuis une demi-heure.**	*I've been reading* ***for half an hour.***
Ils habitent ici **depuis** 1972.	*They've lived here* ***since*** *1972.*
Je lis **depuis le déjeuner.**	*I've been reading* ***since lunch.***

When *depuis* is followed by an expression indicating a length of time (*deux ans, une demi-heure, huit jours, longtemps,* etc.), its English equivalent is "for." When it is followed by a specific date or expression of time, its English equivalent is "since."

2. *Depuis* can also be used with the *imperfect tense* to indicate how long an action *had* been taking place when something else occurred:

Il **habitait** ici **depuis un an** quand je suis arrivé.	*He* ***had been living*** *here* ***for a year*** *when I arrived.*
J'étudiais depuis le déjeuner quand je me suis endormi.	*I* ***had been studying since lunch*** *when I fell asleep.*

3. To ask the general question "how long," *depuis combien de temps* is used:

Depuis combien de temps est-ce que tu habites ici?	***How long*** *have you lived here?*
Depuis combien de temps est-ce que tu habitais là-bas?	***How long*** *had you lived there?*

To ask the particular question "since when" or "since what time," *depuis quand* is used:

Depuis quand est-ce que vous habitez ici?	***Since when*** *have you been living here?*
Depuis quand est-ce que vous étudiez?	***Since what time*** *have you been studying?*

Exercices

A. Answer using *depuis* and the cues in parentheses. Follow the model.

1. Depuis combien de temps est-ce qu'il neige? (deux jours)
   Il neige depuis deux jours.
2. Depuis combien de temps est-ce que tu as ce rhume? (quatre jours)
3. Depuis combien de temps est-ce qu'elle a mal à la tête? (une heure)
4. Depuis combien de temps est-ce qu'elle habite Toulouse? (six ans)
5. Depuis combien de temps est-ce que vous portez cette boîte sur les épaules? (un quart d'heure)
6. Depuis combien de temps est-ce que tu patines? (trente minutes)
7. Depuis combien de temps est-ce qu'il est malade? (huit jours)
8. Depuis combien de temps est-ce que tu prends ces médicaments? (une huitaine de jours)
9. Depuis combien de temps est-ce qu'il est sourd? (longtemps)

B. Answer the questions using *depuis* and the cues in parentheses. Follow the model.

1. Depuis quand est-ce qu'elle participe aux spectacles? (l'été dernier)
   Elle participe aux spectacles depuis l'été dernier.
2. Depuis quand est-ce que maman parle avec le prof d'histoire? (2 h. 45)
3. Depuis quand est-ce que vous vous promenez? (midi)
4. Depuis quand est-ce qu'il regarde le défilé? (ce matin)
5. Depuis quand est-ce que ta sœur répare la chaise? (hier soir)
6. Depuis quand est-ce qu'elle fait partie de l'équipe de basketball? (janvier)
7. Depuis quand est-ce qu'elle va mieux? (la semaine dernière)
8. Depuis quand est-ce que vous nagez? (11 h. 15)
9. Depuis quand est-ce qu'elles assistent à ce cours? (le début de l'automne)

C. Combine the two sentences according to the model.

1. Ils jouent aux cartes depuis six heures. Ils se couchent.
   Ils jouaient aux cartes depuis six heures quand ils se sont couchés.
2. Vous bavardez depuis longtemps. Le prof vous remarque.
3. Il étudie l'anglais depuis deux ans. Il va en Grande-Bretagne.
4. Le médecin nous examine depuis une demi-heure. L'infirmière arrive.
5. Je travaille depuis deux heures. Mes parents rentrent.
6. Elle est malade depuis une semaine. Son mari l'emmène à l'hôpital.
7. Il dort depuis quelques minutes. Il reçoit un coup de téléphone.
8. J'ai mal aux yeux depuis 45 minutes. Maman appelle le médecin.
9. Je me sers du canif depuis dix minutes. Je me coupe au doigt.

Vérifiez vos progrès

A. Write true, full-sentence answers to these questions, using *depuis.* Since the answers will be based on fact, they do not appear in the back of the book. Ask your teacher to go over your answers with you.

1. Depuis quand est-ce que vous étudiez le français?
2. Depuis quand est-ce que vous êtes lycéen ou lycéenne?
3. Depuis combien de temps est-ce que vous faites des maths?
4. Depuis combien de temps est-ce que vous habitez ici?
5. Depuis quand est-ce que vous faisiez vos devoirs hier soir quand vous vous êtes couché?

B. Write true, full-sentence answers to these questions, using *il y a . . . que.* Again, ask your teacher to go over your answers with you.

1. Quand est-ce que vous avez commencé à faire du français?
2. Quand est-ce que vous avez appris à nager?
3. Quand est-ce que vous avez fêté votre anniversaire?
4. Quand est-ce que vous avez commencé cet exercice?

RÉVISION ET THÈME

Consult the model sentences, then put the English cues into French and use them to form new sentences.

1. *Est-ce qu'elle connaît le frère d'Annie?*
   (Do you (pl.) *know the museums of Paris?)*
   (Do they recognize Monique's skis?)
2. *Il le connaît depuis 1970.*
   (You've (sing.) *known me for a long time.)*
   (We've known her since last year.)
3. *Il y a dix jours que nous sommes à Paris et nous avons mal aux pieds.*
   (She's been in the mountains for 24 hours and she has a sore throat.)
   (I've been on the slopes for an hour and I have a sore back.)
4. *Il a pris tes skis parce que les siens étaient vieux.*
   (You (pl.) *looked for your machine because ours was dangerous.)*
   (I borrowed her sunglasses because mine were dirty.)
5. *Cependant, elles étaient trop fatiguées et elles sont descendues.*
   (he was rather clumsy and he fell)
   (we were very sick and we went home)

Now that you have done the *Révision,* study the French paragraph. Afterwards, using it as a model, put the English paragraph into French to form a composition.

Modèle: Est-ce que vous connaissez Jacques, le copain de Paul? Oui, nous le connaissons depuis plusieurs mois. Il y a quelques semaines qu'il fait partie d'une équipe de ski et il a mal aux genoux. Il est tombé hier en descendant la pente. Je lui ai prêté mes skis parce que les siens étaient trop courts. Cependant, la pente était assez dangereuse et il allait trop vite. Alors, le pauvre est au lit. Nous espérons que ses genoux guériront bientôt.

Thème: Do you know René's sister? Yes, I've known her for a long time. She's been in bed for two days and she has a backache. She fell while she was skating. She borrowed these ice skates from me because hers were too small. Unfortunately, she was too ambitious and she fell. So the poor thing's in bed. I hope she'll feel better tomorrow.

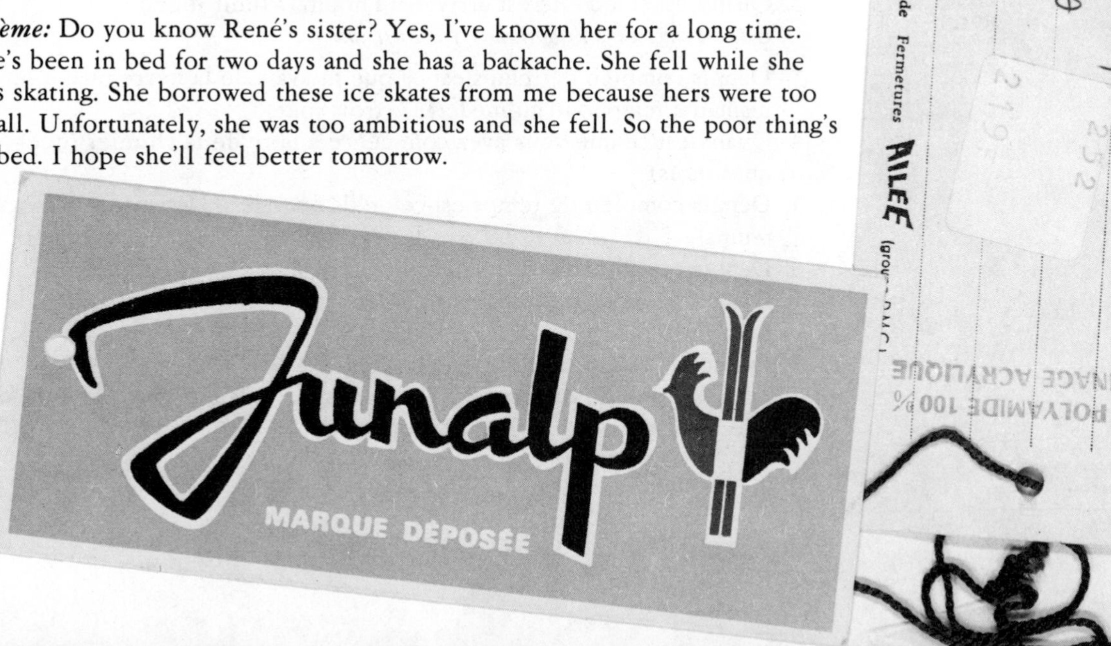

AUTO-TEST

A. Write complete sentences using the correct form of *savoir* or *connaître.*

1. Est-ce qu'elle ______ Perpignan?
2. Est-ce que tu ______ *(imp.)* que Martin avait mal au ventre?
3. Ils ______ impressionner les petits enfants.
4. Nous avons ______ sa sœur aînée il y a plusieurs années.
5. Je ______ que ton petit frère est têtu.
6. On ______ *(fut.)* tout de suite que je suis maladroit.
7. Est-ce qu'elles ______ *(imp.)* cette pente dangereuse à Grenoble?
8. Est-ce que vous ______ *(imp.)* que son père avait mal aux dents?

B. Rewrite the sentences, replacing the words in italics with the appropriate possessive pronouns. Follow the model.

1. Voici *mes skis,* mais où sont *tes skis?*
   Voici les miens, mais où sont les tiens?
2. Elle a *ses bottes,* mais nous n'avons pas *nos bottes.*
3. Ils ont *leurs patins à glace,* mais il n'a pas *ses patins.*
4. Voilà *vos médicaments,* mais où est-ce que j'ai mis *mes médicaments?*
5. Elles ont pris *leur clef,* mais nous avons laissé *notre clef* à la réception.
6. Il fait partie de *ton équipe,* mais moi, je fais partie de *leur équipe.*
7. Vous avez *vos anoraks?* Nous avons oublié *nos anoraks.*
8. Tu as pris le remonte-pente avec *tes copains;* je l'ai pris avec *mes copains.*

C. Answer the questions using the cues in parentheses. Be sure to use *il y a* when answering a *quand* question and *depuis* when answering a *depuis* question. Follow the models.

1. Depuis quand est-ce qu'ils font de l'alpinisme? (cet après-midi)
   Ils font de l'alpinisme depuis cet après-midi.
2. Quand est-ce qu'elle est arrivée à l'hôpital? (huit jours)
   Elle est arrivée à l'hôpital il y a huit jours.
3. Depuis combien de temps est-ce que tu avais de la fièvre quand ta maman a téléphoné au médecin? (trois jours)
4. Quand est-ce que vous avez commencé à faire de la chimie? (quelques mois)
5. Depuis combien de temps est-ce qu'ils attendent l'ascenseur? (longtemps)
6. Depuis quand habite-t-il Toulouse? (1969)
7. Quand est-ce qu'Aude est entrée dans la patinoire? (une dizaine de minutes)
8. Quand est-ce que tu t'es cassé le pied? (quatre ans)
9. Depuis combien de temps est-ce qu'elles étudiaient l'espagnol quand elles sont allées en Espagne? (deux ans)

COMPOSITION

Ecrivez une composition sur un accident ou une maladie ("illness") que vous avez eu. Vous étiez dans un hôpital? Vos amis vous ont fait des visites? Ils vous ont envoyé des cartes ou des cadeaux? Comment étaient les médecins? les infirmiers et les infirmières? Employez ("use") surtout des mots que vous connaissez; si vous devez employer d'autres mots, vérifiez-les en parlant avec votre professeur.

Poème

DUALISME[1]

Chérie,° explique-moi° pourquoi
tu dis: "MON piano, MES roses,"
et "TES livres, TON chien" . . . pourquoi
je t'entends déclarer parfois:°
"c'est avec MON argent À MOI
que je veux acheter ces choses."

Ce qui° m'appartient° t'appartient!
Pourquoi ces mots qui nous opposent:°
le tien, le mien, le mien, le tien?
Si tu m'aimais tout à fait bien,
tu dirais:° "LES livres, LE chien"
et: "NOS roses."

chéri, -e: *darling*
expliquer: *to explain*
parfois: *at times*
ce qui: *that which*
appartenir à = être à
opposer: *to make (something) conflict*
tu dirais: *you would say*

Paul Géraldy, *Toi et moi*
© Editions Stock

Proverbe

Loin des yeux, loin du cœur.

[1]*Le dualisme* is a philosophical concept and refers to the idea that all things have two basic parts and are thus really two things at the same time: body and soul, good and evil, and so forth.

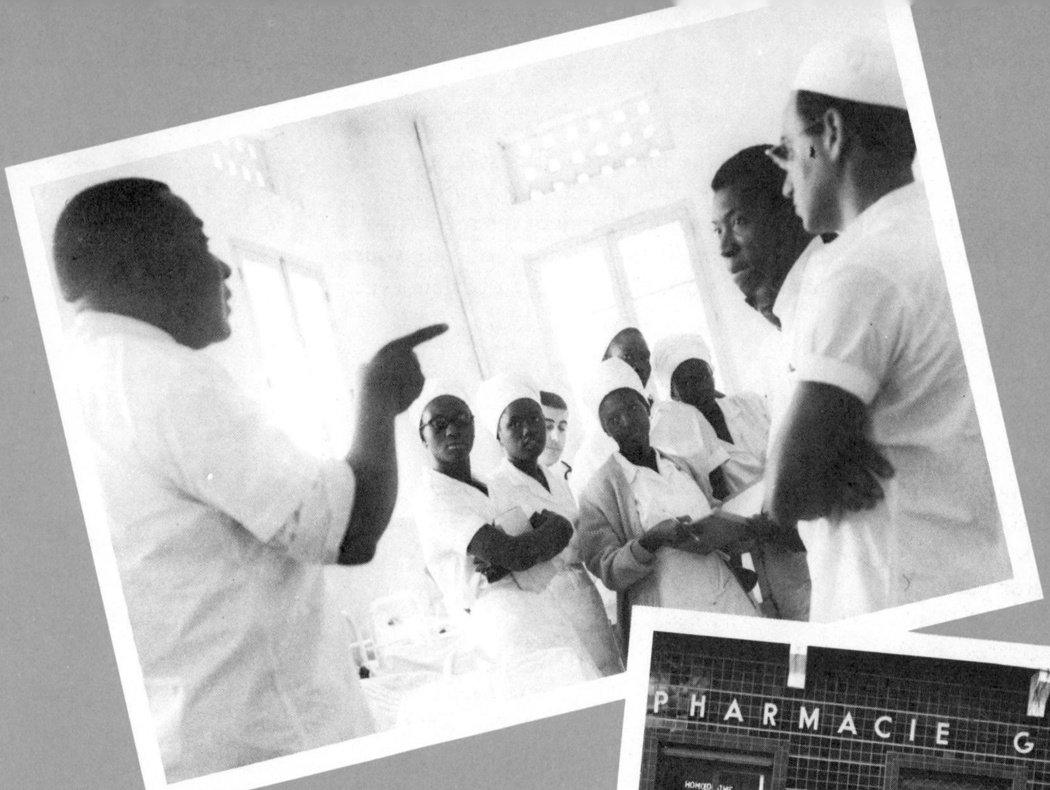

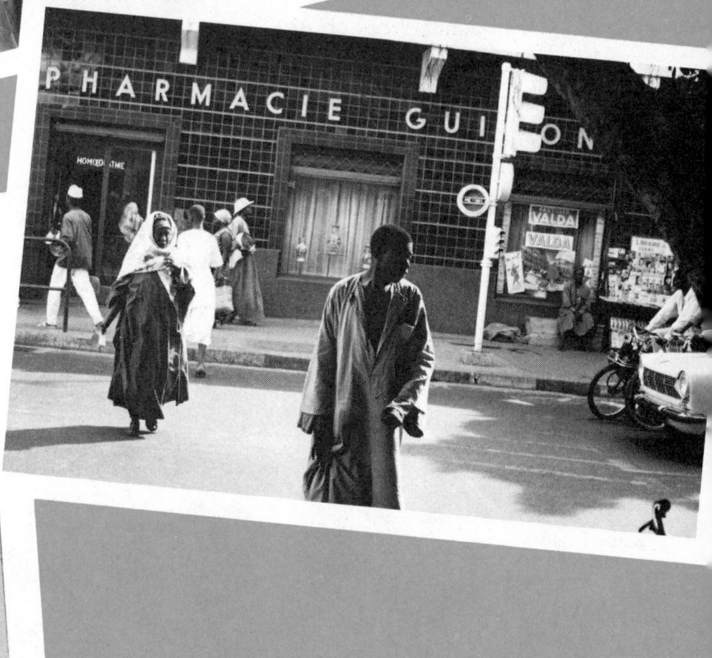

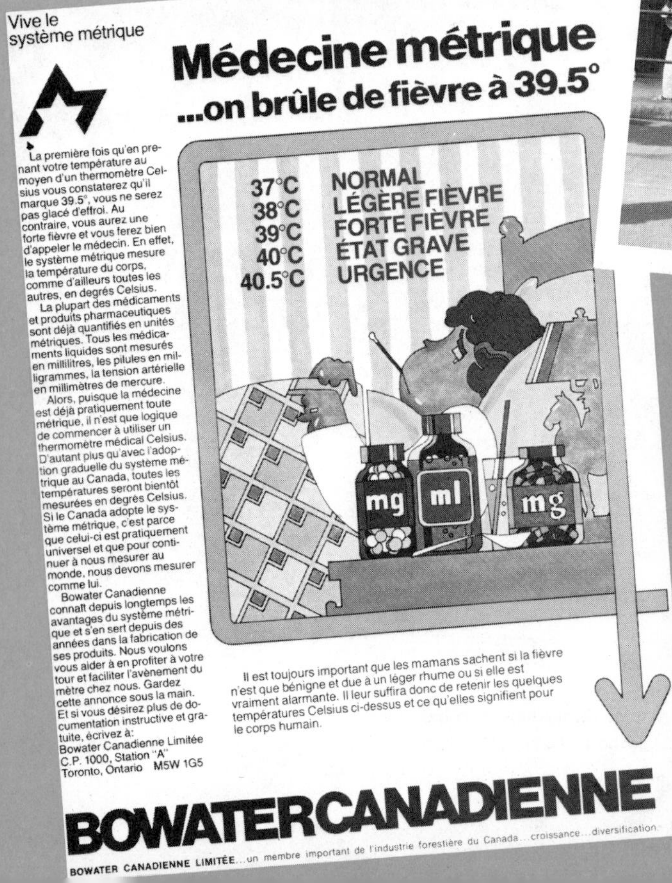

Vive le
système métrique

Médecine métrique

...on brûle de fièvre à 39.5°

La première fois qu'en prenant votre température au moyen d'un thermomètre Celsius vous constaterez qu'il marque 39.5°, vous ne serez pas glacé d'effroi. Au contraire, vous aurez une forte fièvre et vous ferez bien d'appeler le médecin. En effet, le système métrique mesure la température du corps, comme d'ailleurs toutes les autres, en degrés Celsius.

La plupart des médicaments et produits pharmaceutiques sont déjà quantifiés en unités métriques. Tous les médicaments liquides sont mesurés en millilitres, les pilules en milligrammes, la tension artérielle en millimètres de mercure.

Alors, puisque la médecine est déjà pratiquement toute métrique, il n'est que logique de commencer à utiliser un thermomètre médical Celsius. D'autant plus qu'avec l'adoption graduelle du système métrique au Canada, toutes les températures seront bientôt mesurées en degrés Celsius. Si le Canada adopte le système métrique, c'est parce que celui-ci est pratiquement universel et que pour continuer à nous mesurer au monde, nous devons mesurer comme lui.

Bowater Canadienne connaît depuis longtemps les avantages du système métrique et s'en sert depuis des années dans la fabrication de ses produits. Nous voulons vous aider à en profiter à votre tour et faciliter l'avènement du mètre chez nous. Gardez cette annonce sous la main. Et si vous désirez plus de documentation instructive et gratuite, écrivez à:

Bowater Canadienne Limitée
C.P. 1000, Station "A"
Toronto, Ontario   M5W 1G5

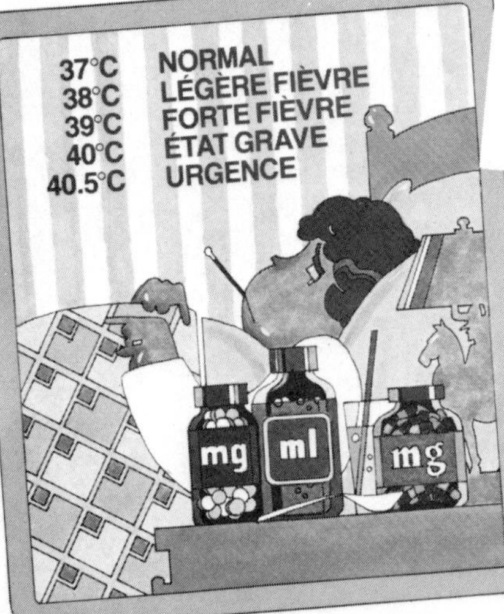

Il est toujours important que les mamans sachent si la fièvre n'est que bénigne et due à un léger rhume ou si elle est vraiment alarmante. Il leur suffira donc de retenir les quelques températures Celsius ci-dessus et ce qu'elles signifient pour le corps humain.

BOWATER CANADIENNE

BOWATER CANADIENNE LIMITÉE... un membre important de l'industrie forestière du Canada... croissance... diversification.

Douzième Leçon

Deux frères sénégalais

Moussa Diallo, un étudiant sénégalais en sciences sociales à Paris, est rentré chez lui pour les vacances. Son avion a atterri à Dakar, la capitale du Sénégal* et ancienne capitale de l'Afrique Occidentale Française.* Son frère aîné, Yakoubou, est venu le chercher à l'aéroport. Yakoubou est rentré au Sénégal l'année dernière après avoir fait ses études de médecine en France. En allant chez leurs parents, les deux frères parlent du travail de Yakoubou.

MOUSSA Dis-moi ce que tu fais maintenant.

YAKOUBOU Depuis presque trois mois je dirige une clinique dans la brousse.*

MOUSSA Tu ne voulais pas travailler à Dakar?

YAKOUBOU Si, mais on a plus grand besoin de médecins dans la brousse.

MOUSSA Mais ta clinique n'est pas près de Dakar. On parle wolof là-bas?

YAKOUBOU Oui, il y a des Wolofs. Et même parmi les Toucouleurs* il y en a qui parlent wolof. Mais j'essaie quand même d'apprendre leur langue.

MOUSSA Est-ce que beaucoup de malades viennent voir le médecin?

YAKOUBOU Oui, ils viennent de plus en plus, surtout si le médecin est quelqu'un de leur tribu ou s'il a de bons rapports avec le guérisseur.*

MOUSSA Ton travail te fait plaisir?

YAKOUBOU En effet. Tu verras qu'il n'est pas toujours facile pour les Africains qui ont habité l'Europe de s'habituer de nouveau à leurs propres traditions. Mais une fois qu'on s'y habitue, on peut être très heureux dans la brousse.

Two Senagalese brothers

Moussa Diallo, a Senegalese student in social sciences in Paris, has returned home for vacation. His plane has landed in Dakar, the capital of Senegal, and former capital of French West Africa. His older brother, Yakoubou, has come to get him at the airport. Yakoubou returned to Senegal last year after studying medicine in France. Going to their parents' house, the two brothers talk about Yakoubou's work.

MOUSSA Tell me what you're doing now.

YAKOUBOU For almost three months I've been directing a clinic in the bush.

MOUSSA Didn't you want to work in Dakar?

YAKOUBOU Yes, but there's a greater need for doctors in the bush.

MOUSSA But your clinic isn't near Dakar. Do they speak Wolof there?

YAKOUBOU Yes, there are Wolofs. And even among the Toucouleurs there are some who speak Wolof. But I'm trying to learn their language anyway.

MOUSSA Do many sick people come to see the doctor?

YAKOUBOU Yes, they're coming more and more, especially if the doctor is someone from their tribe or if he has a good relationship with the local healer.

MOUSSA Do you enjoy your work?

YAKOUBOU Yes, indeed. You'll see that it's not always easy for Africans who've lived in Europe to get used to their own traditions again. But once you're used to them, you can be very happy in the bush.

Notes culturelles

***le Sénégal:** Located on the west coast of central Africa, Sénégal is a former French colony that became an independent republic in 1960. It is among the most prosperous African nations. Dakar, its capital, is a major port and cultural and educational center.

****l'Afrique Occidentale Française:*** The former Federation of French West Africa included le Sénégal, la Mauritanie, le Mali, le Niger, la Guinée, la Côte d'Ivoire, la Haute Volta, and le Bénin. All of these colonies became independent after 1958.

****la brousse:*** This is the tropical zone of Sénégal, consisting of grasslands and marshes. There is also a desert zone in the North and a temperate zone along the Atlantic coast.

****les Toucouleurs:*** This is the name of one of several main tribes of Sénégal and Guinée. Though each tribe has its own language, French and Wolof are the official languages of Sénégal.

****le guérisseur:*** The local healers, or medecine men, remain of great importance among many African tribes. They devote themselves to the person's mental or spiritual health and often work closely with medical doctors.

Questionnaire

1. Qui est Moussa Diallo? D'où vient-il? Où est-ce qu'il fait ses études? 2. Qui est Yakoubou? Que fait-il comme profession? Où est-ce qu'il a fait ses études? 3. De quoi parlent les deux frères en allant chez leurs parents? 4. Depuis quand est-ce que Yakoubou dirige la clinique? 5. Quelles langues parle-t-il? Quelle langue est-ce qu'il essaie d'apprendre? 6. Qu'est-ce qui est souvent difficile pour un Africain qui a habité l'Europe? Qu'est-ce qu'il faut faire pour être heureux dans la brousse?

PRONONCIATION

Remember that the [ə] sound is not pronounced if it comes after a word ending in a vowel sound.

Exercices

A. Practice pronouncing and dropping the [ə] sound in the word *le.*

Elle le dirige.	Tu l~~e~~ diriges.
Il le décore.	On l~~e~~ décore.
Elles le chantent.	Vous l~~e~~ chantez.
Ils le préfèrent.	Nous l~~e~~ préférons.

B. Practice pronouncing and dropping the [ə] sound in the object pronouns *me* and *te.*

Ils me voient.	Vous m~~e~~ voyez.
Elles te parlent.	Nous t~~e~~ parlons.
Il te prête son vélo.	Je t~~e~~ prête mon vélo.
Elle me donne son billet.	Tu m~~e~~ donnes ton billet.

C. Practice pronouncing and dropping the [ə] sound in the word *ne.*

Elles ne font pas la queue.	Vous n~~e~~ faites pas la queue.
Il ne va pas au théâtre.	Tu n~~e~~ vas pas au théâtre.
Ils ne lisent pas la phrase.	Tu n~~e~~ lis pas la phrase.
Elle ne vérifie pas l'eau.	Je n~~e~~ vérifie pas l'eau.

D. Listen to these sentences, then say them aloud.

Je n~~e~~ vois pas l~~e~~ médecin.	On n~~e~~ donne pas d~~e~~ pièces.
Elle ne fait pas d~~e~~ maths.	Vous n~~e~~ parlez pas d~~e~~ ces choses.
Il ne lit jamais d~~e~~ romans.	Elles ne veulent plus d~~e~~ café.

380

possibilités
de bien gagner sa vie

100 CARRIERES FEMININES

Etalagiste et chef étalagiste - Décoratrice ensemblier - Assistante secrétaire de médecin - Auxiliaire de jardins d'enfants - Esthéticienne - Visagiste - Manucure - Reporter photographe - Attachée de presse - Secrétaire commerciale, comptable, sociale, juridique, d'assurances, de direction - Electronicienne - Hôtesse et chef hôtesse d'accueil et de l'air - Journaliste - Couturière - Vendeuse retoucheuse - Vendeuse mannequin - Vendeuse étalagiste - Agent de renseignements touristiques - Guide courrier - Technicienne du tourisme - Employée - Vendeuse - Chef de rayon - Gérante de succursale - Commerçante - Aide comptable - Comptable commerciale - Chef de comptabilité - Adjointe et chef des relations publiques - etc...

70 CARRIERES COMMERCIALES

Technicien du commerce extérieur - Technicien en étude de marché - Adjoint et chef des relations publiques - Courtier publicitaire - Conseiller ou chef de publicité - Sous-ingénieur commercial - Ingénieur directeur commercial - Ingénieur technico commercial - Attaché de presse - Journaliste - Documentaliste et aide documentaliste commercial - Aide comptable - Comptable commercial ou industriel - Chef de comptabilité - Mécanographe et aide-mécanographe comptable - Chef mécanographe comptable - Conducteur de machines à cartes perforées - Technicien d'exploitation en mécanographie - Acheteur - Chef d'achat et d'approvisionnement - Gérant de succursale - Représentant - Inspecteur et chef de vente - Réceptionnaire - Conseiller et expert fiscal -etc...

90 CARRIERES INDUSTRIELLES

Agent de planning - Analyste du travail - Dessinateur industriel - Dessinateur (calqueur - en construction mécanique - en construction métallique - en bâtiment et travaux publics - béton armé - en chauffage central) - Electricien - Esthéticien industriel - Agent et chef de bureau d'études - Moniteur auto-école - Mécanicien de cellules d'avion - Mécanicien de moteurs d'avion - Monteur électricien d'avion - Chef de manutention - Magasinier et chef magasinier - Acheteur - Chef d'achat et d'approvisionnement - Conseiller social - Contremaître - Carrossier - Conducteur grand routier - Contremaître mécanicien automobile - Mécanicien - Technicien en moteurs - Psychotechnicien adjoint - Chef du personnel - Technicien électronicien - etc..

60 CARRIERES DE LA CHIMIE

Chimiste et aide-chimiste - Laborantin industriel et médical - Agent de maitrise d'installations chimiques - Agent de laboratoire cinématographique - Technicien en caoutchouc - Technicien de transformation des matières plastiques - Technicien en protection des métaux - Technicien en pétrochimie - Chimiste contrôleur de peinture - Agent d'entretien des industries chimiques - Conducteur d'appareils en industries chimiques - Soudeur des matières plastiques - Formeur usineur des matières plastiques - Formeur de caoutchouc - Chimiste examinateur de caoutchouc - Technicien des textiles synthétiques - Technicien de sucrerie - Technicien de laiterie - Chimiste contrôleur de laiterie - Préparateur en pharmacie - Technicien en analyses biologiques - etc...

60 CARRIERES AGRICOLES

Sous-ingénieur agricole - Conseiller agricole - Directeur d'exploitation agricole - Chef de culture - Technicien en agronomie tropicale - Garde-chasse - Jardinier - Fleuriste - Horticulteur - Entrepreneur de jardin paysagiste - Dessinateur paysagiste - Viticulteur - Arboriculteur - etc...

Vous pourrez d'ores et déjà envisager l'avenir avec confiance et vous assurer un standard de vie élevé, si vous choisissez votre carrière parmi les 380 professions sélectionnées à votre intention par UNIECO (UNION INTERNATIONALE D'ECOLES PAR CORRESPONDANCE), ***GROUPEMENT D'ÉCOLES SPÉCIALISÉES.***

Retournez-nous le bon à découper ci-dessous, vous recevrez gratuitement et sans aucun engagement, notre documentation complète et le guide officiel UNIECO (de plus de 170 pages) sur les carrières envisagées.

A DÉCOUPER OU A RECOPIER

BON

POUR RECEVOIR **GRATUITEMENT**
notre documentation complète et notre guide officiel UNIECO sur les carrières envisagées.

CARRIÈRES CHOISIES : ....
(écrire en majuscules)

NOM ....

ADRESSE ....

....

UNIECO 30 E, RUE DE CARVILLE - 76-ROUEN

BELGIQUE 12 rue des Ixellois LIEGE - ALLEMAGNE 19 Theaterstrasse 51 AACHEN

MOTS NOUVEAUX I

J'étudie **la médecine.**	*I'm studying* ***medicine.***
l'agriculture *(f.)*	***agriculture***
les sciences économiques *(f.pl.)*	***economics***
les sciences politiques *(f.pl.)*	***political science***
l'anthropologie *(f.)*	***anthropology***
Je fais mes études en médecine.	*I'm a* ***medical student.***
Je vais **soigner** les malades.	*I'll* ***take care of*** *sick people.*
Ça va **faire plaisir à** ma mère.	*That will* ***please*** *my mother.*
Après tout, elle est médecin.	***After all,*** *she's a doctor.*
Même papa en est content.	***Even*** *Dad's happy about it.*
Il aime **cette idée** *(f.)*.	*He likes* ***that idea.***
Guy va **s'habituer à** cette idée.	*Guy will* ***get used to*** *that idea.*
C'est { **un scientifique.** / **une scientifique.** }	*He's / She's* { ***a scientist.*** }
Il va { les **encourager à**[1] parler. / les **décourager de**[1] parler. }	*He'll* { ***encourage*** *them* ***to*** *talk. /* ***discourage*** *them* ***from*** *talking.* }
Elle veut **diriger** un hôpital; lui, **une clinique.**	*She wants to* ***direct*** *a hospital; he,* ***a clinic.***
Ils habitent **un village.**	*They live in* ***a village.***
la brousse	***the bush***
Ils aiment **la vie** là-bas.	*They like* ***the life*** *there.*
Le village a son **propre**[2] médecin.	*The village has its* ***own*** *doctor.*
La tribu a sa **propre** clinique.	***The tribe*** *has its* ***own*** *clinic.*
C'est **une tradition.**	*It's* ***a tradition.***

[1]*Encourager* and *décourager* follow the pattern of *manger.* Note that both verbs require a preposition *(à, de)* before an infinitive.

[2]You have already learned that *propre* after the noun means "clean." Before the noun it means "own."

Tu connais le **guérisseur?**	*Do you know* ***the local healer?***
Nos **rapports** *(m.pl.)* sont excellents, **car** nous aimons le travail et les gens.	***Our relationship*** *is excellent* ***because*** *we like the work and the people.*
Il va **essayer** ce médicament.	*He'll* ***try*** *this medicine.*
essayer cette veste blanche	***try on*** *this white coat*
essayer de devenir médecin	***try to*** *become a doctor*
essuyer les mains	***wipe*** *his hands*
nettoyer le bureau	***clean*** *the desk*
employer des serviettes	***use*** *towels*
payer l'université	***pay*** *the university*
payer ses études	***pay for*** *his studies*
Il le fera **soigneusement.**	*He'll do it* ***carefully.***

Exercices de vocabulaire

A. In each group, choose the word that by meaning does not belong, then use that word in a sentence.

1. la biologie la chimie la médecine la scientifique
2. la brousse le village la ville la vie
3. le guérisseur l'infirmier le médecin la tribu
4. la clinique l'hôpital l'idée le médicament
5. essayer essuyer laver nettoyer
6. aider décourager guérir soigner
7. doucement lentement maladroitement soigneusement

B. Choose the word or phrase that best completes the sentence or fits the situation.

1. Au rayon d'équipement de sports, Marie va *(essayer/employer)* des patins à glace.
2. Grand-papa racontait les histoires anciennes. Les enfants aimaient bien apprendre *(les sciences politiques/les traditions)* de leur pays.
3. Le jeune homme veut être homme d'affaires. Il espère même *(diriger/se diriger vers)* la société de son père.
4. Pour mieux comprendre pourquoi les prix montent et tombent de temps en temps, il faut étudier les sciences *(économiques/politiques).*
5. Tu voulais devenir infirmière pour *(payer/soigner)* les malades.
6. Pour faire la cuisine, le chef doit avoir *(ses propres mains/les mains propres).*
7. La jeune femme de l'agriculteur ne pouvait pas *(encourager/s'habituer à)* la vie à la campagne.
8. Après s'être lavé les mains, il faut les *(essuyer/nettoyer).*
9. Yves est tellement têtu! Il aime seulement ses propres *(idées/tribus).*
10. Un jour je guérirai les malades. Maintenant je suis étudiant *(en médecine/en sciences politiques).*
11. Pour être heureux, il faut essayer *(d'avoir de bons rapports avec/de faire plaisir à)* tout le monde.

MOTS NOUVEAUX II

Le Sénégal est un pays **africain.**	*Senegal is an **African** country.*
Dakar est une ville **africaine.**	*Dakar is an **African** city.*
La France est un pays **européen.**	*France is a **European** country.*
Paris est une ville **européenne.**	*Paris is a **European** city.*
Autrefois, le Sénégal était **une colonie** française.	*Senegal was **formerly a** French **colony.***
C'est **un ancien territoire** français.	*It is **a former** French **territory.***
Dakar est **la capitale** du Sénégal.	*Dakar is **the capital** of Senegal.*
Le pays est **situé** sur la côte.	*The country is **located** on the coast.*
La ville est **située** sur la baie.	*The town is **situated** on the bay.*
Dakar est **parmi**[1] les villes les plus modernes de l'Afrique.	*Dakar is **among** the most modern cities in Africa.*
Elle devient **de plus en plus** grande.	*It's getting **bigger and bigger.***
de moins en moins petite	***less and less** small*
La Falémé est **une rivière**[2] sénégalaise.	*The Falémé is **a** Senegalese **river.***
La Casamance et le Sénégal sont des **fleuves.**	*The Casamance and Senegal are **rivers.***

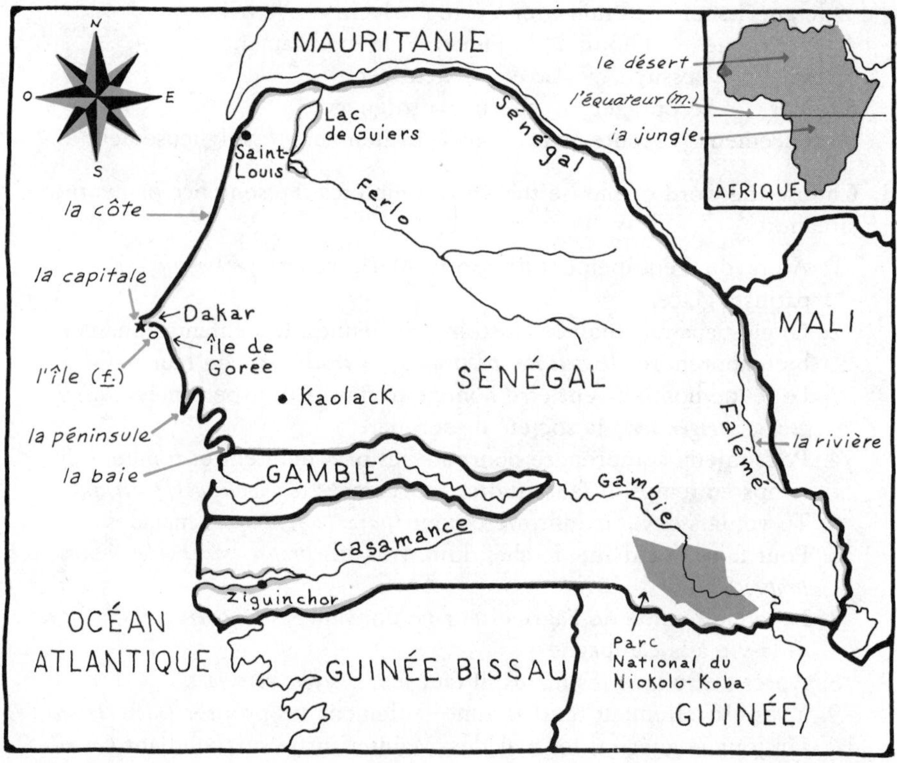

---

[1]*Parmi,* like "among," is used when speaking of three or more people, places, or things. *Entre,* like "between," is used when speaking of only two.

[2]*Une rivière* is a tributary or small river. *Un fleuve* flows into the sea.

J'aime **le paysage.**	*I love **the scenery.***
C'est un paysage très **pittoresque.**	*It's a very **picturesque** landscape.*
une région très **pittoresque**	*a very **picturesque region***
Allons-y **de nouveau!**	*Let's go there **again!***
Une fois qu'on y arrive, on l'aime.	***Once** you get there, you love it.*
Le village est **entouré d'**arbres.	*The village is **surrounded by** trees.*
Il y a **une forêt** dans l'île.	*There's **a forest** on the island.*
Une île est **entourée d'**eau.	*An island is **surrounded by** water.*

Exercice de vocabulaire

Choose the word or phrase that best completes the sentence or fits the situation.

1. La Grande-Bretagne est tout à fait entourée d'eau. C'est *(une île / une péninsule).* La Bretagne n'est entourée d'eau que de trois côtés. C'est *(une île / une péninsule).*
2. Est-ce que tu savais que New York était *(la capitale ancienne / l'ancienne capitale)* des Etats-Unis?
3. Autrefois, les Etats-Unis étaient *(un territoire / un paysage)* anglais.
4. Le Sénégal, c'est le nom d'un pays et d'un fleuve *(africains / européens).*
5. Le port était *(entouré de / situé sur)* la côte de la Méditerranée.
6. La région près de Nice a *(parmi / entre)* les paysages les plus pittoresques de la France.
7. Il y a beaucoup de *(forêts / jungles)* au Canada.
8. Quand un avion atterrit, il va *(de plus en plus / de moins en moins)* vite.
9. Une fois qu'on a visité la côte de l'ouest de l'Afrique, on veut y aller *(après tout / de nouveau).*
10. La Loire est un fleuve; le Loir est une rivière. On peut voir *(la Loire / le Loir)* sur la côte.

Etude de mots

Mots associés 1: Make one sentence using both or all of the words in each group of related words.

1. le pays / le paysage
2. l'Afrique / africain, -e
3. l'Europe / européen, -ne
4. guérir / le guérisseur
5. l'employé, -e / employer
6. soigner / soigneusement
7. les sciences / le (la) scientifique
8. l'agriculteur / l'agriculture
9. le médecin / le médicament / la médecine

Mots associés 2: In a French word, *l'accent circonflexe* often appears where in English there is an *s.* Give the close English cognates of these words.

la bête	la fête	l'hôpital	l'île
la côte	la forêt	l'hôtesse de l'air	le vêtement

What do you think the following words might mean?

l'ancêtre *(m.)*	la conquête	l'intérêt *(m.)*	le mât
le baptême	l'hôte *(m.)*	le maître	le plâtre

Synonymes: Redo the sentences, substituting a synonym or synonymous expression for the words in italics.

1. Elles se fâchent *encore une fois.*
2. J'aime ce paysage *parce que* les forêts sont si vertes, si belles, la lumière du soleil si claire, l'eau de la baie si bleue.
3. Il fallait emmener le jeune homme *au petit hôpital* en banlieue.
4. La société va *donner à* ses représentants *l'argent qu'elle leur doit.*
5. Il va *se servir de* cette scie pour couper l'arbre.
6. La vue d'ici est vraiment *comme un tableau.*
7. La capitale *se trouve* sur la péninsule.

Antonymes: Complete each sentence using an antonym of the word in italics.

1. *Maintenant* il y a des voitures; ______ il n'y avait que des chevaux sur la route.
2. Cette colonie française est devenue une grande *ville* entourée de petits ______.
3. Je *décourageais* Hélène de devenir médecin, mais son père l'______.
4. Les tribus s'habituent *de plus en plus* facilement à la vie moderne et les vieilles traditions deviennent ______ évidentes.

Mots à plusieurs sens: Note how the words are used in these sentences. Can you give other sentences where these words are used in both senses?

1. *Même* les enfants racontent de temps en temps ces *mêmes* histoires.
2. Ses *propres* gants ne sont plus *propres;* donc elle veut m'emprunter les miens.

EXPLICATIONS I

Les verbes en -yer

Verbs whose infinitives end in *-ayer*, *-oyer*, or *-uyer* follow this pattern:

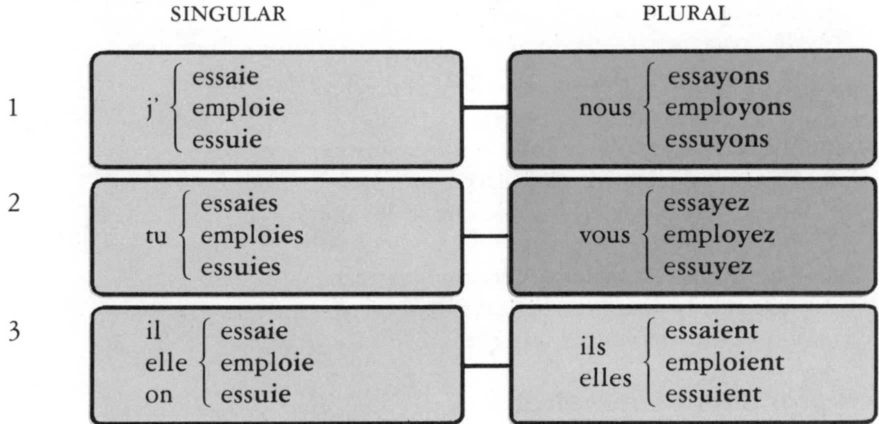

	SINGULAR	PLURAL
1	j' essaie / emploie / essuie	nous essayons / employons / essuyons
2	tu essaies / emploies / essuies	vous essayez / employez / essuyez
3	il / elle / on essaie / emploie / essuie	ils / elles essaient / emploient / essuient

IMPERATIVE: **essaie!** **essayons!** **essayez!**
emploie! **employons!** **employez!**
essuie! **essuyons!** **essuyez!**

PAST PARTICIPLE: **essayé; employé; essuyé**

PRESENT PARTICIPLE: **essayant; employant; essuyant**

IMPERFECT STEM: **essay-** (**j'essayais**, etc.)
employ- (**j'employais**, etc.)
essuy- (**j'essuyais**, etc.)

FUTURE STEM: **essaier-** (**j'essaierai**, etc.)
emploier- (**j'emploierai**, etc.)
essuier- (**j'essuierai**, etc.)

Note that in the future stem, the *y* becomes *i; j'essaierai, tu essaieras, il essaiera; nous essaierons, vous essaierez, ils essaieront.*

Exercices

A. Redo the sentences replacing the words in italics with the appropriate present-tense forms. Follow the model.

1. Je *dois nettoyer* la salle à manger.
   Je nettoie la salle à manger.
2. Il *ne veut pas employer* ces outils.
3. Nous *allons essayer* ce vin rouge.
4. Mes sœurs cadettes *peuvent essuyer* la vaisselle.
5. Vous *ne devez pas nettoyer* le plancher?
6. Je *veux payer* cette couchette.
7. Mon père *va employer* ce tournevis soigneusement.
8. Nous *ne devons pas essayer* ces complets.

9. Tu *peux essuyer* le lavabo et la baignoire?
10. Ils *vont essayer* de diriger la circulation.

B. Answer the questions in the affirmative, using the future, the appropriate direct object pronoun, and any appropriate expression of time. Follow the model.

1. On n'emploie pas cette piste?
   On l'emploiera de temps en temps.
2. Vous nettoyiez ces lunettes de soleil sales?
3. Nous avons payé le caissier?
4. Elle n'a pas essuyé le frigo et la cuisinière?
5. Tu as essayé ces patins à glace?
6. Elles n'ont pas essuyé le plafond et les murs?
7. Vous n'avez même pas payé le médicament?
8. Ils n'employaient pas cet énorme marteau?
9. J'essayais la pente la plus difficile?
10. Vous nettoyez les fraises et les raisins?

Les pronoms démonstratifs

1. A demonstrative pronoun is used to contrast ownership and to avoid repeating a noun. It refers to a previously mentioned person or thing and agrees in number and gender with the noun it replaces:

	MASCULINE	FEMININE	
SINGULAR	**celui**	**celle**	*this one, that one*
PLURAL	**ceux**	**celles**	*these, those*

2. The demonstrative pronoun is followed by *-ci* or *-là* to distinguish between "this one" and "that one," "these" and "those," and "the former" and "the latter":

Quel vol est-ce que tu as pris? J'ai pris **celui-là.**	***What flight*** *did you take?* *I took* ***that one.***
Quelles îles as-tu visitées? J'ai visité **celles-ci,** à gauche.[1]	***Which islands*** *did you visit?* *I visited* ***those*** *on the left.*
Luc dort et Anne travaille. **Celle-ci** travaille et **celui-là** dort.[2]	*Luc's asleep and Anne's working.* ***The latter's*** *working and* ***the former's*** *sleeping.*

3. The demonstrative pronoun is followed by *de* to show possession:

Ce sont **tes bagages?** Non, ce sont **ceux de** Moussa.	*Is that* ***your luggage?*** *No, it's* ***Moussa's.***
C'est **l'équipe de ton père?** Non, c'est **celle de mon frère.**	*Is that* ***your father's team?*** *No, it's* ***my brother's.***

---

[1] *Ci* and *là* can also be used after nouns: *J'ai pris ce vol-là; J'ai visité ces îles-ci.*

[2] The French use *-ci* to refer to the person or thing mentioned last ("the latter") and *-là* to refer to the person or thing mentioned first ("the former"). In English, we would mention "the former" first, then "the latter" In French this is reversed.

4. The demonstrative pronoun is used with *qui* or *que* when it is followed by a clause:

Tu connais **cet acteur?**	*Do you know **that actor?***
C'est **celui qui** joue le roi.	*He's **the one who** plays the king.*
Cette pièce était amusante, mais **celle que** j'ai vue il y a une semaine était meilleure.[1]	*That play was enjoyable, but **the one** I saw a week ago was better.*

Exercices

A. Answer the questions using the appropriate singular demonstrative pronoun. Follow the model.

1. Tu achètes cette armoire-ci?
   Non, j'achète celle-là.
2. Tu prends cet autobus-ci?
3. Tu assistes à ce spectacle-ci?
4. Tu retiens cette chambre-ci?
5. Tu te sers de ce plan-ci?
6. Tu habites cet immeuble-ci?
7. Tu soignes cette malade-ci?
8. Tu essaies cet anorak-ci?
9. Tu fais escale dans cette région-ci?

B. Answer the questions using the appropriate plural demonstrative pronoun and the cues in parentheses. Follow the model.

1. Il préfère les romans de Dumas? (Jules Verne)
   Non, il préfère ceux de Jules Verne.
2. Elles aiment mieux les sports d'hiver? (été)
3. Il emploie les bandes de Michel? (M. Lafont)
4. Elle lit les poèmes d'Apollinaire? (Prévert)
5. Ils vont descendre les malles de ton père? (Jean)
6. Il a les papiers de M. Larousse? (ce monsieur-là)
7. Elle a les cartes du proviseur? (une camarade)
8. On était entouré des lumières de l'aéroport? (la ville)
9. Elles décrivaient les rivières de cette région-ci? (la péninsule)

[1]Note that the demonstrative pronoun here is a direct object. Since it comes before the verb, the past participle must agree with it in gender and number: *Cette pièce . . . celle . . . vue.*

C. Answer the questions using the appropriate demonstrative pronoun. Make sure that the past participle agrees with the preceding direct object. Follow the models.

1. C'est ta montre?
   Oui, c'est celle que j'ai achetée hier.
2. Ce sont tes gants?
   Oui, ce sont ceux que j'ai achetés hier.
3. C'est ta bague?
4. Ce sont tes chaussures?
5. Ce sont tes mouchoirs?
6. C'est ton parapluie?
7. Ce sont tes bottes?
8. Ce sont tes colliers?
9. C'est ton foulard?
10. C'est ta veste?
11. C'est ton imperméable?
12. C'est ta jupe?

D. Complete the paragraphs using the appropriate demonstrative pronouns.

Beaucoup de gens croient que la vie d'un auteur doit être très ennuyeuse. Mais ce n'est pas vrai. ______ d'Antoine de Saint-Exupéry était très intéressante, car il avait deux professions: ______ d'écrivain et ______ de pilote. (Un écrivain est ______ qui écrit des livres.) Il a été, en effet, le premier qui a fait des vols sur la ligne Toulouse-Casablanca-Dakar.

Saint-Exupéry a écrit plusieurs romans; ______ qui sont peut-être les plus célèbres sont *Terre des hommes* et *Vol de nuit.* Dans ______-ci il a décrit ses expériences quand il était pilote d'un avion postal en Amérique du Sud. Dans ______-là il a décrit un vol Paris-Saïgon.

Beaucoup d'étudiants connaissent Saint-Exupéry surtout pour *Le Petit Prince,* une histoire pour enfants. Mais même la plupart des adultes *(m.)* aiment bien cette histoire aussi. ______ qui la lisent remarquent beaucoup de grandes idées dans ce petit livre charmant.

En 1944, pendant la deuxième guerre mondiale ("Second World War"), Saint-Exupéry est mort pendant qu'il était en mission de reconnaissance. Aujourd'hui on connaît, on lit et on aime ses livres partout dans le monde.

Vérifiez vos progrès

Write answers to the questions saying that the latter thing will be done but that the former will not. Use the future tense and the appropriate demonstrative pronouns. Follow the model.

1. Tu essuies l'évier et la cuisinière?
   J'essuierai celle-ci mais pas celui-là.
2. Ils nettoient les chambres à coucher et le salon?
3. Elle emploie les pinces et le marteau?
4. Tu essaies ce jean et cette chemise?
5. Il paie les boissons et les croque-monsieur?
6. Tu nettoies le divan et le fauteuil?

7. Elles essaient cette robe et ce pantalon?
8. Vous employez ces vis et ce tournevis?
9. Tu paies le repas et les billets?
10. Il essuie les glaces et le pare-brise?

CONVERSATION ET LECTURE

Parlons de vous

1. Est-ce que vous espérez visiter l'Afrique? Si "oui," quels pays est-ce que vous avez envie de visiter? Où se trouvent ces pays? Quelles langues parle-t-on là-bas? 2. Est-ce que vous voulez travailler pour une organisation comme le "Peace Corps"? Dans quel pays? Dans quelle région? Pourquoi? 3. Sinon, quelle profession est-ce que vous comptez choisir? Quelles études est-ce que vous devrez faire avant d'entrer dans cette profession? Vous devrez faire un stage? Où donc? 4. Décrivez la région où vous habitez. Par exemple, y a-t-il un fleuve? des rivières? Elle est située près d'un océan? d'une mer? d'un lac? d'une baie? Elle est peut-être entourée d'eau? de montagnes? 5. Vous habitez la capitale? Sinon, où se trouve la capitale? Elle est à combien de kilomètres de chez vous?

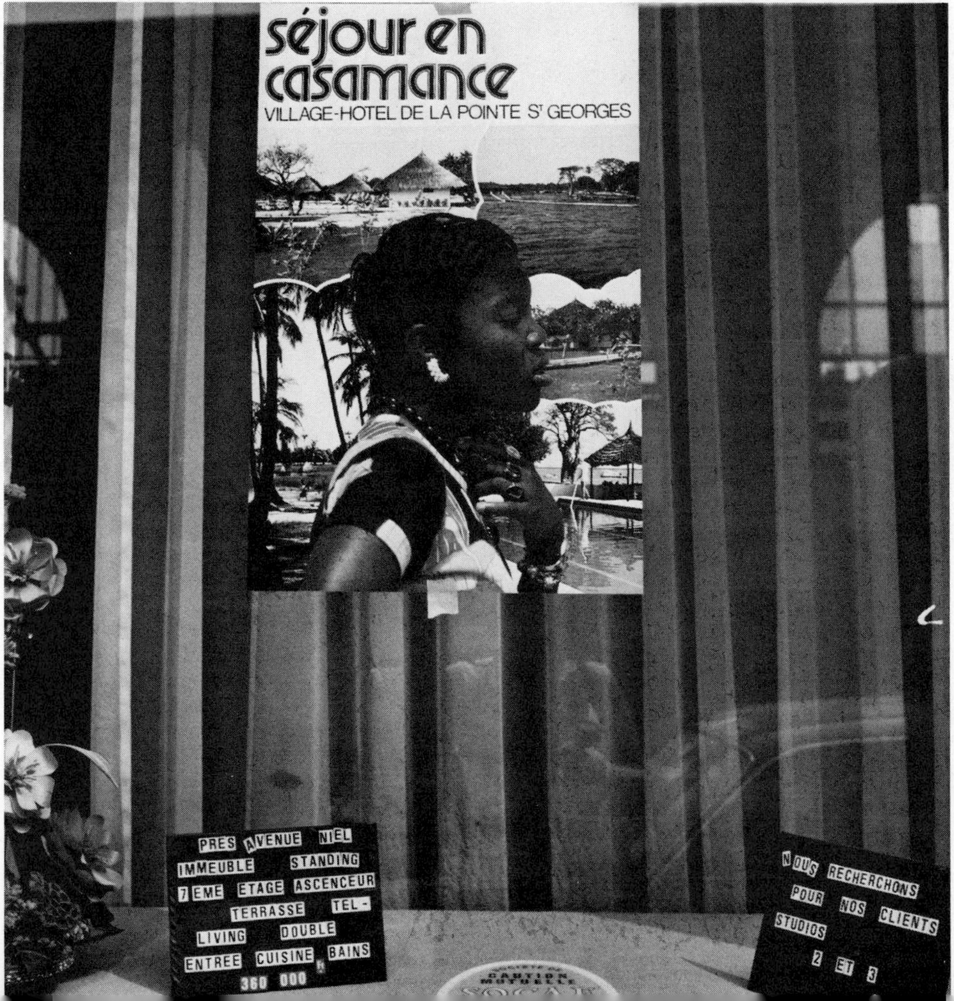

Les vacances à Dakar

Hamidou, un jeune Sénégalais qui fait ses études de sciences économiques à Paris, a passé une quinzaine de jours avec sa famille. Ils habitent la belle région de la Casamance,* dans le sud-ouest du pays. Avant de retourner en France, Hamidou est allé passer trois jours chez son ami Katouo, un ancien camarade de classe qui habite maintenant Dakar. Ce matin les jeunes gens ont profité° du beau temps pour prendre le bac° pour aller à la belle île de Gorée,* à quinze minutes de Dakar. Cette île était le point de départ, il y a deux cents ans, des bateaux chargés° d'esclaves° qu'on emmenait en Amérique. Aujourd'hui elle offre une jolie plage où on peut passer des journées au soleil.

profiter: *to take advantage*
le bac: *(here) ferry*
chargé, -e: *loaded*
l'esclave *(m.): slave*

Maintenant Hamidou voudrait° acheter un cadeau

voudrait: *would like*

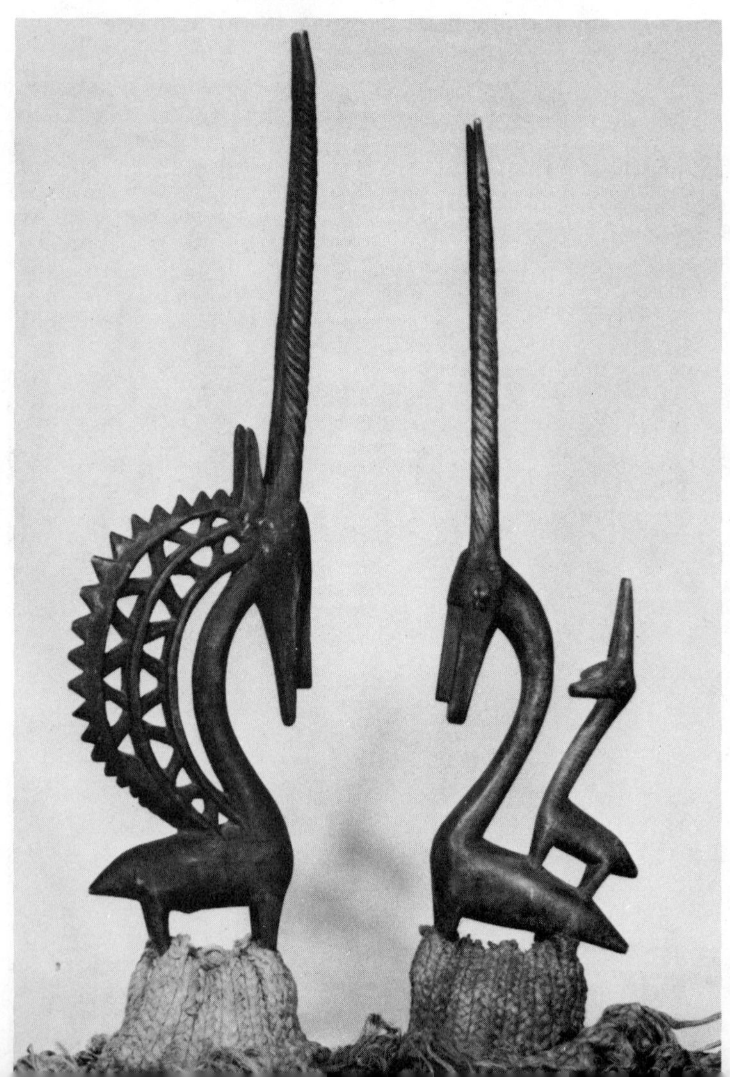

pour la famille d'un camarade à Paris. Il en parle avec Katouo et sa sœur, Hawa.

HAWA — Il ne te reste qu'un° jour à Dakar. Tu as envie d'aller au Musée d'Art?*

HAMIDOU — Oui, je voudrais bien y aller. Mais d'abord je dois faire des achats, car je veux chercher un cadeau pour les parents de mon ami Pierre.

KATOUO — Eh bien, Hawa, emmenons-le au Village des Artisans.*

HAWA — Oui, là tu pourras trouver quelque chose de° typiquement africain qui leur fera plaisir.

KATOUO — Un joli boubou° pour la dame, peut-être, et puis pour le père de ton copain . . .

HAMIDOU — Non, non, non. Un seul cadeau pour toute la famille! Je pensais à quelque chose pour décorer leur maison.

HAWA — Un masque de danse?

HAMIDOU — Ça, c'est une bonne idée.

KATOUO — Mais les masques de danse sont plus typiques des pays comme le Mali ou le Ghana* que du nôtre.

HAMIDOU — Ça ne fait rien, si le masque est beau. Après tout, c'est le geste qui compte. Est-ce qu'on peut acheter de tels° masques au Village des Artisans?

HAWA — Bien sûr. En effet, je connais un vieux marchand qui avait un magnifique masque antilope Bambara il y a quelques semaines.

Le symbole de l'antilope est très important pour les Bambaras, une tribu du Sénégal et du Mali, car ils croient que c'est l'antilope qui a appris aux° hommes à cultiver la terre. Pour la plupart des tribus africaines, les masques sont encore un élément important de leurs cérémonies religieuses.

HAMIDOU — J'espère que quand nous arriverons chez ton marchand, le masque y sera encore.

KATOUO — Bon, allons-y tout de suite.

HAWA — Mais il faut faire attention. Le prix montera dès que° le marchand verra que le masque t'intéresse.°

HAMIDOU — Alors, Hawa, je te laisserai marchander° avec lui. Moi, je ne dirai rien.

il ne te reste que: *you only have*

quelque chose de: *something*

le boubou: *long tunic*

tel, -le: *such*

apprendre à (qqn): *to teach*

dès que: *as soon as*

intéresser: *to interest*

marchander: *to bargain*

Notes culturelles

**la Casamance:* This is the area in the southwestern part of Sénégal, below la Gambie. The climate is tropical and its major industries are fishing, rice-growing, and tourism.

**l'île de Gorée:* This island off the coast near Dakar is a popular tourist center. It has beautiful beaches and gardens as well as museums and historical attractions.

**le Musée d'Art:* The full name of this major museum is *le Musée d'Art Négro-Africain de Dakar.* An important cultural center, it has a very large and fine collection of regional Black African art.

**le Village des Artisans:* Located in a tiny fishing port near Dakar, this village has become an important center for sculptors, makers of jewelry, and other artists and craftsmen. Sénégal has been a leader in the renaissance of traditional West African arts.

**le Mali, le Ghana:* These are two countries in West Africa. Mali, once known as the French Sudan, was united with Sénégal for a short time as la Fédération du Mali. In 1960 they became separate nations. Ghana, once known as the Gold Coast, became independent of Britain in 1957.

A propos . . .

1. Où est-ce qu'Hamidou fait ses études? Où habite sa famille? Où est-il maintenant? Avec qui? 2. Comment les jeunes gens ont-ils profité du beau temps? 3. Pourquoi est-ce qu'on connaît cette île? 4. Qu'est-ce qu'Hamidou voudrait faire aujourd'hui? Combien de temps est-ce qu'il lui reste à Dakar? 5. Où est-ce que Katouo propose d'emmener Hamidou? Hawa est d'accord? 6. Qu'est-ce que Katouo propose à Hamidou d'acheter pour ses amis? Hamidou est d'accord? Pourquoi? 7. Les masques de danse sont-ils typiquement sénégalais? De quels pays sont-ils plus typiques? 8. Qui sont les Bambaras? Pourquoi l'antilope est-elle un symbole important pour eux? 9. D'après Hawa qu'est-ce qui se passera si le marchand voit que le masque intéresse Hamidou? Alors, que fera Hamidou? 10. Et vous, est-ce que vous avez visité un tel marché? Où donc? Qu'est-ce qu'on vendait là-bas? Qu'est-ce que vous y avez acheté? 11. Est-ce que vous connaissez quelqu'un qui a été en Afrique? Dans quel pays? Qu'est-ce qu'ils en disent?

EXPLICATIONS II

Quel et lequel

1. Remember that the interrogative adjective *quel* means "which" or "what":

L'avion était beau.	**Quel** avion?
La jungle n'est pas loin d'ici.	**Quelle** jungle?
Les chanteurs étaient excellents.	**Quels** chanteurs?
Les illuminations auront lieu ici.	**Quelles** illuminations?

Quel may also be preceded by a preposition:

Elle va **au zoo.**	**A quel** zoo est-ce qu'elle va?
Il parle **de leurs traditions.**	**De quelles** traditions?

2. The interrogative pronoun *lequel* replaces *quel* + noun. It may be used as either a subject or a direct object. It means "which one" and agrees with the noun it replaces:

Un des skieurs est sourd.	**Lequel** est sourd? *or:* **Lequel?**[1]
Une des équipes n'est pas là.	**Laquelle** n'est pas là? *or:* **Laquelle?**
Il essaiera **les remonte-pentes.**	**Lesquels** (essaiera-t-il)?
Ces pentes sont dangereuses.	**Lesquelles** (sont dangereuses)?

3. When a form of *lequel* is used as a preceding direct object with the passé composé, the past participle agrees with it in gender and number:

Il a perdu **quelques cahiers.**	**Lesquels** (est-ce qu'il a perdus)?
Elle a étudié **trois langues.**	**Lesquelles** (a-t-elle étudiées)?

4. *Lequel* may also be preceded by a preposition:

Il parle **avec un des bricoleurs.**	**Avec lequel** (des bricoleurs est-ce qu'il parle)?
Il mettra les outils **dans ces tiroirs.**	**Dans lesquels** (des tiroirs mettra-t-il les outils)?

5. *Lequel* contracts with *à* and *de:*

à + { le → **auquel**; la → **à laquelle**; les → **auxquels**; les → **auxquelles** }

de + { le → **duquel**; la → **de laquelle**; les → **desquels**; les → **desquelles** }

Il parle **au pilote qui vient d'arriver.**	**Auquel** (des pilotes est-ce qu'il parle)?
Il pense **à ses voyages en Afrique.**	**Auxquels** (de ses voyages est-ce qu'il pense)?
Il vient **d'une région froide.**	**De laquelle** (est-ce qu'il vient)?
Je parle **des îles.**	**Desquelles** (est-ce tu parles)?

[1]Just as in English, the interrogative pronoun can stand alone.

Exercices

A. Ask questions using the appropriate form of the adjective *quel.* Then ask questions using the correct form of the pronoun *lequel.* Follow the model.

1. Autrefois ces vols étaient très intéressants.
   Quels vols?
   Lesquels?
2. D'habitude l'avion part à midi moins le quart.
3. Les passagers devaient y aller de nouveau.
4. Après tout, l'aéroport était très propre.
5. Les décorations étaient belles quand même.
6. Autrefois la porte d'embarquement se trouvait en face.
7. Ces papiers devenaient de plus en plus importants.
8. En effet, ce chemin-là était assez long.
9. Autrefois les salles d'attente se trouvaient à gauche.

B. Redo the questions, using the appropriate form of the interrogative pronoun *lequel.* Follow the model.

1. Quelles régions est-ce que tu visiteras?
   Lesquelles est-ce que tu visiteras?
2. Quelle clinique est-ce qu'elle va diriger?
3. Quels villages sénégalais est-ce que tu préfères?
4. Quelles tribus habitent le Mali?
5. Quelles forêts se trouvent près de la côte?
6. Quel paysage est le plus pittoresque du pays?
7. Quelle île se trouve près de Dakar?
8. Quels médecins travaillent dans la brousse?
9. Quelle capitale est plus moderne, Dakar ou Paris?
10. Quel cours est-ce qu'elle aime mieux, l'anthropologie ou les sciences politiques?

C. Ask questions using *est-ce que* and a form of the pronoun *lequel.* Pay attention to the agreement of the past participle. Follow the model.

1. Nous avons visité deux péninsules pendant nos vacances.
   Lesquelles est-ce que vous avez visitées?
2. Elle a employé trois outils en réparant le toit.
3. J'ai essayé une longue robe africaine.
4. Il a compris quelques langues africaines.
5. Elles ont toujours aimé les danses sénégalaises.
6. Nous avons traversé une autre rivière.
7. Elle a connu quelques traditions anciennes.
8. J'ai nettoyé le tableau.
9. Elles ont accepté presque toutes nos idées.
10. Ils ont encouragé ces rapports.

D. Ask questions using the correct form of *à* or *de* + *lequel, laquelle,* etc. Follow the model.

1. Nous nous souvenons des villages que nous avons vus.
   Desquels?
2. Ils s'habituent vite à leurs emplois.
3. Ils parlaient des anciennes colonies espagnoles.
4. Nous allions à la porte d'embarquement.
5. Elles assistaient à quelques cours de sciences économiques.
6. Je pensais à ces villes pittoresques.
7. Nous avions envie de cette malle-ci.
8. Ils avaient besoin de ce territoire-là.
9. Elle parlait de son voyage dans les îles.
10. Il pense aux tribus maliennes.

Vérifiez vos progrès

Rewrite the questions using the cues in parentheses. Make sure that, where necessary, the past participle agrees with the preceding direct object pronoun. Then write a one-word question using the correct form of the appropriate interrogative pronoun. Follow the model.

1. Quels pays as-tu aimés? (la banlieue)
   Quelle banlieue as-tu aimée?
   Laquelle?
2. Quelle scie a-t-il achetée? (les tournevis)
3. Quelles lunettes a-t-elle réparées? (la partie)
4. De quelles cliniques ont-ils parlé? (la tribu)
5. Avec quels médecins ont-ils travaillé? (l'infirmière)
6. Quels villages avez-vous préférés? (les îles)
7. Quel guérisseur a-t-elle vu? (la malade)
8. Quelles capitales as-tu visitées? (la région)
9. De quels clous ont-ils eu besoin? (le marteau)
10. A quelle pièce ont-elles assisté?
    (les films d'épouvante)

RÉVISION ET THÈME

Consult the model sentences, then put the English cues into French and use them to form new sentences.

1. Où *est-ce que nous garerons la caravane?*
   (will she take care of her patients)
   (will they direct a clinic)

2. *Tu essaieras le jean.* Puis *nous paierons les chemises.*
   (She'll pay the doctor.) *(she'll use the medicine)*
   (I'll clean the stove.) *(they'll wipe the dishes)*

3. *Ils iront au quai, mais auquel?*
   (He'll phone the pharmacy, but which one?)
   (They'll attend classes, but which ones?)

4. *La clinique dans l'île est-elle plus vieille que celle de la ville?*
   (Are the nurses (f.) *in the village better than those in the bush country?)*
   (Is the hospital in the country smaller than the one in the suburbs?)

5. *Je pense qu'il la nettoie de nouveau.*
   (We know they pay them less and less.)
   (We believe she uses them from time to time.)

Now that you have done the *Révision,* study the French paragraph. Afterwards, using it as a model, put the English paragraph into French to form a composition.

Modèle: —Où est-ce que Caroline fera son travail?
—Elle essaiera de faire son stage à Paris. Elle aura de bons rapports avec les autres médecins.
—Elle travaillera dans un hôpital, mais dans lequel?
—Je ne sais pas. Un hôpital à Paris, peut-être.
—Est-ce que les hôpitaux de la capitale sont meilleurs que ceux de cette région?
—Pas du tout. Ces hôpitaux-ci sont aussi bons que ceux-là.
—Eh bien, je crois qu'on paie les jeunes médecins de plus en plus.

Thème: —Where will you be taking your family?
—We'll try to go down to the peninsula. That will please the younger children.
—You'll go to the islands, but which ones?
—I don't know. An island near the bay perhaps.
—But the inns on the coast are cleaner than those in the islands.
—On the contrary. These inns are as clean as those.
—Well, I hope that they clean your room from time to time!

AUTO-TEST

A. Rewrite the sentences using the verbs in parentheses. Note that the tenses are all different.

1. J'achèterai mes propres pinces. (employer)
2. Elle n'a pas encore débarrassé la table. (essuyer)
3. Nous commandons le repas. (payer)
4. Ils voulaient décourager la marchande. (essayer de)
5. Tu ne répares pas les meubles? (nettoyer)
6. Il vendra ce pull-over? (essayer)
7. Vous étudiiez ces cartes-ci. (employer)
8. Elles prennent les provisions. (payer)

B. Write questions using the appropriate interrogative adjective and demonstrative pronoun. Follow the model.

1. Cette viande-ci est meilleure que cette viande-là.
   Quelle viande est meilleure, celle-ci ou celle-là?
2. Cette péninsule-ci est plus pittoresque que cette péninsule-là.
3. Ces régions-ci sont plus intéressantes que ces régions-là.
4. Ce médecin-ci est moins adroit que ce médecin-là.
5. Ces baies-ci sont moins belles que ces baies-là.
6. Cette femme-ci est en meilleure santé que cette femme-là.
7. Ces capitales-ci sont moins anciennes que ces capitales-là.
8. Ces wagons-lits-ci sont plus confortables que ces wagons-lits-là.

C. Write affirmative questions using the correct form of *lequel* or of *à* or *de* + *lequel,* etc. Use inversion. Follow the model.

1. Ils n'avaient pas besoin de cette vis-là.
   De laquelle avaient-ils besoin?
2. Je n'ai pas remarqué ces valises-là.
3. Elle n'a pas fait plaisir à ce prof-là.
4. Nous ne pensions pas à ces pays-là.
5. Elles ne cherchaient pas cette rue-là.
6. Ils ne sont pas descendus à cette auberge-là.
7. Je ne suis pas allé dans ce parc-là.
8. Il ne regardait pas par cette fenêtre-là.
9. Elles ne sont pas venues de ce village-là.

COMPOSITION

Ecrivez une composition sur la profession de votre père ou de votre mère. Que font-ils tous les jours? Décrivez la vie quotidienne ("daily") de celui ou de celle qui exerce ("practice") cette profession.

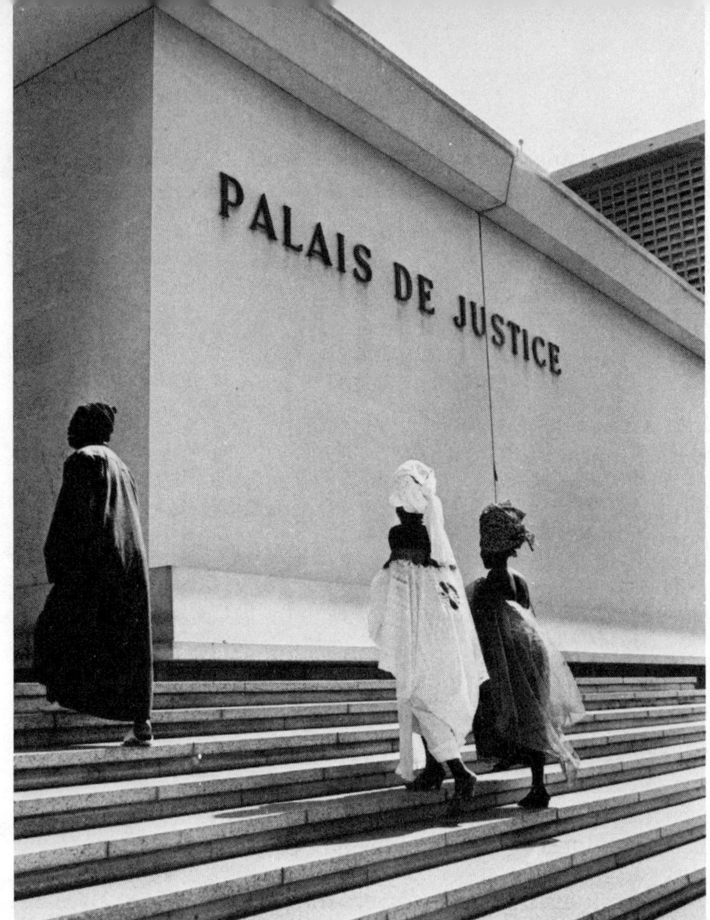

Poème

SOUFFLES°

Ecoute plus souvent
les choses que les êtres.°
La voix du feu s'entend,°
entends la voix de l'eau
écoute dans le vent
le buisson° en sanglots.°
C'est le souffle des ancêtres . . .
Ceux qui sont morts ne sont jamais partis,
ils sont dans l'ombre° qui s'éclaire°
et dans l'ombre qui s'épaissit,°
les morts ne sont pas sous la terre:
ils sont dans l'arbre qui frémit,°
ils sont dans le bois° qui gémit,°
ils sont dans l'eau qui coule,°
ils sont dans l'eau qui dort,
ils sont dans la cave,° ils sont dans la foule:
les morts ne sont pas morts.

le souffle: *breath*
les êtres *(m.pl.)* = les gens
s'entendre: *to be heard*
le buisson: *bush*
en sanglots: *sobbing*
l'ombre *(f.)*: *shadow*
s'éclairer: *to grow bright*
s'épaissir: *to deepen*
frémir: *to rustle*
le bois: *wood*
gémir: *to groan*
couler: *to flow*
la cave: *(here) cave*

Ecoute plus souvent
les choses que les êtres.
La voix du feu s'entend,
entends la voix de l'eau,
écoute dans le vent
le buisson en sanglots.
C'est le souffle des ancêtres,
le souffle des ancêtres morts,
qui ne sont pas partis,
qui ne sont pas sous terre,
qui ne sont pas morts.
Ceux qui sont morts ne sont jamais partis,
ils sont dans le sein° de la femme,
ils sont dans l'enfant qui vagit°
et dans le tison° qui s'enflamme.°
Les morts ne sont pas sous la terre,
ils sont dans le feu qui s'éteint,°
ils sont dans les herbes qui pleurent,°
ils sont dans le rocher° qui geint,°
ils sont dans la forêt, ils sont dans la demeure:°
les morts ne sont pas morts.
Ecoute plus souvent
les choses que les êtres.
La voix du feu s'entend,
écoute la voix de l'eau,
écoute dans le vent
le buisson en sanglots.
C'est le souffle des ancêtres.

le sein = le cœur
vagir: *to howl*
le tison: *half-burned log*
s'enflammer: *to burst into flame*
s'éteindre: *to go out*
pleurer: *to cry*
le rocher: *rock*
geindre: *to whine*
la demeure = la maison

by Birago Diop
from *Anthologie de la nouvelle poésie nègre*
Presses Universitaires de France

Proverbe

On ne fait pas d'omelette sans casser des œufs.

L'Alsace à Paris
PHOTOGRAPHIE
PHOTO
BRASSERIE
Modes
L'Alsace à Paris!
LES GRANDS CHÂTEAUX DE LA LOIRE
BLOIS Spectacle "Son et Lumière"
Voir p. 45
Montargis
Pithiviers
Gien
Sancerre
Orléans
CHAMBORD
LOIRE
Sauldre
Bourges
Châteaudun
Cher
Cheverny
Loir
BLOIS
Vendôme
Chaumont
Valençay
la Ferté-Bernard
Amboise
CHENONCEAUX
Cher
Indre
Tours
Loches
Villandry
le Mans
AZAY-LE-RIDEAU
le Lude
Langeais
Chinon
Sarthe
la Flèche
Vienne
Loir
ANGERS
Ussé
Laval
Mayenne
LOIRE
Saumur
Ancenis
TOUT POUR L'ÉQUIPEMENT DE BUREAU

Treizième Leçon

Sur la route

Ce matin les Roget quittent leur maison à Orléans* pour faire une petite excursion sur la N-152* dans la vallée de la Loire. La famille voudrait surtout visiter l'énorme château de Chambord.* Quand ils se mettent en route, il fait du soleil. Il n'y a qu'une quinzaine de minutes qu'ils sont en route, cependant, quand le temps commence à changer.

LISETTE Il commence à pleuvoir?

M. ROGET En effet. Et ça va nous retarder. Je parie que nous ne pourrons pas nous promener dans les jardins.

MME ROGET Tu as remarqué que les essuie-glaces ne marchent pas très bien?

M. ROGET Je sais. J'allais en parler avec le garagiste, mais . . .

LISETTE Oh! Papa! Fais attention!

Monsieur Roget freine vite, s'arrêtant au milieu d'un carrefour. Il a brûlé un feu rouge et voici un agent de police qui s'approche de la voiture.

L'AGENT Alors, qu'est-ce que vous faites au milieu du carrefour?

M. ROGET J'en suis désolé, monsieur l'agent.

L'AGENT Vos papiers, s'il vous plaît.

M. ROGET Les voici, monsieur.

L'AGENT Hmn. Heureusement ils sont en règle. Je ne vous donnerai pas de contravention cette fois-ci. Allez, monsieur, mais faites attention. Et surtout, nettoyez votre pare-brise!

On the road

This morning the Rogets are leaving their house in Orléans for a short trip on N-152 in the Loire Valley. The family especially wants to visit the enormous château de Chambord. When they start out, it's sunny. They've only been on the road for about fifteen minutes, however, when the weather begins to change.

LISETTE — Is it starting to rain?

M. ROGET — That's right. And it's going to make us late. I bet we won't be able to walk in the gardens.

MME ROGET — Have you noticed that the windshield wipers aren't working too well?

M. ROGET — I know. I was going to talk to the garageman about it, but . . .

LISETTE — Oh, Dad! Watch out!

Monsieur Roget brakes quickly, stopping in the middle of an intersection. He has run a red light, and now a policeman is coming up to the car.

OFFICER — Well now, what are you doing in the middle of the intersection?

M. ROGET — I'm terribly sorry, officer.

OFFICER — Your papers, please.

M. ROGET — Here they are.

OFFICER — Hmm. Luckily they're in order. I won't give you a ticket *this* time. Go ahead—but be careful! And above all, clean your windshield!

Notes culturelles

Orléans: A city of about 90,000, Orléans is located in the Loire Valley, 116 km. south of Paris. Today the city is noted for its food products (vinegar, preserves, chocolate). In 1429, sixteen-year-old Jeanne d'Arc persuaded the future Charles VII to take up arms against the English army, which by that time had conquered all of France north of the Loire. It was at Orléans that the French army, led by Jeanne, began the fight to stop the English advance and to regain their lost territory. Jeanne was later captured, tried by the English for heresy and witchcraft, and burned at the stake in Rouen in 1431.

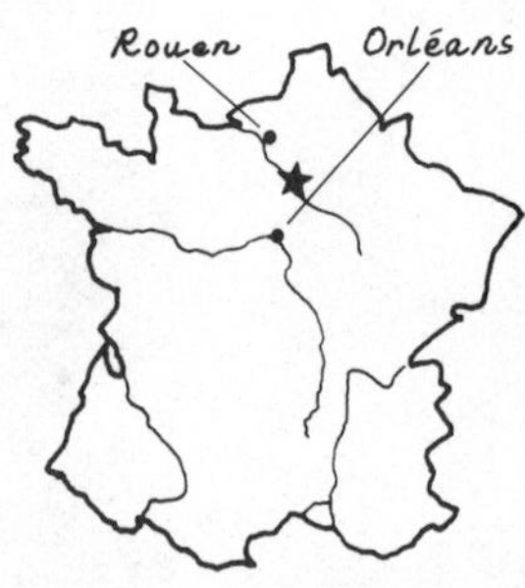

**la N-152:* French roads fall into three categories: *les autoroutes* ("A"), or superhighways; *les routes nationales* ("N"), and *les routes départementales* ("D"), the equivalent of state or county roads.

**le château de Chambord:* This château was built by François Ier, king of France from 1515 to 1547, who spoke of it as *chez moi.* It has 440 rooms and is the largest château in France. The enormous park around it was once used for hunting by the royal families. Three hundred falcons were kept at Chambord, and the finest hunting dogs in Europe were brought there to take part in the royal hunts.

Questionnaire

1. Où habitent les Roget? Qu'est-ce qu'ils vont faire aujourd'hui? Quelle route prennent-ils? Qu'est-ce qu'ils espèrent voir? 2. Quel temps fait-il quand ils se mettent en route? Et ensuite? 3. D'après M. Roget qu'est-ce qui se passera s'il continue à pleuvoir? 4. Qu'est-ce qui ne marche pas très bien? C'est dangereux? Qu'est-ce que M. Roget a dû faire? 5. Pourquoi M. Roget doit-il freiner? Où s'arrête-t-il? Qu'est-ce qui se passe? 6. Qu'est-ce que l'agent demande à M. Roget? Lui donne-t-il une contravention? Qu'est-ce qu'il lui conseille de faire?

PRONONCIATION

Review the liaison [z] and [t] sounds.

Exercices

A. Practice the liaison [z] sound. Listen, then repeat.

Ils bavardent.	Ils‿écoutent.
Regarde les voitures.	Regarde les‿autos.
Achète des citrons.	Achète des‿oranges.
Vous vous dépêchez.	Vous vous‿arrêtez.
Voilà de beaux jardins.	Voilà de beaux‿arbres.
On va chez lui sans valises.	On va chez‿eux sans‿argent.

B. Practice the liaison [t] sound. Listen, then repeat.

C'est son petit chien.	C'est‿un petit‿ours.
Il a vingt pêches.	Il a vingt‿abricots.
Voilà un grand musée.	Voilà un grand‿hôtel.
Il part pour Paris?	Part‿il pour Paris?
Il attend l'autobus?	Attend‿il l'autobus?
Elle prend une grenadine.	Prend‿elle une grenadine?

MOTS NOUVEAUX I

Il y a des stations-service?	*Are there any gas stations?*
Oui, près de l'**autoroute** *(f.)*.	*Yes, near* ***the expressway.***
ce feu	***that traffic light***
Traversez le **carrefour.**	*Cross* ***the intersection.***
Attention! Voilà **un piéton.**	*Watch out! There's* ***a pedestrian.***
Le feu va **passer au vert.**	*The light will* ***turn green.***
passer au rouge	***turn red***
S'il n'y a pas de feux rouges, ça ne prend que cinq minutes.	*If there aren't any red lights, it only takes five minutes.*
Le garagiste / **La garagiste** s'approche de nous.	***The garage owner*** *comes up to us.*
Vous voulez de l'**essence?**	*Do you want some* ***gas?***
Veuillez **faire le plein.**	*Please* ***fill it up.***
En normal?	***With regular?***
Non, **en super.**	*No,* ***with premium.***
J'ai besoin d'**un litre** d'huile.	*I need* ***a liter*** *of oil.*
Je vais en **ajouter** un litre.	*I'll* ***add*** *a liter.*
Je vais **regonfler** les pneus avant.	*I'll* ***put air in*** *the front tires.*
Celui-ci est presque **à plat.**	*This one is almost* ***flat.***

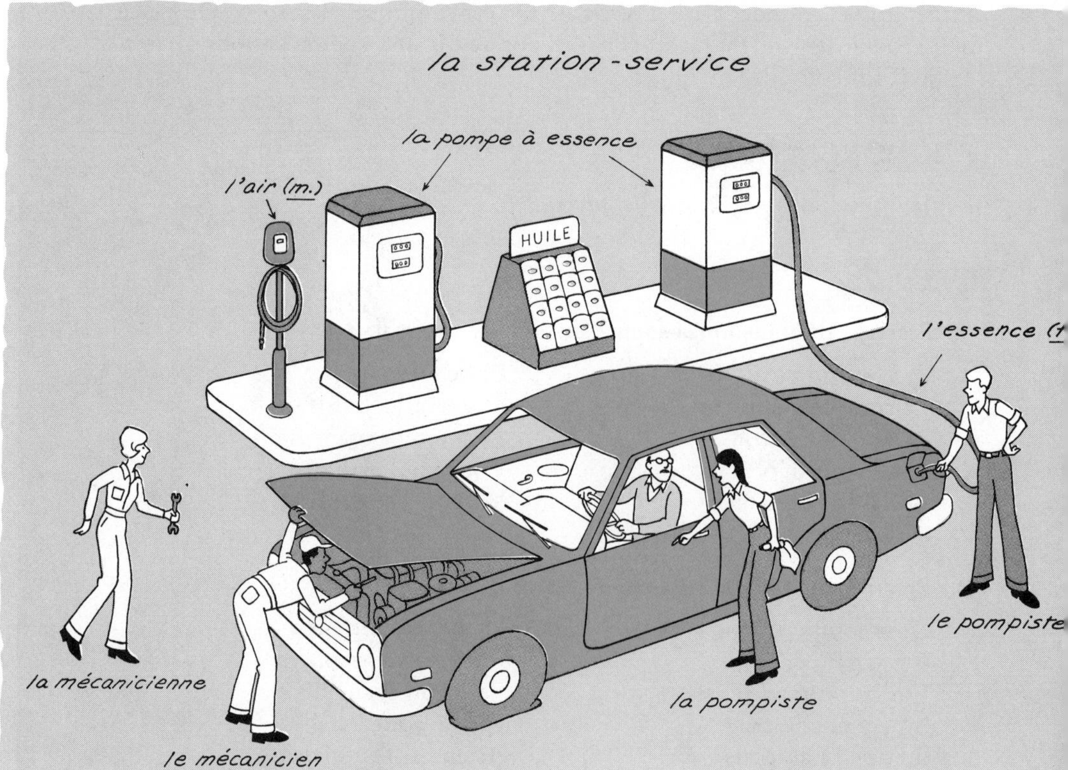

Exercices de vocabulaire

A. From the column on the right, choose the most logical response to each statement or question on the left.

1. Attention au feu rouge.
2. Est-ce qu'il y a beaucoup de stations-service près d'ici?
3. J'ai besoin d'huile?
4. Le feu est vert.
5. Nous devons faire le plein.
6. On n'a pas bien réparé ma voiture.

a. Continuons tout droit!
b. En super ou en normal?
c. J'essaie de m'arrêter, mais les freins ne marchent pas bien.
d. Oui, madame. De deux litres.
e. Oui, mais pas assez de mécaniciens.
f. Vous devrez parler avec le garagiste, monsieur.

B. What words are being defined? Answer using complete sentences.

1. On en ajoute aux pneus qui sont à plat.
2. Ce sont de grandes lampes situées aux carrefours qui indiquent ("indicate") qu'on peut continuer ou qu'on doit s'arrêter.
3. C'est une femme qui répare les moteurs.
4. C'est là qu'on achète de l'essence, de l'huile, etc.
5. C'est celui qui sert de l'essence et de l'huile.
6. C'est quelqu'un qui va à pied.
7. C'est une grande route importante où on peut aller très vite.
8. C'est celui qui dirige le travail dans un garage ou dans une station-service.

MOTS NOUVEAUX II

On va faire **une excursion** dans **la vallée**.	*We'll **take a short trip** through **the valley**.*
C'est un **paysage** assez **plat**.	*It's a rather **flat landscape**.*
une **région** assez **plate**	*a rather **flat region***
C'est un **endroit** agréable.	*It's a pleasant **spot**.*
Tout le monde est **prêt**?	*Is everyone **ready**?*
Maman est **prête à partir**.	*Mom's **ready to leave**.*
Alors on va **se mettre en route**.	*So we're going **to start off**.*
On va **directement** à Orléans?	*Will we go **straight** to Orléans?*
Non, on va **faire un détour** pour visiter Chambord.	*No, we'll **make a side trip** to visit Chambord.*
C'est un château **du 16e siècle**.	*It's a **sixteenth-century** château.*
C'était le **siècle** de François Ier.	*That was **the century** of François I.*
Ce bus **continue à ralentir**.[1]	*That bus **keeps slowing down**.*
accélérer[2]	***accelerating***
freiner	***braking***
Ça va nous **retarder**.	*It's going **to make us late**.*

[1]*Ralentir* is an *-ir/-iss-* verb.
[2]*Accélérer* follows the pattern of *répéter*.

Je vais le **doubler**.	*I'm going **to pass** him.*
"**Defense de doubler**."[1]	***"No passing."***
Ah, non! Voilà **la police**.	*Oh, no! Here come **the police**.*
On voudra voir **un permis de conduire**.	*They'll want to see **a driver's license**.*
Tu vas **avoir une contravention**.	*You'll **get a ticket*** (or: ***fine***).
Même si mes papiers sont **en règle**?	*Even if my papers are **in order**?*
Tu viens de **brûler un feu rouge**.	*You just **ran a red light**.*
un stop	***a stop sign***
Je suis { **désolé**. / **désolée**.	*I'm terribly **sorry**.*
De toute façon, je ne veux plus **conduire**.[2]	***In any case**, I don't want **to drive** anymore.*

Exercices de vocabulaire

A. Complete the sentences using the correct form of the appropriate verb. If no tense is given, use the present tense.

1. Avant de retourner en Angleterre, Raymond veut visiter quelques châteaux. Alors nous *(fut.: brûler/faire une excursion)* dans la vallée de la Loire.
2. Puisque tout le monde est prêt à partir, *(1 pl. imper.: doubler/se mettre en route)*.
3. Quand les avions atterrissent ils *(ralentir/retarder)*.
4. On va de plus en plus vite quand on *(accélérer/faire un détour)*.
5. Freinez! Ce feu-là *(passer au rouge/se mettre en route)*.
6. Ce camion continue à freiner. Il nous *(fut: ralentir/retarder)*.
7. On te donnera une contravention, si tu *(accélérer/brûler)* un stop.
8. Il faut accélérer un peu quand on *(doubler/faire un détour)*.

B. Choose the most logical response to each remark.

1. Les Acadiens sont allés en Louisiane vers 1750.
   (a) Ils ont quitté le Canada il y a une centaine d'années.
   (b) Il y a deux siècles qu'ils ont quitté le Canada.
2. Il n'y a ni montagnes ni vallées dans cette région?
   (a) C'est vrai. C'est un paysage très plat.
   (b) C'est vrai. C'est un endroit très pittoresque.
3. Tout le monde est prêt à partir?
   (a) Non, Sophie est toujours en haut.
   (b) De toute façon, je préfère partir avant midi.
4. Voilà la police.
   (a) Je n'ai rien fait, moi!
   (b) Heureusement, mon permis de conduire est à la maison.

---

[1]*Défense de* is often seen on signs. It is followed by an infinitive and means that a certain action is forbidden: *Défense de fumer* ("no smoking"), *Défense de cracher* ("no spitting").

[2]*Conduire* has several meanings: "to drive" *(conduire la voiture)*, "to lead" *(conduire quelqu'un à sa place)*, "to conduct" *(conduire l'orchestre)*.

5. "Défense d'entrer," ont dit les agents de police.
   (a) Alors, il faut faire un petit détour. Ça ne fait rien.
   (b) Pourquoi est-ce qu'ils se fâchent?
6. Nous sommes déjà très en retard.
   (a) Pourquoi est-ce que tu n'accélères pas?
   (b) Alors, il faut ralentir.
7. On va directement à Paris?
   (a) Non, il y a un stop au prochain carrefour.
   (b) Non, on veut faire un détour pour voir la rivière.
8. Au prochain feu rouge il faudra choisir entre deux routes.
   (a) Doublons alors!
   (b) C'est un carrefour assez dangereux.

Etude de mots

Synonymes: Redo the sentences substituting a synonym or synonymous expression for the words in italics.

1. Je *regrette,* madame, mais nous ne pourrons pas réparer les freins ce matin.
2. Avant de s'arrêter, on doit d'abord *commencer à aller plus doucement.*
3. Nous y sommes allées *sans détours.*
4. Demain, on fera *un petit voyage* à Orléans.
5. Jeanne d'Arc est morte il y a *cinq cents ans.*

Antonymes: Complete each sentence using an antonym of the word in italics.

1. Vous pouvez *accélérer* maintenant. Mais en vous approchant du carrefour, vous devez ____.
2. Nous pourrons *nous arrêter* à Rouen si nous ____ tout de suite.
3. Je suis *très heureux* de te voir, et je serai ____ de te quitter.
4. Faites le plein, s'il vous plaît. *En normal?* Non, ____.
5. A la *montagne,* il y a souvent des ____.

Mots associés: Complete each sentence with a noun related to the word or words in italics.

1. Pour *freiner,* on emploie les ______.
2. Celui qui travaille à *la pompe à essence* s'appelle un ______.
3. Qui dirige *un garage?* Un ______.
4. Je ne peux pas leur *permettre de conduire.* Ils n'ont pas de ______.
5. J'ai mal aux *pieds.* Les ______ ont souvent mal aux pieds et aux jambes.
6. Je me mets bientôt *en route.* J'y vais *en auto.* Je prends l'______.
7. Celle qui va *conduire* l'autobus, c'est la ______.

Mots à plusieurs sens: Qu'est-ce qu'on allume dans la cheminée? Qu'est-ce qu'il y a aux carrefours principaux? En France, qu'est-ce qu'on voit dans le ciel le 14 juillet?

Mots à ne pas confondre: Compare the ways in which the words in italics are used. Can you make similar sentences using these words correctly?

1. Il y a *un stop* près de *l'arrêt* d'autobus.
2. Il n'y a pas assez de *places* dans cet *endroit*-là.
3. Ne *tourne* pas. Le feu n'a pas *passé* au vert.
4. Les gens *rougissent:* les feux *passent au rouge.*

EXPLICATIONS I

Les verbes en -uire

VOCABULAIRE	
construire *to build, to construct*	**traduire** *to translate*

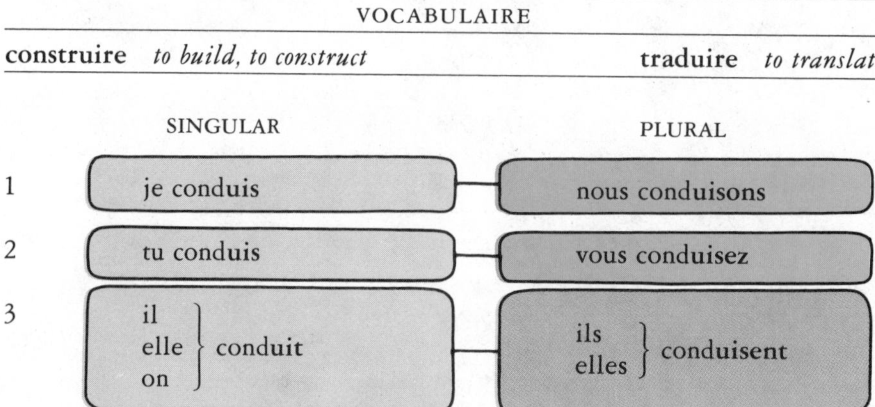

	SINGULAR	PLURAL
1	je conduis	nous conduisons
2	tu conduis	vous conduisez
3	il / elle / on } conduit	ils / elles } conduisent

IMPERATIVE: **conduis! conduisons! conduisez!**
PAST PARTICIPLE: **conduit**
PRESENT PARTICIPLE: **conduisant**
IMPERFECT STEM: **conduis- (je conduisais, etc.)**
FUTURE STEM: **conduir- (je conduirai, etc.)**

Exercices

A. Answer the questions in the present tense, replacing the words in italics with the appropriate direct object pronoun. Follow the model.

1. On a construit *le nouveau théâtre en ville?*
   On le construit maintenant.
2. Tu as traduit *la phrase en anglais?*
3. Il a conduit *ses voisins* à la station-service?
4. Vous avez construit *le garage* derrière la villa?
5. Ils ont conduit *les lycéens* à leurs places?
6. Nous avons traduit *la lettre en allemand?*
7. Elle a construit *la maison à la campagne?*

8. Elles ont conduit *les enfants* à la clinique?
9. Tu as traduit *le roman en japonais?*
10. Ils ont construit *ces immeubles* en banlieue?

B. Replace the verb in italics with the equivalent form of the verb in parentheses. Follow the model.

1. Il *achetait* un château en Espagne. (construire)
   Il construisait un château en Espagne.
2. Tu *écrivais* la carte postale en hollandais? (traduire)
3. Il *lavera* la voiture plus tard. (conduire)
4. Nous *chercherons* un hôtel très moderne près de Paris. (construire)
5. Qu'est-ce qu'ils *disaient?* (traduire)
6. Elle a *regardé* beaucoup de voitures avant d'en acheter une. (conduire)
7. Vous vouliez une villa au bord de la mer? (construire)
8. Je *lisais* les sous-titres. (traduire)
9. Vous *achèterez* une caravane européenne? (conduire)
10. Elle s'est endormie en *lisant* cette histoire. (traduire)

C'est et il est

1. *C'est* and *ce sont* are used before a proper noun, an emphatic pronoun, or a noun preceded by any kind of determiner:

C'est Louise.
C'est moi.
C'est un stop.
C'est un mécanicien.
Ce sont les Roget.
Ce sont eux.
Ce sont leurs pneus.
Ce sont de jeunes techniciennes.

Before a possessive pronoun:

C'est ton permis de conduire? Oui, **c'est le mien.**
Ce sont ses voitures? Oui, **ce sont les siennes.**

Before an *adjective referring to an idea* that has already been expressed:

Il faut le regonfler. **C'est vrai.**
Il y avait un accident sur l'autoroute. **C'était affreux.**

2. *Il est, elle est, ils sont,* and *elles sont* are usually used immediately before a noun referring to a profession:

Il est mécanicien.
Elles sont techniciennes.

Before *à* + emphatic pronoun expressing possession:

A qui est cette ceinture de sécurité? **Elle est à moi.**
A qui sont ces litres d'huile? **Ils sont à eux.**

Before an *adjective or adverb describing a person or thing:*

Cet ami? **Il est français.**
La route? **Elle est longue.**
Le marché? **Il est près d'ici.**
Les livres? **Ils sont faciles.**
Ces filles? **Elles sont calées.**
Les sorties? **Elles sont à gauche.**

Exercices

A. Answer the questions using *c'est* or *ce sont* and the cues in parentheses. Follow the model.

1. Qui est cette jeune fille là-bas? (Lise)
   C'est Lise.
2. Qui est à la porte? (lui)
3. Qu'est-ce que c'est? (un vieil essuie-glace)
4. Qui répare la pompe? (les mécaniciens)
5. Qu'est-ce que c'est? (une contravention)
6. Qui conduit? (Marc et Paul)
7. Qui est ce monsieur? (le pompiste)
8. Qu'est-ce que c'est? (les clefs de mon père)

B. Answer the questions using *il est, elle est, ils sont,* or *elles sont* + *à* + the appropriate emphatic pronoun. Then answer again using *c'est* or *ce sont* and the appropriate possessive pronoun. Follow the model.

1. C'est ton tournevis? *Oui, il est à moi.*
   Oui, c'est le mien.
2. Ce sont tes pinces?
3. C'est mon canif?
4. C'est leur scie?
5. Ce sont vos outils?
6. C'est sa machine?
7. Ce sont nos clous?
8. C'est votre marteau?
9. Ce sont leurs règles?
10. C'est ma clef?
11. Ce sont ses vis?

C. Form new sentences using the appropriate third-person pronoun, the correct imperfect form of *être,* and the cues in parentheses. Follow the models.

1. Cet auteur est venu d'Afrique. (sénégalais)
   Il était sénégalais.
2. Cette église était magnifique. (une église ancienne)
   C'était une église ancienne.
3. Ce garçon travaillait à la station-service. (mécanicien)
4. Ces billets ne coûtaient pas cher. (des billets bon marché)
5. Cette infirmière était toujours sympa. (charmante)
6. Cette voiture ne marchait pas bien. (vieille)
7. Ces hommes habitaient Moscou. (russes)
8. Cette jeune fille ne grossissait pas. (maigre)
9. Ces pompistes essayaient de réparer ce machin-là. (des employés maladroits)
10. Cette exposition avait lieu au mois de mars. (passionnant)

Vérifiez vos progrès

Write the questions replacing the verb in italics with the equivalent form of the verb in parentheses. Then answer the questions using the appropriate 3 sing. or pl. pronoun and form of *être.* Follow the model.

1. Qui est le monsieur qui *achète* cette voiture? (conduire / M. Roget)
   Qui est le monsieur qui conduit cette voiture? C'est M. Roget.
2. Comment est le roman que vous *lisiez?* (traduire / long)
3. Que fait le monsieur qui *habite* cette maison? (construire / garagiste)
4. A qui est l'auto que je *gare?* (conduire / la nôtre)
5. Comment sont les immeubles qu'ils *examinent?* (construire / des immeubles trop modernes)
6. Où est l'école à laquelle nous *emmenons* les enfants? (conduire / pas loin d'ici)
7. Pourquoi est-ce que tu *lis* la contravention? (traduire / important)
8. Que fait la dame qui *nettoyait* la voiture? (conduire / une mécanicienne)

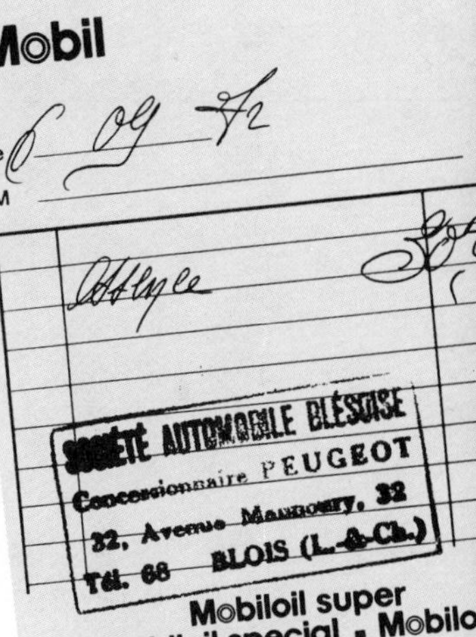

CONVERSATION ET LECTURE

Parlons de vous

1. Est-ce que vous avez un permis de conduire? Pour avoir un permis qu'est-ce qu'on doit faire? 2. Si vous avez une voiture, quelle sorte d'essence est-ce qu'elle consomme ("use")? Combien coûte un litre (ou un gallon) de cette sorte d'essence? Combien coûte un litre d'huile? Vous devez changer d'huile souvent? 3. Est-ce que vous avez jamais eu une contravention? Si oui, pourquoi? Combien avez-vous dû payer? 4. Quand on conduit, qu'est-ce qu'il faut faire s'il fait mauvais? s'il y a de la glace sur la route? 5. Est-ce que vous préférez aller en vélo au lieu de conduire? Pourquoi? 6. Racontez une excursion que vous avez faite récemment.

Une excursion à Chartres

Rémi Lebel et Denise Cleret font une excursion en vélo dans la Beauce* ce week-end. Ils font cette excursion pour leur plaisir mais aussi parce que dans leur cours d'histoire on étudie l'art gothique.* Ils doivent visiter un célèbre monument gothique et présenter un exposé° là-dessus.° Ils ont décidé donc d'aller à Chartres,* car c'est là qu'on trouve le plus bel exemple d'architecture gothique en France. D'ailleurs, Gisèle, la sœur aînée de Denise, est guide touristique à la cathédrale, et les deux lycéens comptent sur elle pour des renseignements.

l'exposé *(m.): oral report*
là-dessus = dessus

Rémi et Denise sont maintenant sur la D-306, une route étroite qui traverse les champs° de blé° au nord-est de la ville de Chartres. De très loin ils

le champ: *field*
le blé: *wheat*

commencent à voir à l'horizon les flèches° de la cathédrale. C'est une vue vraiment magnifique. On a construit la cathédrale au XIIIe siècle, et depuis six cents ans c'est le plus grand édifice de toute la région.

la flèche: *spire*

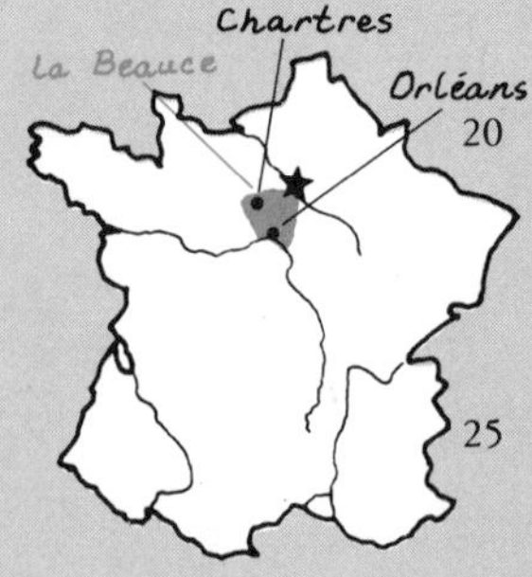

RÉMI — La voilà!

DENISE — Le prof avait raison. C'est comme un grand navire° sur l'océan.

RÉMI — Si on imagine que les clochers° sont les mâts° du navire . . .

DENISE — Et que les champs de blé sont les vagues° . . .

le navire: *ship*
le clocher: *bell-tower*
le mât: *mast*
la vague: *wave*

Les deux amis arrivent devant la cathédrale. Ils laissent leurs vélos à l'autre côté de la place.

RÉMI — Il n'y a pas beaucoup de monde ici aujourd'hui. Je parie qu'en été les touristes arriveront par milliers,° et que ta sœur aura beaucoup à faire.

par milliers: *by the thousands*

DENISE Allons la chercher. Si elle conduit une visite° maintenant, nous pourrons écouter sa présentation.

Après une dizaine de minutes les jeunes gens retrouvent Gisèle à l'intérieur. C'est une jeune femme de vingt-neuf ans et très calée en histoire de l'art. Elle travaille à Chartres depuis quatre ans.

Maintenant un groupe de touristes s'assemble devant le portail° au-dessus duquel se trouve la célèbre rosace.* Gisèle, Denise et Rémi s'approchent d'eux. La visite commence.

GISÈLE Et voilà, messieurs-dames, vous êtes en train de regarder un des trésors° les plus magnifiques du Moyen Age.° On n'a jamais pu reproduire° le bleu de ce vitrail.°

UNE TOURISTE C'est vrai que le gouvernement français a mis les vitraux dans une caverne pendant la deuxième guerre mondiale?°

GISÈLE Oui, madame. C'était pour les protéger° pendant les bombardements.

RÉMI Heureusement, on a eu la prévoyance° de les cacher.

GISÈLE Maintenant, messieurs-dames, je vous conduirai au clocher nord.

RÉMI Oh, la barbe!° Il faudra monter toutes ces marches-là?°

DENISE Ça vaut le coup,° j'en suis certaine. On dit que la vue de la ville et du paysage est superbe.

RÉMI Mais si les cloches° sonnaient° pendant que nous y étions, ça nous assourdirait!°

GISÈLE Ne vous inquiétez pas.° Nous avons vingt-cinq minutes avant la prochaine sonnerie.° Mais nous devrons nous dépêcher un peu.

la visite: *tour*
le portail: *large door*
le trésor: *treasure*
le Moyen Age: *Middle Ages*
reproduire: *to reproduce*
le vitrail: *stained-glass window*
la deuxième guerre mondiale: *World War II*
protéger: *to protect*
la prévoyance: *foresight*
la barbe!: *darn!*
la marche: *step*
ça vaut le coup: *it's worth it*
la cloche: *bell*
sonner: *to ring*
assourdirait: *would deafen*
s'inquiéter: *to worry*
la sonnerie: *ringing*

Notes culturelles

******la Beauce:*** This region between Paris and Orléans contains some of the richest farmland in France. It is particularly noted for its vast wheat fields.

******gothique:*** This is one of two architectural styles that flourished in Europe during the Middle Ages. The earlier church style, romanesque, is characterized by heavy walls, rounded arches, and few stained-glass windows. Gothic architecture introduced the wide use of stained glass, pointed arches, and

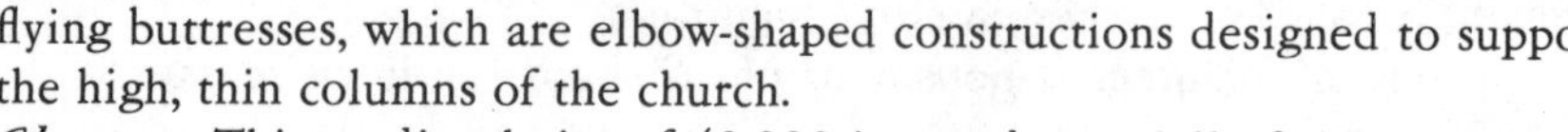

flying buttresses, which are elbow-shaped constructions designed to support the high, thin columns of the church.

**Chartres:* This medieval city of 40,000 is noted especially for its gothic cathedral, which many consider to be the most beautiful in the world. It is a stunning sight. Far taller than anything nearby, it seems to rise out of the flat landscape of la Beauce like a ship appearing over the horizon.

**la rosace:* A rose window is a large, round stained-glass window designed to have the general appearance of a rose. The term describes the shape of the window, not its color.

A propos . . .

1. Que font Rémi et Denise? Pourquoi? 2. Que fait la sœur de Denise comme travail? Comment s'appelle-t-elle? 3. Quelle route prennent les jeunes gens? Qu'est-ce qu'ils y voient? 4. Décrivez la cathédrale. 5. Où est-ce que les jeunes gens retrouvent Gisèle? Quel âge a-t-elle? En quoi est-elle calée? Depuis combien de temps est-ce qu'elle travaille à Chartres? 6. Où est-ce qu'on a mis les vitraux de Chartres pendant la guerre? Pourquoi? 7. Pourquoi est-ce que Rémi s'inquiète? Qu'en dit Gisèle? 8. Et vous, est-ce que vous avez visité une église ou une cathédrale célèbre? un temple ou synagogue célèbre? Où donc? Vous pouvez les décrire? 9. Vous pouvez donner le nom de quelques autres cathédrales françaises? Vous les avez visitées? Vous espérez les visiter?

EXPLICATIONS II

Le conditionnel

1. The conditional is the equivalent of "would" + verb in English. It is formed by adding the imperfect endings to the future stem. Look, for example, at the verb *ajouter.* The future stem is *ajouter-:*

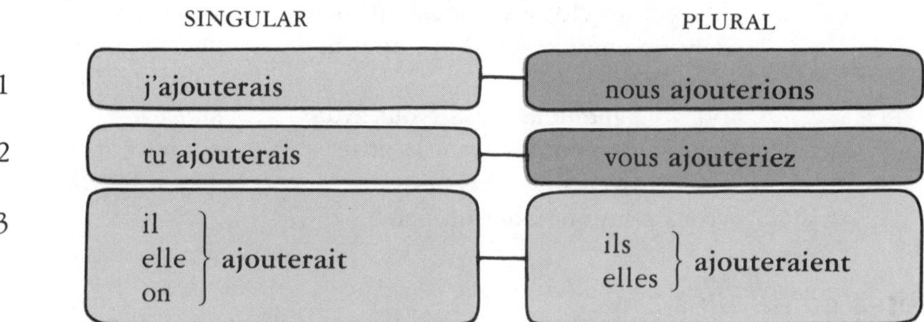

	SINGULAR	PLURAL
1	j'ajouterais	nous ajouterions
2	tu ajouterais	vous ajouteriez
3	il / elle / on } ajouterait	ils / elles } ajouteraient

This is the equivalent of the English "I would add," "you would add," etc.

2. For *-er, -ir,* and *-ir/-iss-* verbs, the future/conditional stem is the infinitive. For all verbs whose infinitives end in *-re* (except *être* and *faire*), the future/conditional stem is the infinitive minus the final *-e.*

3. For verbs whose infinitives end in *-yer* and for most other stem-changing verbs, the stem change also occurs in the future/conditional stem:

INFINITIVE	3 SING. PRESENT	FUTURE/CONDITIONAL STEM
essayer	il essaie	essaier-
employer	il emploie	emploier-
essuyer	il essuie	essuier-
appeler	il appelle	appeller-
jeter	il jette	jetter-
acheter	il achète	achèter-
emmener	il emmène	emmèner-
geler	il gèle	gèler-
lever	il lève	lèver-
promener	il promène	promèner-

4. For stem-changing verbs like *espérer,* the infinitive serves as the future/conditional stem: *j'accélérerais, j'espérerais, nous préférerions, nous répéterions.*

5. Remember that many verbs have irregular future/conditional stems:

INFINITIVE	FUTURE/CONDITIONAL STEM	CONDITIONAL
aller	ir-	j'irais
avoir	aur-	tu aurais
devoir	devr-	nous devrions[1]
être	ser-	vous seriez
faire	fer-	ils feraient
falloir	faudr-	il faudrait
pleuvoir	pleuvr-	il pleuvrait
recevoir	recevr-	tu recevrais
savoir	saur-	nous saurions
venir	viendr-	vous viendriez[2]
voir	verr-	elles verraient
vouloir	voudr-	ils voudraient

[1]In the conditional, *devoir* means "should."

[2]Similarly, *convenir → ça conviendrait; devenir → je deviendrais; retenir → tu retiendrais; revenir → ils reviendraient; se souvenir de → nous nous souviendrions de.*

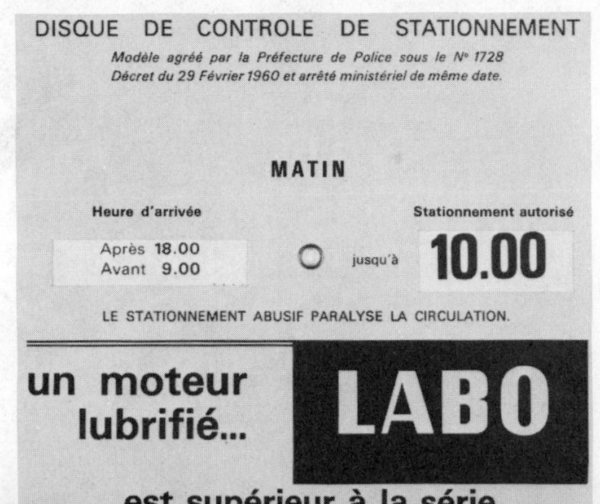

Exercices

A. Answer the questions using *il a dit que* and the appropriate form of the conditional. Follow the model.

1. Vous écrirez des cartes postales?
   Il a dit que nous écririons des cartes postales.
2. Ils nous retrouveront à la sortie du métro?
3. Le mécanicien réparera les essuie-glaces?
4. Je comprendrai leur langue?
5. Elles choisiront le vélo le moins cher?
6. Tu conduiras les enfants directement à La Rochelle?
7. Vous lirez ce roman en suédois?
8. Elles arriveront vers midi?
9. Le pompiste regonflera les pneus?
10. Nous nous mettrons en route de bonne heure?

B. Redo the sentences in the conditional. Follow the model.

1. Ils disent "non."
   Ils diraient "non."
2. Tu ne ralentis pas en t'approchant d'un carrefour?
3. Il s'endort.
4. J'encourage les petits enfants.
5. Vous pariez tout cet argent?
6. Le prof leur permet de jouer la pièce.
7. Nous ne doublons pas sur une route étroite.
8. Ils ne te croient pas.
9. Elles finissent vite le repas.
10. Je ne sers ni rôti de porc ni rosbif.

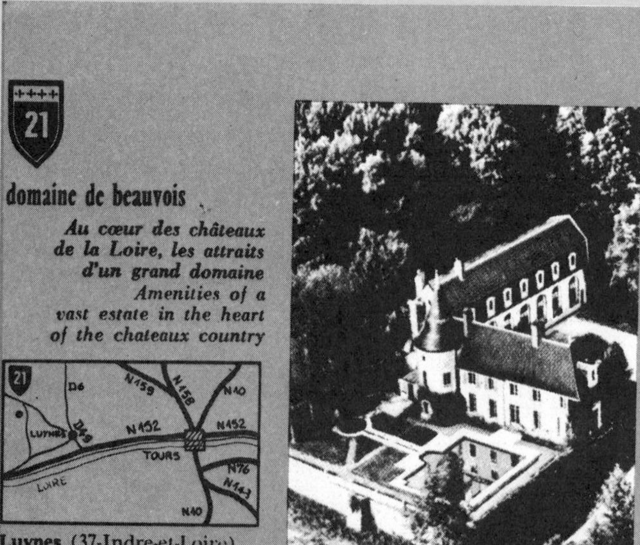

21
domaine de beauvois
Au cœur des châteaux de la Loire, les attraits d'un grand domaine
Amenities of a vast estate in the heart of the chateaux country
21
D6
N159
N158
N10
LUYNES
N152
N152
TOURS
LOIRE
N76
N143
N10

Luynes (37-Indre-et-Loire)
Tél. (15-47) 50.50.11 et 50.50.15. Château des XVe et XVIIe s. 14 km ouest de Tours. Par RN 152. Dir. Gle M. et Mme Traversac. Dir. M. et Mme Scordel. 35 ch. 53 à 90. 4 appart. 140 à 170. Pet. déj. 6,50. Menus 25 à 35 et carte. Sce 15 %. **Spécialités : Terrine de ris de veau truffée, Mousseline de brochet aux queues d'écrevisses, Tarte aux pommes Vallée d'Auge.** Pension 82 à 100. Demi-pension 64 à 82. Sce 15 %. Ouv. du 15 mars au 15 janv. Chiens admis ch.

C. Redo the sentences in the conditional. Follow the model.

1. Il ne va pas se promener dans la forêt voisine.
   Il ne se promènerait pas dans la forêt voisine.
2. Elle ne va pas appeler le médecin.
3. Elles vont se lever de bonne heure.
4. Tu ne vas pas nettoyer la salle de bains?
5. Je vais acheter ce tapis et ces rideaux.
6. De toute façon nous allons payer l'addition.
7. Tu vas accélérer près d'une école?
8. Vous allez essuyer les assiettes avec cette serviette?
9. Je vais employer une brosse pour laver la vaisselle.
10. Elle va jeter la couverture sur le lit.

D. Redo the sentences in the conditional, adding the expression *peut-être.* Follow the model.

1. Papa saura la réponse. *Papa saurait la réponse, peut-être.*
2. Elle fera le plein en super.
3. Nous serons prêts à dîner.
4. Vous aurez le temps de faire un petit détour.
5. Nous irons à Chartres.
6. Tu verras l'agent au carrefour.
7. Elle viendra à la surprise-party.
8. Il faudra freiner au coin.
9. Vous recevrez un paquet.
10. Je voudrai de la tarte aux fraises.

Les phrases avec si

1. Look at the following:

S'**ils ont** le temps, **ils jouent** dans la cour.	***If they have** time, **they play** in the yard.*
Si **nous avons** assez d'argent, **allons** au cinéma.	***If we have** enough money, **let's go** to the movies.*
Si **j'arrive** en avance, **je devrai** leur téléphoner.	***If I arrive** early, **I'll have to** phone them.*

Sentences containing *si* have two parts: (1) the clause introduced by *si;* (2) the "result clause." If the verb in the result clause is in the *present,* the *imperative,* or the *future,* the verb in the *si* clause must be in the present.

2. If the verb in the result clause is in the *conditional,* the verb in the *si* clause must be in the *imperfect:*

S'**ils avaient** le temps, **ils joueraient** dans la cour.	***If they had** time, **they'd play** in the yard.*
Si **nous avions** assez d'argent, **nous irions** au cinéma.	***If we had** enough money, **we'd go** to the movies.*
Si **j'arrivais** en avance, **je** leur **téléphonerais.**	***If I were arriving** early, **I'd phone** them.*

Exercices

A. Complete the sentences using the correct form of the verb in parentheses. Follow the model.

1. J'irai à Chartres si j'*(avoir)* le temps.
   J'irai à Chartres si j'ai le temps.
2. Si tu *(vouloir)* traduire quelque chose, essaie les poèmes de Prévert.
3. Si tu y *(aller)*, cela me fera plaisir.
4. Il sera notre mécanicien s'il *(pouvoir)* réparer notre voiture après cet accident.
5. Si tu *(venir)* avec nous, j'encouragerai Thomas à nous accompagner.
6. Si le feu *(passer)* au rouge, arrêtez-vous!
7. Achète une carte de l'île, si tu y *(aller)* la semaine prochaine.
8. Si les phares ne *(marcher)* pas, tu devras aller chez le garagiste.
9. Je reste à la maison s'il *(pleuvoir)*.
10. Je resterai chez moi s'il *(neiger)*.
11. Reste à l'intérieur s'il *(faire)* mauvais.

B. Redo the sentences using the imperfect and conditional. Follow the model.

1. Si elle arrive en retard, on ne l'attendra pas.
   Si elle arrivait en retard, on ne l'attendrait pas.
2. Si j'ai assez de temps et d'argent, je ferai une excursion dans la brousse.
3. Si tu brûles ce feu rouge, tu auras une contravention.
4. Si elle ne vient pas à l'heure, il faudra lui donner un coup de téléphone.
5. Si le salon est trop obscur, nous devrons allumer les lumières.
6. Si le train arrive en avance, vous me trouverez sur le quai.
7. S'il a le temps, il ira voir les tableaux modernes.
8. Si elles vont en banlieue, je les accompagnerai.
9. Si tu ne retiens pas de chambre, tu en seras désolé.
10. Si je vois une station-service près de l'autoroute, j'achèterai de l'essence.

C. Complete the sentences as you wish, using the conditional. For example:

1. S'il faisait beau, . . .
   S'il faisait beau, { *j'irais à la plage.* / *nous ferions du camping.* / *elle jouerait au tennis.* }
2. Si j'étais riche, . . .
3. S'il pleuvait, . . .
4. Si je savais parler parfaitement français, . . .
5. Si un de mes pneus était à plat, . . .
6. Si j'étais à Paris, . . .
7. Si j'avais de la chance, . . .
8. Si j'avais le temps, . . .

CATHÉDRALE DE CHARTRES
VENDREDI 19 SEPTEMBRE 1975, 21 heures
PIERRE BOULEZ
et le
NEW-YORK PHILHARMONIC ORCHESTRA

au profit du Centre International du Vitrail

MOZART **MAHLER**

10 F 35 F 10 F 10 F 25 F 50 F 25 F 65 F 25 F 80 F 25 F

Orchestre

Réservez dès maintenant vos places :
au **Syndicat d'Initiative de CHARTRES** - Tél. **(37) 21.54.03 ;**
à l'**Agence DURAND**, 4, place de la Madeleine, **PARIS** - Tél. **(1) 260.21.76.**
Places : **10, 25, 35, 50, 65 et 80 F** (numérotées pour ces deux dernières catégories)
Aller-retour Paris-Chartres par car spécial

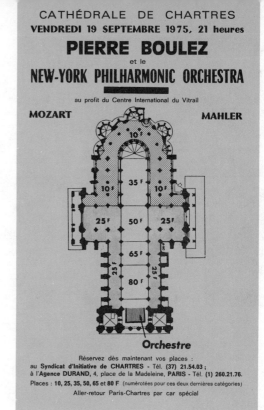

9. Si je pouvais acheter une voiture, . . .
10. Si je visitais Chartres, . . .
11. Si c'était le vingt-et-unième siècle, . . .

Vérifiez vos progrès

Write answers to the questions using the conditional. Follow the model.

1. Je dois aller à la capitale?
   Oui, tu devrais aller à la capitale.
2. Tu veux ralentir un peu?
3. Nous pouvons aider ces piétons?
4. On doit visiter la côte?
5. Il faut lui emprunter le livre?
6. Elle veut du café au lait et des brioches?
7. Nous devons les décourager d'y ajouter un pourboire?
8. Ils voient le pompiste?

RÉVISION ET THÈME

Consult the model sentences, then put the English cues into French and use them to form new sentences.

1. *Ce sont vos pneus, messieurs? Oui, ce sont les nôtres.*
   (Is this your driver's license, Guy? Yes, it's mine.)
   (Are these his papers, Miss? Yes, they're his.)
2. *Est-ce qu'elle l'achètera en banlieue cet après-midi?*
   (Will they take her along to Orléans this morning?)
   (Will you (pl.) *see them in town this summer?)*
3. *Nous écririons au proviseur si nous te retardions.*
   (You'd (sing.) *go to the clinic if you knew her.)*
   (He'd brake at the intersection if he were there.)
4. *Ma sœur est mécanicienne. C'est un emploi agréable.*
   (Jean is a doctor. That's hard work.)
   (Madame Leblanc is a lawyer. She's a charming woman.)
5. *Si elle le construit en banlieue, elle aura peut-être des problèmes.*
   (If you (sing.) *drive it* (f.) *in town, maybe you'll fill it up.)*
   (If they translate them into German, maybe they'll understand the words.)
6. *Cependant, vous aimeriez rester chez vous au lieu de partir.*
   (Besides, he'd prefer to slow down rather than pass.)
   (In any case, you should speed up rather than be late.)

Now that you have done the *Révision,* study the French paragraph. Afterwards, using it as a model, put the English paragraph into French to form a composition.

Modèle: —Est-ce que ces livres de grec sont à Raoul?
—Oui, ce sont les siens. Ils étaient à moi quand j'allais au lycée.
—Est-ce qu'il les traduira en classe cette année?
—Je n'en suis pas sûre. S'il a le même prof, il les traduira. Ce sont des livres difficiles, et Raoul ne comprend pas bien le grec. Il ferait certainement moins de fautes s'il traduisait des romans espagnols.
—Je pense qu'il aimerait mieux traduire l'espagnol au lieu de lire le grec. De toute façon, l'espagnol serait plus facile parce qu'il le parle plus souvent.

Thème: —Is this your car, Adèle?
—Yes, it's mine. It was my brother's when he was interning at Tours.
—Will you drive it to Chartres tomorrow?
—I'm not certain. If I can, I'll drive it. But it's an old 2-CV, and the brakes don't work well. I'd surely get a ticket if I drove it to Chartres.
—I see that you'd prefer to take the train instead of driving the car. In any case, the train would be more comfortable because there are enough seats.

AUTO-TEST

A. Write the paragraph using the appropriate pronoun: *c', ce, il, ils, elle,* or *elles.*

Louise travaillait quand Nicole a téléphoné. ______ sont lycéennes à Paris et ______ sont de bonnes amies.

NICOLE Allô, Louise. Ici Nicole. Ecoute! Mon cousin arrive ce matin. ______ est anglais.

LOUISE ______ est lui qui fait ses études à Oxford?

NICOLE Non, ______ est étudiant, mais ______ est à Londres qu'il fait ses études. Il passe le week-end chez nous.

LOUISE ______ est passionnant, ça!

NICOLE Prenons rendez-vous pour samedi soir.

LOUISE ______ est une bonne idée. Chez toi alors?

NICOLE ______ est très bien. Au revoir, Louise.

B. Write each sentence using the correct form of the verb in parentheses. You will use either the present or the imperfect, depending on the tense in the result clause.

1. J'irai à Blois si j'*(avoir)* un week-end libre.
2. Nous partirions demain si la voiture *(être)* prête.
3. Elle traduirait ce poème si elle *(connaître)* la langue.
4. Vous verrez nos cousins si vous *(venir)* chez nous demain.
5. Ils construiront une villa s'ils *(trouver)* assez d'argent.
6. Achetez un nouveau miroir si vous *(vouloir)!*
7. Il irait à Marseille si ses amis y *(descendre)* en été.
8. Elles essuieraient le plancher si elles *(pouvoir)* le faire.

C. Write complete affirmative sentences using the conditional and adding any appropriate *si* clause. Since the choice is yours, the answers are not in the back of the book. Check with your teacher. For example:

1. Ils ne construisent pas de musée.

   Ils construiraient un musée { *s'il y avait assez de tableaux.* / *s'ils avaient de l'argent.* / *si nous en voulions un.* }

2. Je ne fais pas d'excursions.
3. Il n'y a pas de piétons.
4. Elles ne se mettent pas en route.
5. Nous ne regonflons pas les pneus.
6. Tu ne conduis pas.
7. Les papiers ne sont pas en règle.
8. Il n'y a plus d'essence.

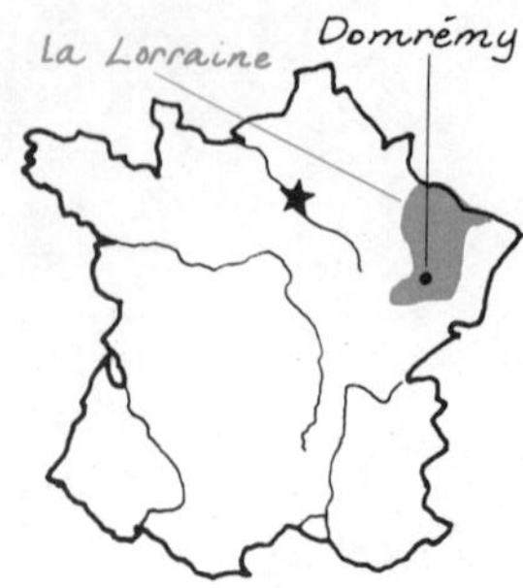

COMPOSITION

Ecrivez une composition sur ce que ("what") vous feriez si vous aviez un permis de conduire et votre propre voiture. Où iriez-vous? Que verriez-vous là-bas?

Poème

ADIEUX° DE JEANNE D'ARC

O Meuse[1] inépuisable° et que j'avais aimée,
Tu couleras° toujours dans l'heureuse vallée;
Où tu coulais hier, tu couleras demain.
Tu ne sauras jamais la bergère° en allée,[2]
Qui s'amusait, enfant, à creuser° de sa main
Des canaux dans la terre,—à jamais écroulés.°

La bergère s'en va,° délaissant° les moutons,
Et la fileuse° va, délaissant les fuseaux.°
Voici que je m'en vais loin de tes bonnes eaux,
Voici que je m'en vais bien loin de nos maisons.

O maison de mon père où j'ai filé° la laine,°
Où, les longs soirs d'hiver, assise au coin du feu,
J'écoutais les chansons de la vieille Lorraine,[3]
Le temps est arrivé que je vous dise° adieu.

Tous les soirs, passagère° en des maisons nouvelles,
J'entendrai des chansons que je ne saurai pas;
Tous les soirs, au sortir des° batailles° nouvelles,
J'irai dans des maisons que je ne saurai pas.
Quand nous reverrons-nous? et nous reverrons-nous?
O maison de mon père, ô ma maison que j'aime.

Charles Péguy, *Jeanne d'Arc*

- l'adieu *(m.)*: *farewell*
- inépuisable: *inexhaustible*
- couler: *to flow*
- la bergère: *shepherdess*
- creuser: *to dig*
- écroulé, -e: *collapsed*
- s'en aller: *to go away*
- délaisser: *to abandon*
- la fileuse: *spinner*
- le fuseau: *spindle*
- filer: *to spin*
- la laine: *wool*
- que je vous dise = quand je dois vous dire
- passager, -ère: *temporarily*
- au sortir de = après
- la bataille: *battle*

[1] La Meuse is the river on which the tiny village of Domrémy is located. Jeanne was born in Domrémy.

[2] In nonpoetic language, lines 4–6 might read as follows: *Tu ne verras jamais la bergère (Jeanne d'Arc) qui est partie et qui, quand elle était enfant, s'amusait à creuser des canaux qui sont maintenant écroulés pour toujours.*

[3] The province of Lorraine, west of Alsace, is rural in the South, where Jeanne tended her sheep, and heavily industrial (coal and steel) in the North. The central part of Lorraine, in the valley of the Meuse, was the site of numerous major World War I battles, including Verdun and Saint-Mihiel. The Moselle valley in northern Lorraine was, with Alsace, under German control from the time of the French defeat in the Franco-Prussian War (1871) until the German defeat in World War I (1918) and again between 1940 and 1945.

Encerclez
les articles désirés
et indiquez le nombre
de commande

HOTEL DU GRAND MONARQUE - CHARTRES

POUR VOTRE PETIT-DÉJEUNER · PRIÈRE DE M'ACCROCHER A LA PORTE LE SOIR ·

☐ Café noir	☐ Thé au lait	☐ Nescafé décaféiné	☐ Lait chaud
☐ Café au lait	☐ Thé au citron	☐ Chocolat	☐ Lait froid
☐ Complet	☐ Pain	☐ Toast	☐ Croissants

CONFITURES

☐ Fraise	☐ Abricot	☐ Reine-Claude
☐ Cerise	☐ Orange Dundee	☐ Miel

Choix de jus de fruits : ☐ Orange ☐ Citron ☐ Pamplemousse

☐ Œufs à la coque ______ pièces ______ minutes

☐ Œufs au plat 2 pièces

et ______________________________

Numéro de la chambre______ Nombre de personnes______

Pour être servi à ______ heures

Date Signature

Le petit déjeuner est servi à partir de 7 h. 15

Proverbe

Qui s'excuse s'accuse.

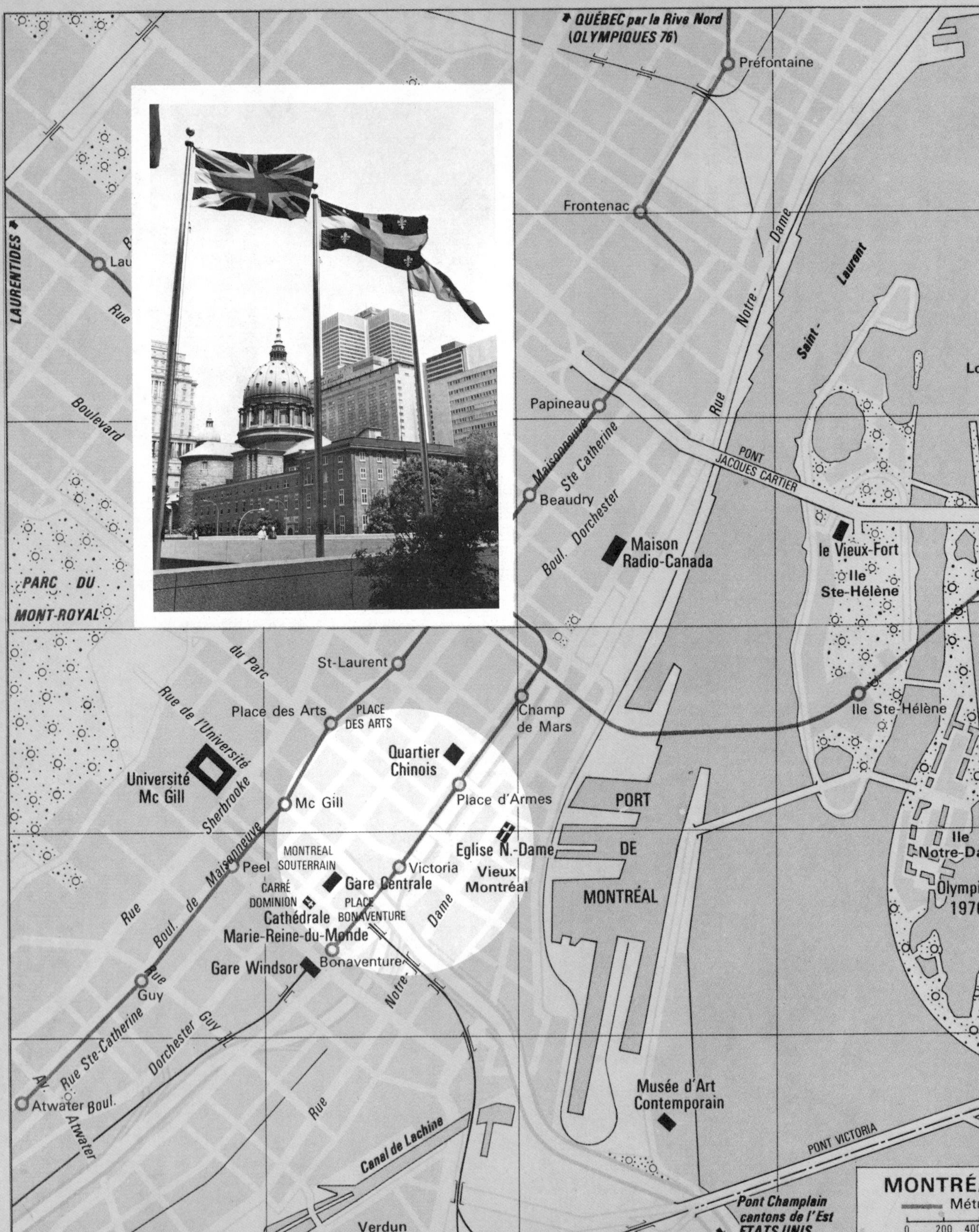

QUÉBEC par la Rive Nord
(OLYMPIQUES 76)
Préfontaine
Frontenac
LAURENTIDES
Rue Notre-Dame
Saint-Laurent
Papineau
Maisonneuve
Ste Catherine
PONT JACQUES CARTIER
Beaudry
Boul. Dorchester
Maison Radio-Canada
le Vieux-Fort
Ile Ste-Hélène
Boulevard
PARC DU MONT-ROYAL
du Parc
St-Laurent
Rue de l'Université
Place des Arts
PLACE DES ARTS
Champ de Mars
Ile Ste-Hélène
Quartier Chinois
Université Mc Gill
Sherbrooke
Mc Gill
Place d'Armes
PORT DE MONTRÉAL
Eglise N.-Dame
Vieux Montréal
MONTREAL SOUTERRAIN
Peel
Victoria
Gare Centrale
CARRÉ DOMINION
PLACE BONAVENTURE
Cathédrale Marie-Reine-du-Monde
Rue Boul. de Maisonneuve
Gare Windsor
Bonaventure
Notre-Dame
Rue Guy
Rue Ste-Catherine
Dorchester Guy
Atwater Boul.
Av. Atwater
Rue
Canal de Lachine
Musée d'Art Contemporain
PONT VICTORIA
Verdun
Pont Champlain cantons de l'Est ETATS UNIS
Ile Notre-Da
Olympi 197
MONTRÉ
Métr
0 200 400

Quatorzième Leçon

Un pique-nique à Mont-Royal

C'était un beau matin d'avril à Montréal,* et Hélène Roy avait téléphoné à son copain Hervé Gagnon. Il faisait encore frais, mais il faisait très beau, et après la longue saison d'hiver, Hélène se dépêchait d'organiser un pique-nique. Hervé était d'accord pour apporter quelque chose à boire, tandis qu'Hélène apporterait de la charcuterie et du pain. Les deux étudiants avaient décidé de faire leur pique-nique dans le parc de Mont-Royal,* d'où ils auraient une vue magnifique de la ville. Hervé attendait depuis quinze minutes sur un banc au jardin quand Hélène est arrivée avec une autre jeune fille.

HÉLÈNE Tiens, le voilà. Tu as choisi un bel endroit, Hervé.

HERVÉ Oui, je croyais qu'on serait tranquille ici. Tu ne me présentes pas ton amie?

HÉLÈNE Ah, si. Simone, je te présente Hervé Gagnon.

HERVÉ Enchanté.

SIMONE Très heureuse.

HÉLÈNE Simone est la correspondante française dont je t'avais parlé. Elle nous fait une petite visite pendant que son père voyage au Québec pour ses affaires.

HERVÉ Tu viens de Paris, n'est-ce pas?

SIMONE Oui, c'est ça.

HERVÉ Alors, tu t'habitueras très vite à Montréal.

HÉLÈNE Justement. Nous comptons faire la visite de la ville après le déjeuner. Tu nous accompagnes?

HERVÉ Bien sûr. Mais à table! Sinon, les fourmis mangeront la moitié de nos provisions.

A picnic on Mont-Royal

It was a beautiful April morning in Montreal and Hélène Roy had telephoned her friend Hervé Gagnon. It was still cool, but it was very beautiful out, and after the long winter season, Hélène was eager to organize a picnic. Hervé agreed to bring something to drink, while Hélène would bring coldcuts and bread. The two students had decided to have their picnic in the park of Mont-Royal, where they would have a magnificent view of the city. Hervé had been waiting on a bench for fifteen minutes when Hélène arrived with another girl.

HÉLÈNE Well, well, there he is. You picked a pretty spot, Hervé.

HERVÉ Yes, I thought we wouldn't be disturbed here. Aren't you going to introduce your friend?

HÉLÈNE Why, yes. Simone, this is Hervé Gagnon.

HERVÉ Pleased to meet you.

SIMONE It's nice to meet you.

HÉLÈNE Simone is the French pen pal I had told you about. She's visiting us for a short time while her father's traveling in Quebec on business.

HERVÉ You're from Paris, aren't you?

SIMONE Yes, that's right.

HERVÉ Then you'll get used to Montreal very quickly.

HÉLÈNE Exactly. We're planning to take a tour of the city after lunch. Will you come along?

HERVÉ Sure. But let's eat! If not, the ants will eat half our food.

Notes culturelles

Montréal: This is the largest city in Canada and the second-largest French-speaking city in the world. It is also one of the world's largest inland ports, built on several islands at the mouth of the St. Lawrence River *(le Saint-Laurent)*. Its location makes it a crossroads for business and industry. Montréal combines French, British, and North American cultures into an exciting, truly international atmosphere.

le parc de Mont-Royal: Montréal stretches from the St. Lawrence River up to the slopes of Mont-Royal, an immense mass of volcanic rock that overlooks the city. A lovely park is located there, offering skiing and skating in

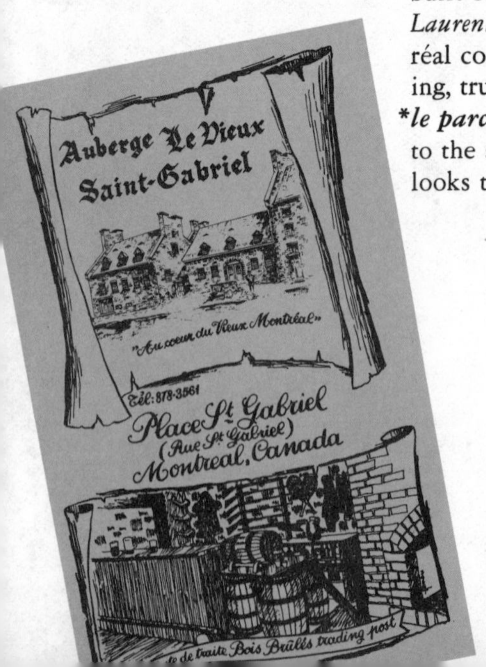

winter, and picnics, outdoor concerts, sports, and *fêtes* in the summer. L'université de Montréal, the largest French-language university outside of France, is built on Mont-Royal.

Questionnaire

1. Quel temps faisait-il? Pourquoi est-ce qu'Hélène avait téléphoné à Hervé? 2. Où est-ce qu'ils avaient décidé de faire leur pique-nique? Qu'est-ce qu'Hervé allait y apporter? Et Hélène? 3. Où est-ce qu'Hervé attendait Hélène? Depuis combien de temps l'attendait-il quand elle est arrivée? Avec qui est-ce qu'elle est arrivée? 4. Comment était l'endroit qu'Hervé avait choisi? 5. Comment s'appelait l'amie d'Hélène? D'où venait-elle? Pourquoi est-ce qu'elle visitait le Canada? 6. Qu'est-ce que les deux jeunes filles comptaient faire après avoir déjeuné? 7. Pourquoi est-ce qu'Hervé a dit qu'ils devraient déjeuner tout de suite?

PRONONCIATION

The letter *h* is not pronounced in French. When it occurs at the beginning of a word, there is usually liaison or elision.

Exercices

A. Listen to these words beginning with the letter *h,* then say them aloud.

d'habitude	les habits	l'herbe	les heures
l'hippopotame	les hommes	l'hiver	les histoires
l'hôtel	les hôpitaux	l'huile	les huîtres

B. Certain words begin with an aspirate *h.* Again, the *h* is not pronounced, but there is no liaison or elision. In pronouncing these words, be careful not to make a stop between the determiner and the aspirate *h.* Listen, then repeat.

le hollandais	le hockey	le~~s~~ haricots verts
le hamster	la huitième leçon	le~~s~~ hors-d'œuvre

C. Now listen to the following sentences, then repeat them.

D'habitude ces hommes hollandais jouent au hockey.
Ils lisent les histoires de la huitième leçon.
Hugues! Henri! Vous vous habillerez en haut.
Vous vous habituerez vite à ce haut-parleur.
Hier, ces hôtesses ont servi des huîtres et des haricots verts.

Cuisine métrique
...les recettes universelles à votre portée.
100g
Voici une savoureuse recette métrique de gâteau au brandy que l'on déguste en Suède au temps des Fêtes. Si vous avez une balance métrique sous la main, ce serait une belle façon de commencer à cuisiner comme le reste du monde.
1 boîte (210 millilitres) de prunes et 25 à 50 ml (millilitres) de brandy
200 g (grammes) de margarine
250 ml de sucre
3 oeufs
100 g de cerises confites
350 ml de farine
3 ml (½ cuiller à café) de poudre à pâte
Émincer les prunes et macérer dans le brandy pendant 30 minutes. Incorporer le sucre à la margarine et battre avec les oeufs. Émincer les cerises et les mélanger à la farine, la poudre à pâte et les prunes. Incorporer ce mélange au premier mélange (margarine, sucre, oeufs). Verser le tout dans un moule à gâteau préalablement graissé et saupoudré de miettes de pain. Cuire au four préchauffé à 175° C (Celsius) pendant 1 heure.

MOTS NOUVEAUX I

J'aime **correspondre** avec mes amis.	*I like to* ***correspond*** *with my friends.*
Où habite { **ton correspondant?** / **ta correspondante?**	*Where does your* ***pen pal*** *live?*

Il faut **envoyer** la lettre.	*You have **to send** the letter.*
garder	***to hold** (or: **keep**)*
expliquer	***to explain***
Elle va **contenir**[1] une photo.	*It will **contain** a photo.*
On va la **renvoyer**.	*They'll **send** it **back**.*
N'oublie pas **l'adresse** *(f.)*.	*Don't forget **the address**.*
l'explication *(f.)*	***the explanation***
Mon amie veut **voyager**.	*My friend wants **to travel**.*
Elle veut **faire la connaissance** de ma famille.	*She wants **to meet** my family.*
Son père **est d'accord**.	*Her father **agrees**.*
Il va l'**amener**[2] au Canada.	*He will **bring** her to Canada.*
Il est **dans les affaires** *(f.pl.)?*	*He's **in business**?*
Justement.	***Exactly.***
La moitié de ses **voyages d'affaires** sont à Montréal.	***Half** of his **business trips** are to Montreal.*
C'est **une personne** gentille.[3]	*He's / She's a nice **person**.*
Il va **se présenter** à Paul.	*He'll **introduce himself** to Paul.*
Je vais le **présenter**.	*I'll **introduce** him.*
Maman, **je voudrais vous présenter** Eric.	*Mom, **I'd like you to meet** Eric.*
Mon **cher**[4] ami. / Ma **chère** amie.	*My **dear** friend.*
Je suis **enchantée** de faire votre connaissance.	*I'm **pleased** to meet you.*
Enchanté, madame.	***Delighted.***
On devrait **se connaître**.	*We should **know each other**.*

Exercice de vocabulaire

Choose the word or phrase that best completes the sentence or fits the situation.

1. La vaisselle que j'ai commandée vient d'arriver. Elle est entièrement cassée. Il faudra donc *(l'envoyer / la renvoyer)*.
2. Ce hamster coûte 25 F. C'est *(une bête très chère / une chère bête)!*
3. Tu visiteras la vallée de la Loire cet été? Oui, je vais y *(correspondre / voyager)* avec quelques amis.
4. Avant d'écrire à quelqu'un, il faut connaître *(son adresse / ses affaires)*.
5. Monsieur, permettez-moi de vous *(expliquer / présenter)* Mme Beaulieu.
6. Sa grand-mère est la personne la plus *(charmante / enchantée)* de la famille.

---

[1] *Contenir* follows the pattern of *venir,* but forms its passé composé with *avoir.*

[2] *Amener* follows the pattern of *lever.*

[3] You have learned the word *personne* as part of the negative expression *personne ne* ("no one"). *Une personne,* meaning "person," is always feminine and thus takes the feminine form of the adjective.

[4] Note that before the noun, *cher* means "dear" and is used especially in letters.

7. Le représentant *(contiendra / gardera)* sa propre valise en montant dans l'avion et même pendant le vol.
8. Venez me voir demain et *(amenez / emmenez)* vos enfants aussi! Je voudrais *(faire leur connaissance / les présenter)* à mon mari.
9. Cette lettre vient d'arriver de Belgique. J'ai *(une connaissance / une correspondante)* belge.
10. Je dis "oui"; tu dis "non." Je dis "peut-être"; tu dis "bien sûr." Henri, nous ne sommes jamais *(à l'aise / d'accord)*.
11. Ces gens-là ne connaissent personne ici? Justement. Ils devront même *(se connaître / se présenter)* à l'hôtesse.
12. Six est *(l'explication / la moitié)* d'une douzaine.

MOTS NOUVEAUX II

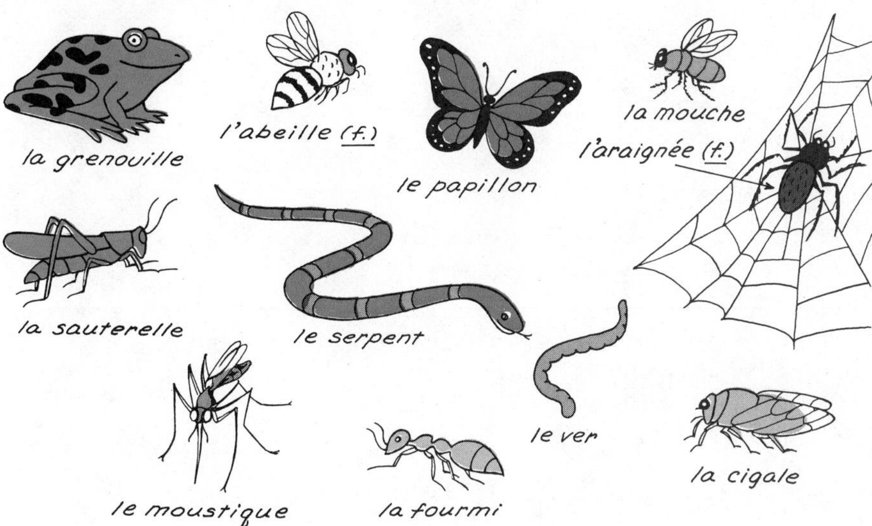

On va **faire un pique-nique.**	*We'll **have a picnic.***
faire la visite du port	***take a tour of** the port*
Voici **le panier.**	*Here's **the basket.***
un gâteau	***a cake***
quelque chose à boire	***something to drink***
quelque chose à manger	***something to eat***
Le pain est **frais.**	*The bread is **fresh.***
La tarte est **fraîche.**	*The pie is **fresh.***
Le vent est **frais.**	*The wind is **cool.***
L'eau est **fraîche.**	*The water is **cool.***
Le panier est **plein** } de fruits.	*The basket is **full** } of fruit.*
La boîte est **pleine** } de fruits.	*The box is **full** } of fruit.*

Voilà le **sentier.**	*There's* ***the path.***
le **banc**	***the bench***
la **fontaine**	***the fountain***
Attention à la **pierre.**	***Watch out for the stone.***
C'est un endroit **tranquille.**	*It's a* ***peaceful*** *spot.*
une ville **tranquille**	*a* ***quiet*** *city*
On peut **se bronzer** ici.	*We can* ***get a tan*** *here.*
prendre un bain de soleil	***sunbathe***
Mais d'abord, **à table!**	*But first,* ***let's eat!***
Bon appétit!	***Enjoy your meal!***
J'aime **flâner** sur les boulevards.	*I like* ***to stroll*** *along the boulevards.*
Tu flânes **tandis qu'il**[1] étudie.	*You stroll* ***while*** *he studies.*
Mais regarde: "Défense de marcher sur la **pelouse.**"	*But look: "No walking on* ***the lawn.***"
Aïe!	***Ouch!***
Un insecte vient de le **piquer.**	***An insect*** *just* ***stung*** *him.*
Tiens!	***Well, well!***
Un moustique m'a piqué aussi.	*A mosquito bit me, too.*

Exercices de vocabulaire

A. From the statements on the right, choose the most logical response to each statement or question on the left.

1. Cette boîte contient tous mes souvenirs.
2. Eh bien, à table!
3. Faisons une promenade dans les rues.
4. Il fait un peu frais.
5. J'ai besoin de la moitié d'une douzaine d'œufs.
6. J'entends un moustique dans ma chambre à coucher.
7. Je ne veux pas me bronzer.
8. Je n'ai pas de filet.
9. Quelle est cette odeur?
10. Voilà une belle pelouse.

a. Apporte un panier!
b. Bon appétit!
c. Cette viande n'est pas fraîche.
d. Elle en est pleine.
e. Nous pouvons y prendre un bain de soleil.
f. Oui, mais nous ferons un pique-nique quand même.
g. Reste donc sous ce grand arbre-là.
h. Ne le laisse pas te piquer!
i. Tiens! Tu vas faire un gâteau?
j. Tu voudrais flâner sur la rive gauche?

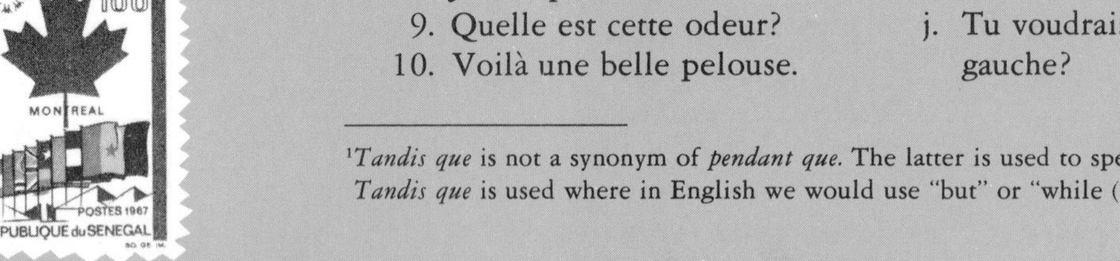

[1]*Tandis que* is not a synonym of *pendant que.* The latter is used to speak of simultaneous actions. *Tandis que* is used where in English we would use "but" or "while (on the other hand)."

B. Answer the questions according to the pictures. Follow the model.

1. De quoi est-ce que ton frère a peur?
   Il a peur de l'araignée.
2. Qu'est-ce qu'on voyait au zoo?
3. Qu'est-ce qu'on trouve sur le sentier après la pluie?
4. Quel animal as-tu étudié dans le cours de biologie?
5. Qu'est-ce que nous voyons près de la fontaine?
6. Aïe! Qu'est-ce qui m'a piqué?
7. Qu'est-ce qui fait du bruit dans les arbres?
8. Qu'est-ce qu'il y a là-bas sur l'herbe?
9. Qu'est-ce qui est tombé sur le banc?
10. Qu'est-ce qu'il y a sur le gâteau?

Etude de mots

Mots associés 1: By meaning, which word in each group does not belong? In French, tell how the other three words relate to the word in italics.

1. *piquer:* l'abeille la mouche le moustique le ver
2. *contenir:* le filet la moitié le panier le sac
3. *être assis:* le banc le divan l'endroit le fauteuil
4. *faire la visite de:* la fontaine le jardin le parc la vallée
5. *le cadeau:* donner envoyer offrir expliquer
6. *la douche:* se bronzer se laver nettoyer prendre un bain
7. *les lettres:* correspondre écrire flâner répondre

Mots associés 2: Complete the sentences using a word related to the word in italics.

1. Tu *connais* le frère d'Hélène? Oui, je viens de faire sa ______.
2. *Expliquez*-moi pourquoi j'ai tort. Et j'espère que ______ sera bonne.
3. Il est midi *juste?* ______! C'est l'heure du déjeuner.

4. Quel *voyageur* intelligent! Il retient toujours des chambres avant de ______.
5. Si vous n'aimez pas le cadeau que je vous ai *envoyé*, vous devez le ______.

Synonymes: Replace the words in italics with a synonym or synonymous expression.

1. Si tu veux *écrire à* quelqu'un, choisis un correspondant aimable.
2. J'étais *très heureuse* d'avoir fait sa connaissance.
3. Nous pouvons *essayer de nous bronzer* au bord du lac.
4. Je travaille *mais* tu t'amuses!
5. *Les gens* qui se connaissent ont souvent de bons rapports.
6. Si tu as soif, commande *une boisson.*
7. J'aime surtout *me promener lentement* sur le quai de la Mégisserie.

Mots à plusieurs sens: Quel est le mot?

Une *amie que j'aime bien* m'a offert *un cadeau qui a coûté trop.*

Mots à ne pas confondre: The adjective *complet* is used to describe something that is complete or whose places are all filled: *Le wagon-lit était complet; L'auberge était complète. Plein* is used to describe something that cannot hold anything more: *Le verre est plein d'eau; La valise était pleine.*

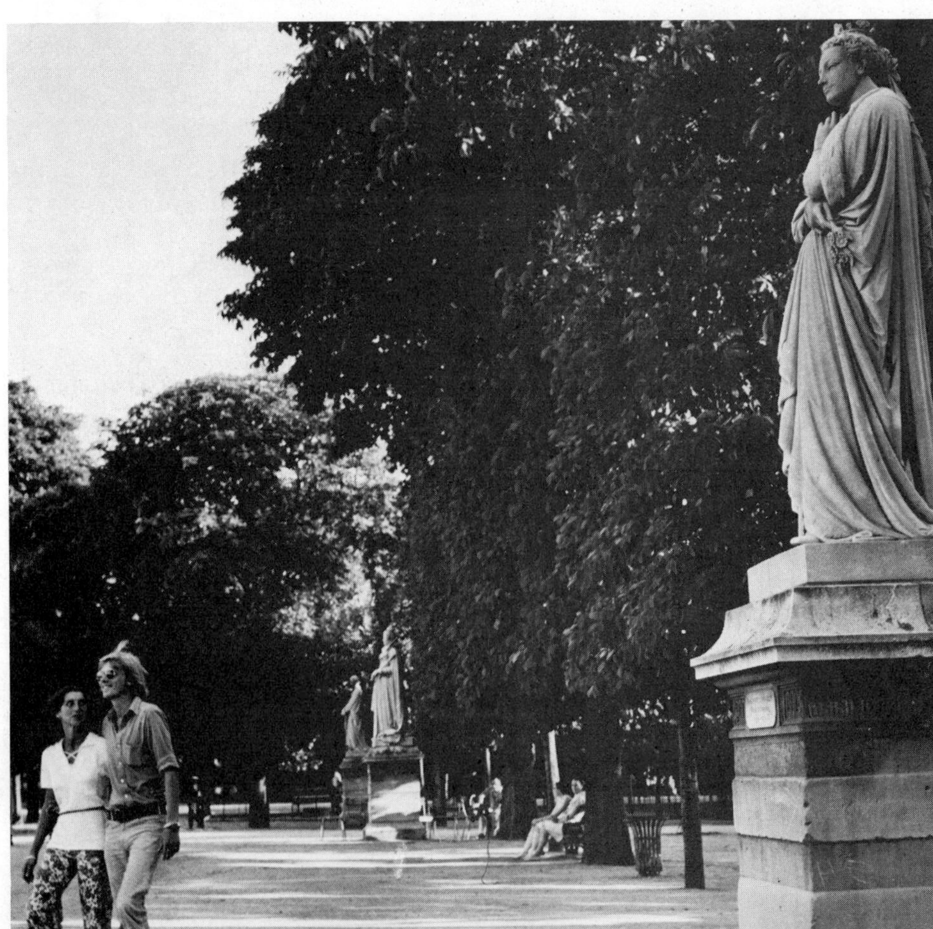

EXPLICATIONS I

Le verbe envoyer

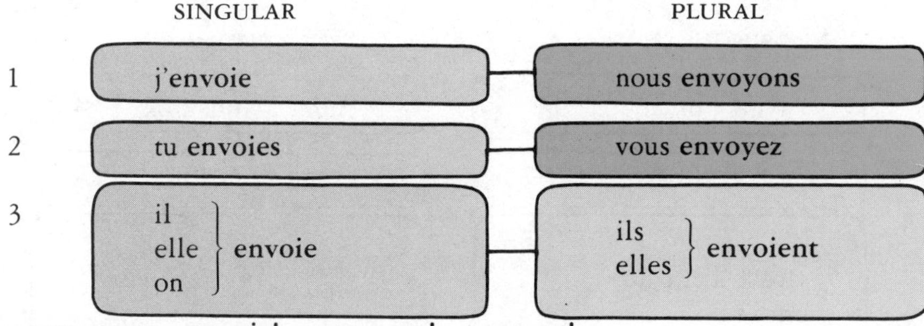

	SINGULAR	PLURAL
1	j'envoie	nous envoyons
2	tu envoies	vous envoyez
3	il / elle / on } envoie	ils / elles } envoient

IMPERATIVE: **envoie! envoyons! envoyez!**
PAST PARTICIPLE: **envoyé**
PRESENT PARTICIPLE: **envoyant**
IMPERFECT STEM: **envoy- (j'envoyais, etc.)**
FUTURE/CONDITIONAL STEM: **enverr- (j'enverrai / j'enverrais, etc.)**

Exercices

A. Redo the sentences in the present tense, using the appropriate indirect object pronoun: *lui, leur,* or *y.* Follow the model.

1. J'ai envoyé le paquet *à ma correspondante.*
   Je lui envoie le paquet.
2. Nous avons envoyé le panier *à mon père.*
3. Ils n'ont pas renvoyé les billets *à Marseille?*
4. Tu as envoyé un cadeau *au médecin?*
5. Elle n'a pas renvoyé la lettre *à ses camarades.*
6. J'ai envoyé un disque *à Huguette.*
7. Vous avez renvoyé ces boîtes *à l'épicerie?*
8. Ils n'ont pas envoyé les soldats *dans la jungle.*
9. Tu as renvoyé les outils *au garagiste?*

B. Replace the verb in italics with the equivalent form of *envoyer.* Follow the model.

1. Elle en a *montré* à son professeur.
   Elle en a envoyé à son professeur.
2. Vous ne *prêterez* pas ces livres de poche à Joseph?
3. Il *conduira* les élèves du cours de français au théâtre.
4. Je n'*offrais* pas de cadeaux à mes cousins.
5. Si tu as le temps, tu *écriras* une lettre à ton correspondant?
6. Si nous avions l'argent, nous en *prêterions* la moitié à Marc.
7. Elles leur ont *donné* des bonbons hier.
8. Je crois que j'*apporterai* un roman policier à mon ami américain.
9. Ils *vendraient* ces légumes au marché si leur camion marchait.

Le plus-que-parfait

1. The pluperfect is formed by using the imperfect forms of *avoir* or *être* and the past participle of the main verb. Its English equivalent is "had" + verb. For example, "I had finished":

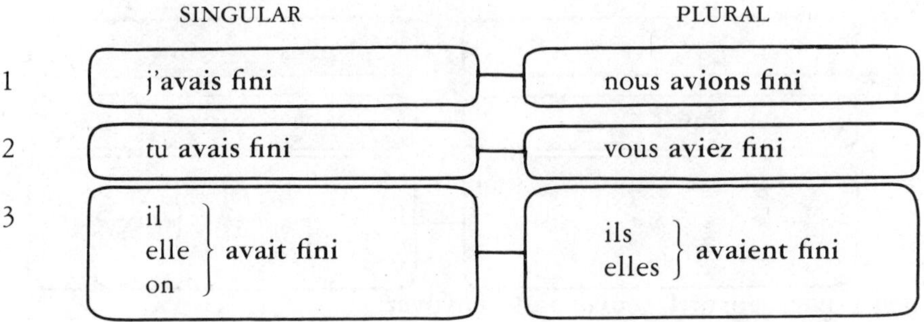

	SINGULAR	PLURAL
1	j'avais fini	nous avions fini
2	tu avais fini	vous aviez fini
3	il / elle / on } avait fini	ils / elles } avaient fini

Here is the equivalent of "I had gone," "you had gone," etc.

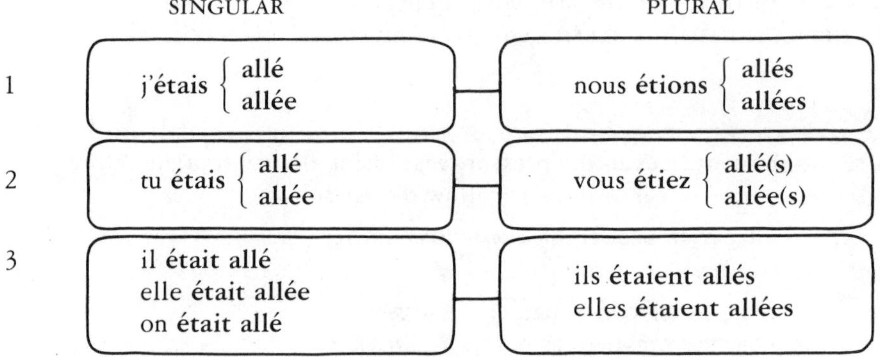

	SINGULAR	PLURAL
1	j'étais { allé / allée	nous étions { allés / allées
2	tu étais { allé / allée	vous étiez { allé(s) / allée(s)
3	il était allé elle était allée on était allé	ils étaient allés elles étaient allées

2. In the pluperfect, the rules for agreement of the past participle are the same as for the passé composé:

Elles se levaient?	Non, **elles s'étaient** déjà levé**es**.
Tu révisais **la leçon**?	Non, je **l'**avais déjà révisé**e**.
Vous lisiez **les journaux**?	Non, nous **les** avions déjà lu**s**.

Exercices

A. Redo the sentences using the passé composé and the pluperfect. Follow the model.

1. Il dit qu'elle est partie.
   Il a dit qu'elle était partie.
2. Je vois que tu as fait un pique-nique.
3. Nous pensons qu'ils sont déjà partis pour Chambord.
4. Ils expliquent qu'une mouche a piqué le bébé.
5. Tu remarques qu'elle n'est même pas arrivée.
6. Elle vérifie que vous avez payé la contravention.
7. Vous dites qu'elles se sont mises en route?

8. Elles demandent si tu les as attendues sur le banc.
9. Il croit que vous avez décidé de faire leur connaissance.
10. Je sais qu'elle est allée au rayon d'ameublement.

B. Answer the questions using the pluperfect. Follow the models.

1. Quand vous êtes rentré, est-ce qu'il déjeunait encore?
   Non, il avait déjà déjeuné.
2. Quand ils sont sortis de l'auberge, est-ce que l'autobus se mettait en route?
   Non, il s'était déjà mis en route.
3. Quand tu es arrivé au défilé, est-ce que tes amies partaient?
4. Quand Paul a téléphoné, est-ce qu'ils prenaient quelque chose à manger?
5. Quand elle est arrivée, est-ce que la messe commençait?
6. Quand tu es entrée dans la cuisine, est-ce qu'elles buvaient du café?
7. Quand Marc est rentré, est-ce que tu as fait sa connaissance?
8. Quand l'agent de police l'a remarquée, est-ce qu'elle brûlait le feu rouge?
9. Quand ils les ont rencontrées, est-ce qu'elles achetaient de la charcuterie?
10. Quand sa tante est partie, est-ce qu'elles se couchaient?
11. Quand tu les as appelés, est-ce que tes frères s'habillaient encore?

Le conditionnel passé

1. The past conditional is formed by using the conditional form of *avoir* or *être* and the past participle of the main verb. Its English equivalent is "would have" + verb. For example, "I would have sold":

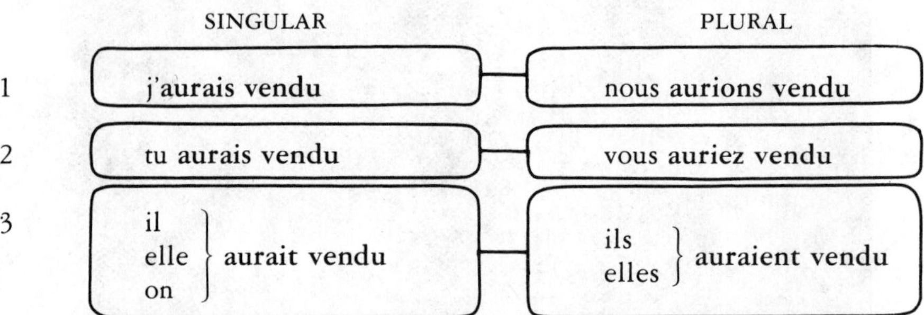

	SINGULAR	PLURAL
1	j'aurais vendu	nous aurions vendu
2	tu aurais vendu	vous auriez vendu
3	il / elle / on } aurait vendu	ils / elles } auraient vendu

Here is the equivalent of "I would have left," "you would have left," etc.

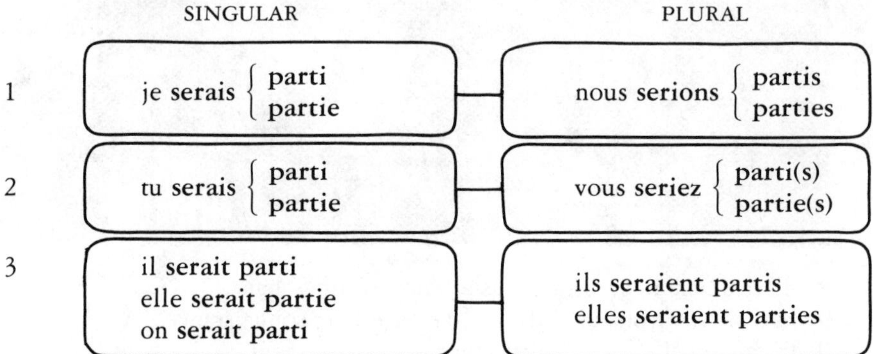

	SINGULAR	PLURAL
1	je serais { parti / partie	nous serions { partis / parties
2	tu serais { parti / partie	vous seriez { parti(s) / partie(s)
3	il serait parti elle serait partie on serait parti	ils seraient partis elles seraient parties

2. In the past conditional, the rules for agreement of the past participle are the same as for the passé composé and the pluperfect:

Elles se lèveraient?	**Elles se seraient levées.**
Tu réviserais la leçon?	**Je l'aurais révisée.**
Vous liriez les journaux?	**Nous les aurions lus.**

3. Remember that when a result clause is in the conditional, the *si* clause is in the imperfect. Similarly, when a result clause is in the *past conditional,* the *si* clause is in the *pluperfect:*

J'aurais su la réponse si **j'avais fini** le chapitre.	***I would have known*** *the answer if* ***I had finished*** *the chapter.*
Tu aurais pu aller au cinéma si **tu t'étais levé** à l'heure.	***You could have gone*** *to the movies if* ***you'd gotten up*** *on time.*
Si **nous étions allés** à Chambord, **j'aurais flâné** dans le parc.	*If* ***we'd gone*** *to Chambord,* ***I'd have strolled*** *in the park.*

Exercices

A. Complete the sentences using the past conditional. Follow the model.

1. Nous avons pris l'autobus. Mais lui, il *(prendre)* le métro.
   Nous avons pris l'autobus. Mais lui, il aurait pris le métro.
2. Nous avons décidé de rester à l'intérieur. Mais eux, ils *(se dépêcher)* vers la sortie.
3. Tu es entrée dans la cour. Mais Guy, il *(rester)* assis sur la pelouse.
4. Elle s'est coupé au genou. Mais moi, je *(se casser)* le cou.
5. Nous avons pris le petit déjeuner à la cuisine. Mais vous, vous *(prendre)* le petit déjeuner au lit.
6. Ils sont sortis tout de suite. Mais toi, tu m'*(attendre).*
7. Nous avons passé des vacances agréables en Suède. Mais elles, elles *(préférer)* l'Italie ou la Côte d'Azur.
8. J'ai renvoyé des œufs qui n'étaient pas frais. Mais mon oncle, il *(garder)* ceux qu'on lui avait apportés.
9. Il a regardé les feux d'artifice jusqu'à une heure. Mais moi, je *(rentrer)* à l'hôtel avant minuit.
10. Elle a voulu rester en Allemagne. Mais nous, nous *(être)* contents de retrouver Paris.

B. Redo the sentences using the pluperfect and the past conditional. Follow the model.

1. Si mon correspondant ne venait pas me voir, je voyagerais en Europe.
   Si mon correspondant n'était pas venu me voir, j'aurais voyagé en Europe.
2. Nous achèterions une voiture de sport si nous étions riches.
3. Si j'avais mon maillot et mes lunettes de soleil, je prendrais un bain de soleil.
4. Tu ne serais pas fatiguée si tu te couchais de bonne heure.
5. Si elles rentraient avant dix heures, elles nous téléphoneraient.
6. Nous ne pourrions pas faire de pique-nique s'il pleuvait.
7. Je serais désolé si tu ne me présentais pas à ta famille.
8. Vous aimeriez l'Espagne si vous saviez parler espagnol.
9. Si elle m'envoyait le paquet, le facteur l'apporterait.
10. Si tu ralentissais, ce machin-là s'arrêterait.
11. S'ils restaient près des sentiers, les fourmis ne les piqueraient pas.

Vérifiez vos progrès

Write complete sentences using any appropriate conditional—then conditional perfect—clause. Since the choice is yours, the answers are not in the back of the book. Check with your teacher. For example:

1. Si je voyageais aux Etats-Unis, . . .
   Si j'avais voyagé aux Etats-Unis, . . .

   Si je voyageais aux Etats-Unis, { *j'irais à San Francisco.* / *je voudrais voir la Maison-Blanche.* }

   Si j'avais voyagé aux Etats-Unis, { *je serais allé à Yellowstone.* / *mon cousin m'aurait accompagné.* }

2. Si j'avais assez d'argent, . . .
   Si j'avais eu assez d'argent, . . .
3. Si ma famille allait en vacances, . . .
   Si ma famille était allée en vacances, . . .
4. S'il faisait beau, . . .
   S'il avait fait beau, . . .
5. Si quelqu'un m'envoyait un aller et retour pour la France, . . .
   Si quelqu'un m'avait envoyé un aller et retour pour la France, . . .

CONVERSATION ET LECTURE

Parlons de vous

1. Vous aimez faire des pique-niques? Décrivez l'endroit où vous aimez faire vos pique-niques. 2. Quelles provisions est-ce que vous apportez? Qui les prépare d'habitude? 3. Vous aimez prendre des bains de soleil? Où donc? Vous vous bronzez facilement? 4. Est-ce que vous avez peur des insectes? Si oui, desquels? Pourquoi est-ce que vous en avez peur? 5. Est-ce que les serpents vous font peur aussi? Pourquoi? Où est-ce qu'on peut aller les voir? Que mangent les serpents? 6. Est-ce que vous avez un correspondant ou une correspondante en Europe ou en Afrique? Si oui, quel est son nom? Quelle est son adresse? Vous recevez souvent des lettres de cette personne? Sinon, est-ce que vous voudriez avoir un correspondant? Dans quel pays? Pourquoi choisiriez-vous ce pays-là?

Journal d'une touriste à Québec

Anne Gérard, une jeune Française, a fait une visite récemment à son frère et à sa belle-sœur[1] qui habitent Sainte-Foy* dans la banlieue de la ville de Québec.* Voici quelques pages du journal° qu'elle a tenu° pendant son séjour au Canada.

lundi, le 25 mai: Henri et Marie-France ont suggéré° qu'on visite le vieux Québec ce matin. Après

le journal: *(here) diary*
tenir: *to keep*
suggérer: *to suggest*

[1]The French add *beau* or *belle* to the words for family members to indicate "in-law": *la belle-mère, le beau-père, la belle-fille.* "Son-in-law," however, is usually *le gendre.*

avoir pris le train de Sainte-Foy, notre visite a commencé à la place d'Armes, au cœur de la vieille capitale. Près de la rue du Trésor, les artistes québécois vendent leurs tableaux du paysage et de la vie au Québec. J'y ai acheté un petit tableau du Château Frontenac.* (Ça sera un cadeau pour maman, je crois. Sinon, un beau souvenir pour moi-même!°) Cet énorme hôtel domine° la place avec son air du Moyen Age° et ses toits en cuivre.° Il a vraiment l'air d'un grand château français.

moi-même: *myself*
dominer: *to overlook*
le Moyen Age: *Middle Ages*
le cuivre: *copper*

Toujours à pied, nous avons flâné dans le magnifique Parc des Champs de Bataille.° C'est ici qu'en 1759 les troupes françaises du Général Montcalm ont rencontré l'armée anglaise du Général Wolfe dans la bataille des Plaines d'Abraham.* Aujourd'hui les plaines sont une vaste pelouse, tranquille et verte, où on peut faire des pique-niques. C'était une journée agréable, oui. Mais pour une Française c'était un peu triste quand même, car je me demande° de temps en temps ce qui° se serait passé si l'armée française avait gagné° cette bataille et cette guerre. Si la Nouvelle-France n'était pas devenue anglaise, est-ce que la Nouvelle-Angleterre serait devenue française peut-être? Y aurait-il des Etats-Unis anglophones ou francophones?

le champ de bataille: *battlefield*
se demander: *to wonder*
ce qui: *what*
gagner: *to win*

mercredi, le 27 mai: Les écrivains,° les poètes et les photographes° ont rendu l'île d'Orléans assez célèbre dans le Nouveau Monde. Aujourd'hui je commence à comprendre pourquoi, car nous avons traversé le fleuve Saint-Laurent pour visiter cette belle île que Jacques Cartier a découverte° il y a quatre siècles. Je crois qu'elle n'a pas beaucoup changé depuis cette époque-là.° On voit partout de petites fermes, des églises bâties° en pierre et même des moulins° à vent. D'après Henri, le touriste ne pourrait pas trouver un meilleur exemple du vieux Canada français et de la vie rurale d'autrefois.

l'écrivain *(m.): writer*
le/la photographe: *photographer*
découvrir: *to discover*
l'époque *(f.): era*
bâti, -e = construit
le moulin: *mill*

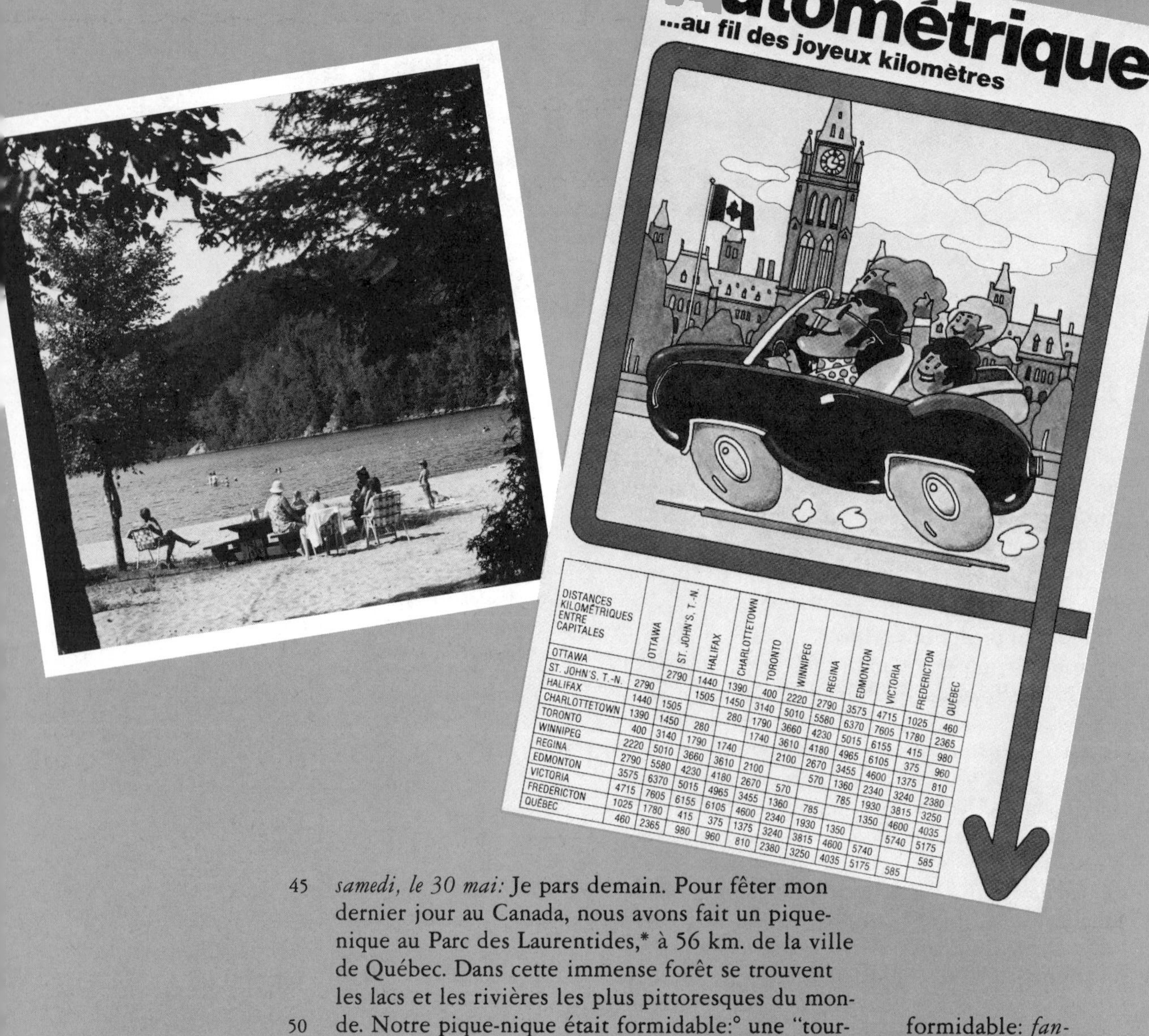

DISTANCES KILOMÉTRIQUES ENTRE CAPITALES	OTTAWA	ST. JOHN'S, T.-N.	HALIFAX	CHARLOTTETOWN	TORONTO	WINNIPEG	REGINA	EDMONTON	VICTORIA	FREDERICTON	QUÉBEC
OTTAWA		2790	1440	1390	400	2220	2790	3575	4715	1025	460
ST. JOHN'S, T.-N.	2790		1505	1450	3140	5010	5580	6370	7605	1780	2365
HALIFAX	1440	1505		280	1790	3660	4230	5015	6155	415	980
CHARLOTTETOWN	1390	1450	280		1740	3610	4180	4965	6105	375	960
TORONTO	400	3140	1790	1740		2100	2670	3455	4600	1375	810
WINNIPEG	2220	5010	3660	3610	2100		570	1360	2340	3240	2380
REGINA	2790	5580	4230	4180	2670	570		785	1930	3815	3250
EDMONTON	3575	6370	5015	4965	3455	1360	785		1350	4600	4035
VICTORIA	4715	7605	6155	6105	4600	2340	1930	1350		5740	5175
FREDERICTON	1025	1780	415	375	1375	3240	3815	4600	5740		585
QUÉBEC	460	2365	980	960	810	2380	3250	4035	5175	585	

samedi, le 30 mai: Je pars demain. Pour fêter mon dernier jour au Canada, nous avons fait un pique-nique au Parc des Laurentides,* à 56 km. de la ville de Québec. Dans cette immense forêt se trouvent les lacs et les rivières les plus pittoresques du monde. Notre pique-nique était formidable:° une "tourtière" (une tarte à la viande) et du "cole-slaw" (une sorte de salade au chou). Comme dessert, Marie-France avait apporté une tarte aux pommes—mais couverte de pâte° comme le "pie" anglais. Il a fallu aussi goûter le fromage canadien "oka." Il avait une odeur assez forte,° mais je l'ai aimé quand même.

formidable: *fantastic*

la pâte: *dough*

fort, -e: *strong*

Je serai triste de quitter Québec, mais Henri et Marie-France m'ont invitée à revenir l'année prochaine—en hiver, si maman et papa sont d'accord! Nous pourrons faire du ski ensemble dans les Laurentides. Si c'est au mois de février, on pourra aussi participer au Carnaval.*

Notes culturelles

**Sainte-Foy:* This large suburb of Quebec City is the site of a new campus of l'université Laval, a major French-language university.

**Québec:* In 1534, Jacques Cartier, the French navigator, took possession of Canada in the name of François Ier. However, not until seventy years later did Samuel de Champlain convince Henri IV to establish a colony in la Nouvelle-France. It was he who founded the city of Québec (1608). Today the city itself has a population of about 170,000. Since its old walled city, with its narrow streets and lovely buildings, has been exceptionally well preserved, Québec has an atmosphere very much like that of a city in France.

**le Château Frontenac:* This magnificent hotel was built in 1892 in the style of a medieval fortress. It was named for Louis de Buade, comte de Frontenac, who was governor of la Nouvelle-France (1672–82; 1689–98).

**les Plaines d'Abraham:* This is where one of the great battles of the French and Indian War was fought. The British, though outnumbered in infantry, used their navy to bombard the city almost constantly for two months. When the two armies finally met, both General Wolfe and General Montcalm were killed. Five days later, the English took over the city, and the French retreated to Montréal. In 1763 la Nouvelle-France was ceded to England and became Canada.

**le Parc des Laurentides:* This enormous and beautiful park was created in 1895 to protect herds of caribou. Today all types of wildlife roam the area, and visitors can camp, swim, fish, and canoe in the summer, and ski or snowshoe in the winter.

**le Carnaval:* Québec Winter Carnival *(le Festival des Neiges)* begins in mid-January and continues through Mardi Gras. It features all sorts of winter sports, games, ice sculpture contests, costume parties, and fireworks.

A propos ...

1. Qui est Anne Gérard et que fait-elle? 2. Lundi, le 25 mai, où est-ce que les Gérard sont allés? Comment est-ce qu'ils y sont allés? 3. Qu'est-ce qu'on trouve près de la rue du Trésor? Qu'est-ce qu'Anne a acheté? Pour qui? 4. Décrivez le Château Frontenac. 5. Qu'est-ce qui s'est passé dans les Plaines d'Abraham? Il y a combien de temps que cela s'est passé? 6. Décrivez l'île d'Orléans. Qui l'a découverte? Quand? 7. Où se trouve le Parc des Laurentides? Décrivez-le. 8. Les Gérard y ont fait un pique-nique. Qu'est-ce qu'ils ont mangé? 9. Et vous, est-ce que vous avez voyagé au Québec? Si oui, qu'est-ce que vous y avez vu? fait? Vous vous êtes amusé là-bas? Si vous n'y êtes pas allé, est-ce que vous voudriez y aller? 10. Est-ce que vous voudriez aller au Carnaval? Qu'est-ce que vous aimeriez faire là-bas? A quoi est-ce que vous participeriez? 11. Est-ce que vous aimez visiter des villes, des champs de bataille, des endroits historiques, etc.? Vous avez fait des visites comme celles qu'a faites l'héroïne de la lecture? Racontez-les.

EXPLICATIONS II

Les pronoms relatifs

VOCABULAIRE

dont *of (about) whom, of (about) which*

1. Look at the following:

Voilà **le monsieur.** Il va nettoyer la fontaine.	Voilà **le monsieur qui** va nettoyer la fontaine.
Les gâteaux sont à moi. **Ils** sont dans le panier.	**Les gâteaux qui** sont dans le panier sont à moi.
Voilà **la jeune fille.** L'abeille **l'a** piquée.	Voilà **la jeune fille que** l'abeille a piquée.
Les pierres étaient très petites. Je **les** ai jetées.	**Les pierres que** j'ai jetées étaient très petites.

In each pair of sentences on the left, the boldface nouns and pronouns refer to the same person or thing. The second sentence describes the noun in the first sentence. When these are combined, the resulting sentence has two parts, called a main clause and a subordinate clause. The subordinate clause is introduced by *qui* or *que* and refers to the noun in the main clause. The relative pronouns *qui* and *que* ("whom," "which," "that") can refer to either people or things. In these cases, *qui* is used as the subject of the verb and *que* as the object of the verb. Note that in a subordinate clause introduced by *que,* any past participle agrees in gender and number with the preceding direct object.

2. If the subordinate clause begins with a preposition, *qui* is usually used to refer to people and a form of *lequel* is used to refer to things:

Le prof s'appelle Larousse. Je parlais **avec lui.**	**Le prof avec qui** je parlais s'appelle Larousse.
Ce sont **les questions.** Elle **y** a répondu.	Ce sont **les questions auxquelles** elle a répondu.

3. However, when *de* + *qui* or *de* + a form of *lequel* would be used to introduce a subordinate clause, they are usually replaced by *dont:*

Le garçon était sur la pelouse. Tu parlais **de lui.**	**Le garçon dont** tu parlais était sur la pelouse.
Ce sont **les heures tranquilles.** Tout le monde **en** a besoin.	Ce sont **les heures tranquilles dont** tout le monde a besoin.

4. When prepositions referring to a place (such as *sur, dans,* and *à*) + a form of *lequel* might be used to introduce a subordinate clause, they are usually replaced by *où:*

Ils aimeraient voir **l'endroit où** ils flânaient si longtemps.
Il cherche **le tiroir où** j'ai caché les clefs.

Exercices

A. Combine the sentences using the correct relative pronoun: *qui* or *que.* Follow the models.

1. Maman n'aime pas les projets. Je les ai faits.
   Maman n'aime pas les projets que j'ai faits.
2. Les enveloppes sont à moi. Elles se trouvent sur la table.
   Les enveloppes qui se trouvent sur la table sont à moi.
3. Voilà le prof. Il m'a enseigné les maths l'année dernière.
4. Je connais des personnes. Elles ne conduisent jamais.
5. Elle a pris le train. Il va de Nice à Paris en dix heures.
6. L'avion vient d'atterrir. Il l'attendait.
7. Les provisions sont dans ce panier. Papa les cherchait.
8. Voilà le tournevis. Je l'ai emprunté à Louise.
9. Le garçon s'appelle Jean-Pierre. Il joue de la guitare.
10. Voilà la grenouille. Nous l'avons entendue près du lac.

B. Redo the sentences using *qui* or the correct form of *lequel.* Follow the models.

1. Il bavardait avec cette employée.
   Voilà l'employée avec qui il bavardait.
2. Nous t'attendrons près de cette fontaine-là.
   Voilà la fontaine près de laquelle nous t'attendrons.
3. J'ai décoré l'arbre avec ces bougies.
4. Ils téléphoneront à ce dentiste.
5. J'ai dîné hier soir avec cet avocat.
6. Ils se dirigeaient vers ce sentier.
7. Mon père travaillait avec cet ingénieur.
8. Ils ont mis les cadeaux derrière ce fauteuil.
9. Elles ont posé la question à cette dame.
10. Nous avons pris nos bains de soleil près de ce banc-là.

C. Combine the two sentences using *dont.* Follow the models.

1. Le filet est à moi. Marie s'en sert.
   Le filet dont Marie se sert est à moi.
2. Les chiens sont méchants. Nous en avons peur.
   Les chiens dont nous avons peur sont méchants.
3. Il a déjà descendu la valise. Elles en ont besoin.
4. Les tableaux coûtent cher. Il en a envie.
5. L'actrice n'est pas très célèbre. On parle d'elle.
6. Les bêtes sont vraiment gentilles. Elle en a peur.
7. Le parfum coûte peu. Elles s'en servent.
8. Le représentant était très poli. Je me souviens de lui.
9. Le monsieur est agent de police. Tu as fait sa connaissance.
10. Le parc est à une centaine de kilomètres d'ici. Nous en avons fait la visite.

D. Redo the sentences using *où.* Follow the model.

1. J'ai écrit l'adresse et le numéro de téléphone dans ce cahier-là.
   Voici le cahier où j'ai écrit l'adresse et le numéro de téléphone.
2. Elle travaille dans cette boutique.
3. Nous avons voyagé dans cette région-là.
4. Maryse s'est couchée dans ce compartiment.
5. Elle a eu un accident de moto à ce carrefour-ci.
6. Les illuminations auront lieu dans cette rue.
7. Nous ferons un pique-nique dans ce parc-ci.
8. Il a laissé son portefeuille à ce guichet-là.
9. Je me suis cassé la jambe sur cette pente-là.

Vérifiez vos progrès

Write the sentences using the correct relative pronoun.

1. Voilà l'adresse *(à qui, dont, où)* j'envoie le paquet.
2. Vous habitez l'immeuble devant *(laquelle, lequel, qui)* nous avons garé notre voiture?
3. Est-ce que ce sont les provisions *(dont, duquel, que)* tu avais besoin?
4. Voici les sentiers *(lesquels, où, que)* nous nous sommes promenés.
5. Est-ce que ton frère a gardé les lettres *(lesquelles, qu', qui)* il avait reçues?
6. Elle connaît la personne avec *(laquelle, lequel, qui)* tu parlais hier.
7. Ils ont acheté les légumes *(de qui, dont, que)* leur mère avait envie.
8. Où se trouve la pelouse *(lesquels, où, que)* nous pouvons faire un pique-nique?
9. Est-ce que ce sont les pièces *(à qui, auxquels, auxquelles)* il a assisté?
10. Je ne me souviens pas du nom de l'auberge *(où, que, sur laquelle)* nous avons passé la semaine.

RÉVISION ET THÈME

Consult the model sentences, then put the English cues into French, and use them to form new sentences.

1. *Ses parents l'enverront en Europe l'année prochaine.*
   (She would send them to Mexico the following month.)
   (I'm sending him back to Canada the next day.)
2. *J'ai nagé dans la rivière près de laquelle on avait fait un pique-nique.*
   (You (sing.) *met the girls with whom we had made a date.)*
   (He strolled on the lawn where they had found the frogs.)
3. *Lui aussi, il aurait vu les serpents s'il était allé au zoo.*
   (She, too, would have taken a sunbath if she'd arrived early.)
   (We, too, would have sent back the letter if we'd known the address.)
4. *Là-bas il y a des cigales que nous entendons souvent.*
   (Over there there are forests that I remember well.)
   (There are strawberries there that are very fresh.)
5. *Vous auriez aimé la fontaine qui était devant ces bancs.*
   (They would have bought the half that we needed.)
   (It (f.) *would have contained the cake that she was sending.)*

Now that you have done the *Révision,* study the French paragraph. Afterwards, using it as a model, put the English paragraph into French to form a composition.

Modèle: Les parents de Bernard l'ont envoyé aux Etats-Unis pendant les vacances. Il est allé à Boston, où il avait été l'année précédente. Sa sœur aussi aurait passé ses vacances aux Etats-Unis si elle avait fait de l'anglais. Là-bas il y a des endroits qui sont très intéressants. Par exemple, elle aurait visité les régions dont son frère lui avait parlé. Elle croit que son père lui permettra d'y aller bientôt.

Theme: Christine's family sent her to Greece last summer. She lived in Athens, where her father had gone to the university. I, too, would have traveled in Greece if I had had the time. There are theaters there that are very ancient. I would have seen the cities that people *(on)* had described to me. I hope my company will ask me to travel there next year.

CHICAGO
U.S.A.
"C'est moins cher que vous ne le pensez.
Venez voir par vous-même."
JOHN HANCOCK CENTER
Soyez les bienvenus.

AUTO-TEST

A. Rewrite each sentence, replacing the words in italics with the equivalent form of *envoyer* or *renvoyer.* Follow the model.

   1. Mon père *a voulu leur envoyer* une lettre.
      Mon père leur a envoyé une lettre.
   2. Tu *pourras renvoyer* la jupe.
   3. Leur oncle *allait envoyer* un paquet en Suisse.
   4. Il *ne voudrait pas les envoyer* à Montréal.
   5. Elle *avait voulu renvoyer* les romans à la librairie.

6. Je *n'aurais pas pu renvoyer* ces cadeaux à mes parents.
7. Qui *veut envoyer* des santons en Amérique?
8. Tu *n'as pas voulu envoyer* ton frère cadet au marché?

B. Write the sentences, first using the imperfect and the conditional, then using the pluperfect and the past conditional. Follow the model.

1. Si nous faisons un pique-nique, il faudra trouver un endroit tranquille.
   Si nous faisions un pique-nique, il faudrait trouver un endroit tranquille.
   Si nous avions fait un pique-nique, il aurait fallu trouver un endroit tranquille.
2. Si elle veut visiter les jardins, elle peut nous accompagner.
3. Si vous restez dans le parc, vous pourrez m'attendre près de la fontaine.
4. Ils feront de l'auto-stop s'ils voyagent en Suisse et en Autriche.
5. Je me bronzerai s'il ne pleut pas.
6. Si tu m'expliques le problème, je comprendrai.

C. Write the sentences using the appropriate relative pronoun: *qui, que, dont,* or *où.*

1. Ce sont les abeilles surtout ______ j'ai peur.
2. Voici le filet ______ tu as demandé.
3. Tu es allé chercher les provisions ______ nous avons besoin pour le pique-nique?
4. J'ai rencontré ton ami ______ prenait un bain de soleil sur la pelouse.
5. Vous vous souvenez du chemin ______ nous nous sommes perdus?
6. C'était son petit neveu ______ elle a amené à la fête.
7. Est-ce que tu as parlé au médecin ______ était à la clinique?
8. Ils ont cassé la bouteille de vin ______ nous avons apportée.

D. Write the sentences using the appropriate relative pronoun: *qui* or a form of *lequel.* Follow the models.

1. Il expliquait la leçon à l'élève.
   Voici l'élève à qui il expliquait la leçon.
2. Elle s'est dirigée vers l'entrée.
   Voici l'entrée vers laquelle elle s'est dirigée.
3. Nous avons trouvé des vers sous les pierres.
4. J'ai écrit son nom sur l'enveloppe.
5. Tu as téléphoné à l'aubergiste pour retenir une chambre.
6. Ils ont envoyé la lettre à l'infirmier.
7. Vous avez vu la grenouille sous l'arbre.
8. Il renverra les chemises au magasin.

COMPOSITION

Ecrivez une composition sur l'Amérique d'aujourd'hui si la Nouvelle-France n'était pas devenue le Canada. Comment notre monde et notre vie seraient-ils différents si la France n'avait pas perdu cette grande colonie d'Amérique du Nord?

Poème

IL FAUT PASSER LE TEMPS

. . . Ah!
du matin au soir
je ne faisais rien
rien
ah! quelle drôle de° chose
du matin au soir
du soir au matin
je faisais la même chose
rien!
je ne faisais rien
j'avais les moyens°
ah! quelle triste histoire
j'aurais pu tout avoir
oui
ce que° j'aurais voulu
si je l'avais voulu
je l'aurais eu
mais je n'avais envie de rien
rien . . .

Jacques Prévert, *Histoires*
© Editions Gallimard

drôle de = drôle

les moyens *(m.pl.): means*

ce que: *what*

Proverbe

On ne prend pas les mouches avec du vinaigre.

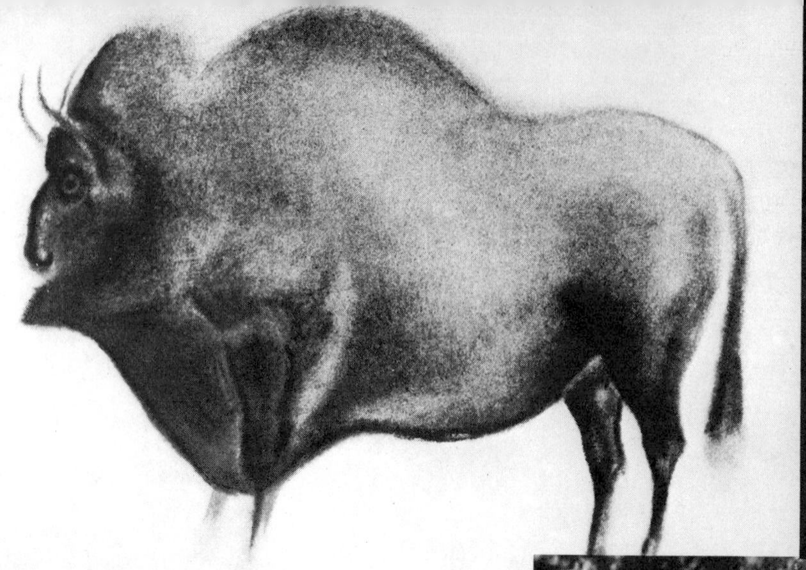

MINISTÈRE DES AFFAIRES CULTURELLES
CAISSE NATIONALE DES MONUMENTS HISTORIQUES
SERVICE DU DROIT D'ENTRÉE

Paragon 1

TAXE SPÉCIALE
POUR
PHOTOGRAPHIER
dans les MONUMENTS
appartenant à l'Etat

0,50 F

A conserver par le visiteur pour être présenté à toute réquisition.

A 653234

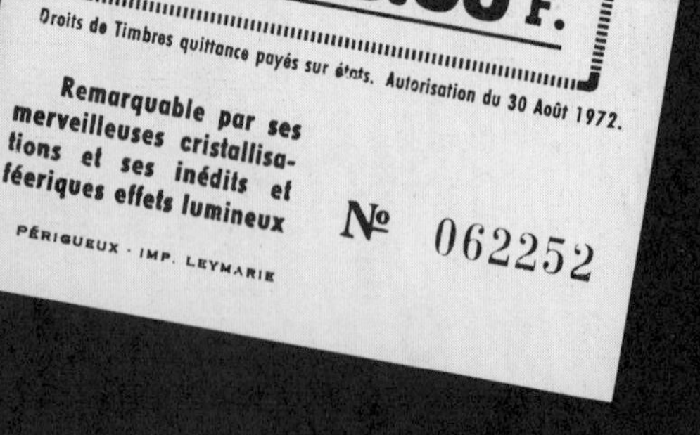

GROTTE DU GRAND ROC
LES EYZIES EN PÉRIGORD

Entrée : 5.00 F.

Droits de Timbres quittance payés sur états. Autorisation du 30 Août 1972.

Remarquable par ses merveilleuses cristallisations et ses inédits et féeriques effets lumineux

PÉRIGUEUX - IMP. LEYMARIE

№ 062252

La grotte de Font-de-Gaume

Photographe pour une revue d'art, Catherine Montenay doit prendre les photos pour un article sur les peintures préhistoriques de la grotte de Font-de-Gaume.* Son ami Philippe Vouriot fait ses études d'anthropologie à Poitiers,* et elle lui a demandé de l'accompagner. "Quand j'aurai des questions, tu pourras peut-être y répondre," lui a-t-elle dit. Après avoir escaladé le sentier qui mène à la grotte, les deux amis arrivent à l'entrée, où le gardien leur vend des billets. Puis il les conduit à l'intérieur.

CATHERINE Brrrr. Comme il fait froid!

PHILIPPE On ne peut pas mettre de chauffage ici. Cela abîmerait les peintures.

CATHERINE Oh! Regarde celle-là! Au premier coup d'œil on ne voit que du noir et du rouge.[1] Mais si on regarde de plus près, on voit bien que ce sont des animaux.

PHILIPPE Tu vois ces flèches rouges autour des animaux? On pense que les premiers habitants du Périgord* étaient chasseurs, et qu'ils peignaient leurs grottes pour assurer une bonne chasse. Mais qu'est-ce que tu veux photographier d'abord, Catherine?

CATHERINE Ce qui m'intéresse surtout c'est ce taureau-là. Mais il n'y a pas assez de lumière. Je reviendrai dès que je serai allée chercher mes lampes. Je les ai laissées dans le coffre. . . . Hé, Philippe! Je suis chasseur aussi, moi—chasseur d'images![2]

---

[1]Just as in English, colors can be used as nouns. They are always masculine.

[2]The French use this term for a photographer who goes out looking for interesting scenes and subjects.

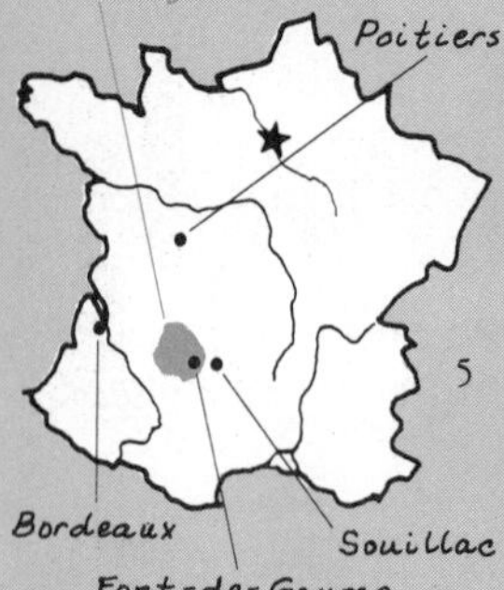

The cave at Font-de-Gaume

A photographer for an art magazine, Catherine Montenay has to take the pictures for an article on the prehistoric paintings in the cave at Font-de-Gaume. Her friend Philippe Vouriot is studying anthropology at Poitiers, and she has asked him to accompany her. "When I have questions, perhaps you can answer them," she told him. After climbing the path leading to the cave, the two friends arrive at the entrance, where the guard sells them tickets. Then he leads them inside.

CATHERINE Brrrr. It's really cold!

PHILIPPE They can't put heating in here. It would ruin the paintings.

CATHERINE Oh! Look at that one! At first, you only see black and red. But if you look closer, you can see that they're animals.

PHILIPPE You see those red arrows around the animals? They think that the first inhabitants of the Périgord region were hunters, and that they painted their caves to ensure a good hunt. But what do you want to photograph first, Catherine?

CATHERINE What interests me most is that bull over there. But there's not enough light. I'll be back as soon as I get my flash attachments. I left them in the trunk. . . . Hey, Philippe! I'm a hunter, too—a picture-hunter!

Notes culturelles

******Font-de-Gaume:* First discovered in the early twentieth century, the cave at Font-de-Gaume is located in the heart of la Dordogne, a *département* in southwestern France. It is near the caves of Lascaux—one of the best-known sites of prehistoric paintings, but now closed to the public to prevent further deterioration—and Cro-Magnon. It was in this area, near the town of Sarlat, that the skull of Cro-Magnon man was found. It is believed that the cave paintings were done about 25,000 years ago.

******Poitiers:* This city of 75,000 population was the capital of the former province of Poitou. It was near here that in 732 Charles Martel, grandfather of Charlemagne, defeated a Saracen raiding party and ended the threat of Islamic conquest of Western Europe. Most of the settlers in Acadie came from the province of Poitou.

Les Pierrafeu
Continuez de rire à l'âge de pierre avec *les Pierrafeu*, qui vous tiendront compagnie tout l'été, le samedi à 14h30.

******le Périgord:* This is the name of the region east of Bordeaux that includes la Dordogne. It is an area of rolling hills and excellent farmland devoted mostly to wheat, tobacco, grapes, and orchards. Le Périgord is most widely known for its forests of oak trees *(le chêne),* beneath which, underground, one finds the black, mushroom-like delicacy called truffles *(la truffe).* Rare and very expensive, truffles are often used in French gourmet cooking.

Questionnaire

1. Que fait Catherine comme profession? Pourquoi se trouve-t-elle à Font-de-Gaume? 2. Pourquoi a-t-elle demandé à Philippe de l'accompagner? 3. Qui est-ce qu'ils rencontrent à l'entrée? Qu'est-ce qu'il fait? 4. Pourquoi

est-ce qu'on ne met pas de chauffage dans la grotte? 5. D'après Catherine, qu'est-ce qu'on voit d'abord quand on regarde les peintures? Et si on regarde de plus près? 6. D'après Philippe, comment explique-t-on les flèches rouges autour des animaux? 7. Avant de photographier les peintures, Catherine doit retourner à la voiture. Pourquoi?

PRONONCIATION

In the middle of a word, when the [ə] sound is preceded by one consonant sound, it is usually dropped. When it is preceded by more than one consonant sound, the [ə] sound is usually pronounced.

Exercices

A. Practice dropping the [ə] sound in these words.

rete̸nir	le carre̸four	le méde̸cin	la saute̸relle
ame̸ner	l'enve̸loppe	le boule̸vard	le souve̸nir

B. Practice pronouncing the [ə] sound in these words.

autre̲fois	correcte̲ment	l'ameuble̲ment	le tourne̲vis
juste̲ment	directe̲ment	l'embarque̲ment	le pample̲mousse

C. Practice pronouncing and dropping the [ə] sound in these sentences.

Elle commande̸ra le̸ dîner.
Il va se̸ prome̸ner lente̸ment.
Tu vas ache̸ter ce̸ porte̲feuille?
Je̲ passe̸rai deux se̸maines en Angle̲terre.

Il parle̲ra alle̸mand.
Appe̸lez le̸ méde̸cin tout de̸ suite.
Allez directe̲ment à la bouche̸rie.
Je̲ mange̸rai le̸ pample̲mousse mainte̸nant.

MOTS NOUVEAUX I

Charles aime **l'art** *(m.)* moderne.	*Charles likes modern* ***art.***
Il travaille pour **une revue.**	*He works for* ***a magazine.***
Il écrit sur **la peinture.**	*He writes about* ***painting.***
le dessin	***drawing***
Il doit écrire **un article.**	*He has to write* ***an article.***
Anne va le **rejoindre.**	*Anne's going* ***to join*** *him.*
Quel est **le métier** d'Anne?	*What's Anne's* ***occupation?***
Elle est photographe.	*She's a photographer.*
Elle va **jeter un coup d'œil sur** l'article.	*She's going* ***to take a look at*** *the article.*
Il va l'**intéresser?**	*Will it* ***interest*** *her?*
Je **crois que oui.**	*I* ***think so.***
Je **crois que non.**	*I* ***don't think so.***
Si oui, elle va **photographier** les dessins pour l'article.	*If so, she'll* ***photograph*** *the drawings for the article.*
Ils vont se **rejoindre** au musée.	*They'll* ***meet*** *at the museum.*

Le gardien / **La gardienne** } prend les billets.	***The guard*** *takes the tickets.*
Il y a assez de lumière?	*Is there enough light?*
J'espère que oui.	*I* ***hope so.***
Tu as oublié **l'appareil** *(m.)?*	*Did you forget* ***the camera?***
J'espère que non.	*I* ***hope not.***
Je vais chercher **la lampe.**	*I'll go get* ***the flash attachment.***
Je vais **garder** l'appareil.	*I'll* ***watch*** *the camera.*
Après, ils **se mettent au travail.**	*Afterwards, they* ***set to work.***
Ils doivent **s'en aller** avant 4 h.	*They have* ***to get out*** *before 4:00.*
A 4 h. on va **éteindre** les lumières.	*At 4:00, they'll* ***turn off*** *the lights.*

Exercice de vocabulaire

Choose the word or phrase that best completes the sentence or fits the situation.

1. Cet agent va nous donner une contravention? *(J'espère que oui./Je crois que non.)*
2. Avant de vous coucher, veuillez *(allumer/éteindre)* les lumières.
3. Personne ne répare ce lavabo? Maman a téléphoné *(au gardien/au plombier).*
4. Il est 5 h. 10 et d'habitude ils quittent le bureau à 5 h. Ils ont dû *(finir leur travail/se mettre au travail)* il y a dix minutes.
5. Un photographe se sert *(d'un appareil/d'un article)* pour prendre des photos.
6. Pourquoi est-ce que cette lampe ne marche pas? *(Je te photographierai/J'y jetterai un coup d'œil),* si tu veux.
7. A qui sont cette règle et cette scie? Ils sont *(au charpentier/au coiffeur)* qui fait les étagères dans le placard.
8. Nous regardons les tableaux tandis que les gardiens *(les gardent/les prennent).*
9. Tu n'as pas encore lu cette revue-là? J'ai jeté un coup d'œil sur *(les dessins animés/les titres des articles).*
10. Tu vas à l'exposition de peinture moderne? Cela ne *(me gêne/m'intéresse)* pas du tout.

MOTS NOUVEAUX II

On se lève avant **le lever du soleil.**	*We get up before* ***sunrise.***
On va à **la grotte** de Font-de-Gaume.	*We're going to* ***the cave*** *of Font-de-Gaume.*
On y verra de l'art **préhistorique.**	*We'll see* ***prehistoric*** *art.*
la peinture **préhistorique**	***prehistoric*** *painting*
Il faudra **escalader** le sentier.	*We'll have* ***to climb up*** *the path.*
Il va **mener**[1] à l'entrée.	*It will* ***lead*** *to the entrance.*

[1]*Mener* follows the pattern of *lever.*

Il fera frais à l'intérieur.	*It will be chilly inside.*
On ne peut pas **chauffer** la grotte.	*They can't **heat** the cave.*
Le chauffage serait dangereux.	***Heating** would be dangerous.*
On ne veut pas **abîmer** les peintures.	*They don't want **to ruin** the paintings.*
Au premier coup d'œil, on ne voit rien.	***At first glance,** you don't see anything.*
Mais regarde **de plus près.**	*But look **closer.***
Voilà **un cerf.**	*There's **a deer.***
un taureau	***a bull***
une flèche	***an arrow***
Il y a des flèches **autour des** taureaux.	*There are arrows **around** the bulls.*
Ils ont dû les **craindre.**	*They must have **feared** them.*
Un chasseur / **Une chasseuse** } aime **la chasse.**	***A hunter** likes **hunting.***
Les habitants *(m.pl.)* étaient chasseurs.	***The inhabitants** were hunters.*
Ils aimaient **chasser** les cerfs.	*They liked **to hunt** deer.*
dessiner	***to draw***
Ils aimaient **peindre** les murs.	*They liked **to paint** the walls.*
faire de la peinture	***to paint***
faire des tableaux	***to paint pictures***
Pourquoi?	*Why?*
Pour **assurer** une bonne chasse.	***To ensure** a good hunt.*
Tu prends toujours des photos?	*Are you still taking pictures?*
Je t'assure qu'il n'y en a pas trop.	*I assure you there aren't too many.*
Hé! Voilà **le coucher du soleil.** Tu peux le photographier?	*Hey! There's **the sunset.** Can you take a picture of it?*
Je crains que non.	*I'm **afraid not.***

Exercice de vocabulaire

From the column on the right, choose the most logical response to each statement or question on the left.

1. Aïe! Je me suis coupé au pouce.
2. Ce garçon-là dessine le paysage.
3. Combien d'habitants est-ce qu'il y a?
4. Il aime escalader les montagnes?
5. Quelle heure est-il? Il ne fait pas encore jour?
6. Ils ont abîmé l'évier.
7. Je ne vois rien.
8. Pourquoi est-ce qu'il n'y a pas de chauffage?
9. Et maintenant qu'est-ce qu'ils vont peindre?
10. Qui va à la chasse perd sa place! Si tu étais resté . . .

a. Alors, regarde de plus près!
b. Assez de proverbes!
c. Avec cette flèche-là?
d. C'est un bon artiste.
e. Il y en a presque deux mille, je crois.
f. Le plombier m'a assuré qu'il n'y aurait pas de problèmes.
g. D'habitude il fait assez chaud.
h. Non, on attend toujours le lever du soleil.
i. Seulement les murs et le plafond du salon, je crois.
j. Sûrement. Il fait de l'alpinisme depuis l'âge de dix ans.

Etude de mots

Mots associés: Complete each sentence using a noun related to the word in italics.

1. C'est un *journaliste.* Il travaille pour un ______ à Lyon.
2. Elle n'aime pas *photographier* les personnes. C'est une excellente ______ quand même.
3. Elle est *artiste?* Oui, et elle enseigne des cours sur l'______ japonais.
4. Nous n'aimons pas *peindre,* mais nous aimons bien la ______.
5. Personne n'*habitait* cette vallée quand j'étais petit. Nous étions les seuls ______ de la région.
6. *Lève*-toi! Regarde ce ______ du soleil!
7. Qui sont ces gens-là qui *gardent* les animaux? Ce sont les ______ de zoo.
8. Tu as *dessiné* ce cerf? Bien sûr, il y a longtemps que je fais des ______.
9. On ne *chauffera* pas le grenier. On paie déjà trop le ______.
10. Les enfants se sont déjà *couchés?* Oui, en été ils s'endorment même avant le ______ du soleil.
11. Après avoir lu *Bambi,* ils ne veulent plus *chasser* les cerfs. De toute façon, la ______ ne m'a jamais intéressée. Je ne suis pas ______, moi.

Mots à plusieurs sens: Quels sont les mots?

1. Martine prenait des photos avec l'______ de Jacqueline pendant que celle-ci était à l'______.
2. —Je peux te donner un ______ de main?
   —Tout à ______ cette machine ne marche plus. Tu voudrais y jeter un ______ d'œil? Je ne peux rien faire, moi.
   —Au premier ______ d'œil, je crois que c'est ce machin-là. Laisse-moi aller chercher mes pinces et ma clef.

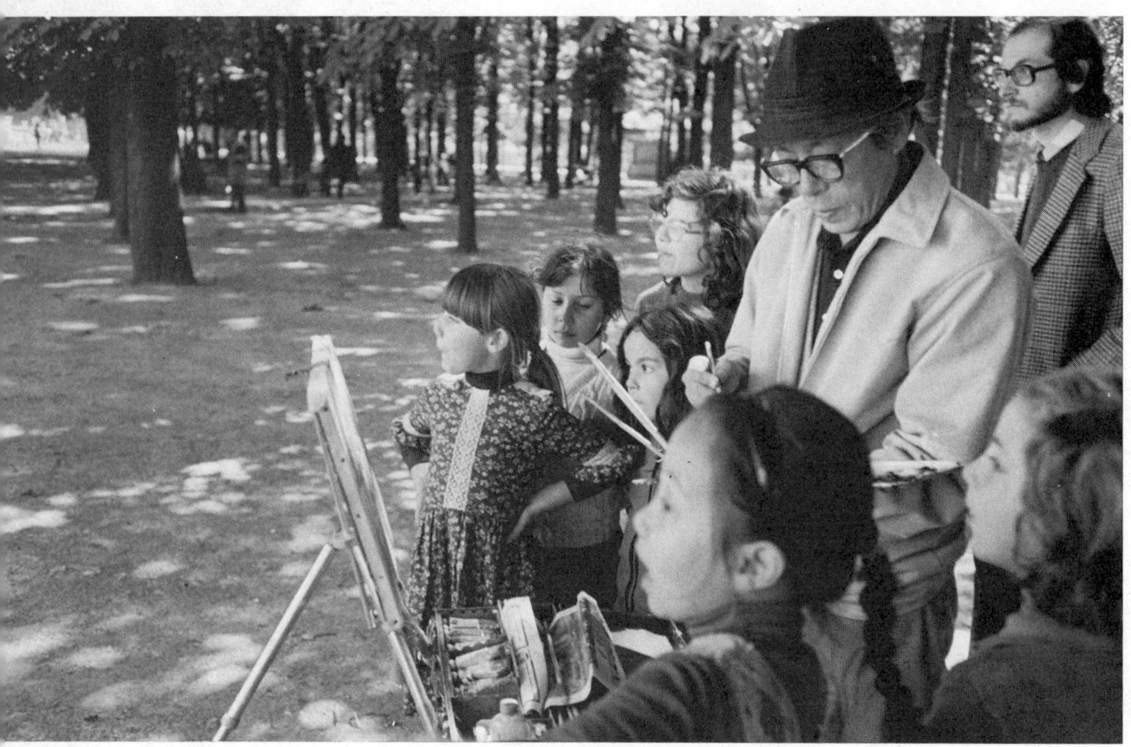

—Je t'attendrai. Si tu ne les trouves pas, donne-moi un ______ de téléphone.
—Je les trouverai à ______ sûr. Je reviendrai.

Mots à ne pas confondre:

1. *peindre/faire un tableau/faire de la peinture:* In general, the verb *peindre* is used to speak of painting objects (buildings, furniture, etc.) or parts or types of paintings (the left side, landscapes). *Faire de la peinture* is used to speak of what an artist does for a living—"paints." *Faire un tableau* is used to speak of the act of painting a picture. *La peinture* is the art of painting; *le tableau* is the painting itself *(J'aime la peinture, mais pas ce tableau-là.)*.
2. *mener/amener/emmener/promener:* The use of these four words can be very subtle. You will be safe if you think of them this way: *Mener* means "to lead" and can be used to speak of (a) leading an animal, or (b) a road or path or profession that "leads" or "goes" somewhere. *Amener* and *emmener* are used with people: *amener* means "to bring someone (along)"; *emmener* means "to take someone (along)." *Promener* can be used with animals or people and means "to take for a walk." Look at these examples:

   Tous les chemins **mènent** à Rome.
   Quand tu viens chez moi, **amène** les enfants.
   Quand nous allions au zoo, nous **emmenions** toujours Alice.
   Je **promène** le bébé tandis que vous **promenez** le chien.

Now you make sentences using these four verbs.

EXPLICATIONS I

Les verbes en -indre

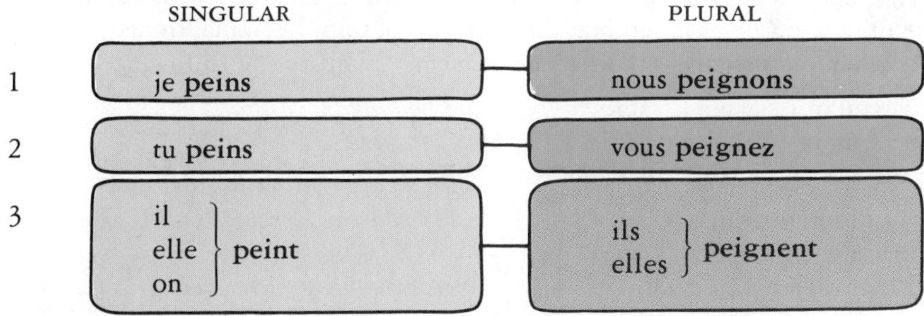

SINGULAR
PLURAL
1
je peins
nous peignons
2
tu peins
vous peignez
3
il
elle
on
peint
ils
elles
peignent

IMPERATIVE: **peins! peignons! peignez!**
PAST PARTICIPLE: **peint**
PRESENT PARTICIPLE: **peignant**
IMPERFECT STEM: **peign-** (**je peignais,** etc.)
FUTURE/CONDITIONAL STEM: **peindr-** (**je peindrai,** etc.; **je peindrais,** etc.)

Note that in the singular the [ɲ] sound of the plural is dropped, and the vowel sound in all three singular forms is nasal. *Craindre, éteindre,* and *(se) rejoindre* all follow this pattern.

Exercices

A. Redo the sentences, replacing the verb in italics with the appropriate present-tense form of the verb in parentheses. Follow the model.

1. Nous *retrouvons* des camarades de classe au café. (rejoindre)
   Nous rejoignons des camarades de classe au café.
2. *J'essuie* le plafond. (peindre)
3. Elle *casse* la lampe. (éteindre)
4. Ils ne chauffent pas la chambre? Je *crois* que non. (craindre)
5. Vous *voyez* vos amis pendant les vacances d'été? (rejoindre)
6. Les chasseurs *décorent* les murs de la grotte. (peindre)
7. Tu *attends* Georges après le cours? (rejoindre)
8. L'électricien *répare* les lumières de la cuisine. (éteindre)
9. Est-ce qu'ils *construisent* la nouvelle clinique? (peindre)
10. Vous *voyez* ces araignées-là? (craindre)
11. Nous nous *arrêtons* au coin de la rue. (se rejoindre)

B. Answer the questions using the appropriate direct object pronoun. Follow the model.

1. Vous éteindrez les lumières? *Nous les avons déjà éteintes.*
2. Vous peindrez l'armoire?
3. Tu éteindras les phares?
4. Il peindra le plafond?
5. Ils rejoindront leurs amis?
6. Elle éteindra la lampe?
7. Ils peindront le salon?
8. Elles se rejoindront?
9. Tu éteindras le feu?

Les pronoms relatifs ce qui, ce que et ce dont

In Lesson 14 you studied how to use *qui, que,* and *dont* in subordinate clauses where the noun or pronoun in the main clause is expressed. The relative pronouns *ce qui, ce que,* and *ce dont* are used in the same way, but only when the noun or pronoun that they refer to has not been mentioned, and only when the meaning is "what" or "which." Compare the following:

La **revue qui** est sur la table est à moi.	***The magazine that**'s on the table is mine.*
Ce qui est sur la table est à moi.	***What**'s on the table is mine.*
Il fait un pique-nique. **C'est** amusant.	*He's having a picnic.* ***That's** fun.*
Il fait un pique-nique, **ce qui est** amusant.	*He's having a picnic,* ***which is** fun.*
Voici **les cerfs qu**'ils ont peints.	*Here are **the deer (that)** they painted.*
Montre-moi **ce qu**'ils ont peint.[1]	*Show me **what** they painted.*
Nous avons trouvé **l'appareil dont** elle avait besoin.	*We found **the camera (that)** she needed.*
Est-ce que vous avez trouvé **ce dont** elle avait besoin?	*Did you find **what** she needed?*

Note that *ce qui* replaces a subject; *ce que* replaces an object; and *ce dont* replaces *de* + object.

Exercices

A. Answer the questions using the appropriate relative pronoun: *ce qui* or *ce que.* Follow the models.

1. Qu'est-ce qui leur fait peur?
   Je ne sais pas ce qui leur fait peur.
2. Qu'est-ce qu'ils craignent?
   Je ne sais pas ce qu'ils craignent.
3. Qu'est-ce qui se passe?
4. Qu'est-ce qui les intéresse?
5. Qu'est-ce que vous dessinerez?
6. Qu'est-ce qui abîmerait ces tableaux?
7. Qu'est-ce qu'ils ont mis sur les murs?
8. Qu'est-ce qui se trouve dans cette grotte-là?
9. Qu'est-ce qu'elles font comme profession?

B. Complete the sentences using the appropriate relative pronoun: *ce qui, ce que,* or *ce dont.*

1. Il ne sait pas ______ nous aurions pu faire.
2. Demande-lui ______ elle a besoin.
3. Regarde ______ je viens de peindre.

[1]Note that the past participle does not agree with the relative pronoun *ce que.*

4. Elle vous achètera ______ vous avez envie.
5. Si je ne me trompe pas, ______ est dans ce paquet est à Paul.
6. Dis-moi ______ il se souvient.
7. L'examen? C'est ______ ils craignaient.
8. Dis-moi ______ tu voudrais photographier.
9. Le samedi j'aime me promener en ville pour voir ______ se passe.
10. Je cherchais ______ elle m'avait parlé.

Vérifiez vos progrès

Rewrite the dialogues, using the correct form of the verb in parentheses and the appropriate relative pronoun: *ce qui, ce que,* or *ce dont.*

1. —Où est-ce que vous *(rejoindre)* vos camarades?
   —On *(se rejoindre)* au zoo, à midi.
   —Qu'est-ce que vous faites après?
   —Je ne sais pas ______ nous allons faire. ______ me ferait plaisir, ce serait d'aller dîner dans un restaurant.
2. —Tu *(peindre)* encore une fois les murs de la cuisine?
   —Oui, je les avais *(peindre)* l'année dernière, mais ils sont sales.
   —Tu as besoin de quelque chose?
   —______ j'ai besoin, c'est de quelqu'un qui pourrait me donner un coup de main.
3. —Marie! Lydie! *(Eteindre)* la lampe! Vous devez être au lit. Vous avez entendu ______ j'ai dit? Couchez-vous!
   —Oui, maman. Mais nous voudrions savoir ______ se passe à la fin de l'histoire que tu as commencée hier soir!

CONVERSATION ET LECTURE

Parlons de vous

1. Quels musées est-ce que vous avez visités? Lequel est-ce que vous avez aimé le mieux? Qu'est-ce qui vous a impressionné le plus là-bas? 2. Qu'est-ce que vous préférez comme peinture? Est-ce que vous aimez l'art moderne? les tableaux impressionnistes? 3. Est-ce que vous aimez faire des tableaux? des dessins? Qu'est-ce que vous dessinez? 4. Décrivez un tableau que vous aimez beaucoup. 5. Est-ce que vous peignez de temps en temps des meubles? Lesquels? Avez-vous jamais peint une maison entière ou une chambre dans une maison? Si oui, racontez ce qui s'est passé.

GEORGES ROUAULT

AU
MUSÉE D'ART MODERNE

La chasse aux truffes°

Madeleine Defferre, qui aura bientôt 16 ans, habite Souillac,* une petite ville du Périgord, où les Defferre ont une ferme depuis plusieurs génerations. Bien que° Madeleine aime beaucoup le paysage, avec ses collines° et ses belles forêts de chênes,° elle espère quand même ne pas rester toujours à la ferme. Elle voudrait devenir vétérinaire. Elle aime beaucoup les bêtes.

Aujourd'hui on la voit avec son chien, qu'elle mène à la chasse aux truffes. Avec l'aide du chien, Madeleine cherchera des truffes près de la base des chênes dont la ferme est entourée. Puisque les truffes sont très rares (on ne peut les trouver que pendant les trois mois de l'hiver), elles peuvent rapporter° beaucoup d'argent. Les Defferre ont de la chance puisque d'habitude les truffes poussent° très bien chez eux.

Les truffes sont un mystère botanique. On ne sait pas pourquoi elles poussent en certains endroits et non pas ailleurs.° Elles peuvent disparaître° d'un endroit et y réapparaître° plus tard. Ce n'est pas une chose qu'on peut planter.° On peut attendre et espérer, mais c'est tout.

Pour chercher les truffes, les agriculteurs entraînent° un chien—ou une truie.° Oui, ils emploient souvent des truies qu'ils mènent en laisse.° C'est un long travail qui n'est pas du tout pour les personnes impatientes. Evidemment, si la bête mangeait même une partie de la truffe, la récolte° ne serait pas grande. Ce que la bête doit surtout apprendre, c'est de découvrir° la truffe très soigneusement, sans l'abîmer.

Madeleine entraîne son chien depuis longtemps. Maintenant ils sont dans un sentier de la forêt. "Mettons-nous au travail!" dit-elle. Bientôt son chien tire° sur la laisse. Les premières truffes de la saison! Madeleine les met dans son panier. Quand elle aura rempli° le panier—et ça pourrait prendre longtemps—elle rentrera à la maison. Son père devra apporter la récolte tout de suite au marché, car les truffes ne se conservent° pas et il faut les manger ou les mettre en boîte° très rapidement. On les envoie souvent à l'étranger,° surtout celles qu'on a mises en boîte.

la truffe: *truffle*
bien que: *although*
la colline: *hill*
le chêne: *oak*
rapporter: *to bring in*
pousser: *to grow*
ailleurs: *elsewhere*
disparaître: *to disappear*
réapparaître: *to reappear*
planter: *to plant*
entraîner: *to train*
la truie: *sow*
la laisse: *leash*
la récolte: *harvest*
découvrir: *to uncover*
tirer: *to pull*
remplir: *to fill*
se conserver: *to keep*
mettre en boîte: *to can*
à l'étranger: *abroad*

C'est à cause de leur goût° très délicat, de leur fragilité et de leur rareté° que les truffes ont une si grande valeur° gastronomique. La chasse aux truffes du Périgord sera donc toujours importante—pour les habitants de la région, aussi bien que pour les gourmets qui apprécient° cette plante mystérieuse.

le goût: *taste*
la rareté: *scarceness*
la valeur: *value*

apprécier: *to appreciate*

Note culturelle

****Souillac:*** A town of about 3,500 inhabitants, Souillac is on the Dordogne River 125 km. east of Bordeaux. Tourists often visit Souillac to see the magnificent sculptures in its twelfth-century church. The town is one of the centers of the truffle industry.

A propos . . .

1. Où se trouve Souillac? Les Defferre y habitent depuis longtemps? 2. Que fait M. Defferre comme métier? Qu'est-ce que Madeleine espère devenir? Pourquoi? 3. Que fait Madeleine aujourd'hui? 4. Sous quelle sorte d'arbre poussent les truffes? Pourquoi rapportent-elles tant d'argent? 5. Pourquoi les Defferre ont-ils de la chance? 6. Pourquoi a-t-on dit que les truffes sont un mystère botanique? 7. Comment est-ce que les agriculteurs cherchent les truffes? 8. Qu'est-ce qu'on peut faire avec la récolte? 9. Qu'est-ce qu'on fait avec la plupart des truffes qu'on met en boîte? 10. Pourquoi les truffes ont-elles une si grande valeur gastronomique? 11. Et vous, est-ce que vous avez goûté les truffes? Vous aimez peut-être les champignons ("mushrooms")? 12. Il y a des choses qui ont une grande valeur que vous n'aimez pas du tout et pour lesquelles vous ne paieriez rien? Qu'est-ce qui fait la valeur d'une chose? Qu'est-ce qui est important pour vous? Votre famille est d'accord?

EXPLICATIONS II

Le futur après quand, lorsque, dès que, aussitôt que

VOCABULAIRE

aussitôt que *as soon as* — **dès que** *as soon as* — **lorsque** *when*

1. After *quand, lorsque, dès que,* and *aussitôt que* the verb is in the future when it is implied that the action will take place in the future. In English we use the present:

Je me mettrai au travail **quand le plombier partira.**	*I'll get to work* ***when the plumber leaves.***
Il peindra la cuisine **lorsqu'il aura le temps.**	*He'll paint the kitchen* ***when he has time.***
J'y jetterai un coup d'œil **dès que Marie arrivera.**	*I'll take a look at it* ***as soon as Marie arrives.***
Téléphone-moi **aussitôt que tu arriveras chez toi.**	*Telephone me* ***as soon as you get home.***

2. Now compare the following:

Je ralentis quand il y a beaucoup de circulation.	***I slow down when there's*** *a lot of traffic.*
Je ralentirai quand il y aura beaucoup de circulation.	***I'll slow down when there's*** *a lot of traffic.*
Je fais la vaisselle **dès que** l'eau **est** assez chaude.	***I do*** *the dishes* ***as soon as the water is*** *warm enough.*
Je ferai la vaisselle **dès que** l'eau **sera** assez chaude.	***I'll do*** *the dishes* ***as soon as the water is*** *warm enough.*

The first sentence in each pair describes a repeated or habitual action, so the present tense is used. The second sentence implies that the action will take place in the future, so the future tense is used.[1]

Exercices

A. Redo the sentences, putting the verbs in the future. Follow the model.

1. Elles lisent le journal dès qu'elle le voient.
   Elles liront le journal dès qu'elle le verront.
2. Tu retiens une place dans le train quand tu fais l'excursion?
3. Quand on presse ce bouton, les lumières s'éteignent.
4. Vous vous promenez dans le jardin lorsqu'il fait beau?
5. Nous nous mettons en route dès que l'auto est prête.
6. Aussitôt qu'il voit les vedettes, il les photographie.
7. Lorsqu'elle arrive à cette station, elle doit changer de ligne.
8. Dès que le soleil se lève, j'éteins cette lampe.
9. Nous ne perdons jamais de matchs quand Anne fait partie de notre équipe.
10. Lorsque nous allons à la station-service, nous vérifions les pneus et nous les regonflons.

B. Complete the sentences by putting the verbs in parentheses into the correct tense: present or future.

1. Tu verras les dessins préhistoriques quand tu *(aller)* à Font-de-Gaume.
2. On peut voir de très beaux tableaux lorsqu'on *(visiter)* le Louvre.
3. Le charpentier essaiera d'ouvrir cette fenêtre-là quand il *(avoir)* sa boîte à outils.
4. Aussitôt qu'il *(pouvoir)* le faire, le plombier se mettra au travail.
5. Le matin je m'habille aussitôt que maman m'*(appeler)*.
6. Nous escaladerons la montagne lorsqu'il *(cesser)* de neiger.
7. Je jouerai au football aussitôt que je *(être)* en bonne santé.
8. Faisons un pique-nique dès qu'il *(faire)* beau.
9. Nous aimons prendre des bains de soleil quand il *(faire)* chaud.
10. Je fais mon lit dès que je *(se lever)*.
11. Elle lavera les draps aussitôt que la machine *(être)* vide.
12. Téléphone-moi dès que tu *(se réveiller)*.

---

[1]Remember that after *si*, the same tenses are used as would be used in English.

Le futur antérieur

1. The future perfect is formed by using the future form of *avoir* or *être* and the past participle of the main verb. Its English equivalent is "will have" + verb. For example, "I will have looked at":

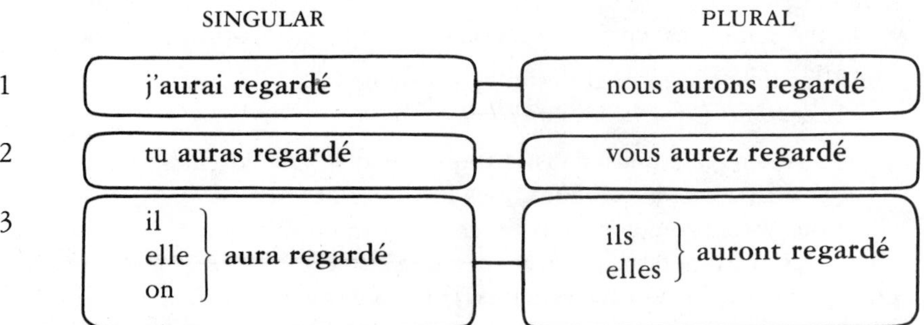

	SINGULAR	PLURAL
1	j'**aurai regardé**	nous **aurons regardé**
2	tu **auras regardé**	vous **aurez regardé**
3	il / elle / on } **aura regardé**	ils / elles } **auront regardé**

Here is the equivalent of "I will have returned," "you will have returned," etc.

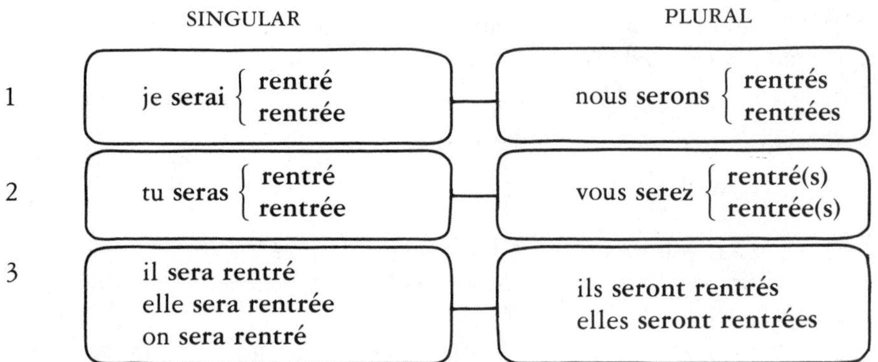

	SINGULAR	PLURAL
1	je **serai** { **rentré** / **rentrée**	nous **serons** { **rentrés** / **rentrées**
2	tu **seras** { **rentré** / **rentrée**	vous **serez** { **rentré(s)** / **rentrée(s)**
3	il **sera rentré** elle **sera rentrée** on **sera rentré**	ils **seront rentrés** elles **seront rentrées**

2. In the future perfect, the rules for agreement of the past participle are the same as for the passé composé, the pluperfect, and the past conditional:

Elles se sont levées?	Elles **se seront levées** avant midi.
Elles ont étudié la leçon?	Elles **l'auront étudiée** avant lundi.
Elle a lu les journaux?	Elle **les aura lus** avant de sortir.

3. The future perfect is often used after *quand, lorsque, dès que,* and *aussitôt que* to describe an action that will have taken place. In English we usually use the past tense, but in French the future perfect is used to show that the action has not yet been completed:

Je te rejoindrai **quand les spectateurs seront partis.**	*I'll join you* ***when the audience has left.***
Il achètera une moto **dès qu'il aura vendu** son vélo.	*He'll buy a motorbike* ***as soon as he's sold*** *his bicycle.*

Exercices

A. Put the sentences into the future perfect. Follow the model.

1. Ils ont chauffé la maison avant l'hiver.
   Ils auront chauffé la maison avant l'hiver.
2. Ils ont acheté une nouvelle voiture avant la rentrée des classes.
3. Tu as reçu ton invitation avant la fête.
4. Papa a parlé avec le représentant avant d'acheter la voiture.
5. Le plombier a fini son travail avant midi.
6. Nous avons appris à nager avant la fin de l'été.
7. Elles ont fait les pâtisseries avant le pique-nique.
8. Vous avez traversé le pont avant de tourner.
9. J'ai retenu la chambre avant de me mettre en route.

B. Put the sentences into the future perfect. Follow the model.

1. Ils arrivent samedi matin.
   Ils seront arrivés samedi matin.
2. Je me couche à dix heures.
3. Le train part après une heure.
4. Tu rentres après un quart d'heure.
5. Vous allez chez le coiffeur avant le déjeuner.
6. Elle se lève avant le lever du soleil.
7. Nous nous présentons tout de suite.
8. Voilà ce qui se passe la veille.

C. Redo the sentences, putting the verbs in italics into the future perfect. Follow the model.

1. Nous entrerons dans le château dès que Lucie *arrivera.*
   Nous entrerons dans le château dès que Lucie sera arrivée.
2. Elles feront la queue lorsqu'elles *achèteront* leurs billets.
3. Les gardiens partiront aussitôt que nous *photographierons* les dessins.
4. Je laverai le plancher dès que je *finirai* de nettoyer le salon.
5. J'irai à la chasse lorsque vous m'*assurerez* qu'elle ne sera pas dangereuse.
6. Marianne descendra au salon de coiffure dès que ses sœurs la *rejoindront.*
7. Nous leur rendrons les clefs aussitôt qu'elles *rentreront* du Japon.
8. Tu verras les peintures lorsqu'on *allumera* les lampes.

D. Answer the questions, replacing the words in italics with the appropriate direct object pronoun. Add *quand* and the appropriate future form of the verb *partir.* Follow the models.

1. Il aura pris les photos avant midi?
   Non, mais il les aura prises quand il partira.
2. Vous aurez écouté les disques avant deux heures?
   Non, mais nous les aurons écoutés quand nous partirons.
3. Tu auras lu l'histoire avant d'arriver?
4. Ils auront fini le repas avant de regarder la télé?
5. Elles auront peint la maison avant juillet?
6. Vous aurez vendu toutes ces revues avant ce soir?
7. Ils auront construit la villa avant la fin de l'année?
8. Elle aura vu la grotte avant la semaine prochaine?
9. Tu auras passé l'examen avant midi?

Vérifiez vos progrès

Write complete sentences, first using any appropriate future clause, then any appropriate future perfect clause. Since the choice is yours, the answers are not in the back of the book. Check with your teacher. For example:

1. Quand l'automne viendra . . .
   Quand l'automne viendra, les feuilles tomberont.
   Quand l'automne viendra, nous aurons pris nos vacances.
2. J'irai à Paris lorsque . . .
3. Ce soir je commencerai à étudier dès que . . .
4. Quand j'aurai 21 ans . . .
5. Aussitôt qu'il fera beau . . .

RÉVISION ET THÈME

Consult the model sentences, then put the English cues into French and use them to form new sentences.

1. *Comprenez-vous ce qui s'est passé?*
   (Is she explaining what she needed?)
   (Do they (m.) *know what she photographed?)*
2. *Le matin, elle éteint le feu.*
   (In the evening, we join the family.)
   (The next day, I paint the living room.)
3. *Il montrera à Jean ce dont nous avons envie.*
   (They'll ask the carpenter what he needs.)
   (We'll speak to the inhabitants, which is difficult.)
4. *Quand j'aurai rejoint mes amis, je ferai une promenade dans la forêt.*
   (When he's turned off the headlights, he'll park the car in the street.)
   (As soon as we've painted the walls, we'll fix the window in the attic.)
5. *Tu remarqueras les meubles quand le vendeur te conduira* à l'intérieur.
   (He'll study the drawings when the guard takes him)
   (You'll (pl.) *see the deer as soon as the hunter brings it)*

Now that you have done the *Révision,* study the French paragraph. Afterwards, using it as a model, put the English paragraph into French to form a composition.

Modèle: Savez-vous ce qui se passe? Cette semaine notre classe visite une grotte préhistorique. Nous descendrons à une auberge, ce qui est passionnant. Voici donc ce que nous espérons faire: Aussitôt que nous serons arrivés, nous escaladerons le chemin qui mène à la grotte. Puis nous achèterons nos billets. Nous verrons les dessins lorsque le gardien nous conduira à l'intérieur. Ce qui m'intéresse surtout, ce sont les dessins des taureaux. Ils sont très beaux.

Thème: Do you know what Guy told me? This fall the Ballards are building a villa. They'll live by a lake, which is great. Here's what they're planning to do: As soon as the electrician and plumber have finished their work, the Ballards will paint the house. Then they'll buy furniture. I'll see the house as soon as the Ballards send me an invitation. What especially surprises me is the price of the house. It's costing very little.

AUTO-TEST

A. Write answers to the questions using the appropriate subject pronoun and the same verb tense as is used in the question. Follow the model.

   1. Il a peint sa cuisine. Et vous?
      Nous avons peint notre cuisine aussi.
   2. Elles rejoignent des camarades près du sentier. Et toi?
   3. Vous éteindrez les lumières au lever du soleil. Et elle?

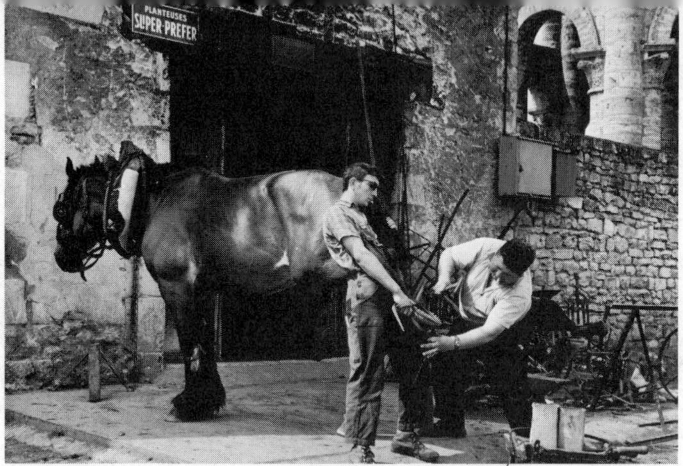

4. Nous aurons peint les murs. Et eux?
5. Tu rejoindras le metteur en scène au café. Et nous?
6. Ils craignent les abeilles. Et nous?
7. Elle éteignait les lampes au salon. Et toi?
8. Il rejoint ses cousins à Avignon. Et elles?

B. Write answers to the questions using the correct relative pronoun. Follow the model.

1. As-tu vu *(ce qu', qu', ce dont)* elle nous a parlé?
   Oui, j'ai vu ce dont elle vous a parlé.
2. Est-ce qu'ils ont compris *(qui, ce qu', qu')* il a dit?
3. Est-ce que vous avez mangé *(ce qui, ce dont, ce que)* j'avais préparé?
4. Elles ont visité les endroits *(ce dont, dont, que)* le prof a parlé?
5. Est-ce que tu as préféré les dessins *(qui, que, ce que)* nous avons vus hier?
6. Il a remarqué les chevaux *(dont, ce dont, que)* elles avaient peur?
7. Est-ce que tu as vérifié *(ce dont, qu', ce qu')* elles t'ont raconté?
8. Veux-tu chercher *(ce dont, ce qui, ce que)* nous avons besoin?
9. Est-ce qu'ils savaient *(ce que, qui, ce qui)* s'était passé?

C. Write the sentences first in the future, then in the future perfect. Follow the model.

1. Je m'en irai quand tu *(prendre)* ce médicament.
   Je m'en irai quand tu { *prendras* / *auras pris* } *ce médicament.*
2. Ils se réveilleront dès que le soleil *(se lever).*
3. Il y aura du chauffage lorqu'ils *(finir)* de construire la maison.
4. Tu partiras quand tes parents *(revenir).*
5. Il lira l'article aussitôt que tu l'*(assurer)* qu'il n'est pas trop difficile.
6. J'entrerai dans la grotte quand mes camarades me *(rejoindre).*

COMPOSITION

Ecrivez une composition sur ce que vous ferez quand vous aurez 21 ans. Racontez la vie que vous espérez mener.

Poème

FAMILIALE°

La mère fait du tricot°
Le fils fait la guerre°
Elle trouve ça tout° naturel la mère
Et le père qu'est-ce qu'il fait le père?
Il fait des affaires
Sa femme fait du tricot
Son fils la guerre
Lui des affaires
Il trouve ça tout naturel le père
Et le fils et le fils
Qu'est-ce qu'il trouve le fils?
Il ne trouve rien absolument° rien le fils
Le fils sa mère fait du tricot son père des affaires
lui la guerre
Quand il aura fini la guerre
Il fera des affaires avec son père
La guerre continue la mère continue elle tricote
Le père continue il fait des affaires
Le fils est tué° il ne continue plus
Le père et la mère vont au cimetière°
Ils trouvent ça naturel le père et la mère
La vie continue la vie avec le tricot la guerre
les affaires
Les affaires la guerre le tricot la guerre
Les affaires les affaires et les affaires
La vie avec le cimetière.

Jacques Prévert, *Paroles*

familial, -e: *home life*
faire du tricot: *to knit*
la guerre: *war*
tout = tout à fait
absolument: *absolutely*
tué, -e: *killed*
le cimetière: *cemetery*

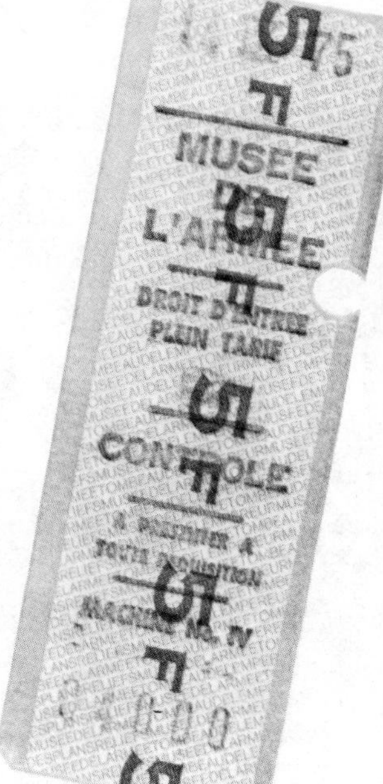

Proverbe

Qui se ressemble, s'assemble.

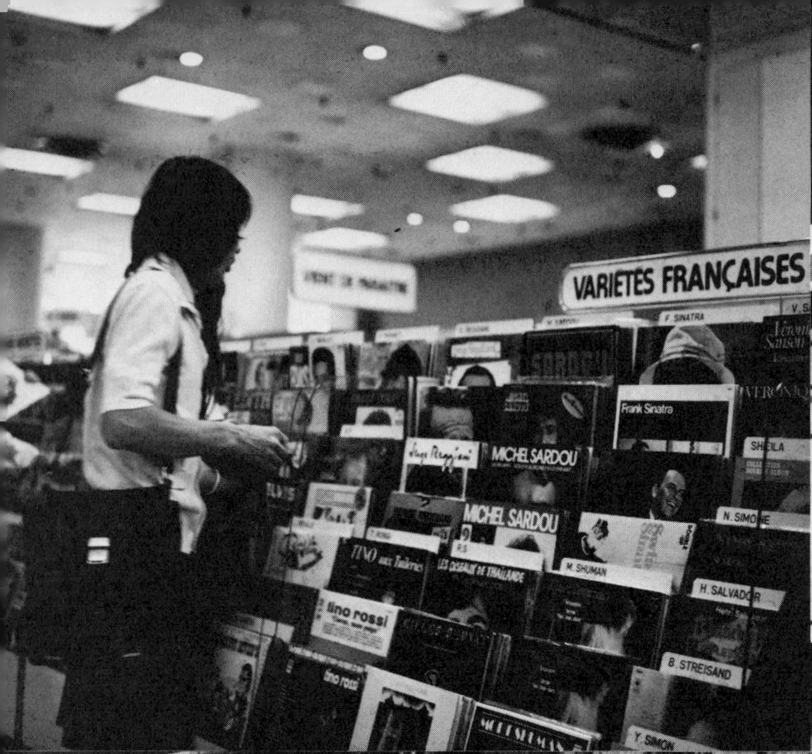

VARIETÉS FRANÇAISES
F. SINATRA
Frank Sinatra
MICHEL SARDOU
MICHEL SARDOU
SHEILA
N. SIMONE
M. SHUMAN
H. SALVADOR
lino rossi
B. STREISAND
Y. SIMON

inter
Radio France
LA FETE
du 25 avril au 31 aout 1976
JARDIN des TUILERIES
YVAN CHIFFRE
MERCREDI 4 AOUT 21h30
LES CHEVALIERS DU TEMPS
UNE FRESQUE MEDIEVALE UNIQUE AU MONDE
90 ARTISTES CASCADEURS
BALLADINS COMEDIENS
200 COSTUMES
LA CAVALERIE DU CINÉMA
Réalisation : LUXAZUR
à partir du 3 Septembre 21h30
NICOLE CROISILLE
NICOLE CROISILLE
Location Ouverte
inter DIFFUSE EN EXCLUSIVITE LES

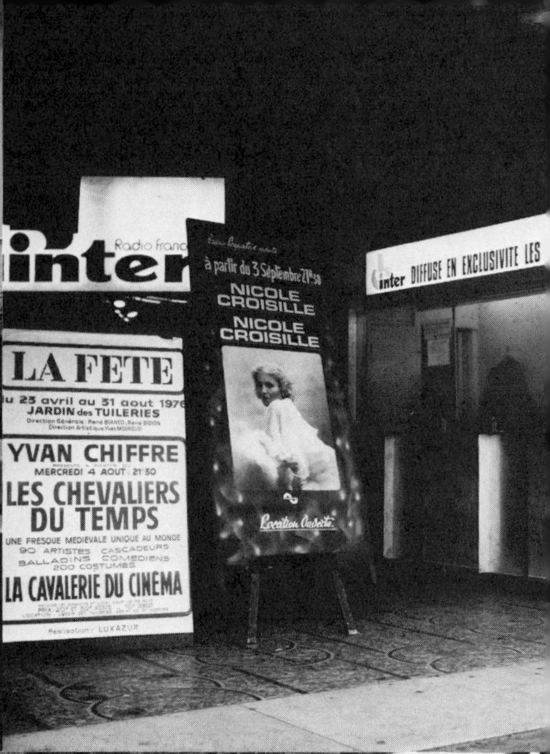

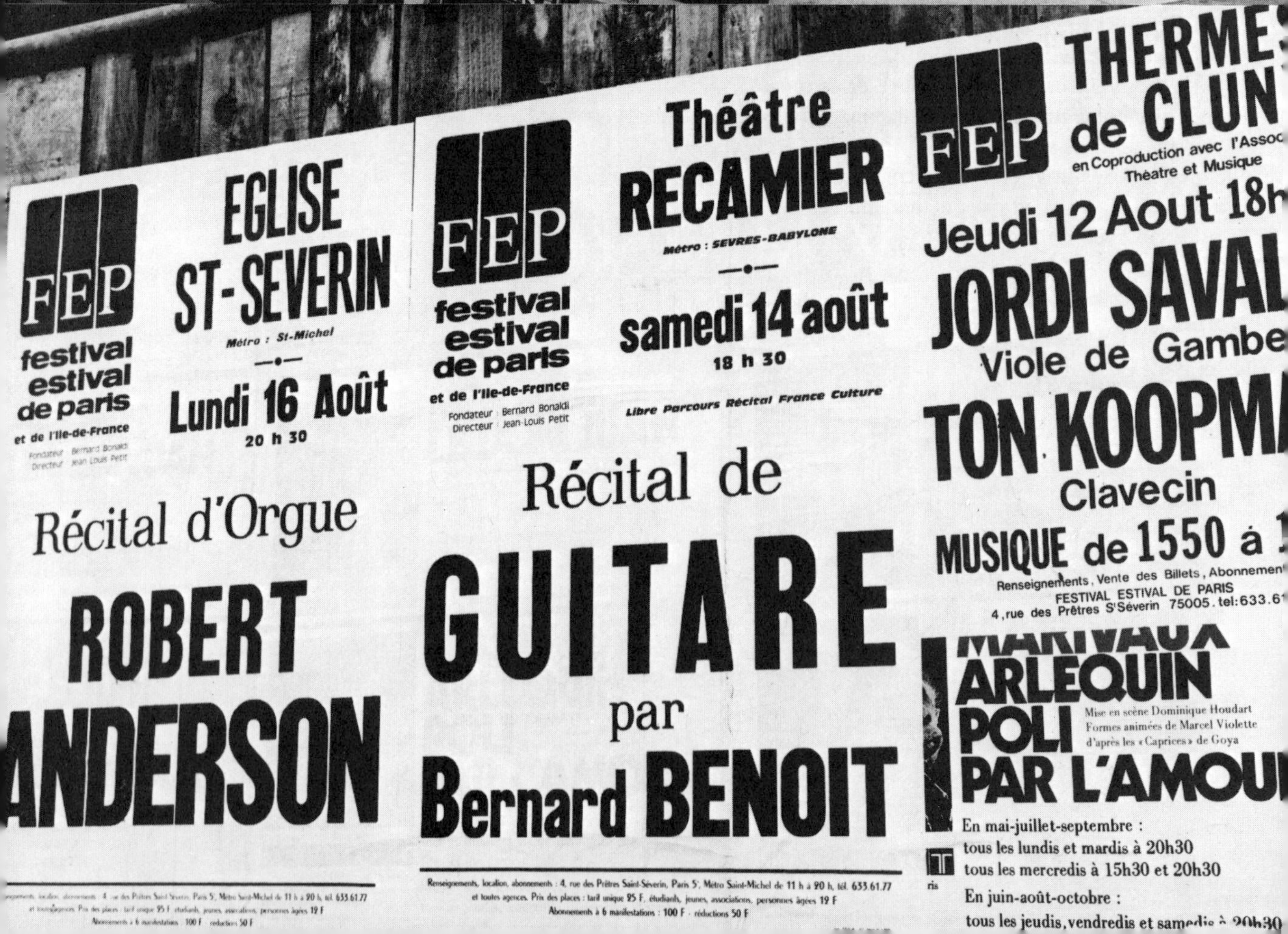

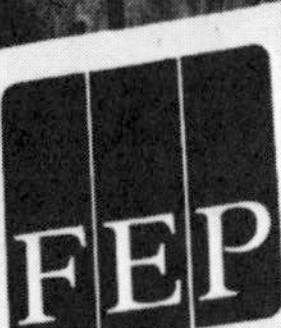

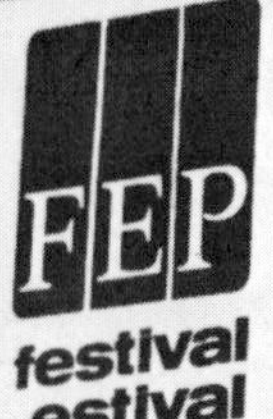

FEP
festival estival de paris
et de l'ile-de-France
Fondateur : Bernard Bonaldi
Directeur : Jean-Louis Petit
EGLISE ST-SEVERIN
Métro : St-Michel
Lundi 16 Août
20 h 30
Récital d'Orgue
ROBERT ANDERSON
FEP
festival estival de paris
et de l'ile-de-France
Fondateur : Bernard Bonaldi
Directeur : Jean-Louis Petit
Théâtre RECAMIER
Métro : SEVRES-BABYLONE
samedi 14 août
18 h 30
Libre Parcours Récital France Culture
Récital de GUITARE par Bernard BENOIT
Renseignements, location, abonnements : 4, rue des Prêtres Saint-Séverin, Paris 5e, Métro Saint-Michel de 11 h à 20 h, tél. 633.61.77
et toutes agences. Prix des places : tarif unique 25 F, étudiants, jeunes, associations, personnes âgées 19 F
Abonnements à 6 manifestations : 100 F - réductions 50 F
FEP
THERMES de CLUN
en Coproduction avec l'Assoc
Théatre et Musique
Jeudi 12 Aout 18h
JORDI SAVAL
Viole de Gambe
TON KOOPMA
Clavecin
MUSIQUE de 1550 á
Renseignements, Vente des Billets, Abonnemen
FESTIVAL ESTIVAL DE PARIS
4, rue des Prêtres St Séverin 75005. tel:633.6
ARLEQUIN POLI PAR L'AMOU
Mise en scène Dominique Houdart
Formes animées de Marcel Violette
d'après les «Caprices» de Goya
En mai-juillet-septembre :
tous les lundis et mardis à 20h30
tous les mercredis à 15h30 et 20h30
En juin-août-octobre :
tous les jeudis, vendredis et samedis à 20h30

Seizième Leçon

La leçon de violon

Dans un appartement au deuxième étage d'un immeuble à Vannes,* Jean-Pierre Sannier joue du violon. Sa mère, qui enseigne l'anglais au lycée, est en train de corriger dès compositions quand elle entend la sonnette de la porte. C'est M. Bossard, le maître de violon. Il rejoint Jean-Pierre, et après quelques instants on entend le son du violon et la voix de M. Bossard, qui encourage le garçon: "Alors, recommencez. Un peu plus lentement." Tout à coup Mireille, la sœur aînée de Jean-Pierre, vient à la porte de la salle à manger.

MIREILLE	Qu'est-ce que j'entends? Il y a une vache malade quelque part ici?
MME SANNIER	Ça suffit. En tout cas il fait des efforts.
MIREILLE	Tu gaspilles ton argent, chère maman. A mon avis, ce n'est pas un enfant doué.
MME SANNIER	A ton avis! Tu te rappelles tes premières leçons de piano?
MIREILLE	Euh . . .
MME SANNIER	Eh bien, tu oublies les voisins qui voulaient déménager, hein?

The violin lesson

In an apartment on the third floor of a building in Vannes, Jean-Pierre Sannier is playing the violin. His mother, who teaches high-school English, is in the middle of correcting compositions when she hears the doorbell. It's M. Bossard, the violin teacher. He joins Jean-Pierre, and after a few moments we hear the sound of the violin and the voice of M. Bossard encouraging the boy: "All right, begin again. A little more slowly." Suddenly Mireille, Jean-Pierre's older sister, comes to the dining room door.

MIREILLE	What do I hear? Is there a sick cow around here somewhere?
MME SANNIER	That's enough. At any rate, he's making an effort.
MIREILLE	You're wasting your money, Mom. If you ask me, the kid's got no talent.
MME SANNIER	That's your opinion! Do you recall your first piano lessons?
MIREILLE	Er . . .
MME SANNIER	So you forget the neighbors who wanted to move, huh?

Note culturelle

**Vannes:* A small city of about 40,000, Vannes is located on *le golfe du Morbihan,* a bay on the south coast of la Bretagne. The central area of very old houses, ramparts, and churches has been well preserved. It was in Vannes that in 1532 François Ier signed the treaty that officially linked the five-century-old Duchy of Brittany to France.

Questionnaire

1. Où habitent les Sannier? 2. Que fait Mme Sannier comme profession? Au début de l'histoire, qu'est-ce qu'elle est en train de faire? Que fait son fils? 3. Qu'est-ce que Mme Sannier entend? Qui est à la porte? Qu'est-ce qu'il fait comme profession? 4. Est-ce que M. Bossard se fâche quand Jean-Pierre fait des fautes? C'est un maître patient? 5. Comment s'appelle la sœur de Jean-Pierre? Elle aime la musique qu'elle entend? Qu'est-ce qu'elle en dit? 6. D'après Mme Sannier, est-ce que Jean-Pierre est un élève sérieux? Qu'en dit Mireille? 7. Est-ce que Mireille était douée pour le piano quand elle était enfant? Comment est-ce qu'on le sait?

PRONONCIATION

Practice the [r] sound in combination with other consonants.

Exercices

A. These words begin with a [br] or a [pr] sound. Listen, then repeat.

le bras	brosser	les projets	préparer
la brousse	bronzer	le problème	présenter

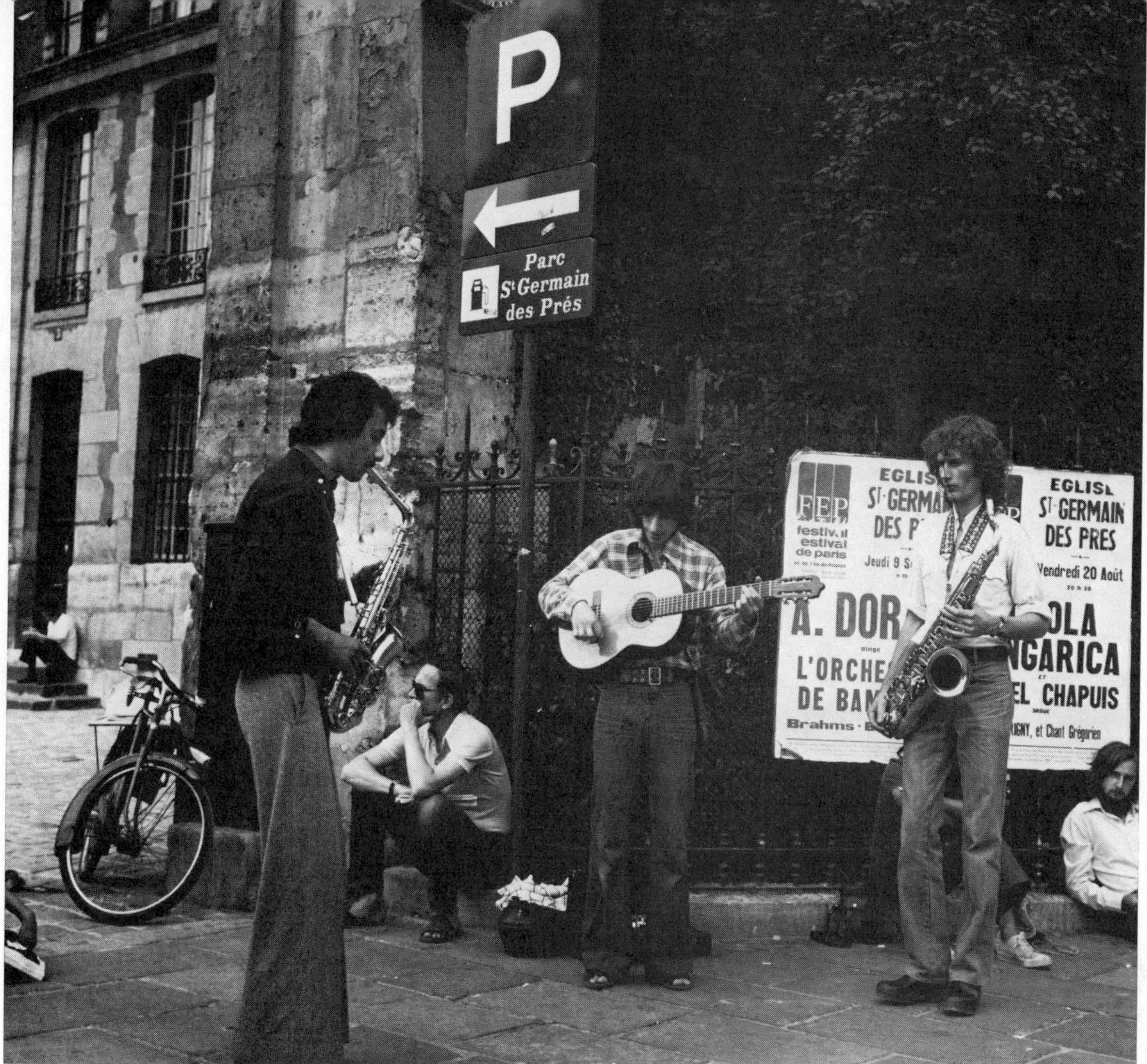

B. These words begin with a [gr] or a [kr] sound. Listen, then repeat.

grand	la grotte	le cri	le croissant
grave	la grenouille	la crèche	le crayon

C. Now practice the [r] sound when it is preceded by a [d], [t], or [f] sound.

à droite	le trajet	le frein
le drap	la tradition	le frigo
le drapeau	se tromper	le fromage

D. Now listen to these sentences, then say them aloud.

Comme fruit, sa grand-mère préfère les fraises.
Françoise croit que la cravate est étroite.
Je crois que le train partira à trois heures.
D'après papa, Grégoire crie trop? Je crains que oui.
Christian prépare du pain grillé. Moi, je préfère les croissants.

MOTS NOUVEAUX I

Voilà l'**orchestre** *(m.).*	*There's* ***the orchestra.***
Le maître de musique[1] *(m.)* entre.	***The music teacher*** *enters.*
La maîtresse de danse	***The dancing teacher***
Quel est **l'avis** *(m.)* du maître?	*What's* ***the*** *teacher's* ***opinion?***
A son avis, il est **doué.**	***In his opinion,*** *he's* ***talented.***
En tout cas, elle est **douée.**	***In any case,*** *she's* ***gifted.***
C'est un bon **musicien.**	*He's a good* ***musician.***
danseur	***dancer***
chanteur	***singer***
compositeur	***composer***
C'est une **musicienne.**	*She's a* ***musician.***
danseuse	***dancer***
chanteuse	***vocalist***
compositrice	***songwriter***
Ils font partie d'**un groupe.**	*They're part of* ***a group.***
Ils aiment **le jazz.**	*They like* ***jazz.***
le rock	***rock***
la musique **folklorique**	***folk*** *music*
la musique **pop(ulaire)**	***pop(ular)*** *music*

[1] *Un maître / une maîtresse* can be either an elementary-school teacher or a well-known private instructor of the arts.

Je ne peux pas chanter **cette note.**	*I can't sing* ***that note.***
Il faut **faire des efforts** *(m.pl.).*	*You have* ***to make an effort.***
Je crains de **gaspiller** mon argent.[1]	*I'm afraid of* ***wasting*** *my money.*
Les leçons coûtent cher.	*Lessons are expensive.*
Je les paie **moi-même.**	*I'm paying for them* ***myself.***
Tu paies **toi-même**	*You're* ***yourself***
Il paie **lui-même**	*He's* ***himself***
Elle paie **elle-même**	*She's* ***herself***
Nous les payons **nous-mêmes.**	*We're paying for them* ***ourselves.***
Vous payez { **vous-même,** madame / **vous-mêmes,** mesdames	*You're* { ***yourself*** / ***yourselves***
Ils paient **eux-mêmes** / Elles paient **elles-mêmes**	*They're* ***themselves***

Exercices de vocabulaire

A. Tell what each member of the group does. Follow the model.

1. *Il joue de la clarinette.*

---

[2]*Craindre* requires *de* before an infinitive.

B. From the column on the right, choose the most logical response to each statement or question on the left.

1. A leur avis, il n'est pas du tout doué.
2. Ce groupe est tellement affreux!
3. Cette femme-là danse très bien, n'est-ce pas?
4. J'aime bien le jazz.
5. Qu'est-ce qu'ils font, ces gens en costume?
6. Qui a écrit cette musique?
7. Si je jouais cette note, tu pourrais la chanter?
8. Tu gaspilles toujours ton temps?

a. Alors, vous devez aller à la Nouvelle-Orléans.
b. A mon avis, c'est à cause du chef d'orchestre.
c. C'est notre maîtresse de danse.
d. Des danses folkloriques, évidemment!
e. Je ne suis pas chanteur, moi!
f. Non, j'apprends à jouer du tambour, ce qui est amusant.
g. Mais il fait des efforts, je crois.
h. Un compositeur assez célèbre.

C. Answer the questions using the appropriate subject and direct object pronouns and the cues in parentheses. Follow the model.

1. Qui a trouvé ces disques? (eux)
   Ils les ont trouvés eux-mêmes.
2. Qui a traversé cette rivière? (lui)
3. Qui a cassé cette bouteille? (toi)
4. Qui a construit cette machine? (eux)
5. Qui a nettoyé le coffre? (nous)
6. Qui a fait les fautes? (moi)
7. Qui a acheté cette revue? (vous)

8. Qui a éteint la lumière? (elles)
9. Qui a pris ces belles photos? (vous)
10. Qui a dessiné ces taureaux? (lui)

MOTS NOUVEAUX II

Il a entendu la **sonnette.**	*He heard* ***the bell.***
Elle vient de **sonner.**	*It just* ***rang.***
Il va **se rendre à** la porte.	*He'll* ***go to*** *the door.*
Un instant!	***One moment!***
Il va **corriger** la composition?	*Will he* ***correct*** *the composition?*
Il l'a déjà corrigée.	*He already corrected it.*
Il m'a donné **une** bonne **note?**	*Did he give me* ***a*** *good* ***grade?***
C'est **probable.**	*It's* ***probable.***
Je ne devrai pas **recommencer.**	*I won't have* ***to start over.***
Je dois **déménager.**	*I have* ***to move.***
déménager le piano	***to move*** *the piano*
Je cherche une villa **quelque part.**	*I'm looking for a villa* ***somewhere.***
Dans les environs *(m.pl.)* de Nice?	***On the outskirts*** *of Nice?*
Celle de René se trouve **aux environs de** Cannes.	*René's is* ***near*** *Cannes.*
Elle peut **se rappeler**[1] son nom.	*She can* ***recall*** *his name.*
Il est **peintre.**	*He's a* ***painter.***
sculpteur	***sculptor***
écrivain	***writer***
Elle est **peintre.**	*She's a* ***painter.***
sculpteur	***sculptor***
écrivain	***writer***
Le roman de René est **différent** de celui de Renée.	*René's novel is* ***different*** *from Renée's.*
La sculpture de François est **différente** de celle de Françoise.	*François'* ***sculpture*** *is* ***different*** *from that of Françoise.*
Selon cette revue, **la différence** est très importante.	***According to*** *that magazine,* ***the difference*** *is very important.*

Exercice de vocabulaire

Choose the word or phrase that best completes the sentence or fits the situation.

1. Pourquoi est-ce qu'elle a frappé? Parce qu'il n'y avait pas de *(sculpture/sonnette).*
2. Je ne sais pas son adresse, mais elle habite *(partout/quelque part)* en banlieue.
3. Je ne sais pas si je suis doué pour les maths. Demandez-lui *(son avis/son métier).*

[1]*Se rappeler* follows the pattern of *s'appeler.*

4. Ils n'ont pas peint la chambre entière? Si, ils l'ont peinte *(aux environs/eux-mêmes).*
5. Tu n'entends pas la sonnette? *(Rappelle-toi/Rends-toi à)* la porte!
6. Si nous n'aimons pas le tableau que nous avons acheté, *(recommençons-le!/renvoyons-le!)*
7. Pourquoi est-ce qu'ils déménageaient? Ils n'aimaient pas *(les avis/les environs)* de la ville.
8. Le prof n'a pas encore *(corrigé/déménagé)* toutes les compositions. Alors, si tu n'as pas reçu *(tes efforts/tes notes),* sois patient.

Etude de mots

Mots associés 1: Complete the sentences using a noun related to the word in italics.

1. Pour aimer *la musique* on n'a pas besoin d'être ______.
2. Celui qui aime faire de *la peinture* devrait devenir ______.
3. *Le compositeur* vient de finir une belle ______.
4. Quelqu'un *a sonné?* Oui, j'ai entendu la ______.
5. Camus *a écrit* des romans? Oui, c'est un ______ célèbre.
6. Elle *danse* tellement bien. Oui, selon le maître, c'est une des meilleures ______ de la classe.
7. *Le sculpteur* a mis une énorme ______ à l'entrée du jardin.
8. Vous *chantez* très bien, monsieur. Vous êtes ______?
9. Que fait cette femme qui vient de *déménager?* Elle est ______, je crois.

Mots associés 2: A drummer and saxophonist are called *le tambour* and *le saxophone.* For most other instruments, the suffix *-iste* is added to the instrument to designate the player. *Le/la hautboïste* adds *le tréma* (ï) to the spelling to make another syllable in the pronunciation. Can you name the other players?

1. *Celui (ou celle) qui joue du violoncelle est violoncelliste.*
2. *Celui (ou celle) qui joue du piano est pianiste.*

3. la flûte	5. le violon	7. la clarinette	9. la guitare
4. la contrebasse	6. la trompette	8. le trombone	10. le hautbois

Synonymes: Redo the sentences, substituting a synonym or synonymous expression for the words in italics.

1. Je le verrai dans *un moment.*
2. Il *a peur de* gaspiller son temps.
3. Le peintre *commencera encore une fois.*
4. Veuillez *aller à* ce guichet-là.
5. Il *se souvient de* ses leçons de musique.
6. *D'après* la maîtresse de musique, Michèle est assez douée.
7. *L'auteur* a mis ses stylos quelque part et il ne peut pas les trouver.
8. Nanterre est *très près de* Paris. C'est une banlieue.
9. Un feu *n'est pas la même chose qu'*un stop.

EXPLICATIONS I

Les verbes en -vrir et -frir

VOCABULAIRE

couvrir *to cover* **découvrir** *to discover, to uncover* **souffrir** *to suffer*

You know that *ouvrir* and *offrir* follow the pattern of *-er* verbs in the present tense and the imperative. Except for the past participle, all other forms are regular.

PAST PARTICIPLE: **ouvert**
PRESENT PARTICIPLE: **ouvrant**
IMPERFECT STEM: **ouvr-** (j'ouvrais, etc.)
FUTURE / CONDITIONAL STEM: **ouvrir-** (j'ouvrirai / j'ouvrirais, etc.)

Exercices

A. Complete the sentences using the correct present-tense form of the appropriate verb: *couvrir, découvrir, offrir, ouvrir,* or *souffrir.*

1. Nous ______ nos livres à la page 220.
2. La neige ______ les rues en hiver.
3. A Pâques, en Amérique, les enfants ______ les paniers de bonbons et les œufs que leur parents ont cachés parmi les fleurs.
4. Vous ______, c'est vrai, mais votre dos guérira bientôt.
5. Ils ______ des cadeaux à leurs parents pour Noël.
6. Tu ______ la porte quand on sonne?
7. Elle ______ d'un rhume à cause du mauvais temps.
8. Je leur ______ trop de choix.
9. Elles ______ leur boutique à neuf heures.

B. Replace the words in italics with the equivalent form of the verb in parentheses.

1. Christophe Colomb *est arrivé au* Nouveau Monde en 1492. (découvrir)
2. Elle *montrera* le tambour à sa sœur. (offrir)
3. Des nuages gris *passaient dans* le ciel. (couvrir)
4. S'il n'y avait ni lumière ni chauffage, nous *déménagerions.* (souffrir)
5. Je *jetterai un coup d'œil sur* les paquets lorsque j'aurai le temps. (ouvrir)
6. Tu *trouveras* de beaux meubles dans la plupart des châteaux célèbres. (découvrir)
7. Vous *n'avez pas donné* un pourboire à l'ouvreuse? (offrir)
8. Il portait un grand chapeau qui *cachait* ses yeux. (couvrir)
9. Bien sûr, nous *ferons du ski* quand il fera froid. (souffrir)
10. C'était la portière de cette voiture-là qu'ils *ont fermée?* (ouvrir)

Combinaisons de pronoms compléments d'objet

Look at the following:

Il te montrera **le piano.**	*He will show* ***you the piano.***
Il **te le** montrera.	*He will show* ***it to you.***
Je prête **ma revue à Guy.**	*I lend* ***my magazine to Guy.***
Je **la lui** prête.	*I lend* ***it to him.***
Elle donne **les gâteaux à ses amies.**	*She gives* ***the cakes to her friends.***
Elle **les leur** donne.	*She gives* ***them to them.***
Elle a conduit **la dame à sa place.**	*She led* ***the lady to her seat.***
Elle **l'y** a conduite.	*She led* ***her to it.***
J'ai offert **du sel aux cerfs.**	*I gave* ***salt to the deer.***
Je **leur en** ai offert.	*I gave* ***them some.***

In French, as in English, a sentence may include more than one object pronoun. When there are two, they occur in the following order:

me **te** **nous** **vous**	*come before*	**le** **la** **les**	*come before*	**lui** **leur**	*come before*	**y** **en**

Remember the position of object pronouns with the passé composé (*Je te l'ai donné*) and in negative sentences (*Je ne la lui demande pas; Je ne l'y ai pas vu*). Remember, too, that the past participle agrees in gender and number with a preceding direct object pronoun: *Tu as donné les billets à Jean? Oui, je les lui ai donnés.*

Exercices

A. Answer the questions according to the model.

1. Ils nous les montrent? *Oui, ils vous les montrent.*
2. Il te le donne?
3. Elle vous l'offre?
4. Elles te la prêtent?
5. On me l'apporte?
6. Il nous le renvoie?
7. Ils nous les corrigent?
8. On vous l'annonce?
9. Il nous l'explique?
10. Elles me les doivent?
11. Ils te les empruntent?

B. Answer the questions in the negative. Follow the model.

1. Tu le lui demandes? *Non, je ne le lui demande pas.*
2. Tu leur en offres?
3. Elle les leur écrit?
4. Vous lui en racontez?
5. Tu la lui vérifies?
6. Elles le leur disent?
7. Tu lui en achètes?
8. Nous la leur construisons?
9. Vous les lui présentez?

SUR LES GRANDS BOULEVARDS, UNE VRAIE CUISINE RUSSE
16, Rue Thorel (2e)
Mo Bonne-Nouvelle
Rés à p. 12 h. 236.27.26
TARASS BOULBA
Dîners - Soupers
Jusqu'à 2 h. du matin
Fermé lundi
● MUSIQUE ET CHANTS FOLKLORIQUES RUSSES ●
Menu 65 F (cocktail, vin, service compris) et CARTE
PARIS 2e

C. Answer the questions, replacing the words in italics with the appropriate object pronoun: *le, la, les,* or *en.* Pay attention to the position of the pronouns. Follow the models.

1. Pierre lui donnera *ses outils?*
   Oui, il les lui donnera.
2. Alice nous prêtera *des romans de cet écrivain-là?*
   Oui, elle vous en prêtera.
3. Thomas leur empruntera *leur plan du métro?*
4. Jeanne lui montrera *le meilleur chemin?*
5. Luc t'expliquera *le problème?*
6. Adèle me demandera *ma pointure?*
7. Roger nous traduira *les phrases?*
8. Marie me présentera *son ancienne camarade de classe?*
9. Paul se souviendra *de cet orchestre?*
10. Anne vous vérifiera *l'huile?*
11. Louise te chantera *ces chansons folkloriques?*
12. Marc nous fera *des étagères?*

D. Answer the questions in the affirmative, using two object pronouns. Then answer in the negative. Watch out for the position of the pronouns and for agreement of the past participle. Follow the models.

1. La serveuse a apporté l'addition à papa?
   Oui, elle la lui a apportée.
   Non, elle ne la lui a pas apportée.
2. La maîtresse de piano a montré cette musique à Marie et à toi?
   Oui, elle nous l'a montrée.
   Non, elle ne nous l'a pas montrée.
3. Il a raconté l'histoire aux jeunes gens?
4. Le prof a donné les notes aux élèves?
5. Elles ont demandé des billets aux touristes?
6. La boulangère a donné la monnaie à mon petit frère?
7. Ils ont prêté leur réveil à leurs voisines?
8. Il a apporté la guitare à Evelyne et à toi?
9. Le marchand a vendu les bouteilles à Philippe et à toi?
10. La gardienne a expliqué ces tableaux à ta mère?
11. La caissière a rendu le paquet au monsieur?
12. Le chasseur a offert la viande à maman et à moi?

Vérifiez vos progrès

Write affirmative answers in the passé composé. Follow the model.

1. Tu ne lui montreras pas le saxophone?
   Je le lui ai montré.
2. Vous ne leur donnerez pas les trompettes?
3. Elle ne lui parlera pas du compositeur?
4. Nous ne lui ouvrirons pas la porte?

5. Nous n'y emmènerons pas nos correspondants?
6. Je ne me servirai pas du filet?
7. Tu ne leur offriras pas de bonbons?
8. Tu ne nous corrigeras pas les fautes?
9. Ils n'y rejoindront leurs amies?

CONVERSATION ET LECTURE

Parlons de vous

1. Est-ce que vous jouez d'un instrument? Duquel? Depuis combien de temps est-ce que vous en jouez? 2. Est-ce que vous faites partie d'un orchestre? d'un petit orchestre de jazz ou de rock? d'une fanfare ("brass band")? 3. Est-ce que vous aimez chanter? Vous faites partie d'un chœur ("chorus")? Vous dansez peut-être? 4. Vous aimez écouter des disques? Quelle sorte de disques? Est-ce que vous préférez la musique classique ou moderne? Vous aimez le jazz? l'opéra? Vous préférez les concerts de musique classique ou ceux de rock? Pourquoi? 5. Quel chanteur est-ce que vous aimez le mieux? Quelle chanteuse? Est-ce qu'ils jouent d'un instrument? Duquel? Quel compositeur est-ce que vous aimez le mieux? Pourquoi?

En Haïti

Elise Marchaud et sa camarade de chambre,° Sara Jacob, sont hôtesses de l'air à Air France. Elles sont en vacances et elles passent huit jours en Haïti. Elles se sont déjà arrêtées plusieurs fois à Port-au-Prince, la capitale de la république d'Haïti, quand elles faisaient escale sur la ligne Miami–Fort-de-France.* Elles ont été tellement impressionnées par la beauté du pays qu'elles y sont revenues pour un plus long séjour.

le/la camarade de chambre: *roommate*

C'est dimanche, et après avoir assisté à une messe en créole,* les deux jeunes filles rentrent à leur hôtel accompagnées d'une amie haïtienne, Colette Morisseau.

COLETTE Est-ce que vous avez aimé l'ambiance° de cette messe?

l'ambiance: *atmosphere*

ELISE Je l'ai trouvée très intéressante. Je ne savais pas qu'on se servait du créole dans les églises.

COLETTE Depuis quelques années, l'Eglise essaie d'incorporer des éléments de la vraie culture haïtienne aux services religieux. Et après tout, le créole est la vraie langue de notre pays, vous savez.

SARA Je croyais que le français était la langue officielle d'Haïti.

COLETTE C'est vrai. Même à la campagne, où les gens ne parlent que le créole, on doit employer le français à l'école.

ELISE Laquelle des deux langues est-ce que vous parlez le plus souvent?

COLETTE Avec ma famille et mes amis haïtiens, je parle surtout créole.

SARA Tu sais, j'étais fascinée° par le tambour qu'on battait° pendant la messe.

COLETTE On se sert de ce tambour pour les fêtes et les cérémonies traditionnelles.

ELISE Lesquelles?

COLETTE Celles du vaudou,* par exemple. Les hymnes eux-mêmes sont basés° sur les rythmes et les chants° de notre peuple.[1]

fasciné, -e: *fascinated*
battre: *to beat*
basé, -e: *based*
le chant: *singing*

Après avoir visité Port-au-Prince et ses environs, Elise et Sara comptent traverser le pays pour aller au Cap Haïtien, au nord. C'est là que se trouve la célèbre Citadelle Laferrière, une immense forteresse construite au sommet° d'une montagne par l'empereur Christophe quelques années après l'indépendance d'Haïti.*

le sommet: *summit*

COLETTE Vous serez contentes d'y être allées. C'est une région tout à fait magnifique. C'est là qu'ont eu lieu les batailles° les plus importantes de notre guerre° d'indépendance.

ELISE Crois-tu que nous puissions° y aller demain matin?

COLETTE D'abord, vous ne pouvez pas y aller seules. Comme c'est la saison des pluies, les routes ne sont pas bonnes. Mais mon cousin a accepté de vous y emmener en jeep.

la bataille: *battle*
la guerre: *war*
que nous puissions: *that we might be able*

---

[1]*Les gens* is used to speak of people in general. *Le peuple* means "the people" as in *le peuple français*.

SARA: Pourquoi est-ce qu'on a construit la forteresse à un endroit si inaccessible?

COLETTE: L'empereur Christophe, qui gouvernait° Haïti après l'indépendance, craignait le retour des Français. Il croyait qu'ils essaieraient de reprendre° le pays et d'installer de nouveau l'esclavage.° Donc, il a bâti° la Citadelle à un endroit d'où on pourrait voir de tous côtés.

ELISE: D'après ce qu'on nous a dit de la beauté de cette partie du pays, il est possible qu'on choisisse° d'y rester jusqu'à mardi.

COLETTE: Restez-y plus longtemps si vous avez le temps. Vous ne serez pas déçues,° j'en suis certaine.

gouverner: *to govern*
reprendre: *to recapture*
l'esclavage *(m.)*: *slavery*
bâtir = construire
qu'on choisisse: *that we'll choose*
déçu, -e: *disappointed*

Notes culturelles

**Fort-de-France:* This is the capital of Martinique. Remember that Martinique and Guadeloupe in the Caribbean, Guyane Française in South America, and the island of Réunion in the Indian Ocean are overseas departments *(départements d'outre-mer)* of France.

**le créole:* This language, widely spoken in the West Indies, resulted from the contact of French and the West African languages. Although it shares much of the same sound system and vocabulary with French, it is nonetheless a distinct language with its own set of grammatical rules.

**le vaudou:* Voodoo, a combination of African and Christian beliefs and rituals, is a large part of the religious life of many Haitians.

**l'indépendance d'Haïti:* Around 1800, the slaves, led by Toussaint Louverture, Dessalines, and Christophe, defeated Napoleon's army and gained their independence. Haiti was the second independent nation in the Americas and the first black republic in the world.

A propos . . .

1. Que font Sara et Elise comme profession? 2. Combien de temps passent-elles en Haïti? C'est la première fois qu'elles visitent le pays? Pourquoi y sont-elles revenues? 3. A quoi les trois jeunes filles ont-elles assisté ce matin? Qu'est-ce qu'Elise y a remarqué? Selon Colette, il y a longtemps qu'on se sert du créole dans les églises en Haïti? 4. Quelle est la langue officielle du pays? Quelle langue emploie-t-on dans les écoles? 5. Qu'est-ce qui a fasciné Sara? Donnez un autre exemple de la culture haïtienne qui fait partie des services religieux. 6. Où vont Elise et Sara après avoir visité Port-au-Prince? Qu'est-ce qui se trouve dans cette région? Qu'est-ce qui a eu lieu là-bas vers l'an 1800? Les jeunes femmes peuvent y aller seules? Pourquoi? 7. Qui gouvernait Haïti après son indépendance? Que craignait-il? 8. Et vous, est-ce que vous avez visité des îles? Lesquelles? Où se trouvent-elles? Quelle langue est-ce qu'on y parle? Qu'est-ce que vous avez fait là-bas? Combien de temps est-ce que vous y avez passé? Vous voudriez retourner dans ces îles? Pourquoi?

EXPLICATIONS II

Le subjonctif: les expressions de nécessité et de possibilité

VOCABULAIRE

il est nécessaire *it's necessary* **il vaut mieux** *it's better*
il se peut *it may be, possibly*

1. The present-tense forms that you have been using up to now are called the present *indicative.* Another present-tense form is the present *subjunctive.* One of the main uses of the subjunctive is after certain impersonal expressions of necessity and possibility:

Il faut que tu attendes l'autobus.	***You have to (will have to) wait** for the bus.*
Il est nécessaire que vous vendiez votre flûte.	***You have to (will have to) sell** your flute.*
Il est possible qu'il entende la musique.	***It's possible that he hears (will hear)** the music.*
Il se peut que nous nous perdions.	***It's possible that we're getting lost.***
Il vaut mieux qu'elle descende au prochain arrêt.	***It's better for her to get off** at the next stop.*

Note that in most of these examples the English equivalent can be in either the present or the future. The best English equivalent will usually be clear from the context. The subjunctive is always preceded by *que (qu').*

2. The subjunctive of regular verbs is formed by dropping the *-ent* ending from the 3 pl. form of the present indicative and adding the appropriate endings: *-e, -es, -e; -ions, -iez, -ent.* All three singular forms and the 3 pl. form are pronounced like the 3 pl. form of the indicative:

INFINITIVE: **regarder**
3 PL. INDICATIVE: **ils regardent**
SUBJUNCTIVE STEM: **regard-**

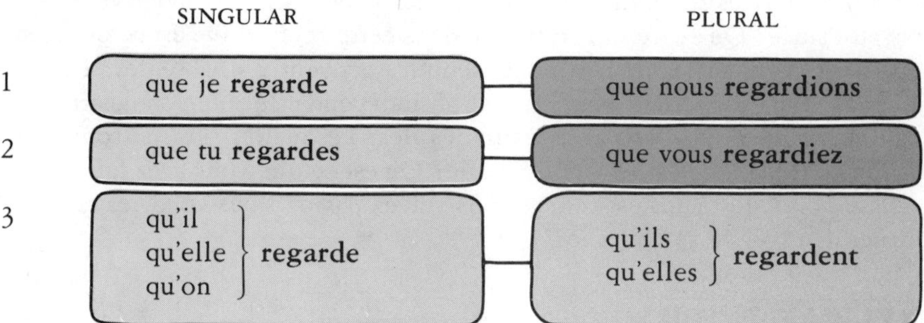

	SINGULAR	PLURAL
1	que je **regarde**	que nous **regardions**
2	que tu **regardes**	que vous **regardiez**
3	qu'il / qu'elle / qu'on **regarde**	qu'ils / qu'elles **regardent**

INFINITIVE: **finir**
3 PL. INDICATIVE: **ils finissent**
SUBJUNCTIVE STEM: **finiss-**

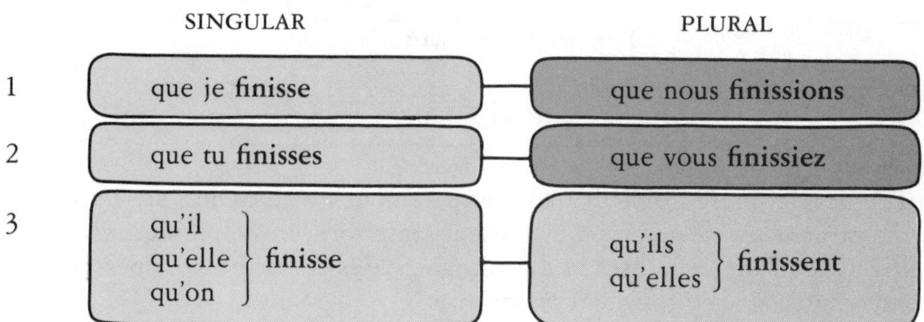

	SINGULAR	PLURAL
1	que je **finisse**	que nous **finissions**
2	que tu **finisses**	que vous **finissiez**
3	qu'il / qu'elle / qu'on **finisse**	qu'ils / qu'elles **finissent**

INFINITIVE: **dormir**
3 PL. INDICATIVE: **ils dorment**
SUBJUNCTIVE STEM: **dorm-**

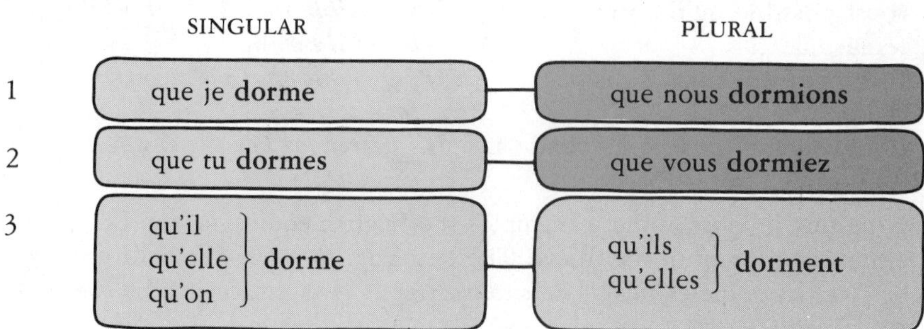

	SINGULAR	PLURAL
1	que je **dorme**	que nous **dormions**
2	que tu **dormes**	que vous **dormiez**
3	qu'il / qu'elle / qu'on **dorme**	qu'ils / qu'elles **dorment**

INFINITIVE: **vendre**
3 PL. INDICATIVE: **ils vendent**
SUBJUNCTIVE STEM: **vend-**

	SINGULAR	PLURAL
1	que je **vende**	que nous **vendions**
2	que tu **vendes**	que vous **vendiez**
3	qu'il / qu'elle / qu'on } **vende**	qu'ils / qu'elles } **vendent**

3. The subjunctive of verbs like *prendre* is regular except in the 1 and 2 pl. forms:

INFINITIVE: **prendre**
3 PL. INDICATIVE: **ils prennent**
SUBJUNCTIVE STEM: **prenn-**

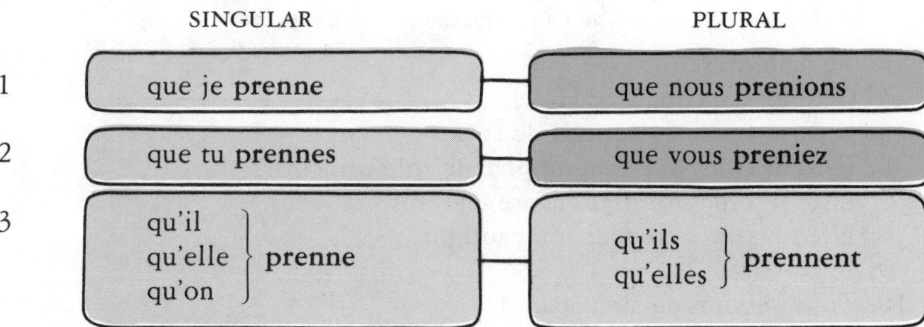

	SINGULAR	PLURAL
1	que je **prenne**	que nous **prenions**
2	que tu **prennes**	que vous **preniez**
3	qu'il / qu'elle / qu'on } **prenne**	qu'ils / qu'elles } **prennent**

4. Impersonal expressions that indicate a fact or probability do *not* require the subjunctive:

Il est vrai qu'il attend (qu'il attendra) ce vol.	***It's true that he's waiting for (he'll wait for)*** *this flight.*
Il est certain qu'il prend (qu'il prendra) du jus.	***It's certain that he's having (that he'll have)*** *juice.*
Il est probable qu'il entend entendra) des cris.	***It's probable that he hears (he'll hear)*** *shouting.*

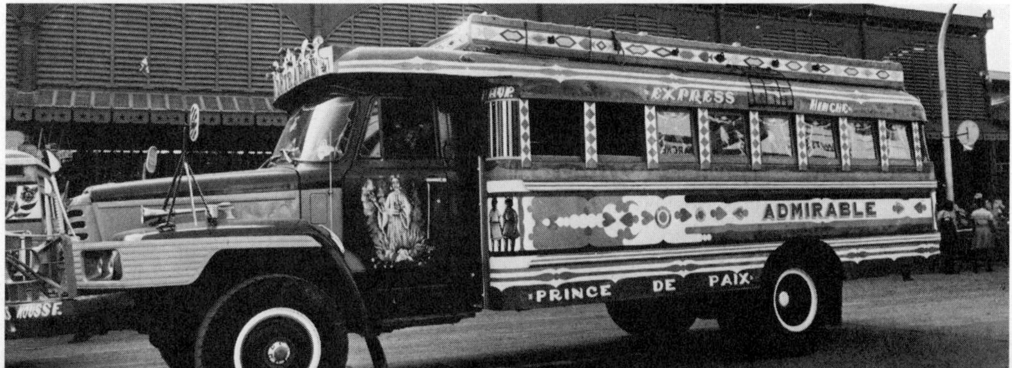

Exercices

A. Answer the questions using *il faut* and the subjunctive. Follow the model.

1. Vous vous arrêtez au coin de la rue?
   Oui, il faut que nous nous arrêtions au coin de la rue.
2. Tu arrives chez le maître de piano à l'heure?
3. Ils travaillent jusqu'à six heures?
4. Nous remontons tous ces bagages au grenier?
5. Le vol numéro 146 décolle?
6. Tu changes d'avis?
7. Je garde les pêches et les poires dans le panier?
8. Elle demande des renseignements au contrôleur?
9. Nous corrigeons nos devoirs?
10. Vous déménagez quelque part en banlieue?

B. Answer the questions using *il est nécessaire* and the subjunctive. Be careful! Some are simple *-ir* verbs; others are *-ir/-iss-*. Follow the models.

1. Vous finirez l'histoire ce soir?
   Oui, il est nécessaire que nous finissions l'histoire ce soir.
2. Vous servirez le gigot à point?
   Oui, il est nécessaire que nous servions le gigot à point.
3. Tu maigriras?
4. Cet élève sortira avec Hélène?
5. Il partira pour le concert de rock?
6. Ils choisiront une vedette pour le rôle principal?
7. Elles se rendormiront encore une fois?
8. Elle réussira à trouver son hautbois?
9. Je grossirai?
10. Tu te serviras de cet appareil?
11. L'avion atterrira tout de suite?
12. Nous guérirons bientôt?
13. Elles finiront le travail avant de s'en aller?

C. Redo the sentences using *il se peut que* and the subjunctive. Follow the model.

1. J'attends un autobus pendant une heure.
   Il se peut que j'attende un autobus pendant une heure.
2. On vend des billets à ce guichet-là.
3. Tu ne réponds pas assez vite.
4. Elles se rendent à la porte d'embarquement.
5. Vous descendez au mauvais arrêt.
6. Je n'entends pas la sonnette.
7. On ne vend ni violoncelles ni contrebasses.
8. Ces équipes perdent la moitié de leurs matchs.
9. Vous nous rendez les devoirs sans les corriger.

D. Redo the sentences using the pronoun in parentheses and the subjunctive. Follow the model.

1. Il est possible de comprendre ces gens-là. (elle)
   Il est possible qu'elle comprenne ces gens-là.
2. Il est possible d'apprendre à jouer de la clarinette. (vous)
3. Il est possible de prendre des leçons de trombone. (ils)
4. Il est possible d'apprendre le polonais. (nous)
5. Il est possible de prendre le vol numéro 301. (je)
6. Il est possible de comprendre cette idée. (tu)
7. Il est possible d'apprendre cette chanson par cœur. (vous)
8. Il est possible de prendre le train aux environs de Paris. (il)

E. Combine the two sentences, using the correct tense: the present subjunctive or the future. Follow the models.

1. Je partirai pour Paris demain soir. Ça se peut.
   Il se peut que je parte pour Paris demain soir.
2. Elle sortira avant la fin du film. C'est vrai.
   Il est vrai qu'elle sortira avant la fin du film.
3. Vous finirez vos devoirs avant de quitter l'école. C'est probable.
4. Ils prendront des places près de la fenêtre. Ça vaut mieux.
5. Tu arriveras en avance si tu pars maintenant. C'est certain.
6. Nous nous retrouverons après le spectacle. Ça se peut.
7. Elle ralentira en s'approchant du stop. C'est vrai.
8. Vous vous arrêterez aux environs de la ville. Ça vaut mieux.
9. Je servirai du jambon. C'est probable.
10. Vous garerez la voiture avant de monter les bagages. Ça vaut mieux.
11. Nous corrigerons leurs fautes s'ils se trompent. C'est vrai.
12. Nous recommencerons demain matin. Ça se peut.

Vérifiez vos progrès

Write the sentences using the correct tense and form of the verb in parentheses: present subjunctive or future.

1. Il se peut que je *(se tromper).*
2. Il est vrai que nous *(finir)* les dessins nous-mêmes.
3. Il est certain que je ne *(prendre)* pas ma propre voiture.
4. Il est possible qu'ils *(choisir)* du rosbif saignant.
5. Il vaut mieux que tu *(rester)* ici quelque part.
6. Il est nécessaire qu'elles *(escalader)* ce sentier elles-mêmes.
7. Il faut que vous *(sortir)* tout à l'heure.
8. Il est vrai qu'elle *(gaspiller)* l'eau.
9. Il est nécessaire que je *(vendre)* la trompette moi-même.

RÉVISION ET THÈME

Consult the model sentences, then put the English cues into French and use them to form new sentences.

1. *Nous étions au rez-de-chaussée. Nous ouvrions la porte.*
   (I was indoors. I was suffering from a cold.)
   (You (sing.) *were upstairs. You were uncovering the furniture.)*
2. *Ils vous offriront le violoncelle?*
   (Will you (pl.) *open the car door for her?)*
   (Will he give you (sing.) *the oboe?)*
3. *On leur a emprunté des livres et on ne les leur a pas rendus.*
   (My aunt gave me a drum, but Mom didn't thank her for it.)
   (You (sing.) *asked her for her violin, but she didn't lend it to you.)*
4. *Il est probable que tu rencontreras les compositeurs.*
   (It's true that they'll photograph the writers.)
   (It's certain that you'll (pl.) *correct the homework.)*
5. *Il faut que nous nous dépêchions de partir.*
   It's better that you (pl.) *agree to begin again.)*
   (It may be that we'll stop driving.)
6. Alors, *nous te la vérifierons nous-mêmes.*
   (I'll buy it (f.) *for her myself)*
   (they'll (m.) *keep it* (m.) *for us themselves)*

Now that you have done the *Révision,* study the French paragraph. Afterwards, using it as a model, put the English paragraph into French to form a composition.

Modèle: —Paul est au lit. Il ne veut pas jouer du violon. En tout cas, il souffre d'un rhume.
—Tu lui offriras de la soupe maintenant?
—Je lui en ai déjà offert, mais il n'en a pas voulu.
—Il est possible qu'il prenne du thé plus tard.

—J'espère que oui. Il faut qu'il prenne quelque chose.
—Alors, tu pourras lui en apporter plus tard.

Thème: —Liliane's in her room. She doesn't like playing the flute any more. In my opinion, she's not making an effort.
—Will the music teacher give her a lesson today?
—He already did,[1] but that didn't interest her at all.
—It may be that we're wasting our money anyway.
—I'm afraid so. But she must learn music.
—Well, I'll explain it to her.

AUTO-TEST

A. Write the sentences, using the appropriate verb forms. If no verb tense is indicated, use the present. Follow the model.

1. Elle *(p.c.: ne pas ouvrir)* la porte.
   Elle n'a pas ouvert la porte.
2. Ces nuages-là *(fut.: couvrir)* la lune.
3. Nous *(p.c.: découvrir)* un bel endroit pour le pique-nique.
4. Ils *(cond.: offrir)* des bonbons aux enfants.
5. A mon avis, elles *(imp.: ne pas souffrir).*
6. Ils *(ne pas offrir)* de pourboires aux coiffeurs.
7. Nous *(cond.: découvrir)* les cadeaux si tu *(imp.: ouvrir)* les tiroirs.

B. Write answers in the passé composé, replacing the words in italics with the appropriate object pronouns. Be sure to put the object pronouns in the correct position in the sentence. Follow the model.

1. Il ne vous montrera pas *les jardins?*
   Il nous les a déjà montrés.
2. Elles ne les emmène pas *au théâtre?*
3. Tu ne leur emprunteras pas *le magnétophone?*
4. Ils ne t'apportent pas *de cartes postales?*
5. Elle ne se rend pas *dans les environs d'Avignon?*
6. Tu ne nous offres pas *de dessert?*
7. Je n'envoie pas *la trompette à Barbara?*

C. Write complete sentences using the correct form of the words given. Some verbs will be in the present indicative, others in the present subjunctive. Follow the model.

1. il faut / vous / partir / lundi
   Il faut que vous partiez lundi.
2. il est possible / nous / assister / à / le concert de jazz
3. il vaut mieux / il / attendre / près de / la caisse
4. il est nécessaire / ils / se brosser les dents
5. il est probable / nous / se retrouver / en ville

[1]The French will read: "He gave it to her already."

USA → Caraïbes
Antilles - Guyanes

	Quotidien *Daily*			1		2			3		
1 Avr — 31 Oct	01-04 31-10		01-04 31-10	01-04 28-10	03-06 17-06	02-04 29-10	02-04 29-10	25-06 24-09	03-04 30-10	03-04 24-04	03-04 30-10
	AF 383 B737 Y		**AF 351** B737 Y	**AF 393** TO T	**AF 250** B747 Y	**AF 393** TO T	**AF 227** B747 Y	**AF 250** B747 Y	**AF 393** TO T	**AF 007** B707 F/Y	**AF 361** B737 Y
New York Kennedy Int. Airport dp										1200	
Miami dp			1555								
Port-au-Prince ar			1645								
Haïti dp			1715								
San Juan ar			1925								
dp			1945		B 747			B 747			
Saint-Martin ar			2030								
dp			2050								
Antigua (St-Johns) dp							Paris				
Pointe-à-Pitre ar			2130							1550	
(Guadeloupe) dp	0700		2205	1200	1925	1200	1335	1735	1200		1600
Fort-de-France ar	0730		2235	1300	2000	1300	1410	1810	1300		1630
(Martinique) dp							1530				1700
Port of Spain ar					Paris			Paris			1755
(Trinidad) dp											1825
Georgetown ar							B747				1945
dp											2015
Paramaribo ar											2115
dp											2145
Cayenne ar							1835				2300

6. il vaut mieux / elle / finir / le chapitre
7. il est vrai / nous / manger / des fruits
8. il se peut / elle / vendre / son piano
9. il est nécessaire / nous / déménager / avant / le premier mai

COMPOSITION

Ecrivez une composition sur ce que vous devez faire chaque jour. Employez le subjonctif des verbes pronominaux et non-pronominaux réguliers et des verbes comme *prendre.*

Poème

PRIÈRE° D'UN PETIT ENFANT NÈGRE°

Seigneur° je suis très fatigué.
Je suis né fatigué.
Et j'ai beaucoup marché depuis le chant du coq
Et le morne° est bien haut qui mène à leur école.
Seigneur, je ne veux plus aller à leur école,
Faites, je vous en prie,[1] que je n'y aille° plus . . .
Ils racontent qu'il faut qu'un petit nègre y aille
Pour qu'il° devienne° pareil°
Aux messieurs de la ville
Aux messieurs comme il faut.°
Mais moi je ne veux pas
Devenir, comme ils disent,
Un monsieur de la ville,
Un monsieur comme il faut.
Je préfère flâner le long des sucreries°
Où sont les sacs repus°
Que gonfle° un sucre brun° autant que° ma peau° brune.
Je préfère vers l'heure où la lune amoureuse°
Parle bas à l'oreille des cocotiers° penchés
Ecouter ce que dit dans la nuit
La voix cassée d'un vieux qui raconte en fumant°
Les histoires de Zamba et de compère° Lapin[2]
Et bien d'autres° choses encore
Qui ne sont pas dans les livres.
Les nègres, vous le savez, n'ont que trop travaillé.
Pourquoi faut-il de plus° apprendre dans des livres

la prière: *prayer*
nègre = noir
le Seigneur: *Lord*
le morne *(mot créole)* = petite montagne
aille: *subj. of* aller
pour que: *so that*
devienne: *subj. of* devenir
pareil, -le: *similar*
comme il faut: *proper*
le long des sucreries: *around the sugar refineries*
repu, -e: *filled*
gonfler: *to inflate*
brun: *brown*
autant que: *as much as*
la peau: *skin*
amoureux, -euse: *loving*
le cocotier: *coconut palm*
fumer: *to smoke*
compère: *godfather*
bien des = beaucoup de
de plus: *in addition*

[1]You know this expression in its common meaning, "you're welcome" or "don't mention it." Here it is being used in its literal sense, "I beg of you" or "I pray you."

[2]Zamba and compère Lapin are popular characters in the folk tales of Africa and the West Indies.

Qui nous parlent de choses qui ne sont point° d'ici?
Et puis elle est vraiment trop triste leur école,
Triste comme
Ces messieurs de la ville,
Ces messieurs comme il faut
Qui ne savent plus danser le soir au clair de lune°
Qui ne savent plus marcher sur la chair° de leurs pieds
Qui ne savent plus conter° les contes° aux veillées.°
Seigneur, je ne veux plus aller à leur école.

ne . . . point = ne . . . pas
le clair de lune: *moonlight*
la chair = la peau
conter = raconter
le conte: *tale*
aux veillées: *during evenings by the fire*

Guy Tirolien
from *Anthologie de la nouvelle poésie nègre*
Presses Universitaires de France
Reprinted with their permission

Proverbe

Kréyon bon Dié pa gin gòm.[1]

[1]This is a Haitian Creole proverb. The French equivalent is: *Le crayon de Dieu* ("God") *n'a pas de gomme.*

SPORTS

... ET DES LOISIRS ... 21-42-33
... 21-63-70
... 21-68-00
..., allées Jean-Jaurès ... 62-59-13
...oc. Lasbordes ... 80-97-17
...ées, 54, rue des Sept-Troubadours ... 62-48-08
...n régionale, 10, rue des Potiers ... 62-56-83
...on fédérale des Pyrénées de Basket-ball, 5, rue Saint-Pantaléon ... 21-67-42
...cing-Club municipal, Mairie de Toulouse (section féminine) ... 21-68-00 Poste 423
...GE Bridge-club, 9, rue Saint-Bernard ... 21-14-21

BOULES **Comité départemental**, 3, allées Paul-Sabatier ... 52-62-23
BOWLING **Bowling Gramont** - Centre commercial de Gramont, route d'Agde ... 48-97-29
BOXE **Comité des Pyrénées**, Centre Léo-Lagrange ... 62-75-70
T.O.E.C., Centre Léo-Lagrange et Place Dupuy
Ecole des Sports, Centre sportif Léo-Lagrange et Parc Municipal des Sports ... 80-93-05
Racing-Club Municipal, Centre Léo-Lagrange
CANOE **Canoë-Club de France**, 4, chemin du Château de l'Hers ... 21-87-48
Rowing-Club, Emulation nautique, Parc Toulousain ... 62-42-68
CANOE-KAYAK **Comité régional**, 53, rue Paul-Lambert
CHASSE **Fédération départementale des Chasseurs de la Haute-Garonne**, 3, place du Capitole ... 62-79-20 / 62-79-20
CYCLISME **Comité de Cyclisme des Pyrénées**, 19, rue d'Aubuisson ... 21-38-37
Vélodrome, Parc municipal des Sports
CYCLOTOURISME **Ligue régionale**, 54, rue des Sept-Troubadours ... 52-61-24
Union des Cyclotouristes toulousains, 54, rue des Sept-Troubadours ... 62-57-58
ESCRIME **Comité départemental d'Escrime**, 15, rue Brouardel ... 81-78-59 / 84-02-10
FOOTBALL **Ligue du Midi**, 5, rue Bida ... 52-87-13
Union sportive de Toulouse, 76, allées Jean-Jaurès
GOLF A Vieille-Toulouse (9 trous), Golf de Palmola (18 trous) ... 53-35-33
Près Bessières (Forêt de Buzet)
GYMNASTIQUE **F.F.G. Comité des Pyrénées**, 44, avenue de la Colonne ... 62-87-32
Secrétariat départemental Gymnastique volontaire, 14, rue Marceau
Coquelicot - Vaillante - Avenir Saint-Cyprien, Centre sportif Léo-Lagrange ... 47-38-18 / 42-86-27
HAND-BALL **Ligue des Pyrénées**, 38, rue des 36-Ponts ... 49-27-24
JUDO **Ligue du Languedoc**, Centre Léo-Lagrange, 54, rue des Sept-Troubadours ... 48-52-92 / 81-77-36
KARTING **Association sportive de Fenouillet**, 40, rue Jean-Jaurès à Fenouillet
Ligue Midi-Pyrénées du Karting, 4, rue Roc
HIPPISME **Société Sportive des Courses de Toulouse**, 1, chemin des Courses
Hippodrome de la Cépière, 1, chemin des Courses
Centre équestre de Toulouse, 25, rue de Périole
Club hippique de Vigoulet-Auzil

MOTOCYCLISME **Union-Moto du Midi**, 17, allées Jean-Jaurès ... 62-59-13 / 21-14-07
Ligue des Pyrénées, 20, place du Capitole ... 62-61-92
NATATION **Comité des Pyrénées**, 54, rue des Sept-Troubadours ... 62-75-70 / 48-60-40
Dauphins du T.O.E.C.
PATINOIRES SUR GLACE 86, chemin de la Salade Ponsan
Avenue de l'Hers (La Fraternité)
PISCINES **Municipales :** (hiver-été), Parc municipal des Sports ... 52-86-30 / 21-68-00 Poste 334
Bellevue, 86, chemin de la Salade-Ponsan ... 62-75-70 / 48-80-40 Poste 598
Centre sportif Léo-Lagrange, place Riquet
A.S.E.A.T., bassin climatisé, 23, avenue Guillaumet ... 21-18-65 / 21-18-65
PECHE **Association de pêche et de pisciculture de Toulouse**, 5, place Wilson ... 48-52-90 / 52-38-48
Fédération des A.P.P. de la Haute-Garonne, 5, place Wilson
Terrain Section au Lancer, 110, rue des Amidonniers
PELOTE BASQUE **Ligue des Pyrénées**, Restaurant « La Roseraie », 135, avenue de Lavaur ... 62-92-19
Secrétariat : 37, boulevard des Récollets ... 52-01-35
Frontons : **Parc municipal des sports** ... 62-48-83
T.O.A.C., chemin de Garric ... 47-01-02
T.A.C. (stade de Gironis) ... 21-34-30
T.E.C., au Bazacle ... 52-76-61
des Facultés, route de Narbonne ... 47-04-13
Portet-sur-Garonne
PETANQUE **Comité départemental**, 6, rue Bayard ... 21-82-59
RUGBY A XV **Comité des Pyrénées**, 11, place Sainte-Scarbes ... 62-89-25
Stade Toulousain, 12, boulevard Carnot ... 62-50-58 / 47-60-42
Stade Toulousain, Stade E.-Wallon, Ponts-Jumeaux
T.O.E.C., 7, rue des Gestes
T.U.C., 39, allées Jules-Guesde
T.O.A.C., Stade Georges-Cammas ... 42-03-87
...BY A XIII **Olympique Toulouse XIII**, Café du Nord, 17, rue de la Charité
...ité Régional Pyrénées-Est, 1, rue de la Concorde ... 62-79-20
...-Pyrénées, 86, rue de la Concorde
...d'Or, boulevard Koenigs ... 40-21-0...
...ion nautique (Parc Toulousain) (Ponts-Jumeaux)
... Sept-Troubadours

Dix-Septième Leçon

Le jeu de boules

Nous sommes dimanche après-midi, et les jumeaux Yves et Thierry jouent aux boules* avec leur copain Georges. Thierry vient de lancer sa boule, et elle s'est arrêtée aussi près du cochonnet que celle de son frère. La dispute commence immédiatement.

THIERRY Tu vois bien que c'est moi le plus près.
YVES Mais pas du tout!
THIERRY Comment? Tu as dû laisser tes lunettes à la maison!
YVES Si Georges décidait?
GEORGES Voyons . . . Ah! Mais voilà Brigitte et Jeanne qui arrivent. Bonjour, les filles.
BRIGITTE On ne veut pas vous déranger.
GEORGES Ah non! On discute un peu, c'est tout.
JEANNE Oui, on vous a entendus. Vous voulez que nous décidions?
THIERRY Je ne veux pas qu'un spectateur décide!
YVES Mais si! Pourquoi pas?
BRIGITTE Allons, Jeanne. Dis-nous qui a gagné.
JEANNE Je dirais que c'est un match nul!

The game of boules

It's Sunday afternoon, and the twins Yves and Thierry are playing *boules* with their friend Georges. Thierry has just thrown his *boule,* and it stopped as close to the *cochonnet* as his brother's had. The argument starts immediately.

THIERRY You can easily see that I'm the closest.
YVES No way!
THIERRY What!? You must have left your glasses at home!
YVES What if Georges decides?
GEORGES Let's see . . . Ah! But here come Brigitte and Jeanne. Hello, girls.
BRIGITTE We don't want to disturb you.
GEORGES No, we're just having a little discussion.
JEANNE Yes, we heard you. Do you want us to decide?
THIERRY I don't want a spectator to decide!
YVES Yes! Why not?
BRIGITTE Okay, Jeanne. Tell us who won.
JEANNE I'd say it's a tie!

Note culturelle

******jouer aux boules:*** The game of *boules* is extremely popular in France among people of all ages. It is very much like lawn bowling. Players roll a heavy ball toward a smaller one *(le cochonnet).* The player or team to come closest to *le cochonnet* wins. There are really two versions of the game: *Les boules,* which is played on a special playing field with carefully marked boundaries, is popular in northern and central France. *La pétanque,* a less formal game, is played mainly in southern France. Almost every French town and village has at least one *terrain de boules.*

Questionnaire

1. A quoi jouent les trois garçons? 2. Qu'est-ce qui s'est passé quand Thierry a lancé sa boule? Quand la boule de Thierry s'est arrêtée, est-ce que tout le monde a accepté qu'il avait gagné le match? Sinon, qu'est-ce qui s'est passé? 3. Qu'est-ce que Jeanne offre de faire? Thierry est d'accord? Pourquoi? 4. Qu'est-ce que Jeanne décide enfin? Qui a gagné le jeu?

PRONONCIATION

Practice pronouncing and dropping the [ə] sound in a series.

Exercices

A. Practice the [ə] sound in a series within a sentence.

Il me̲ l~~e~~ prête.
Elle te̲ l~~e~~ donne.
Paul ne̲ l~~e~~ traduit pas.
Ils ne̲ s~~e~~ promènent pas.

B. Now practice the [ə] sound in a series at the beginning of a sentence.

Je̲ l~~e~~ crains.
Ne̲ l~~e~~ garde pas!
Ne̲ l~~e~~ change pas!
Je̲ n~~e~~ fais pas la queue.
Je̲ m~~e~~ dirige vers l'entrée.
Je̲ m~~e~~ sers du crayon.

C. Listen to these sentences, then repeat.

Il te̲ l~~e~~ dira.
Fabrice ne̲ m~~e~~ comprend pas.
Michel ne̲ s~~e~~ dépêche pas.
Ils viennent de̲ l~~e~~ peindre.
Il refuse de̲ l~~e~~ faire.
Elles ne̲ s~~e~~ connaissent pas.

MOTS NOUVEAUX I

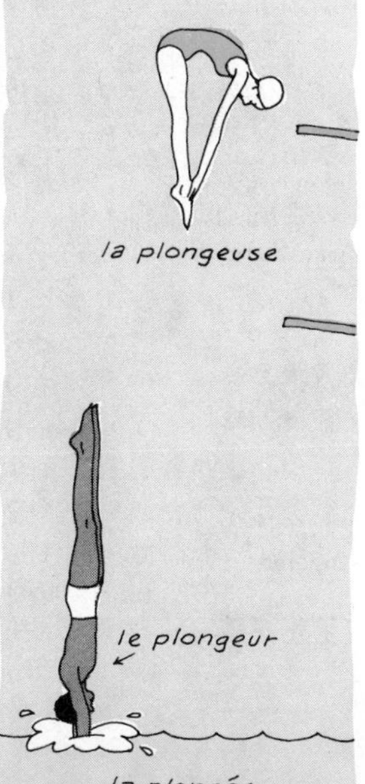

Je suis **joueur de boules.**	*I'm a* ***boules player.***
joueuse de golf	***golfer***
Tu aimes **le jeu** de golf?	*Do you like* ***the game*** *of golf?*
le jeu de boules	***boules***
la natation	***swimming***
la plongée	***diving***
Oui, j'aime **jouer au golf.**	*Yes, I like* ***to play golf.***
jouer aux boules	***to play boules***
faire du cyclisme	***to go cycling***
faire de la gymnastique	***to do gymnastics***
C'est { **un spectateur enthousiaste.** / **une spectatrice enthousiaste.** }	*He's / She's* } ***an enthusiastic spectator.***
Je n'aime pas **discuter des**[1] jeux.	*I don't like* ***to discuss*** *games.*
J'aime y participer.	*I like to participate in them.*
Tout le monde aime **gagner.**	*Everybody likes* ***to win.***
C'est moi { **le champion.** / **la championne.** }	*I'm* ***the champion.***
Voilà **le terrain de sports.**	*There's* ***the playing field.***
le terrain de golf	***the golf course***
le terrain de boules	***the boules court***
Allons-y! **Immédiatement!**	*Let's go there!* ***Immediately!***
Le terrain est **mouillé.**	*The field is* ***wet.***
sec	***dry***
La piste aussi?	***The track,*** *too?*
Oui, elle est **mouillée.**	*Yes, it's* ***damp.***
sèche	***dry***

Exercice de vocabulaire

Tell what word is being defined. Follow the model.

1. Celui qui conduit une voiture de course.
   C'est le pilote.
2. Celle qui gagne tous ses matchs.
3. Celui qui joue au hockey.
4. Sport de ceux qui aiment plonger.
5. Celui qui ne participe pas aux jeux, mais qui aime les regarder et en discuter quand même.
6. Endroit où on joue au golf.
7. Celle qui fait des courses à pied.
8. Celui qui fait de la gymnastique.
9. Celle qui joue au tennis.
10. Ce que fait un cycliste.
11. Endroit où on fait des courses à pied.
12. Sport de ceux qui aiment nager.
13. Celle qui fait de la plongée.
14. Celle qui fait du ski.

[1]Note that *discuter de* means "to discuss."

MOTS NOUVEAUX II

Ça va les **ennuyer.**	*That will* ***bore*** *them.*
étonner	***astonish***
déranger	***bother***
Tu peux **suggérer**[1] quelque chose?	*Can you* ***suggest*** *something?*
Allons voir les Dubois.	*Let's go see the Dubois.*
Les jumeaux *(m.pl.)?* / **Les jumelles** *(f.pl.)?*	***The twins?***
Paul est **sportif**; son frère **jumeau** aussi.	*Paul is* ***athletic;*** *his* ***twin*** *brother is, too.*
Ils le sont **tous les deux.**	*They* ***both*** *are.*
Anne est **sportive**; sa sœur **jumelle** aussi.	*Anne is* ***athletic;*** *her* ***twin*** *sister is, too.*
Elles le sont **toutes les deux.**	*They* ***both*** *are.*
Le bébé va **sourire à** papa.	*The baby's going* ***to smile at*** *Dad.*
rire de	***to laugh at***
ressembler à	***to look like***
Ils **se ressemblent** vraiment.	*They sure* ***look alike.***
Je vais **lancer** la balle.	*I'll* ***throw the ball.***
attraper	***catch***
laisser tomber	***drop***
Ne perds pas **le ballon!**[2]	*Don't lose* ***the ball!***
Ça va nous **empêcher de** jouer.[3]	*That will* ***keep*** *us* ***from*** *playing.*
C'est **un match nul.**	*It's* ***a tie.***
C'est dommage.	***What a shame!***
Doucement! J'ai gagné le match!	*Just a minute! I won the game.*
On va **se disputer** encore?	*Are we going* ***to argue*** *again?*
La dispute ne va pas **durer.**	***The argument*** *won't* ***last.***

[1]*Suggérer* follows the pattern of *répéter.*
[2]*Une balle* is any small ball (golf, baseball); *un ballon* is any inflated ball (basketball, football).
[3]*Empêcher* requires *de* before an infinitive.

Exercice de vocabulaire

Choose the word or phrase that best completes the sentence or fits the situation.

1. Ce sont des champions de football. Leur équipe a *(gagné/suggéré)* tous leurs matchs.
2. Les jumeaux ont *(souvent/toujours)* le même âge? *(C'est dommage!/Justement!)*
3. Allons jouer au tennis. D'accord! Mais je n'ai plus *(de balles/de ballons).* Tu en as?
4. Combien font deux fois dix? Vous me le demandez? *(C'est un match nul./Je suis nul en maths.)*
5. Les jumelles? *(Il se peut/Il faut)* qu'elles se ressemblent.
6. Je te lancerai la balle. *(Ne l'attrape pas!/Ne la laisse pas tomber!)*
7. On travaille ici! Si tu veux *(rire/sourire),* il ne faut pas faire tant de bruit!
8. Défense de plonger? Pourquoi est-ce qu'ils nous *(demandent/empêchent)* de plonger là-bas?
9. Quand il aura plu, le terrain sera assez *(mouillé/sec).*
10. Alice est coureuse et Lise est nageuse. Elles sont toutes les deux *(jumelles/sportives).*
11. Je vous demande de ne pas *(déranger/ennuyer)* ces outils-là. Ce sont les miens.
12. Elles veulent toujours *(discuter/empêcher)* des matchs auxquels elles ont participé. Elles sont *(joueuses/spectatrices)* enthousiastes.

Etude de mots

Mots associés: The following groups of words are related. Make sentences using the words.

1. le coureur, la coureuse/ la course à pied
2. le, la cycliste/le cyclisme
3. le, la gymnaste/la gymnastique/le gymnase
4. le nageur, la nageuse/la natation/nager
5. le plongeur, la plongeuse/la plongée/plonger
6. les sports/sportif, -ive
7. le joueur, la joueuse/le jeu/le jouet/jouer
8. la dispute/se disputer
9. ennuyeux, -euse/ennuyer

Synonymes: Substitute a synonym or synonymous expression for each word or phrase in italics.

1. Françoise est une spectatrice *passionnée* de football.
2. *Jette*-moi la balle!
3. Mettez-vous au travail *tout de suite!*
4. Je crains de les *gêner.*
5. Pourquoi est-ce que ces costumes-là vous *surprennent?*

Antonymes: Complete each sentence using the correct form of the antonym of the word or words in italics. Be careful! There is one subjunctive.

1. Quand nous vous *lancerons* ces ballons, vous essaierez de les ______.
2. Au début, je croyais que nous allions *perdre* le match. Maintenant il est possible que nous le ______.
3. Est-ce que le tennis vous *intéresse?* Oui, ce qui nous ______, c'est le golf.
4. Ce banc est *mouillé.* Il n'y en a pas qui sont restés ______?
5. Tu vas leur *permettre* de participer aux jeux? Je ne peux pas les ______ d'y participer.
6. Il *ne* ressemble *ni à l'une ni à l'autre.* Au contraire. Il ressemble à ______.

Mots à plusieurs sens: Complete the sentences using the same word for each pair.

1. (a) Annette est forte en maths, tandis que sa sœur y est ______.
   (b) S'il commence à pleuvoir ça sera un match ______.
2. (a) Les coureurs ont refusé de faire la course à pied sur une ______ mouillée.
   (b) L'avion ne pouvait pas décoller puisque la ______ était couverte de glace.
3. (a) Pierre est coureur. Il fait des ______ à pied.
   (b) Alexandre aide ses parents. Il fait souvent des ______ en ville—chez l'épicier, le boucher, le boulanger, etc.

Mots à ne pas confondre: Complete the sentences using the appropriate word: *un ballon* or *une balle.*

1. On joue au tennis avec ______.
2. On joue au volleyball avec ______.
3. On joue au basketball avec ______.
4. On joue au golf avec ______.
5. On joue au football américain avec ______.
6. On joue au football avec ______.
7. On joue au baseball avec ______.

EXPLICATIONS I

Les verbes rire et sourire

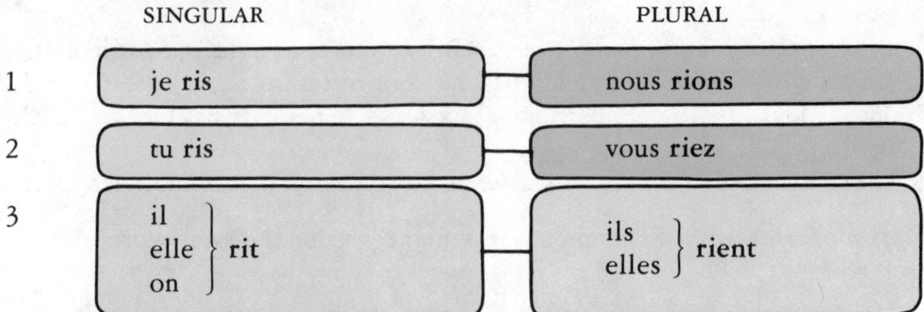

SINGULAR
PLURAL
1
je ris
nous rions
2
tu ris
vous riez
3
il
elle } rit
on
ils
elles } rient

IMPERATIVE: **ris! rions! riez!**
PAST PARTICIPLE: **ri**
PRESENT PARTICIPLE: **riant**
IMPERFECT STEM: **ri-** (**je riais**, etc.)
FUTURE / CONDITIONAL STEM: **rir-** (**je rirai / je rirais**, etc.)
SUBJUNCTIVE STEM: **ri-** (**que je rie**, etc.)

Note that in the 1 and 2 pl. imperfect and subjunctive forms, there is a double *i: nous riions, vous riiez.*

Exercice

Redo the sentences using the present tense. Follow the model.

1. Le prof nous souriait souvent.
   Le prof nous sourit souvent.
2. J'ai ri de ces dessins animés.
3. Tu lui souriras, n'est-ce pas?
4. Ils ne souriaient pas à l'agent de police.
5. Le steward et l'hôtesse de l'air ont souri aux passagers.
6. Ils riront de ce film drôle.
7. Nous avons ri de cette dispute.
8. Vous riiez toujours de leur peinture.
9. Rémi nous souriait en entrant dans la salle de documentation.
10. Ils ont ri de mon poème.

Combinaisons de pronoms compléments d'objet et l'impératif

1. Look at the following:

Ne me lance pas la balle!	*Don't throw me the ball!*
Ne me la lance pas!	*Don't throw it to me!*
N'apporte pas le plan à Luc!	*Don't bring the map to Luc!*
Ne le lui apporte pas!	*Don't bring it to him!*

Ne jette pas de pain aux singes! *Don't throw bread to the monkeys!*
Ne leur en jette pas! *Don't throw them any!*

In negative commands, the object pronouns come before the verb and occur in the same order as in a statement.

2. Now look at the following:

Explique-moi le jeu! *Explain the game to me!*
Explique-le-moi! *Explain it to me!*

Répétez les mots aux élèves! *Repeat the words to the students!*
Répétez-les-leur! *Repeat them to them!*

Parlez de la grotte à Marie! *Tell Marie about the cave!*
Parlez-lui-en! *Tell her about it!*

In affirmative commands, object pronouns follow the verb and are connected by hyphens. When there are two object pronouns in an affirmative command, they occur in the following order:

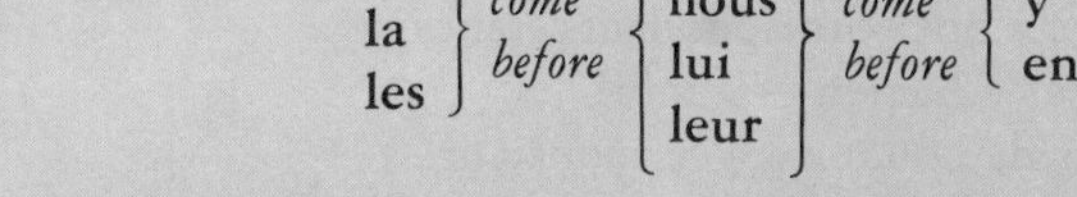

3. Imperatives of reflexive verbs sometimes include *y* or *en:*

Ne vous y arrêtez pas! Arrêtez-vous-y!
Ne t'en approche pas! Approche-t'en![2]

Exercices

A. Redo the sentences, replacing the words in italics with the appropriate object pronoun. Follow the models.

1. Ne me donnez pas *le violon!*
   Ne me le donnez pas!
2. Ne prêtons pas *les vélos à Paul!*
   Ne les lui prêtons pas!
3. Ne nous lisez pas *cette revue!*
4. Ne vends pas *de vin aux enfants!*
5. Ne m'explique pas *cette idée!*
6. Ne demande pas *de renseignements à ce type!*
7. Ne nous renvoyez pas *les paquets!*
8. Ne présentez pas *ces nageurs aux spectateurs!*
9. Ne nous montre pas *d'insectes!*
10. Ne m'offre pas *de paniers de fruits.*

---

[1]Before *y* and *en, moi* becomes *m': Donnez-moi des bonbons! → Donnez-m'en!*
[2]Before *y* and *en, toi* becomes *t': Souviens-toi de ce trajet! → Souviens-t'en!*

B. Redo the sentences using the appropriate direct object pronoun. Follow the model.

1. Apportez-moi la charcuterie!
   Apportez-la-moi!
2. Donne-nous la carte postale!
3. Achète-moi le trombone!
4. Montre-nous la réception!
5. Prête-moi ta cravate bleue!
6. Présente-moi les jumeaux!
7. Explique-moi la faute!
8. Répétez-moi la bonne réponse!
9. Envoie-nous nos notes!

C. Redo the sentences using two object pronouns. Follow the model.

1. Montrons le terrain de boules à ton amie!
   Montrons-le-lui!
2. Rends le violoncelle au maître!
3. Ecrivez la lettre à votre grand-mère!
4. Donnez la composition au chef d'orchestre!
5. Dis ton idée à papa et à maman!
6. Demande les renseignements à l'agent de police!
7. Envoyons la lettre à nos correspondants français!
8. Lisez les sous-titres à Lucien et à moi!
9. Donnez le permis de conduire à ce monsieur!

D. Redo the sentences using the appropriate pronoun: *y* or *en*. Follow the models.

1. Prêtez-moi de l'argent!
   Prêtez-m'en!
2. Apportez-les dans la cour!
   Apportez-les-y!
3. Donne-nous des boissons!
4. Pose-lui des questions!
5. Emmène-nous à Avignon!
6. Parle-moi du défilé!
7. Mettez-vous au travail!
8. Approchons-nous du terrain!
9. Souvenez-vous du rendez-vous!
10. Penchez-vous sur l'eau!

Vérifiez vos progrès

Write the sentences, using affirmative and negative commands with the appropriate object pronouns. Follow the model.

1. Il faut que vous lui apportiez les outils.
   Apportez-les-lui!
   Ne les lui apportez pas!
2. Il faut que nous leur parlions du jeu.
3. Il faut que tu achètes les balles au terrain de golf.
4. Il faut que vous nous ouvriez la portière.
5. Il faut que tu vendes des boissons fraîches aux spectateurs.
6. Il faut que vous m'expliquiez ce tableau-là.
7. Il faut que tu suggères les réponses aux élèves.

CONVERSATION ET LECTURE

Parlons de vous

1. Vous aimez les jeux de cartes? les sports? Lesquels est-ce que vous aimez le mieux? 2. Est-ce que vous faites partie d'une équipe de sport? De laquelle? Où est-ce que vous jouez? 3. Est-ce qu'il y a un stade près de chez vous? Combien de personnes est-ce qu'il peut contenir? 4. Vous êtes skieur? Est-ce que vous faites des excursions pour aller faire du ski ou de l'alpinisme? Où est-ce que vous allez? 5. Est-ce que vous faites du ski nautique? Où? Il y a un lac près de chez vous? Vous habitez près de la mer peut-être? Que préférez-vous, le ski ou le ski nautique? 6. Est-ce que vous nagez? Vous aimez la natation? la plongée? 7. Vous allez souvent au gymnase? Qu'est-ce que vous aimez faire là-bas?

Une grande course cycliste°

cycliste: *cycling*

A Manosque,* dans les Basses-Alpes, le cinq juillet, une grande foule s'est rassemblée° près de l'entrée du village. La foule ne comprend pas seulement ceux qui habitent Manosque et ses environs. Il y a aussi des journalistes, des photographes, des speakers° de radio et de télévision avec leurs microphones. La foule est joyeuse: il y a partout des cris, des rires,° des applaudissements.° Qui ou qu'est-ce que tous ces gens attendent? Eh bien, c'est l'arrivée des cyclistes du Tour de France.

se rassembler: *to gather*
le speaker: *broadcaster*
le rire: *laughter*
l'applaudissement *(m.): applause*

Mais qu'est-ce que c'est que le Tour de France? C'est l'épreuve° sportive la plus populaire en France. Il provoque une grande ferveur chez les fanas° de cyclisme non seulement en France, mais partout en Europe. Chaque pays d'Europe qui veut y participer envoie en France une équipe de cyclistes avec, en tête,° son champion national. La course dure trois semaines, et elle est tout à fait éreintante.°

l'épreuve *(f.): competition*
le/la fana: *fan*
en tête: *at the head*
éreintant, -e: *grueling*

Chaque année la course comprend une vingtaine d'étapes,° dont chacune est de 200 à 250 kms. Il n'y aura que deux ou trois jours de repos° pendant les trois semaines du Tour. Les cyclistes parcourront° la France, d'un bout à l'autre, mais, étant donnée° la topographie du pays, les étapes seront d'une difficulté variable. Celles du nord et de l'ouest seront les plus longues, mais les moins ardues,° car le paysage y est assez plat. Les étapes de montagne seront moins longues, mais beaucoup plus difficiles. Cette année, par exemple, il y aura une étape qui comprendra non seulement les pentes raides° obligatoires, mais aussi 24 virages en épingle à cheveux!° Cependant, une fois qu'on aura parcouru les Alpes, le danger et les difficultés ne cesseront pas. Il restera° les cols° des Pyrénées (à une altitude de 2000 mètres) et l'escalade du Puy-de-Dôme, un volcan éteint° dans le Massif Central.*

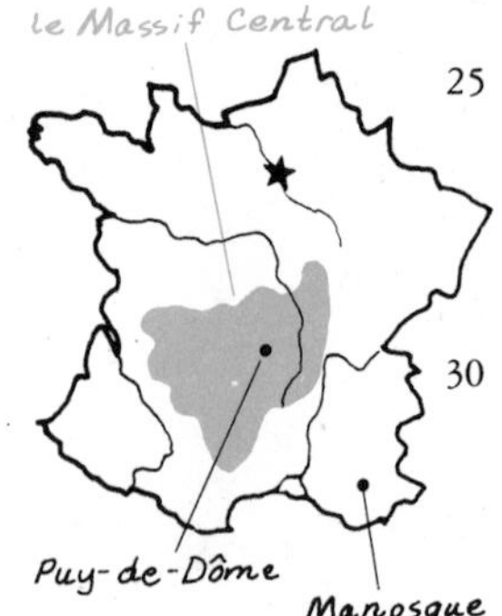

l'étape *(f.): stage*
le repos: *rest*
parcourir: *to cover*
étant donné: *given*
ardu, -e = difficile
raide: *steep*
le virage en épingle à cheveux: *hairpin turn*
il restera: *there will remain*
le col: *mountain pass*
éteint, -e: *extinct*

Le gagnant° de la course sera celui qui aura mis le moins de temps à° parcourir l'ensemble des° étapes. On accueillera° ce cycliste au Vélodrome de Paris,* et il portera l'emblème du vainqueur:° le maillot jaune.*

le gagnant: *winner*
mettre (du temps) à: *to take (time)*
l'ensemble de: *all . . . together*
accueillir: *to greet*
le vainqueur: *victor*

Aujourd'hui, cependant, c'est la ville-étape de Manosque qui est le centre du monde sportif en France. Elle va accueillir le gagnant des étapes alpines—et peut-être de la course entière, car le cycliste qui gagne à la montagne est souvent celui qui, plus tard, à l'arrivée° à Paris, mettra le célèbre maillot jaune.

l'arrivée: *(here) finish line*

Notes culturelles

**Manosque:* This is a small town of 17,000 in the area commonly known as *les Basses-Alpes.* There is very keen competition between French towns to be *une ville-étape,* one of the towns marking the end of a leg in le Tour de France.

**le Massif Central:* This is the large, mountainous plateau of central France. It includes almost one-sixth of the area of the country, but a relatively small percentage of the population, which has steadily emigrated to the coastal areas or the industrial centers of the north and east.

****le Vélodrome de Paris:*** This is an enormous arena for bicycle racing, which has long been an extremely popular sport in France.

****le maillot jaune:*** The yellow jersey is worn by the winner. *Le maillot vert* changes hands quickly, since it goes to the racer who places first in a given leg.

A propos . . .

1. Où est-ce que la foule s'est rassemblée? 2. Qui est dans la foule? Qu'est-ce qu'ils attendent? Est-ce que le Tour de France est populaire? 3. D'où viennent les cyclistes? 4. Décrivez la course. Combien de temps est-ce qu'elle dure? Est-elle difficile? Quelle est la distance de chaque étape? 5. Pourquoi est-ce que certaines étapes sont plus difficiles que d'autres? Quelles sont les régions où la course est la plus ardue? 6. Comment est-ce qu'on choisit le gagnant du Tour de France? Que porte-t-il? 7. Pourquoi est-ce que l'étape à Manosque est tellement importante? 8. Et vous, est-ce que vous avez participé à une course? Quelle sorte de course? à pied? une course de vélos? Qui a gagné? 9. Est-ce que vous trouvez que le cyclisme devient de plus en plus populaire en Amérique? Pourquoi?

EXPLICATIONS II

Le subjonctif: les expressions d'émotion et de volonté

VOCABULAIRE

étonné, -e *astonished, amazed* **surpris, -e** *surprised*

1. The subjunctive is used after verbs and expressions of emotion and of wishing and wanting. For example:

Je suis heureux que vous arriviez demain.	*I'm happy you're arriving (you'll arrive) tomorrow.*
Je regrette qu'il dorme encore.	*I'm sorry he's still sleeping (he'll still be sleeping).*
C'est dommage que nous partions mardi.	*It's too bad we're leaving (we'll leave) Tuesday.*
Je veux qu'il finisse les devoirs.	*I want him to finish the homework.*

LOCATION ouverte à ARLES

Bureau des Arènes - Téléphone (90) 96.03.70

LOCATION PAR CORRESPONDANCE - Ajouter au prix des places demandées 1 Fr. par place et 6 Fr. pour l'ensemble pour frais d'envoi recommandé.

PRIX DES PLACES

TRIBUNES CENTRALE - B-C		TRIBUNES A-D E	
1er Rang	80	1er Rang	75
2me »	79	2me »	74
3me »	78	3me »	72
4me »	75	4me »	70
5me »	65	5me »	65
6me »	60	6me »	55
7me »	60	7me »	50
8me »	55	8me »	50

PREMIÈRES		TRIBUNE DE PRESSE		SECONDES	
1er Rang	50	3me Rang	48	1er Rang	40
2me »	48	4me »	46	2me »	35
3me »	48	5me »	46	3me »	35
4me »	46			4me »	33
5me »	46			5me »	33

TORIL BAS		TORIL HAUT		GRADINS TORIL côté droit ou gauche	
1er Rang	45	1er Rang	35	Série 1a et 1b	25
2me »	44	2me »	32	1ère Série	20
3me »	43	3me »	30	2me, 3me Série	15
4me »	40	4me »	30	Rang Spécial	25
5me »	40	5me »	30		

GRADINS ARRASTRE côté droit ou gauche 15

ENTRÉE GÉNÉRALE. . . . . . . 12 ENFANTS et MILITAIRES non gradés 5

INFORMATION AU PUBLIC

Au cas où l'un des Matadors annoncés ne pourrait participer à la Corrida par suite d'un cas de force majeure, il serait remplacé par un autre Matador sans que cela donne droit à aucune réclamation ou remboursement.

Si pour cause de pluie ou toute autre circonstance indépendante de la Direction, la Corrida ne pouvait avoir lieu à la date prévue, celle-ci serait renvoyée à une date ultérieure qui sera indiquée par voie d'affiches et insertions dans la presse locale.

En aucun cas les billets ne seront remboursés, ils resteront valables pour la nouvelle date.

La Direction ne répond d'aucun accident.

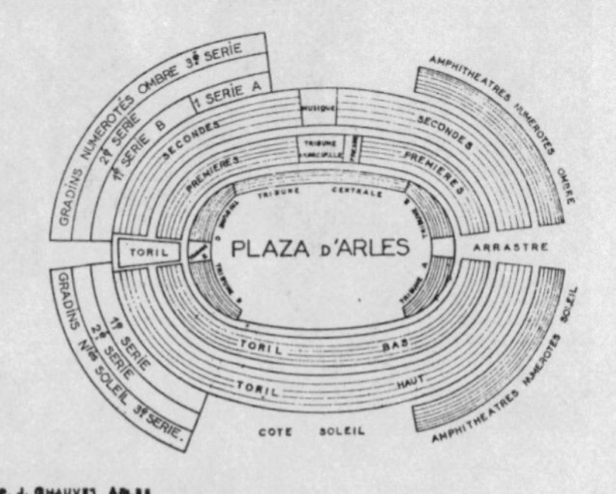

IMP. J. CHAUVET ARLES

2. The following verbs of wishing and wanting take the subjunctive: *aimer mieux, demander, préférer, vouloir.*

3. The following verbs and expressions of emotion also take the subjunctive:

être content	*to be happy*	**être triste**	*to be sad*
être désolé	*to be very sorry*	**avoir peur**	*to be afraid*
être enchanté	*to be delighted*	**craindre**	*to fear*
être étonné	*to be astonished*	**regretter**	*to be sorry*
être heureux	*to be happy*	**c'est dommage**	*it's too bad*
être surpris	*to be surprised*		

4. Note that when the subjects of both clauses are the same, the infinitive is used. The subjunctive is used *only* when the subjects are different:

Je suis content de descendre en ville.	***I'm happy I'm going*** *into town.*
Je suis content qu'il descende en ville.	***I'm happy he's going*** *into town.*

Exercices

A. Combine the two sentences using the subjunctive. Follow the models.

1. Pierre perd le match. C'est dommage.
   C'est dommage que Pierre perde le match.
2. Nous en prenons trop. Mon ami le craint.
   Mon ami craint que nous en prenions trop.
3. Vous n'apprenez pas l'espagnol. Le prof le regrette.
4. Il ne part pas pour Québec demain matin. C'est dommage.
5. J'attends le prochain autobus. Elle le regrette.
6. Elle sert du vin sans fromage. C'est dommage.
7. Tu ne comprends pas l'italien. Je le regrette.
8. Tu parles trop vite. Ils le craignent.
9. Nous ne gagnons pas aujourd'hui. C'est dommage.
10. Vous vous disputez tant. Je le regrette.

B. Redo the sentences replacing the verb in italics with the cue in parentheses and putting the second verb into the subjunctive. Follow the model.

1. Il *sait* que nous prendrons le métro. (vouloir)
   Il veut que nous prenions le métro.
2. Nous *pensons* que vous nous attendrez au stade. (préférer)
3. Elle *croit* que je jouerai au golf. (demander)
4. J'*espère* que tu ralentis immédiatement. (vouloir)
5. Ils *disent* que nous nous coucherons de bonne heure. (aimer mieux)
6. Vous *savez* que je porte des lunettes. (demander)
7. La directrice *croit* que nous lançons le ballon. (préférer)

8. Le médecin *pense* que je maigris. (vouloir)
9. Je *sais* que tu trouveras un chemin plus court. (préférer)
10. Ma mère *croit* que je leur rends les dessins moi-même. (aimer mieux)

C. Combine the two sentences using the subjunctive. Follow the model.

1. Tu pars demain. Mon père en est désolé.
   Mon père est désolé que tu partes demain.
2. Nous arrivons à 8 h. 45. Ma sœur en est contente.
3. Elles les attendront au stade. Leurs amis en sont enchantés.
4. Vous vous trompez. J'en suis étonné.
5. Nous déménageons. Elle en est surprise.
6. Tu sors trop tard. Il en a peur.
7. Je finis ce jeu de cartes. Vous en êtes surpris.
8. Vous aimez la natation. Nous en sommes contents.
9. Il part avant la fin de la pièce. J'en suis étonnée.
10. Vous attrapez un rhume. J'en suis désolé.

D. Combine the two sentences using the correct form of the verb: infinitive or subjunctive. Follow the models.

1. J'ai peur. Je perds le match.
   J'ai peur de perdre le match.
2. Votre frère est triste. Vous ne l'accompagnez pas.
   Votre frère est triste que vous ne l'accompagniez pas.
3. Nous sommes étonnés. Il ne se sert pas de cette balle.
4. Elles sont contentes. Elles se trouvent parmi les spectateurs.
5. J'ai peur. Le temps vous empêchera de finir le match.
6. Je suis surpris. Les jumeaux ne se ressemblent pas du tout.
7. Elle est enchantée. Elle décore l'appartement.
8. Ils sont très heureux. Vous vous habituez au lycée mixte.
9. Nous sommes désolés. Nous ne finissons pas le jeu de boules.
10. Tu es heureux. Tu te présentes au proviseur.

Vérifiez vos progrès

Write the sentences, putting the verbs in parentheses into the correct tense: present subjunctive or future.

1. Elle a peur que nous *(rentrer)* après minuit.
2. Je veux que tu *(se brosser)* les dents immédiatement.
3. Ils demandent que nous *(jouer)* au golf.
4. Nous sommes étonnés que vous ne *(choisir)* pas ce vol sans escale.
5. Il croit qu'elles *(prendre)* l'omnibus.
6. Je crains que cela nous *(retarder)*.
7. Vous êtes contentes qu'elle *(discuter)* du problème.
8. Elle pense que nous *(quitter)* Marseille demain.
9. C'est dommage que vous *(manquer)* l'express.
10. Je suis étonné qu'il *(dormir)* pendant les films d'épouvante.

RÉVISION ET THÈME

Consult the model sentences, then put the English cues into French and use them to form new sentences.

1. *Je jouais aux boules sur le terrain de boules.*
   (We were playing golf on the golf course.)
   (She used to play soccer on the playing field.)
2. *"Je suis enchanté de vous voir," vous a-t-il dit.*
   ("We're (m.) *surprised we're winning it* (m.)*," she told them.)*
   ("They're (f.) *sorry to bore her," they* (f.) *said to me.)*
3. *Elle est étonnée que nous jouions aux cartes.*
   (They (m.) *fear the twins* (f.) *will look like their father.)*
   (We (f.) *are surprised that the champion* (f.) *will participate in the games.)*
4. *Entre nous, elle ne veut pas que nous attrapions la balle.*
   (Besides, they (m.) *don't want us to bother the swimmers* (m.)*.)*
   (In any case, I'm not asking you (pl.) *to change your mind.)*
5. *Donc, montrez-les-moi!*
   (So give it (f.) *back* (2 pl. imper.) *to him!)*
   (Now throw (2 sing. imper.) *it* (m.) *to me!)*

Now that you have done the *Révision,* study the French paragraph. Afterwards, using it as a model, put the English paragraph into French to form a composition.

Modèle: Jane, Paule et André regardaient un film américain à la Cinémathèque. Jane riait constamment en écoutant les acteurs. Enfin Paule et André se sont fâchés avec elle. "Je suis désolée de vous ennuyer," leur a-t-elle dit. "Je regrette que vous ne parliez pas anglais. En effet, c'est dommage que vous ne compreniez pas ce qui se passe." "Alors, explique-le-nous!" lui ont-ils répondu.

Thème: Anne and Adam were playing volleyball in the courtyard. They were laughing together while throwing the ball. Suddenly their older brother came up to them. "I'm sorry to bother you," he told them. "Mom and Dad prefer you to play in the park. After all, they don't want you to break the windows." "So take us there!" they answered him.

AUTO-TEST

A. Write the sentences, using the appropriate verb forms. If no verb tense is indicated, use the present indicative. Follow the model.

1. Je préfère que vous *(pres. subj.: ne pas rire)* de cette histoire.
   Je préfère que vous ne riiez pas de cette histoire.
2. Elle *(fut.: rire)* pendant la course à pied.
3. Ils *(imp.: sourire)* au pilote, mais il *(p.c.: ne pas leur sourire).*
4. Si nous *(imp.: rire)* de la chanson folklorique, elles en *(cond.: rire)* aussi.
5. *(2 pl. imper.: ne pas rire)* de ces enfants s'ils font des efforts.
6. Ils *(rire)* parce qu'ils ont gagné le jeu.

B. Write negative commands. Follow the model.

1. Emmenons-les-y!
   Ne les y emmenons pas!
2. Donne-m'en!
3. Parlons-leur-en!
4. Arrêtez-vous-y!
5. Sers-t'en!
6. Criez-la-lui!
7. Offre-lui-en!
8. Conduisez-les-y!
9. Présentez-le-moi!
10. Lançons-les-leur!
11. Mets-les-y!

C. Write answers to the questions using the correct form of the verb: infinitive or subjunctive. Follow the models.

1. Qu'est-ce que tu regrettes? (il ne va pas arriver immédiatement)
   Je regrette qu'il n'arrive pas immédiatement.
2. De quoi avez-vous peur? (nous allons manquer le train)
   Nous avons peur de manquer le train.
3. De quoi est-elle contente? (son ami va lui téléphoner)
4. Qu'est-ce qui est dommage? (tu ne vas pas maigrir)
5. Qu'est-ce que vous craignez, madame? (mon mari ne va pas partir à l'heure)
6. De quoi est-il heureux? (personne ne va le déranger)
7. Qu'est-ce qu'elles veulent? (elles vont se réveiller avant le lever du soleil)
8. Qu'est-ce qu'elle préfère (nous allons nous retrouver après le jeu de boules)
9. De quoi es-tu triste? (nous n'allons pas regarder la natation et la plongée)
10. Qu'est-ce que vous ne voulez pas? (vous allez discuter de mon travail)

COMPOSITION

Ecrivez une composition sur un jeu ou une course que vous avez regardé ou auquel vous avez participé.

Poème

LE PONT MIRABEAU[1]

Sous le pont Mirabeau coule° la Seine
Et nos amours
Faut-il qu'il° m'en souvienne
La joie venait toujours après la peine°

Vienne la nuit sonne l'heure[2]
Les jours s'en vont je demeure°

Les mains dans les mains restons face° à face
Tandis que sous
Le pont de nos bras passe
Des éternels regards° l'onde° si lasse°

Vienne la nuit sonne l'heure
Les jours s'en vont je demeure

L'amour s'en va comme cette eau courante°
L'amour s'en va
Comme la vie est lente
Et comme l'Espérance° est violente

Vienne la nuit sonne l'heure
Les jours s'en vont je demeure

Passent les jours et passent les semaines
Ni temps passé
Ni les amours reviennent
Sous le pont Mirabeau coule la Seine

Vienne la nuit sonne l'heure
Les jours s'en vont je demeure

Guillaume Apollinaire, *Alcools*

couler: *to flow*
qu'il = que je
la peine: *sorrow*
demeurer = rester
la face = la figure
le regard: *gaze*
l'onde *(f.)*: *wave*
las, lasse = fatigué
courant, -e: *running*
l'Espérance *(f.)*: *Hope*

Proverbe

Rira bien qui rira le dernier.

[1]Le pont Mirabeau is one of the many bridges that cross the Seine in Paris. It is named for le comte de Mirabeau (1749–1791), who tried to avoid the excesses of the Revolution by advocating a constitutional monarchy like that of Great Britain. He died on the guillotine.

[2]*Vienne la nuit sonne l'heure = Laissez venir la nuit; laissez sonner l'heure.*

Dix-Huitième Leçon

Projets de vacances

La famille Girolet s'est réunie autour de la table dans la salle à manger. Sur la table, il y a des cartes routières, des guides verts et rouges,* des livres sur le camping. Les Girolet sont en train de choisir un bon endroit pour les vacances, et chacun a ses propres idées là-dessus.[1]

MME GIROLET — La Côte d'Azur me semble quand même une bonne idée.

PASCAL — Moi, je n'aime pas les plages de galets.*

MME GIROLET — Mais on peut se reposer si bien sur la plage.

FRANÇOISE — Comment veux-tu qu'on se repose sur la Côte d'Azur? On est entouré d'une foule de nageurs, de touristes, de bateaux . . .

MME GIROLET — Eh bien, on peut toujours essayer la Côte Atlantique.

FRANÇOISE — Ah non! L'eau y est trop froide.

PASCAL — Et on ne peut jamais compter sur le temps.

M. GIROLET — Alors, les enfants. Vos suggestions?

PASCAL — Moi, je suis pour la montagne. On s'y amuse tellement bien.

FRANÇOISE — Justement. On peut faire tant de choses—des randonnées . . .

PASCAL — De l'alpinisme . . .

MME GIROLET — Doucement! Pour les randonnées, je suis d'accord. Mais pour l'alpinisme . . . Penses-tu que la montagne soit un bon endroit, chéri?

M. GIROLET — A mon avis, ça serait parfait.

PASCAL — C'est décidé, donc!

---

[1] *Là-dessus* means "on it" or "about it" in an abstract sense *(Il lit là-dessus),* while *dessus* is used in a concrete sense *(Elle met son doigt dessus).*

Vacation plans

The Girolet family has gathered around the table in the dining room. On the table there are road maps, green and red guides, books on camping. The Girolets are trying to select a good vacation spot, and everyone has his or her own ideas about it.

MME GIROLET The Riviera seems like a good idea to me anyway.
PASCAL I don't like pebble beaches.
MME GIROLET But you can have such a nice rest on the beach.
FRANÇOISE How do you expect anyone to relax on the Riviera? You're surrounded by a crowd of swimmers, tourists, boats . . .
MME GIROLET Well, we can always try the Atlantic Coast.
FRANÇOISE Oh no! The water's too cold there.
PASCAL And you can never count on the weather.
M. GIROLET Well, kids. How about your suggestions?
PASCAL I'm for the mountains. You can really have a good time there.
FRANÇOISE Exactly. There's so much to do—hiking . . .
PASCAL Mountain-climbing . . .
MME GIROLET Wait a minute! I'm with you on the hiking bit. But as for mountain-climbing . . . Do you think the mountains would be a good place, dear?
M. GIROLET As far as I'm concerned, it would be perfect.
PASCAL Then it's decided!

Notes culturelles

**les guides verts et rouges:* These are the *Guides Michelin,* which are very popular tourist aids. The green guides give excellent, detailed descriptions of the attractions within a given region, while the red guide lists hotels and restaurants throughout the country.

**les plages de galets:* Some Mediterranean beaches, particularly those in Nice, are covered with stones rather than sand.

Questionnaire

1. Où est-ce que les Girolet se sont réunis? Pourquoi? 2. Est-ce que tout le monde est d'accord sur le meilleur endroit? 3. Que préfère Mme Girolet? Pourquoi? Qu'en pensent Françoise et Pascal? 4. Que suggère Mme Girolet ensuite? Pourquoi est-ce que les enfants ne veulent pas y aller? 5. Où est-ce que les enfants voudraient passer leurs vacances? Qu'est-ce qu'ils pourraient y faire? 6. Est-ce que M. Girolet est d'accord?

PRONONCIATION

Practice the [s] and [z] sounds.

Exercices

A. The letter *s* between two vowel sounds represents the [z] sound. Listen, then repeat.

l'usine	la musique	le désert	le compositeur	refuser
l'oiseau	la maison	le paysage	le représentant	présenter

B. The letter *s* at the beginning of a word, before or after a consonant, or in the spelling *ss* usually has the [s] sound. Listen, then repeat.

la sorte	l'insecte	l'alpinisme	l'orchestre	assurer
le savon	la personne	le cyclisme	la dispute	impressionner

C. The spellings *-ci* and *-ti* usually have the sound combination [sj] before a vowel sound. The spelling *-sion* is pronounced with the [s] sound when it comes after a consonant sound.

le musicien	attention	la direction	la version
l'électricien	la natation	la destination	l'excursion

D. Now practice the [s] and [z] sounds in these sentences.

Sara et Pascal se ressemblent aussi.
Ce sont des spectateurs enthousiastes.
Ce monsieur distrait assiste à la messe.
Il n'y a ni serpents ni sauterelles sur le sentier.
On sortira lorsqu'on aura servi le rosbif.
Ne sois pas surprise si j'essaie d'essuyer le pare-brise.

MOTS NOUVEAUX I

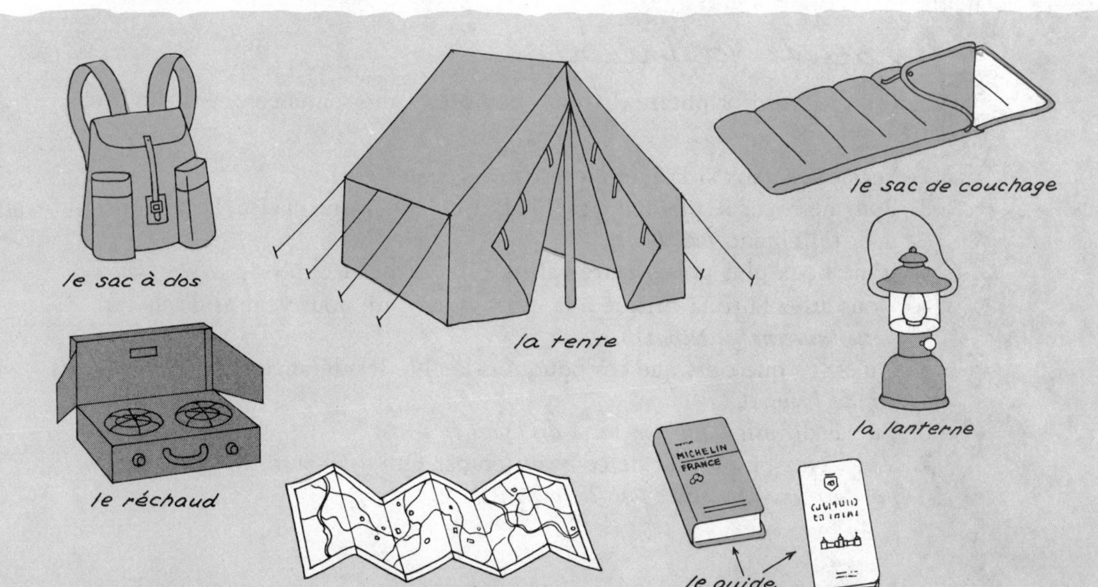

Ils vont faire du camping.	*They're going camping.*
C'est { **un campeur** / **une campeuse** } enthousiaste.	*He's / She's* } *an enthusiastic* ***camper.***
Ils aiment dormir **sous une tente.**	*They like to sleep* ***in a tent.***
Je cherche **un terrain de camping.**	*I'm looking for* ***a campground.***
J'ai **un bouquin** qui m'aidera.	*I have* ***a book*** *that will help me.*
Je peux **compter sur** ce bouquin.	*I can* ***count on*** *this book.*
Je peux compter **là-dessus.**	*I can count* ***on it.***
Chacun veut **profiter de** ce beau temps.	*Everyone wants* ***to take advantage of*** *this beautiful weather.*
J'espère **avoir l'occasion** d'aller à la campagne.	*I hope* ***to have a chance to*** *go to the country.*
Allons **faire une randonnée.**	*Let's* ***go for a hike.***
Ah! Vous êtes { **randonneur.** / **randonneuse.** }	*Ah! You're a* ***biker.***
C'est { **un alpiniste** / **une alpiniste** } aussi.	*He's / She's* } ***a mountain-climber,*** *too.*
Escaladons cette colline-là.	*Let's climb* ***that hill.***
Non, elle est trop **haute.** / **basse**	*No, it's too* ***high.*** / ***low***
Le soleil est trop **haut.** / **bas**	*The sun is too* ***high.*** / ***low***
Le vent est trop **fort.** / **faible**	*The wind is too* ***strong.*** / ***weak***
La lumière est trop **forte.** / **faible**	*The light is too* ***strong.*** / ***weak***
Ce sac à dos est trop **lourd.** / **léger**	*This backpack is too* ***heavy.*** / ***light***
Cette tente est trop **lourde.** / **légère**	*This tent is too* ***heavy.*** / ***light***
Tu ne veux rien **porter!**	*You don't want* ***to carry*** *anything!*

Exercice de vocabulaire

Choose the word or phrase that best completes the sentence or fits the situation.

1. Ferme les yeux si la lumière est trop *(faible/forte).*
2. Pour nettoyer le plafond, j'ai dû aller chercher une chaise. Le plafond était tellement *(bas/haut).*
3. Je ne peux plus porter cette valise. Elle est beaucoup trop *(légère/lourde)*
4. Vous allez faire la cuisine à la montagne? Oui, nous venons d'acheter *(cette lanterne/ce réchaud).*
5. Qu'est-ce que c'est que ces bouquins-là? Ne les dérangez pas! Ce sont nos *(guides/tentes).*
6. Tu vas dormir *(dans ton sac à dos/sous la tente)?*
7. Vous avez pu profiter de ce beau temps? Oui, *(j'ai beaucoup plus d'argent/j'ai fait une randonnée tous les matins).*

8. Tu as eu l'occasion de faire de l'alpinisme? Non, *(ce sont les Pyrénées / je ne suis pas alpiniste).*
9. Pour aller à Paris en voiture vous devez avoir un permis de conduire et *(une carte routière / un sac de couchage).*

MOTS NOUVEAUX II

On a besoin d'un bon **repos.**	*We need a good* ***rest.***
Où veux-tu aller, { **chéri** *(m.)?* / **chérie** *(f.)?* }	*Where do you want to go,* ***dear?***
J'aimerais aller sur la côte.	*I'd like to go to the coast.*
C'est une bonne **suggestion.**	*That's a good* ***suggestion.***
On pourra **se reposer** et s'amuser **à la fois.**	*We'll be able* ***to rest*** *and have fun* ***at the same time.***
C'est un endroit **formidable.**	*It's a* ***fantastic*** *place.*
impressionnant	*an* ***impressive***
C'est une plage **formidable.**	*It's a* ***fantastic*** *beach.*
impressionnante	*an* ***impressive***
On ne voit pas **une seule** personne.	*You don't see* ***a single*** *person.*
un seul galet	***a single*** *pebble*
Tu ne seras pas { **déçu.** / **déçue.** }	*You won't be* ***disappointed.***
Je ne **doute** pas qu'on s'amusera.	*I don't* ***doubt*** *that we'll have fun.*
Où est-ce qu'on va se **réunir?**[1]	*Where will we* ***meet?***
On va se réunir ici.	*We'll get together here.*
Ça sera une grande **réunion?**	*Will it be a big* ***meeting?***
Elle ne va pas **sembler** très grande.	*It won't* ***seem*** *very large.*
Il me semble que cinquante personnes est un assez grand groupe.	***It seems to me*** *that fifty people is a rather large group.*
Mais il n'y en aura que trente.	*But there will only be thirty.*
Ainsi tout le monde se connaîtra.	***That way*** *everyone will know each other.*
Alors, c'est **décidé!**	*Then it's* ***decided!***

[1]*Se réunir* is an *-ir / -iss-* verb.

Exercice de vocabulaire

Answer these questions.

1. Quand vous êtes malade—quand vous avez de la fièvre, par exemple—est-ce que vous vous reposez?
2. Quand vous avez besoin de repos où est-ce que vous allez?
3. Est-ce que vous avez assisté à une grande réunion? Qui s'est réuni? Où est-ce que la réunion a eu lieu? Quand? Vous vous y êtes amusé? Qu'est-ce que vous y avez fait?
4. Racontez un spectacle ou un film auquel vous avez assisté récemment. C'était vraiment formidable, ou est-ce que vous étiez peut-être un peu déçu?
5. Décrivez une vue impressionnante dont vous vous souvenez.

Etude de mots

Mots associés: Complete the sentences using a word related to the word or words in italics.

1. Lorsqu'on fait du camping, on *se couche* dans un sac de ______.
2. J'avais mal *au dos* à cause de mon sac ______, qui était trop lourd.
3. Va *te reposer,* chéri. Tu as besoin de ______.
4. *Les campeurs* montent leur tente au terrain de ______ près du lac.
5. *Les randonneuses* ont décidé de continuer leur ______ après le dîner.
6. Il me *semble* que ces jumelles se ______ beaucoup.
7. Pour trouver *la* bonne *route,* vous devriez regarder cette carte ______.
8. Ma cousine aime beaucoup *l'alpinisme.* C'est une ______ enthousiaste.
9. La soupe n'est pas *chaude.* Je vais la *chauffer* sur le ______ que mes parents m'ont acheté.
10. Vous vous *réunissez* toujours en été? Oui, la ______ a toujours lieu vers le milieu du mois d'août.
11. Est-ce que la vue du balcon vous a *impressionné?* Oui, elle était ______.

Synonymes: Redo the sentences substituting a synonym or synonymous expression for the word or words in italics.

1. Si tu as besoin de lumière, va chercher *la lampe.*
2. Où est-ce que j'ai mis *ce livre?*
3. Allons escalader *la petite montagne* là-bas.
4. On ne va pas *avoir le temps* de jouer aux boules ce week-end.
5. Cette plage est *magnifique.*
6. Jean *a l'air* triste parce qu'il a raté son examen de sciences sociales.
7. On va *se rejoindre* au restaurant. *Comme ça* on passera plus de temps ensemble.
8. Cette chanteuse joue de la guitare et chante *en même temps.*

Antonymes: Choose the antonym of the word in italics. Then use both words in a sentence.

1. *bas:* énorme haut laid prêt

2. *léger:* étranger facile lourd rapide
3. *fort:* faible formidable frais sportif
4. *enthousiaste:* content déçu drôle poli
5. *être fatigué:* se laver se lever se reposer se réunir

EXPLICATIONS I

Quelques verbes irréguliers au subjonctif

The following irregular verbs are also irregular in the subjunctive:

ALLER	AVOIR	ÊTRE
que j'aille	que j'aie	que je sois
que tu ailles	que tu aies	que tu sois
qu'il aille	qu'il ait	qu'il soit
que nous allions	que nous ayons	que nous soyons
que vous alliez	que vous ayez	que vous soyez
qu'ils aillent	qu'ils aient	qu'ils soient

FAIRE	POUVOIR	SAVOIR
que je fasse	que je puisse	que je sache
que tu fasses	que tu puisses	que tu saches
qu'il fasse	qu'il puisse	qu'il sache
que nous fassions	que nous puissions	que nous sachions
que vous fassiez	que vous puissiez	que vous sachiez
qu'ils fassent	qu'ils puissent	qu'ils sachent

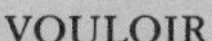

VOULOIR

que je veuille	que nous voulions
que tu veuilles	que vous vouliez
qu'il veuille	qu'ils veuillent

Exercices

A. Answer the questions according to the model.

1. Il faut que tu sois toujours à l'heure?
   Oui, il faut que je sois toujours à l'heure.
2. Il est possible que vous alliez au bureau de renseignements?
3. Il se peut que tu aies mal au ventre?
4. Il vaut mieux qu'on fasse une randonnée?
5. Il est nécessaire que vous puissiez compter sur le médecin?
6. Il se peut que tu veuilles acheter un sac de couchage?
7. Il faut que nous sachions parler français au Québec?
8. Il vaut mieux que nous ne soyons pas assises?
9. Il est nécessaire qu'elles aient l'occasion de se réunir?

B. Redo the sentences using the expression in parentheses and the subjunctive. Follow the model.

1. J'ai besoin d'un réchaud. (il se peut que)
   Il se peut que j'aie besoin d'un réchaud.
2. Elle est près du sentier. (il vaut mieux que)
3. Nous faisons des progrès. (il faut que)
4. Il ne veut que se reposer pendant ses vacances. (il est possible que)
5. Tu fais attention au feu. (il est nécessaire que)
6. Ils vont en Chine et au Japon avec nous. (il se peut que)
7. Je sais ce qui lui convient. (il est possible que)
8. Vous êtes en bonne santé. (il vaut mieux que)
9. Elle va au terrain de camping elle-même. (il faut que)

C. Redo the sentences using the subjunctive of the verb in parentheses. Follow the model.

1. Je suis content qu'il *(faire)* beau aujourd'hui.
   Je suis content qu'il fasse beau aujourd'hui.
2. Elle est étonnée qu'il ne *(vouloir)* pas profiter de la réunion.
3. Tu es triste qu'elle *(aller)* en ville sans toi?
4. Je suis enchanté que tu *(avoir)* le temps de me voir.
5. C'est dommage qu'ils ne *(savoir)* pas jouer au golf.
6. Nous sommes contents qu'elles *(être)* au gymnase.
7. Je regrette que tu ne *(pouvoir)* pas t'habituer à la vie en Europe.
8. C'est dommage que l'eau *(être)* tellement sale.
9. J'ai peur qu'il n'y *(avoir)* pas assez de bougies.

D. Complete the paragraphs using the correct present-tense form of each verb in parentheses: subjunctive or indicative.

Ce soir maman me demande s'il est possible que je *(faire)* la vaisselle. Je lui réponds qu'il faut que j'*(aller)* à la bibliothèque.

"Notre prof de français nous a dit qu'il est nécessaire que nous *(savoir)* quelque chose sur la vie de Léopold Senghor. Et tu sais bien que je n'en *(savoir)* rien."

"La vie de Senghor! Mais je suis surprise que tu n'en *(savoir)* rien. C'est un homme très important."

"Je sais seulement qu'il *(être)* le Président du Sénégal."

"Oui, c'est vrai. Mais il est aussi très connu comme poète. Je regrette que tu n'*(avoir)* pas eu l'occasion de lire ses poèmes. Je t'assure que c'*(être)* un homme formidable. Il enseignait dans un lycée en Touraine. Mais quand la deuxième guerre mondiale a commencé, il est rentré en Afrique où il a organisé l'aide à la France Libre. Après la guerre il voulait que les colonies africaines *(être)* indépendantes. Et en 1960, quand le Sénégal est devenu un état indépendant, il est devenu le premier président de la République."

"C'est dommage, maman, que tu ne *(pouvoir)* pas écrire ma composition."

"Non, il faut que tu *(aller)* à la bibliothèque. Il vaut mieux que tu *(apprendre)* toi-même l'histoire de sa vie."

Vérifiez vos progrès

Write the sentences, replacing the verb in italics with the verb in parentheses, and putting the second verb into the subjunctive. Follow the model.

1. Ma mère *dit* que j'ai assez de vêtements pour le voyage. (vouloir)
   Ma mère veut que j'aie assez de vêtements pour le voyage.
2. Elles *savent* qu'ils sont forts en langues. (préférer)
3. Le prof *espère* que je ferai mon stage dans une clinique près d'ici. (aimer mieux)
4. Ils *croient* que nous allons en banlieue cet après-midi. (demander)
5. Elle *dit* que vous savez employer le réchaud. (vouloir)
6. Nous *espérons* que tu feras la connaissance des jumeaux Dupont. (préférer)
7. Il *sait* que ce sera un vol de nuit. (aimer mieux)
8. Je *pense* qu'elles vont se reposer près du lac. (vouloir)

CONVERSATION ET LECTURE

Parlons de vous

1. Est-ce que vous avez déjà fait des projets de vacances? Est-ce que vous allez voyager cet été? Si oui, où est-ce que vous irez? Avec qui? Combien de temps est-ce que vous y passerez? 2. Si vous ne partez pas en voyage, qu'est-ce que vous allez faire? Vous allez travailler? aller à l'école? vous reposer un peu? 3. Quels sports d'été est-ce que vous aimez? Vous aimez faire du camping? 4. Si vous pouviez faire ce qui vous ferait plaisir, qu'est-ce que vous feriez cet été?

Une randonnée dans les Vosges*

C'est un bel après-midi de juin, et quatre lycéens de Strasbourg* sont en vacances. Ils font du camping. Aujourd'hui ils ont décidé d'escalader le Haut-Kœnigsbourg,* une haute colline qui domine° la plaine d'Alsace. Il y a deux heures que la randonnée a commencé au petit village de Saint-Hippolyte, au pied de la falaise.° Les jeunes gens ont encore huit

dominer: *to overlook*

la falaise: *cliff*

kilomètres à parcourir° avant d'arriver au magnifique château médiéval situé au sommet° de la colline. Déjà, un des randonneurs se plaint° de la distance qu'ils devront parcourir.

parcourir: *to cover*
le sommet: *summit*
se plaindre: *to complain*

BENOÎT Aïe! Mes pieds! Ces bottes ne sont pas du tout confortables.

GAËL Je t'ai dit de ne pas porter cette paire là. Elles ne sont plus de ta pointure. Tu aurais dû m'écouter.

ODILE Gaël, ne crois-tu pas qu'il y ait un raccourci° sur ce chemin?

le raccourci: *shortcut*

GAËL Oui, il me semble que je me rappelle un sentier qui coupait la forêt à deux ou trois kilomètres d'ici.

SABINE Vous êtes déjà fatigués, vous deux? Quelle faiblesse!°

la faiblesse: *weakness*

ODILE Ce n'est pas une course olympique, Sabine! Nous avons le droit° de nous reposer de temps en temps, tu sais.

le droit: *right*

GAËL Crois-tu qu'on puisse au moins° s'arrêter pour le déjeuner maintenant?

au moins: *at least*

BENOÎT Bravo, Gaël! Quelle bonne idée! Ouf! Ce sac à dos pèse° très lourd.

peser: *to weigh*

Benoît laisse tomber le sac, et s'étend° sur l'herbe. Il commence à dénouer° ses bottes.

s'étendre: *to stretch out*
dénouer: *to untie*

BENOÎT Ah! Ça fait du bien.°

ça fait du bien: *that feels good*

SABINE Fais attention! Tu portes l'eau minérale dans ton sac.

GAËL Tu vas casser les bouteilles.

BENOÎT Figurez-vous°—c'est pour ça que je ne pouvais pas suivre l'allure.° J'avais le sac le plus lourd.

figurez-vous: *just imagine*
suivre l'allure: *to keep up*

SABINE En tout cas, après le déjeuner tu n'auras plus de bouteilles pleines.

GAËL Et plus d'excuses . . .

Les lycéens sortent les provisions et, en préparant leurs sandwichs, commencent à faire des projets pour la semaine.

SABINE Vous êtes d'accord pour aller à Colmar* demain?

ODILE Je préférerais voir les villages avant d'essayer les grandes villes.

GAËL Ça me semble assez raisonnable.° Nous pouvons laisser les tentes au terrain de camping et prendre les vélos.

raisonnable: *reasonable*

SABINE Le guide vert dit que Kaysersberg et Riquewihr* valent° le voyage.

valoir: *to be worth*

BENOÎT Mais c'est surtout en automne qu'ils veulent dire—pendant les vendanges.°

la vendange: *grape harvest*

GAËL Pas du tout. Je suis allé à Riquewihr quand j'avais dix ans et je me souviens bien de ses belles ruelles° pittoresques et de ses vieilles maisons. A mon avis, Riquewihr vaut le coup° à n'importe quelle° saison.

la ruelle: *narrow street*
valoir le coup: *to be worthwhile*
n'importe quel: *any*

SABINE Alors, c'est décidé? Demain nous visiterons les villages, et nous irons à Colmar mercredi.

BENOÎT Et maintenant on se remet en route?

GAËL Allez, hop!°

allez, hop!: *up we go!*

ODILE A nos marques. Prêts? Partons!

Notes culturelles

**les Vosges:* This range of low mountains in northeastern France divides the former provinces of Lorraine and Alsace. The region is heavily forested and has many tiny medieval villages.

**Strasbourg:* Located on the Rhine, 447 km. east of Paris, Strasbourg is a major industrial center with a population of 250,000. It is known for its beautiful Gothic cathedral, its university, and the charming buildings in the old parts of the city.

**Haut-Kœnigsbourg:* This château, 755 meters above *la plaine d'Alsace,* was originally built in the twelfth century, partially destroyed, then rebuilt in the fifteenth century.

**Colmar:* Located 60 km. south of Strasbourg, Colmar is a city of 65,000 and is surrounded by canals. Like Strasbourg, it is noted for its picturesque buildings.

**Kaysersberg et Riquewihr:* These two small towns are in one of the areas where the famous Rhine wines come from. The region has popular grape harvest festivals in the fall.

A propos . . .

1. D'où viennent ces lycéens? Que font-ils? Quand est-ce qu'ils ont quitté Saint-Hippolyte? 2. Selon Benoît, pourquoi est-ce que Gaël a mal aux pieds? 3. Qui veut chercher un raccourci? Gaël est d'accord? Qu'en pense Sabine? 4. Quand tout le monde a décidé de s'arrêter pour déjeuner, que fait Benoît? Pourquoi son sac à dos est-il si lourd? 5. Que font les jeunes gens pendant qu'ils préparent leur déjeuner? 6. Quand ils commencent à faire leurs projets, est-ce que tout le monde est d'accord? Que suggère Odile? Gaël est d'accord? 7. Sabine a un bouquin. Qu'est-ce que c'est? Que suggère Sabine? Quel est l'avis de Gaël? 8. Et vous, quand vous et votre famille ou vos amis faites des voyages, est-ce que vous vous servez d'un guide? Duquel? Le guide suggère les meilleurs hôtels et auberges? les meilleurs restaurants? les meilleurs chemins? les choses qu'on doit voir et les endroits qu'il faut visiter? 9. Racontez une promenade ou une randonnée que vous avez faite. Racontez ce que vous avez fait et décrivez ce que vous avez vu.

EXPLICATIONS II

Le subjonctif: les verbes de doute et d'opinion

1. To express doubt or uncertainty, the following verbs and expressions may be followed by the subjunctive in negative statements and in affirmative questions where inversion is used:

croire	*to believe*	**être sûr**	*to be sure*
espérer	*to hope*	**il me (te, etc.) semble**	*it seems to me (you, etc.)*
penser	*to think*		
être certain	*to be certain*		

For example:

Il ne me semble pas qu'elle veuille partir.	***It doesn't seem to me that she wants** to leave.*
Te semble-t-il qu'elle veuille partir?	***Does it seem to you that she wants** to leave?*
but: **Il me semble qu'elle veut partir.**	***It seems to me that she wants** to leave.*
Est-ce qu'il ne te semble pas qu'elle veut partir?	***Doesn't it seem to you that she wants** to leave?*

2. The verb *douter,* "to doubt," takes the subjunctive in the affirmative:

Je doute qu'elle veuille partir.	***I doubt that she wants** to leave.*
but: **Je ne doute pas qu'elle veut partir.**	***I don't doubt that she wants** to leave.*

Exercices

A. Make the sentences negative in order to express doubt. Use the subjunctive. Follow the model.

1. Je crois qu'il fera chaud à Cannes.
   Je ne crois pas qu'il fasse chaud à Cannes.
2. Il croit que la vie d'un alpiniste est intéressante.
3. Diane pense que tu as tort.
4. Il me semble qu'il sait jouer du tambour.
5. Nous pensons qu'elles pourront nettoyer ces sacs à dos.
6. Nous sommes sûrs qu'il y aura trop de monde dans la caravane.
7. Il leur semble que tu pourras compter sur ce réchaud.
8. Il nous semble que les enfants veulent apprendre à faire de la gymnastique.
9. Je suis certaine que la route va jusqu'à la plage.

B. Make the sentences interrogative to express doubt. Use inversion and the subjunctive. Follow the model.

1. Il leur semble que je suis toujours déçu.
   Leur semble-t-il que je sois toujours déçu?
2. Ils sont sûrs que ce terrain de camping est ouvert.
3. Tu penses que les jumeaux font bien la cuisine.
4. Il croit que nous allons faire de l'auto-stop.
5. Il est certain qu'elles auront l'occasion de bavarder.
6. Tu espères qu'elle peut visiter Haïti.
7. Il te semble qu'il y a assez de places libres.
8. Vous croyez que ces collines sont impressionnantes.
9. Tu es sûr qu'ils ont raison tous les deux.

C. Redo each sentence twice, using the expressions in parentheses. Follow the models.

1. Vous avez de la fièvre. (pense-t-il que / je suis sûre que)
   Pense-t-il que vous ayez de la fièvre?
   Je suis sûre que vous avez de la fièvre.
2. Il ne fait pas trop chaud près de la côte. (je crois que / penses-tu que)
3. Les spectateurs sont en train de lire leurs programmes. (il ne doute pas que / tu ne penses pas que)
4. Tu fais partie de cette équipe de ski. (nous sommes sûrs que / espèrent-ils que)
5. Ils savent conduire une 2-CV. (je ne crois pas que / est-ce qu'il ne lui semble pas que)
6. Tu peux te perdre facilement si tu n'as pas de carte routière. (elle doute que / il dit que)
7. Ils veulent apprendre à jouer de la trompette. (crois-tu que / est-ce qu'elle n'est pas certaine que)
8. La tente est assez grande. (il ne croit pas que / il me semble que)

Vérifiez vos progrès

Write the sentences using the correct present-tense form of the verb in parentheses: subjunctive or indicative.

1. Vous semble-t-il qu'elles *(pouvoir)* se reposer à la plage?
2. Je crois que tu *(prendre)* le mauvais sentier.
3. Elle ne doute pas que nous *(se réveiller)* tard.
4. Es-tu sûre que ton copain *(prendre)* le prochain autobus?
5. Espèrent-elles que leur cousin *(sortir)* demain soir?
6. Est-ce qu'il te semble que Daniel *(perdre)* le match?
7. Je pense que tu *(avoir)* un bon sac de couchage.
8. Il n'est pas certain que sa tante *(être)* là.
9. Est-ce qu'elle est sûre que le festival *(aller)* avoir lieu?
10. Ils ne pensent pas qu'elles *(vouloir)* se réunir à la terrasse d'un café.

RÉVISION ET THÈME

Consult the model sentences, then put the English cues into French and use them to form new sentences.

1. *Je ne pense pas que tu ailles porter le sac à dos.*
   (She doesn't hope that we're going to suggest a sleeping bag.)
   (They (f.) *don't believe I'm going to win the boules game.)*
2. *Il ne me semble pas qu'ils soient très à l'aise.*
   (Does it seem to him that I'll be too disappointed?)
   (It doesn't seem to them that we'll (m.) *be strong enough.)*
3. *Penses-tu que nous puissions accélérer?*
   (Does she believe that he'll know how to slow down?)
   (Does he hope that I'll want to drive?)
4. *Je doute que les randonneurs aillent si loin.*
   (We're not sure that the weather is so fantastic.)
   (He doesn't believe that the scenery is very impressive.)
5. *Il pense qu'elles s'y réuniront en été.*
   (They're (f.) *certain you'll* (sing.) *rest there.)*
   (We don't doubt they'll (m.) *join each other there.)*
6. *Elles croient que nous rirons du bouquin.*
   (It seems to me he'll profit from this side trip.)
   (She's certain I'll need the portable stove.)

Now that you have done the *Révision,* study the French paragraph. Afterwards, using it as a model, put the English paragraph into French to form a composition.

Modèle: Raoul et Mireille iront en Bretagne l'année prochaine. Ils vont avoir l'occasion de faire une excursion à Carnac. Leur père ne croit pas qu'ils aillent visiter la Côte Atlantique. Il ne lui semble pas que ses deux enfants soient très enthousiastes. Pense-t-il qu'ils puissent nager? Il ne croit pas qu'il fasse assez beau pour cela. De toute façon, les enfants pensent qu'ils s'y rendront en automne. Et leur père est certain qu'ils ne changeront pas de projets.

Thème: Lucienne will go to Alsace next summer. She's going to have the opportunity to go camping in the Vosges. Her parents aren't sure she'll go hiking. It doesn't seem to them that she's athletic enough. Do they think she'll want to go mountain-climbing? We doubt that the hills are high enough for that! In any case, her parents are certain she'll have a good time there. We don't doubt she'll profit from her stay.

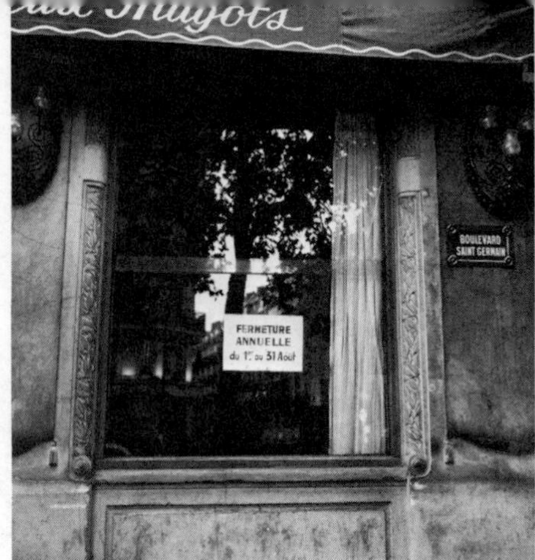

AUTO-TEST

Redo the two sentences using the expression in parentheses and the correct form of the verb: subjunctive or future. Follow the models.

1. Il va mieux. (j'espère)
   J'espère qu'il ira mieux.
2. Nous sommes malades. (lui semble-t-il?)
   Lui semble-t-il que nous soyons malades?
3. Il y a un réchaud sous la tente? (je ne crois pas)
4. Ils font une randonnée. (es-tu certaine?)
5. Il peut venir ce soir. (je ne doute pas)
6. Vous voulez sortir après le coucher du soleil. (est-ce qu'ils pensent?)
7. Nous savons la bonne réponse. (te semble-t-il?)
8. Tu nous accompagnes au terrain de camping. (il n'est pas sûr)
9. Elles sont contentes de bricoler. (il me semble)
10. Vous pouvez trouver un bon sac à dos. (je doute)
11. Je ferai encore du français l'année prochaine. (elle ne doute pas)
12. Il n'y aura plus de travail cette année-ci. (espères-tu?)

COMPOSITION

Ecrivez une composition sur vos projets de vacances.

LE VENT

C'est un jour de vent,
Vous savez bien,
Un jour de grand vent.

Pas une tempête!
Oh! non!
C'est un vent
Grand et chaud,
Dans la lumière.

Vous savez bien,
Ce vent mystérieux
Qui chante,
Et tous les bruits
Avec lui.

La chute d'eau,°
Le moulin,°
Le train,
Il entraîne° tout
Dans son chant,°
Le vent.

la chute d'eau: *waterfall*
le moulin: *mill*
entraîner: *to carry along*
le chant = la chanson

Mon cœur
Est une maison déserte,°
Aux° volets° absents,
A la porte ouverte.
Et le grand vent,
Etrange° et lent,
La traverse
D'un bout à l'autre.

désert, -e: *deserted*
à: *(here) with*
le volet: *shutter*
étrange: *strange*

Anne Hébert, *Les Songes en équilibre*
Used by permission of Georges Borchardt, Inc.

Proverbe

Chaque tête, chaque avis.

Answers to Vérifiez vos progrès

If you have difficulty with any exercises, first check the *Explications* in the book. If you feel that you need further help in order to maintain your progress, be sure to check with your teacher.

Leçon 1, p. 12

2. Non, je n'ai pas froid.
3. Non, elle ne va pas parler au prof tout à l'heure.
4. Non, ils ne vont pas chez un camarade de classe.
5. Non, nous n'avons pas (*or:* je n'ai pas) besoin d'étudier le français.
6. Non, elles n'ont pas l'air pressé.
7. Non, vous n'allez pas (*or:* nous n'allons pas) retrouver vos (*or:* nos) copains à la sortie.
8. Non, il n'a pas deux casiers au lycée.
9. Non, tu ne vas pas en ville.

Leçon 1, p. 16

2. Je ne passe pas l'été sur la Côte d'Azur.
3. Nous n'assistons pas à notre cours de français.
4. Ne donne pas la photo à ton frère!
5. Vous ne rentrez pas à Paris à la fin des vacances?
6. Nous ne prononçons pas ces mots français.
7. Tu n'as pas révisé tes devoirs?
8. Elles n'habitent pas près de Nice.
9. Nous ne plongeons pas dans le lac.
10. N'ouvrez pas la porte de l'amphi!

Leçon 2, p. 31

2. Ce n'est pas le contrôleur?
3. Tes tantes n'ont-elles pas passé leurs vacances en Bretagne?
4. Ne sommes-nous pas en avance?
5. N'avez-vous pas demandé les renseignements à quelqu'un?
6. Est-ce que je ne vais pas écrire la carte postale?
7. Tu n'as pas envie de descendre?
8. Ces garçons ne sont-ils pas impatients?
9. N'a-t-il pas déjà posé cette question?

Leçon 2, p. 38

A. 2. C'est une autre amie sympa.
   3. C'est un bel enfant blond.
   4. Ce sont de nouveaux romans italiens.
   5. C'est une belle maison ancienne.
   6. C'est un vieil homme impatient.
   7. Ce sont de longues nuits froides.

B. Check your answers with your teacher.

Leçon 3, p. 55

1. Mes cousins font de l'histoire, mais Danielle fait des sciences sociales. Elle apprend deux langues aussi.
2. Vous prenez du dessert? Oui, moi, je prends des fruits et les enfants prennent des pâtisseries.
3. Il fait beau. Tu fais du ski? Non, je ne sors pas aujourd'hui. Je fais mes devoirs.
4. Souvent les marchands ne comprennent pas l'anglais, mais nous comprenons très bien le français.
5. Nicolas prend quelque chose? Oui, on lui sert une boisson.
6. Vous partez maintenant? Moi, je ne pars pas, mais mes copains partent dans une demi-heure.
7. Faisons la vaisselle, toi et moi, pendant qu'elles servent le dessert.

Leçon 3, p. 63

A. 2. Vous prenez du saucisson?
3. Il a remarqué des bottes.
4. On sert du coq au vin.
5. C'est une crémerie.
6. Ils ont de la tarte.
7. Je prends du riz.
8. Tu sers des huîtres.
9. Il y a de l'eau.

B. 1. Il prononce facilement l'italien, mais il ne fait pas ses devoirs correctement. Je travaille lentement, mais je les finis complètement.
2. La viande de cette boucherie est vraiment bonne. Il faut y faire la queue patiemment. Malheureusement, si j'attends là, je ne peux pas faire mes courses assez rapidement.
3. Quand ils offrent généreusement de l'argent, il faut évidemment les remercier.

Leçon 4, p. 79

A. 2. Tu ne réponds plus aux questions.
3. Ils ne réussissent jamais aux examens de chimie.
4. Je ne prends que du thé le matin.
5. Le soir nous ne prenons ni café ni thé.
6. Nous n'entendons personne.
7. Vous posez constamment des questions, mais je n'entends jamais les réponses.
8. Personne n'est en train d'étudier.
9. Ils n'attendent plus leurs amis à la sortie.

B. 1. Elles n'ont jamais compris les leçons.
2. Tu n'as plus répondu aux questions.
3. Ils n'ont jamais réussi aux examens de chimie.
4. Je n'ai pris que du thé le matin.
5. Le soir nous n'avons pris ni café ni thé.
6. Nous n'avons entendu personne.

Leçon 4, p. 86

2. Il (*or:* Le vendeur) va leur montrer des vêtements à la mode.
Il (*or:* Le vendeur) va en montrer aux étudiants.
3. Il lui écrit de longues lettres.
Il en écrit à Marie-Claire.
4. Elles lui ont demandé du café au lait.
Elles en ont demandé à la serveuse.
5. Je vais lui donner de l'argent.
Je vais en donner au caissier.
6. Il (*or:* Le représentant) lui montre des ceintures de sécurité.
Il (*or:* Le représentant) en montre à Marianne.
7. Nous leur avons (*or:* Je leur ai) donné de vieilles cravates.
Nous en avons (*or:* J'en ai) donné aux petits enfants.
8. Je lui prête de nouveaux livres de poche.
J'en prête à mon copain.

Leçon 5, p. 102

Ce soir, Vincent et Jeanne sont allés à la gare. Ils ont regardé l'horaire, et puis ils sont descendus au quai. Leur mère est venue leur dire "bon voyage." L'omnibus pour Nice est arrivé. Ils sont montés dans le train, sont entrés dans leur compartiment et le train est parti. Peu après ils sont allés au wagon-restaurant où ils ont pris leur dîner. Le train est arrivé à Nice à 9 h. juste, le lendemain. Vincent et Jeanne ont descendu leurs valises du train et sont entrés dans la gare. Vincent a téléphoné à leur cousine, qui est venue tout de suite les chercher.

Leçon 5, p. 110

1. Oui, j'y ai déjeuné hier. *or:* Non, je n'y ai pas déjeuné hier.
2. Oui, j'y suis resté(e) hier soir. *or:* Non, je n'y suis pas resté(e) hier soir.
3. Oui, je l'ai regardée hier soir. *or:* Non, je ne l'ai pas regardée hier soir.
4. Oui, je les ai faits hier soir. *or:* Non, je ne les ai pas faits hier soir.
5. Oui, je lui ai parlé après le cours aujourd'hui. *or:* Non, je ne lui ai pas parlé après le cours aujourd'hui.
6. Oui, je l'ai comprise. *or:* Non, je ne l'ai pas comprise.
7. Oui, j'y ai réussi. *or:* Non, je n'y ai pas réussi.
8. Oui, je l'ai raté. *or:* Non, je ne l'ai pas raté.
9. Oui, j'y ai répondu. *or:* Non, je n'y ai pas répondu.

Leçon 6, p. 128

2. Ne l'emmenons pas en banlieue!
   Emmenons-le en banlieue!
3. Ne les répète pas encore une fois!
   Répète-les encore une fois!
4. N'en achète pas pour le goûter!
   Achètes-en pour le goûter!
5. N'y promène pas le bébé!
   Promènes-y le bébé!
6. Ne la levez pas!
   Levez-la!
7. N'en jetons pas sous le lit!
   Jetons-en sous le lit!
8. Ne les emmenez pas au deuxième étage!
   Emmenez-les au deuxième étage!
9. Ne m'appelle pas tout de suite!
   Appelle-moi tout de suite!

Leçon 6, p. 134

2. Quand je promène le bébé il ne s'endort jamais.
3. Nous venons de nous rencontrer au guichet.
4. Ne vous lavez pas les cheveux!
5. Puisque tu t'habilles toujours, j'ai le temps de me peigner.
6. Ne couchons pas les enfants à côté de la lampe!
7. J'accepte de m'arrêter quand tu lèves la main.
8. Lève-toi tout de suite!
9. La conductrice gentille arrête l'autobus juste en face du lycée.

Leçon 7, p. 151

Vous m'avez dit: Décrivez votre cours de français! Eh bien, d'abord il faut dire que j'aime le français. J'ai un prof très gentil qui est récemment venu de France. Il ne parle pas très bien anglais. Le vendredi on lit toujours un poème. Le prof le lit et puis nous le lisons chacun notre tour. Les autres élèves lisent assez bien, mais moi, je lis mal à haute voix.

De temps en temps nous écrivons des lettres. Les profs disent que c'est un bon exercice. Moi, je dis que c'est peut-être vrai, mais que c'est aussi très difficile. Qu'est-ce que vous en dites?

Leçon 7, p. 160

A. 2. Paul s'est trompé de direction.
3. Les spectateurs se sont dépêchés vers l'entrée.
4. Elles se sont arrêtées pour presser le bouton du plan-indicateur.
5. Vous vous êtes peigné (*or:* peignés, peignée, peignées) mais elle s'est brossé les cheveux.
6. Nous nous sommes dirigés (*or* dirigées) vers la rive droite.
7. Les acteurs se sont serré la main.

B. 1. Georges travaille plus vite qu'Hélène.
2. Non, Thomas travaille aussi vite qu'Hélène.
3. Valérie apprend mieux que Georges.
4. Paul apprend le mieux de la classe.
5. Non, Suzanne est plus sérieuse que lui (*or:* C'est un élève moins sérieux qu'elle).
6. Parce qu'elle est forte seulement en maths. (Parce qu'elle est tout à fait nulle en langues.)

Leçon 8, p. 176

Samedi je me réveillerai très tôt parce que nous descendrons en banlieue. Nous y retrouverons Sara et Madeleine. Nous nous dirigerons tout de suite vers le zoo. Sara regardera les ours et je suis sûr que Madeleine passera presque toute la matinée dans le parc des oiseaux. Je te promets qu'on rentrera très tard. Tu accepteras cette invitation? Tu me diras "oui"?

Leçon 8, p. 180

2. Non, ils iront en ville mardi prochain.
3. Non, je ferai la vaisselle demain soir.
4. Non, nous promènerons (*or:* je promènerai) le chien à 11 h.
5. Non, il pleuvra ce soir.
6. Non, elles se lèveront tard le lendemain de la fête.
7. Non, il faudra les aider à faire des achats cet après-midi.
8. Non, j'achèterai les poires et les bananes demain.
9. Non, nous jetterons (*or:* je jetterai) le vieux divan samedi.

Leçon 9, p. 196

2. Ils s'amusaient au festival.
3. J'espérais continuer le voyage.
4. Nous jouions (*or:* Je jouais) aux cartes.
5. Elle voulait rester à l'intérieur.
6. Il se levait.
7. Elles achetaient des souvenirs.
8. Vous faisiez (*or:* Nous faisions) des courses.
9. J'écrivais à mon avocat.
10. Nous avions (*or:* J'avais) envie de retenir une chambre.

Leçon 9, p. 202

2. Tu as pris quelque chose pendant que tu attendais tes amis?
3. Elle bavardait avec des camarades quand le prof de maths est entré.
4. Je me dirigeais vers le lycée quand Albert et moi, nous nous sommes rencontrés.
5. Pierre est arrivé pendant qu'on servait le dessert.
6. Tu m'as téléphoné pendant que je lisais le journal.
7. Nous nous promenions dans le parc quand il a commencé à pleuvoir.
8. Ils dansaient quand on a annoncé les feux d'artifice.

Leçon 10, p. 218

2. Il a reçu un marteau et des clous mais il ne s'en sert pas.
3. Vous verrez que la voiture ne démarrera pas.
4. Elles reçoivent les renseignements de la tour de contrôle.
5. Nous nous sommes penchés (*or:* penchées) sur le moteur en travaillant dessus.
6. Ils ont redescendu la piste pour mieux décoller.
7. Nous buvions du champagne en attendant le départ.
8. J'ai fait une faute en prononçant son nom.

Leçon 10, p. 226

2. Cela nous gêne d'avoir manqué notre vol.
3. Elle s'est brossé les dents après s'être lavée.
4. Je suis contente d'avoir trouvé mon canif.
5. Vous avez dû quitter la maison après avoir reçu son coup de téléphone.
6. Ils se sont promenés dans le parc après avoir fait des achats au marché.
7. Tu dois être triste d'avoir raté l'examen.
8. Elles ont bu du café après avoir pris des croque-monsieur.

Leçon 11, p. 242

2. Elles ne sauront pas ta destination. Tu sais la leur?
3. Nous ne connaissons pas leur auberge. Elles connaissent la vôtre?
4. Je ne sais pas chanter vos chansons. Vous savez chanter les nôtres?
5. Il ne reconnaît pas vos voix. Vous avez reconnu la sienne?
6. Elle ne savait pas décrire vos santons. Vous savez décrire les siens?

Leçon 11, p. 248

Check your answers with your teacher.

Leçon 12, p. 264

2. Ils nettoieront celui-ci mais pas celles-là.
3. Elle emploiera celui-ci mais pas celles-là.
4. J'essaierai celle-ci mais pas celui-là.
5. Il paiera ceux-ci mais pas celles-là.
6. Je nettoierai celui-ci mais pas celui-là.
7. Elles essaieront celui-ci mais pas celle-là.
8. Nous emploierons (*or:* J'emploierai) celui-ci mais pas celles-là.
9. Je paierai ceux-ci mais pas celui-là.
10. Il essuiera celui-ci mais pas celles-là.

Leçon 12, p. 271

2. Quels tournevis a-t-il achetés? Lesquels?
3. Quelle partie a-t-elle réparée? Laquelle?
4. De quelle tribu ont-ils parlé? De laquelle?
5. Avec quelle infirmière ont-ils travaillé? Avec laquelle?
6. Quelles îles avez-vous préférées? Lesquelles?

7. Quelle malade a-t-elle vue? Laquelle?
8. Quelle région as-tu visitée? Laquelle?
9. De quel marteau ont-ils eu besoin? Duquel?
10. A quels films d'épouvante ont-elles assisté? Auxquels?

Leçon 13, p. 287

2. Comment est le roman que vous traduisiez? Il est long.
3. Que fait le monsieur qui construit cette maison? Il est garagiste.
4. A qui est l'auto que je conduis? C'est la nôtre.
5. Comment sont les immeubles qu'ils construisent? Ce sont des immeubles trop modernes.
6. Où est l'école à laquelle nous conduisons les enfants? Elle n'est pas loin d'ici.
7. Pourquoi est-ce que tu traduis la contravention? C'est important (*or:* Elle est importante).
8. Que fait la dame qui conduisait la voiture? C'est une mécanicienne.

Leçon 13, p. 295

2. Oui, je voudrais ralentir un peu.
3. Oui, vous pourriez (*or:* nous pourrions) aider ces piétons.
4. Oui, on devrait visiter la côte.
5. Oui, il faudrait lui emprunter le livre.
6. Oui, elle voudrait du café au lait et des brioches.
7. Oui, vous devriez (*or:* nous devrions) les décourager d'y ajouter un pourboire.
8. Oui, ils verraient le pompiste.

Leçon 14, p. 314

Check your answers with your teacher.

Leçon 14, p. 320

1. Voilà l'adresse où j'envoie le paquet.
2. Vous habitez l'immeuble devant lequel nous avons garé notre voiture?
3. Est-ce que ce sont les provisions dont tu avais besoin?
4. Voici les sentiers où nous nous sommes promenés.
5. Est-ce que ton frère a gardé les lettres qu'il avait reçues?
6. Elle connaît la personne avec qui tu parlais hier.
7. Ils ont acheté les légumes dont leur mère avait envie.
8. Où se trouve la pelouse où nous pouvons faire un pique-nique?
9. Est-ce que ce sont les pièces auxquelles il a assisté?
10. Je ne me souviens pas du nom de l'auberge où nous avons passé la semaine.

Leçon 15, p. 335

1. —Où est-ce que vous rejoignez vos camarades?
   —On se rejoint au zoo, à midi.
   —Qu'est-ce que vous faites après?
   —Je ne sais pas ce que nous allons faire. Ce qui me ferait plaisir, ce serait d'aller dîner dans un restaurant.
2. —Tu peins encore une fois les murs de la cuisine?
   —Oui, je les avais peints l'année dernière, mais ils sont sales.
   —Tu as besoin de quelque chose?
   —Ce dont j'ai besoin, c'est de quelqu'un qui pourrait me donner un coup de main.
3. —Marie! Lydie! Eteignez la lampe! Vous devez être au lit. Vous avez entendu ce que j'ai dit? Couchez-vous!
   —Oui, maman. Mais nous voudrions savoir ce qui se passe à la fin de l'histoire que tu as commencée hier soir!

Leçon 15, p. 342

Check your answers with your teacher.

Leçon 16, p. 357

2. Nous les leur avons (*or:* Je les leur ai) données.
3. Elle lui en a parlé.
4. Vous la lui avez (*or:* Nous la lui avons) ouverte.
5. Vous les y avez (*or:* Nous les y avons) emmenés.

6. Tu t'en es servi.
7. Je leur en ai offert.
8. Je vous les ai corrigées.
9. Ils les y ont rejointes.

Leçon 16, p. 366

1. Il se peut que je me trompe.
2. Il est vrai que nous finirons les dessins nous-mêmes.
3. Il est certain que je ne prendrai pas ma propre voiture.
4. Il est possible qu'ils choisissent du rosbif saignant.
5. Il vaut mieux que tu restes ici quelque part.
6. Il est nécessaire qu'elles escaladent ce sentier elles-mêmes.
7. Il faut que vous sortiez tout à l'heure.
8. Il est vrai qu'elle gaspillera l'eau.
9. Il est nécessaire que je vende la trompette moi-même.

Leçon 17, p. 380

2. Parlons-leur-en! Ne leur en parlons pas!
3. Achète-les-y! Ne les y achète pas!
4. Ouvrez-la-nous! Ne nous l'ouvrez pas!
5. Vends-leur-en! Ne leur en vends pas!
6. Expliquez-le-moi! Ne me l'expliquez pas!
7. Suggère-les-leur! Ne les leur suggère pas!

Leçon 17, p. 386

1. Elle a peur que nous rentrions après minuit.
2. Je veux que tu te brosses les dents immédiatement.
3. Ils demandent que nous jouions au golf.
4. Nous sommes étonnés que vous ne choisissiez pas ce vol sans escale.
5. Il croit qu'elles prendront l'omnibus.
6. Je crains que cela nous retarde.
7. Vous êtes contentes qu'elle discute du problème.
8. Elle pense que nous quitterons Marseille demain.
9. C'est dommage que vous manquiez l'express.
10. Je suis étonné qu'il dorme pendant les films d'épouvante.

Leçon 18, p. 399

2. Elles préfèrent qu'ils soient forts en langues.
3. Le prof aime mieux que je fasse mon stage dans une clinique près d'ici.
4. Ils demandent que nous allions en banlieue cet après-midi.
5. Elle veut que vous sachiez employer le réchaud.
6. Nous préférons que tu fasses la connaissance des jumeaux Dupont.
7. Il aime mieux que ce soit un vol de nuit.
8. Je veux qu'elles aillent se reposer près du lac.

Leçon 18, p. 404

1. Vous semble-t-il qu'elles puissent se reposer à la plage?
2. Je crois que tu prends le mauvais sentier.
3. Elle ne doute pas que nous nous réveillons tard.
4. Es-tu sûre que ton copain prenne le prochain autobus?
5. Espèrent-elles que leur cousin sorte demain soir?
6. Est-ce qu'il te semble que Daniel perd le match?
7. Je pense que tu as un bon sac de couchage.
8. Il n'est pas certain que sa tante soit là.
9. Est-ce qu'elle est sûre que le festival va avoir lieu?
10. Ils ne pensent pas qu'elles veuillent se réunir à la terrasse d'un café.

Answers to Auto-Tests

Following each set of answers we point out where you can turn in the book if you feel that you need further review. Always check with your teacher if you don't fully understand an exercise or the structures involved.

Leçon 1, p. 18

A. 1. Nous n'allons pas à Fréjus. Nous n'avons pas de chance.
2. Elle n'a pas faim? Si, elle va dîner tout à l'heure.
3. Vous allez au gymnase? Oui, on va regarder le match de basketball.
4. Si tu as des devoirs, tu ne vas pas aller au cinéma ce soir.
5. Eux, ils ont des profs si amusants. Nous, nous allons passer une année ennuyeuse.
6. René va faire de l'anglais? Oui, il a des cousins en Grande-Bretagne et il veut apprendre leur langue.

(To review avoir *and* aller, *see p. 10.)*

B. 2. Il n'a pas retrouvé ses camarades à la sortie.
3. Le proviseur n'a pas parlé de la rentrée des classes.
4. Vous n'avez pas écouté les bandes?
5. Les lycéens n'ont pas travaillé jusqu'à 7 h.
6. Nous n'avons pas demandé la clef.
7. Est-ce que vous n'avez pas montré l'affiche à votre camarade?
8. Elle n'a pas frappé à la porte.
9. Nous n'avons pas trouvé les casiers dans le couloir.
10. Je n'ai pas emprunté la voiture à papa.

(To review -er *verbs and the passé composé, see pp. 14–15.)*

Leçon 2, p. 40

A. 2. Soyons sérieuses!
3. Chacune des jeunes filles est assise.
4. Tu laisses la voiture dans cette rue étroite.
5. Vingt et une lycéennes restent debout parce que l'autobus est complet.
6. Elle refuse de laisser de la place aux autres passagers.
7. J'aime mieux la chemise marron.
8. Ne sois pas méchante!

(To review être, *see p. 28; for adjectives, see pp. 34–35.)*

B. 3. A qui est-ce qu'il a (*or:* A qui a-t-il) téléphoné?
4. Qui est en retard?
5. Qui est-ce qu'il a (*or:* Qui a-t-il) poussé?
6. De quoi est-ce que tu as (*or:* De quoi as-tu) envie?
7. Qu'est-ce qui se passe ici?
8. Quel autobus est-ce qu'ils ont manqué? (*or:* Quel autobus ont-ils manqué?)
9. Avec qui est-ce qu'il fait la queue? (*or:* Avec qui fait-il la queue?)
10. Qu'est-ce que les employés n'aiment pas?

(To review questions and question words, see pp. 29–30 and 37.)

Leçon 3, p. 64

A. Guy et ses deux frères font leurs devoirs chez eux. Guy, qui fait de l'anglais, apprend rapidement. Ses frères sont nuls en langues et ils apprennent lentement.

GUY Qu'est-ce que tu ne comprends pas?
MARC Comment dit-on "nous faisons de l'auto-stop" en anglais?
GUY Tu ne sais pas parce que tu dors en

classe. Tu n'apprends jamais les mots par cœur. Tu sors trop avec tes amis.

MARC Mais non. Je prends rendez-vous avec eux seulement quand il fait beau. Quand il fait mauvais, nous ne sortons pas!

GUY Malheureusement il a fait trop beau cet automne. Tu n'as rien appris.

(To review faire, prendre, *and simple* -ir *verbs, see pp. 51, 53, and 54.)*

B. 2. Non, je n'ai pas trouvé de caissier au rayon d'ameublement, mais j'ai trouvé des vendeurs.
3. Non, ils n'ont pas servi de jambon, mais ils ont servi du saucisson.
4. Non, on ne vend pas de pâtisseries à la boulangerie, mais on vend du pain.
5. Non, il n'y a pas d'ascenseur, mais il y a des escaliers roulants.
6. Non, il n'y a pas de jouets dans la vitrine, mais il y a de l'équipement de sports.
7. Non, nous ne prenons pas (*or:* je ne prends pas) de hors-d'œuvre, mais nous prenons (*or:* je prends) de la soupe à l'oignon.
8. Non, je n'ai pas d'oiseau, mais j'ai des hamsters.

(To review the partitive, see p. 57.)

C. 1. Cet élève est si bête! C'est la 36e fois qu'il répond bêtement.
2. La bouchère est polie. Elle demande à ses employés de parler poliment.
3. Ce sont des ascenseurs lents. Ils montent lentement.
4. Sois patiente, s'il te plaît! Il faut attendre la monnaie patiemment.
5. Voilà le poème entier. Il faut l'apprendre entièrement par cœur.
6. Il est évident qu'il a des paquets. Il a fait des achats, évidemment.
7. Tu es sûr que le rayon de jouets est au premier étage? Sûrement!
8. Les études sont faciles. On réussit facilement aux examens.

(To review formation of adverbs, see p. 59.)

Leçon 4, p. 88

A. 2. On ne rougit jamais quand on entend ces histoires.
3. Ils ne comprennent ni l'italien ni l'espagnol.
4. Vous ne choisissez rien?
5. Personne ne réussit à cet examen d'algèbre!
6. Le charcutier ne vend rien aujourd'hui.
7. Je ne prends ni poisson ni soupe.
8. Nous ne répondons plus à ce caissier impoli.
9. Ils ne maigrissent plus.

(To review -ir/-iss- *verbs and regular* -re *verbs, see pp. 75–76. To review the negative expressions, see p. 77.)*

B. 3. Elle m'a déjà téléphoné.
4. Ils lui ont déjà prêté leur voiture de sport.
5. Elles vous (*or:* nous) ont déjà laissé de la place.
6. Il t'a (*or:* vous a) déjà donné un coup de téléphone.
7. Je vous (*or:* nous) ai déjà servi du dessert.
8. Ils m'ont déjà montré le tableau de bord.
9. On leur a déjà apporté des glaces.
10. Je lui ai déjà repondu.

(To review indirect object pronouns, see p. 84.)

C. 2. Ma Renault n'en a pas.
3. Je n'en veux plus.
4. Cette voiture de sport n'en a pas.
5. Vous en avez pris deux! Sans blague!
6. Ils vont en avoir envie.
7. Elles aiment en sortir à l'heure.
8. Une grande foule en descend tout de suite.

(To review the pronoun en, *see pp. 82–83.)*

Leçon 5, p. 112

A. Ce matin Alain et Anne sont sortis de bonne heure. Ils sont descendus en ville pour aller chercher des cadeaux de Noël. Juste avant midi ils sont rentrés chez eux pour avoir le temps de décorer l'arbre de Noël. Anne est allée chercher la crèche et les santons et Alain a monté les décorations du sous-sol. Vers 8 h. du soir, leurs grands-parents sont arrivés. On a passé la soirée à la maison et ensuite, peu avant minuit, toute la famille est allée à l'église. Après, on est retourné à la maison, où on a pris le repas du réveillon.

(To review the verbs which form the passé composé with être, *see the chart on p. 100.)*

B. 2. Oui, ils les ont préparées pour le réveillon.
3. Oui, vous leur avez (*or:* nous leur avons) fait une visite.
4. Oui, elle l'a prise.
5. Oui, il les a trouvés dans le compartiment.

6. Oui, elles les ont invitées à venir avec elles.
7. Oui, nous l'avons (*or:* je l'ai) faite après le réveillon.

(Did you remember to make the past participle agree with a preceding direct object pronoun? To review direct object pronouns, see pp. 107–108; for indirect object pronouns, see p. 84.)

C. 2. Elle en a eu besoin.
3. Ils y sont tombés.
4. Je n'y suis pas rentrée après la messe de minuit.
5. Il n'en est pas revenu.
6. Nous n'avons pas le temps d'y déjeuner.
7. Elles vont y faire leurs études.

(To review the pronoun y, *see p. 106.* En *is reviewed on pp. 82–83.)*

Leçon 6, p. 136

A. Samedi matin. J'espère que maman va nous laisser dormir. Mais elle nous appelle toujours de bonne heure. Nous préférons rester au lit, mais elle répète: "Laure! Guy! Vous ne vous levez pas?" Enfin, nous descendons et nous prenons notre petit déjeuner. Après, je promène le chien pendant que Laure va au marché où elle achète des légumes et des fruits. Quand nous rentrons chez nous, maman dit: "Guy, ne jette pas ton manteau sur la chaise. Laure, tu as acheté du pain? Guy, tu préfères laver la vaisselle ou faire les lits?" Voilà pourquoi je préfère faire la grasse matinée.

(To review the stem-changing -er *verbs, see pp. 124–125.)*

B. 2. Ne les promène pas après le dîner! Promène-les après le dîner!
3. Ne l'achetons pas demain! Achetons-le demain!
4. Ne les répétez pas encore une fois! Répétez-les encore une fois!
5. N'y jetons pas les oreillers! Jetons-y les oreillers!
6. Ne l'appelle pas! Appelle-le!
7. Ne leur répète pas l'histoire! Répète-leur l'histoire!

(To review the imperative with object pronouns, see p. 126. For the imperative forms of the stem-changing -er *verbs, see pp. 124–125.)*

C. 2. Ne nous couchons pas! Couchons-nous!
3. Ne vous réveillez pas! Réveillez-vous!
4. Ne te lève pas! Lève-toi!
5. Ne t'habille pas vite! Habille-toi vite!
6. Ne nous retrouvons pas en ville! Retrouvons-nous en ville!
7. Ne vous brossez pas les dents! Brossez-vous les dents!

(If you had difficulty with the imperative form of reflexive verbs, see p. 133.)

Leçon 7, p. 162

A. 1. Nous écrivons des lettres à nos amis au Portugal.
2. Il me dit que d'habitude il descend en ville le samedi.
3. Elles ne lisent pas le flamand, mais elles parlent bien allemand.
4. Vous écrivez à vos parents quand vous n'êtes pas chez vous en été?
5. Tu dis que les pâtisseries sont excellentes?
6. Elle lit dans l'horaire que cet avion ne part que le dimanche.
7. J'aime passer mes vacances en Grèce. Je décris ce pays dans l'histoire que j'écris.

(To review écrire, lire, *and* dire, *see pp. 148–149. Uses of the definite determiners are presented on p. 150.)*

B. 2. Il s'est arrêté au café aussi.
3. Ils se sont couchés aussi.
4. Elles se sont brossé les dents aussi.
5. Ils se sont promenés sur le quai aussi.
6. Vous vous êtes (*or:* Nous nous sommes) dirigés (*or:* dirigées) vers le pont aussi.
7. Nous nous sommes serré la main aussi.
8. Elles se sont trompées aussi.

(To review the passé composé of reflexive verbs, see p. 154.)

C. 1. (a) Jeannette est plus petite qu'Elisabeth.
(b) Jeannette est moins petite que Nathalie.
(c) Nathalie est la plus petite sœur de la famille.
2. (a) Henri est moins calé que Marc.
(b) Henri est plus calé qu'Anne.
(c) Marc et Sophie sont le frère et la sœur les plus calés.

3. (a) Marianne lit mieux que Victor.
   (b) Marianne lit moins bien que Barbara.
   (c) Barbara lit le mieux.

(To review the comparison of adjectives and adverbs, see pp. 156–158.)

Leçon 8, p. 182

1. Ils achèteront des oranges et des abricots demain parce qu'ils en auront besoin pour le dessert.
2. Qu'est-ce que tu liras dans ton cours de français cette année? Je crois que nous étudierons des poèmes, et que nous les apprendrons par cœur.
3. Je me lèverai à 7 h. 30 demain matin. Je ne ferai pas la grasse matinée parce qu'il faudra aller en ville.
4. Elles emmèneront leurs camarades au théâtre. Elles iront là-bas parce qu'on jouera une nouvelle pièce canadienne.
5. Qui mettra le couvert ce soir? Maman n'aura pas le temps parce qu'elle sera très, très occupée à la cuisine.
6. D'abord le prof dira la phrase. Puis il la répétera. Tout le monde l'écrira dans son cahier et après, le prof choisira un élève qui la lira à haute voix.

(To review the future of regular verbs, see p. 174. For the future of irregular verbs, see p. 179.)

Leçon 9, p. 203

A. 2. Ils veulent en acheter un.
   3. Nous voudrions (*or:* voulons; *or* Je voudrais *or* veux) y participer.
   4. Je peux y garer la voiture.
   5. Elle veut en retenir.
   6. Tu peux (*or:* Vous pouvez) y continuer.
   7. Elles veulent y aller.

(To review vouloir *and* pouvoir, *see p. 191. Did you remember to place the pronouns* y *and* en *before the infinitive? See pp. 82–83 and 106.)*

B. 2. Nous jouions au basketball le mercredi.
   3. Il emmenait ses camarades au stade l'année dernière.
   4. Elles avaient besoin de partir avant 8 h. tous les jours.
   5. Vous preniez le petit déjeuner chez vous la semaine dernière.
   6. Le dimanche il fallait nous lever de bonne heure.
   7. L'été dernier nous allions au bord de la mer.
   8. Qui était ici il y a deux mois?

(To review the formation and use of the imperfect, see pp. 192–194.)

C. Albert Camus était un auteur célèbre. Il est né en Afrique du Nord en 1913. Il est allé à l'université d'Alger et quand il avait 26 ans, il est arrivé en France. Pendant six ans il a travaillé (*or:* travaillait) pour le journal *Combat.*

Camus a écrit trois romans célèbres: *L'Etranger, La Peste* et *La Chute.* Il aimait aussi le théâtre et il a écrit plusieurs pièces. Au mois de janvier 1960, il est mort dans un accident de voiture.

(If you had difficulty in choosing between the passé composé and the imperfect, review p. 199.)

Leçon 10, p. 227

A. 1. Ils buvaient du café l'après-midi.
   2. Elle reçoit une lettre.
   3. Nous avons vu la boîte à outils en haut.
   4. Elles doivent voyager en avion.
   5. Je crois que je peux réparer le vélo.
   6. Il a dû vérifier la voiture.
   7. Vous verrez les pistes à droite.
   8. Elle croyait que tu allais atterrir à 21 h.

(See p. 214 to review croire *and* voir, *p. 215 for* boire *and* recevoir, *and p. 222 for* devoir.*)*

B. 2. Ils ont lu le journal en mangeant.
   3. Elle a cassé les pinces en travaillant sur la moto.
   4. Nous avons remarqué la tour de contrôle en nous approchant de l'aéroport.
   5. Tu as perdu ton portefeuille en faisant des courses.
   6. Elles ont rencontré des amis en promenant le chien.

(Did you remember the e *in the present particple of* manger? *To review the present participle, see pp. 216–217.)*

C. 2. Nous avons quitté la maison avant de dire au revoir. Nous avons quitté la maison après avoir dit au revoir.
   3. Elles sont sorties avant de rendre les clefs. Elles sont sorties après avoir rendu les clefs.

4. J'ai changé d'avis avant de me fâcher. J'ai changé d'avis après m'être fâché(e).
5. J'ai écrit la composition avant de réviser la leçon. J'ai écrit la composition après avoir révisé la leçon.
6. Vous y êtes allés avant de faire le ménage. Vous y êtes allés après avoir fait le ménage.

(Did you remember that reflexive verbs use être *to form the past infinitive? See p. 224 to review these uses of the infinitive.)*

Leçon 11, p. 250

A. 1. Est-ce qu'elle connaît Perpignan?
2. Est-ce que tu savais que Martin avait mal au ventre?
3. Ils savent impressionner les petits enfants.
4. Nous avons connu sa sœur aînée il y a plusieurs années.
5. Je sais que ton petit frère est têtu.
6. On saura tout de suite que je suis maladroit.
7. Est-ce qu'elles connaissaient cette pente dangereuse à Grenoble?
8. Est-ce que vous saviez que son père avait mal aux dents?

(To review savoir *and* connaître, *see pp. 238–239.)*

B. 2. Elle a les siennes, mais nous n'avons pas les nôtres.
3. Ils ont les leurs, mais il n'a pas les siens.
4. Voilà les vôtres, mais où est-ce que j'ai mis les miens?
5. Elles ont pris la leur, mais nous avons laissé la nôtre à la réception.
6. Il fait partie de la tienne, mais moi, je fais partie de la leur.
7. Vous avez les vôtres? Nous avons oublié les nôtres.
8. Tu as pris le remonte-pente avec les tiens; je l'ai pris avec les miens.

(To review the possessive pronouns, see p. 240.)

C. 3. J'avais de la fièvre depuis trois jours quand maman a téléphoné au médecin.
4. Nous avons (*or:* J'ai) commencé à faire de la chimie il y a quelques mois.
5. Ils attendent l'ascenseur depuis longtemps.
6. Il habite Toulouse depuis 1969.
7. Aude est entrée dans la patinoire il y a une dizaine de minutes.
8. Je me suis cassé le pied il y a quatre ans.
9. Elles étudiaient l'espagnol depuis deux ans quand elles sont allées en Espagne.

(To review the use of il y a *with expressions of time, see p. 245; to review the use of* depuis, *see p. 247.)*

Leçon 12, p. 273

A. 1. J'emploierai mes propres pinces.
2. Elle n'a pas encore essuyé la table.
3. Nous payons le repas.
4. Ils essayaient de décourager la marchande.
5. Tu ne nettoies pas les meubles?
6. Il essaiera ce pull-over?
7. Vous employiez ces cartes-ci.
8. Elles paient les provisions.

(To review the forms of verbs whose infinitives end in -yer, *see p. 261.)*

B. 2. Quelle péninsule est plus pittoresque, celle-ci ou celle-là?
3. Quelles régions sont plus intéressantes, celles-ci ou celles-là?
4. Quel médecin est moins adroit, celui-ci ou celui-là?
5. Quelles baies sont moins belles, celles-ci ou celles-là?
6. Quelle femme est en meilleure santé, celle-ci ou celle-là?
7. Quelles capitales sont moins anciennes, celles-ci ou celles-là?
8. Quels wagons-lits sont plus confortables, ceux-ci ou ceux-là?

(To review the formation and use of these demonstrative pronouns, see pp. 262–263.)

C. 2. Lesquelles as-tu remarquées?
3. Auquel a-t-elle fait plaisir?
4. Auxquels pensiez-vous (*or:* pensions-nous)?
5. Laquelle cherchaient-elles?
6. A laquelle sont-ils descendus?
7. Dans lequel es-tu allé?
8. Par laquelle regardait-il?
9. Duquel sont-elles venues?

(To review the forms of lequel, *see p. 269.)*

Leçon 13, p. 297

A. Louise travaillait quand Nicole a téléphoné. Elles sont lycéennes à Paris et ce sont de bonnes amies.

NICOLE Allô, Louise. Ici Nicole. Ecoute! Mon cousin arrive ce matin. Il est anglais.
LOUISE C'est lui qui fait ses études à Oxford?
NICOLE Non, il est étudiant, mais c'est à Londres qu'il fait ses études. Il passe le week-end chez nous.
LOUISE C'est passionnant, ça!
NICOLE Prenons rendez-vous pour samedi soir.
LOUISE C'est une bonne idée. Chez toi alors?
NICOLE C'est très bien. Au revoir, Louise.

(To review c'est *and* il est, *see p. 285.)*

B. 1. J'irai à Blois si j'ai un week-end libre.
2. Nous partirions demain si la voiture était prête.
3. Elle traduirait ce poème si elle connaissait la langue.
4. Vous verrez nos cousins si vous venez chez nous demain.
5. Ils construiront une villa s'ils trouvent assez d'argent.
6. Achetez un nouveau miroir si vous voulez!
7. Il irait à Marseille si ses amis y descendaient en été.
8. Elles essuieraient le plancher si elles pouvaient le faire.

(To review the formation of the conditional, see pp. 290–291. For result clauses in the future and conditional, see p. 293.)

Leçon 14, p. 321

A. 2. Tu renverras la jupe.
3. Leur oncle envoyait un paquet en Suisse.
4. Il ne les enverrait pas à Montréal.
5. Elle avait renvoyé les romans à la librairie.
6. Je n'aurais pas renvoyé ces cadeaux à mes parents.
7. Qui envoie des santons en Amérique?
8. Tu n'as pas envoyé ton frère cadet au marché?

(To review the forms of envoyer *and* renvoyer *see p. 309.)*

B. 2. Si elle voulait visiter les jardins, elle pourrait nous accompagner. Si elle avait voulu visiter les jardins, elle aurait pu nous accompagner.
3. Si vous restiez dans le parc, vous pourriez m'attendre près de la fontaine. Si vous étiez resté (*or:* restée, restés, restées) dans le parc, vous auriez pu m'attendre près de la fontaine.
4. Ils feraient de l'auto-stop s'ils voyageaient en Suisse et en Autriche. Ils auraient fait de l'auto-stop s'ils avaient voyagé en Suisse et en Autriche.
5. Je me bronzerais s'il ne pleuvait pas. Je me serais bronzé (*or:* bronzée) s'il n'avait pas plu.
6. Si tu m'expliquais le problème, je comprendrais. Si tu m'avais expliqué le problème, j'aurais compris.

(To review si *clauses in the imperfect, see p. 293; for* si *clauses in the pluperfect, see p. 312. If you need help in forming the pluperfect or past conditional, see pp. 310 and 312, respectively.)*

C. 1. Ce sont les abeilles surtout dont j'ai peur.
2. Voici le filet que tu as demandé.
3. Tu es allé chercher les provisions dont nous avons besoin pour le pique-nique?
4. J'ai rencontré ton ami qui prenait un bain de soleil sur la pelouse.
5. Vous vous souvenez du chemin où nous nous sommes perdus?
6. C'était son petit neveu qu'elle a amené à la fête.
7. Est-ce que tu as parlé au médecin qui était à la clinique?
8. Ils ont cassé la bouteille de vin que nous avons apportée.

(If you had difficulty with dont, *review this relative pronoun on p. 318.)*

D. 3. Voici les pierres sous lesquelles nous avons trouvé des vers.
4. Voici l'enveloppe sur laquelle j'ai écrit son nom.
5. Voici l'aubergiste à qui tu as téléphoné pour retenir une chambre.
6. Voici l'infirmier à qui ils ont envoyé la lettre.
7. Voici l'arbre sous lequel vous avez vu la grenouille.
8. Voici le magasin auquel il renverra les chemises.

(Did you remember to use qui *with people and a form of* lequel *with things? For further help, see p. 318.)*

Leçon 15, p. 343

A. 2. Je rejoins des camarades près du sentier aussi.
3. Elle éteindra les lumières au lever du soleil aussi.
4. Ils auront peint les murs aussi.
5. Vous rejoindrez (*or:* Nous rejoindrons) le metteur en scène au café aussi.
6. Vous craignez (*or:* Nous craignons) les abeilles aussi.
7. J'éteignais les lampes au salon aussi.
8. Elles rejoignent ses cousins à Avignon aussi.

(To review the forms of verbs ending in -indre, *see p. 333.)*

B. 2. Oui, ils ont compris ce qu'il a dit.
3. Oui, nous avons mangé (*or:* j'ai mangé) ce que tu avais (*or:* vous aviez) préparé.
4. Oui, elles ont visité les endroits dont le prof a parlé.
5. Oui, j'ai préféré les dessins que vous avez (*or:* nous avons) vus hier.
6. Oui, il a remarqué les chevaux dont elles avaient peur.
7. Oui, j'ai vérifié ce qu'elles m'ont raconté.
8. Oui, je veux chercher ce dont vous avez (*or:* nous avons) besoin.
9. Oui, ils savaient ce qui s'était passé.

(If you had difficulty in choosing the correct relative pronoun, review the discussion on p. 334.)

C. 2. Ils se réveilleront dès que le soleil se lèvera. Ils se réveilleront dès que le soleil se sera levé.
3. Il y aura du chauffage lorsqu'ils finiront de construire la maison. Il y aura du chauffage lorsqu'ils auront fini de construire la maison.
4. Tu partiras quand tes parents reviendront. Tu partiras quand tes parents seront revenus.
5. Il lira l'article aussitôt que tu l'assureras qu'il n'est pas trop difficile. Il lira l'article aussitôt que tu l'auras assuré qu'il n'est pas trop difficile.
6. J'entrerai dans la grotte quand mes camarades me rejoindront. J'entrerai dans la grotte quand mes camarades m'auront rejoint(e).

(To review the future perfect, see p. 340.)

Leçon 16, p. 367

A. 2. Ces nuages-là couvriront la lune.
3. Nous avons découvert un bel endroit pour le pique-nique.
4. Ils offriraient des bonbons aux enfants.
5. A mon avis elles ne souffraient pas.
6. Ils n'offrent pas de pourboires aux coiffeurs.
7. Nous découvririons les cadeaux si tu ouvrais les tiroirs.

(To review the forms of verbs that end in -vrir *and* -frir, *see p. 355.)*

B. 2. Elles les y ont déjà emmenés.
3. Je le leur ai déjà emprunté.
4. Ils m'en ont déjà apporté.
5. Elle s'y est déjà rendue.
6. Je vous en ai déjà offert.
7. Tu la lui as déjà envoyée.

(If you had difficulty with the word order of the pronouns, review the chart on p. 356.)

C. 2. Il est possible que nous assistions au concert de jazz.
3. Il vaut mieux qu'il attende près de la caisse.
4. Il est nécessaire qu'ils se brossent les dents.
5. Il est probable que nous nous retrouvons en ville.
6. Il vaut mieux qu'elle finisse le chapitre.
7. Il est vrai que nous mangeons des fruits.
8. Il se peut qu'elle vende son piano.
9. Il est nécessaire que nous déménagions avant le premier mai.

(To review the expressions of necessity and possibility that are followed by the subjunctive, see p. 361; for the forms of the subjunctive, see pp. 362–363.)

Leçon 17, p. 388

A. 2. Elle rira pendant la course à pied.
3. Ils souriaient au pilote, mais il ne leur a pas souri.
4. Si nous riions de la chanson folklorique, elles en riraient aussi.
5. Ne riez pas de ces enfants s'ils font des efforts.
6. Ils rient parce qu'ils ont gagné le jeu.

(To review the forms of rire *and* sourire, *see p. 378.)*

B. 2. Ne m'en donne pas!
3. Ne leur en parlons pas!
4. Ne vous y arrêtez pas!
5. Ne t'en sers pas!
6. Ne la lui criez pas!
7. Ne lui en offre pas!
8. Ne les y conduisez pas!
9. Ne me le présentez pas!
10. Ne les leur lançons pas!
11. Ne les y mets pas!

(To review double object pronouns in negative commands, see pp. 378–379.)

C. 3. Elle est contente que son ami lui téléphone.
4. C'est dommage que tu ne maigrisses pas.
5. Je crains que mon mari ne parte pas à l'heure.
6. Il est heureux que personne ne le dérange.
7. Elles veulent se réveiller avant le lever du soleil.
8. Elle préfère que nous nous retrouvions après le jeu de boules.
9. Je suis triste que nous ne regardions pas la natation et la plongée.
10. Je ne veux (*or:* Nous ve voulons) pas que vous discutiez de mon travail.

(Did you note that only no. 7 has the same subject in both clauses and is thus the only sentence to use the infinitive? For further review, see p. 384.)

Leçon 18, p. 406

3. Je ne crois pas qu'il y ait un réchaud sous la tente.
4. Es-tu certaine qu'ils fassent une randonnée?
5. Je ne doute pas qu'il pourra venir ce soir.
6. Est-ce qu'ils pensent que vous voudrez sortir après le coucher du soleil?
7. Te semble-t-il que nous sachions la bonne réponse?
8. Il n'est pas sûr que tu nous accompagnes au terrain de camping.
9. Il me semble qu'elles seront contentes de bricoler.
10. Je doute que vous puissiez trouver un bon sac à dos.
11. Elle ne doute pas que je ferai encore du français l'année prochaine.
12. Espères-tu qu'il n'y ait plus de travail cette année-ci?

(To review the subjunctive in expressions of doubt or uncertainty, see p. 403; for the subjunctive forms of irregular verbs, see p. 397.)

Verbes

LES VERBES RÉGULIERS

	-ER	-IR/-ISS-	-IR	-RE
INFINITIF	**regarder**	**finir**	**dormir**	**vendre**
PRÉSENT	je regarde tu regardes il regarde nous regardons vous regardez ils regardent	je finis tu finis il finit nous finissons vous finissez ils finissent	je dors tu dors il dort nous dormons vous dormez ils dorment	je vends tu vends il vend nous vendons vous vendez ils vendent
IMPÉRATIF	regarde! regardons! regardez!	finis! finissons! finissez!	dors! dormons! dormez!	vends! vendons! vendez!
PARTICIPE PRÉSENT	regardant	finissant	dormant	vendant
IMPARFAIT	je regardais tu regardais il regardait nous regardions vous regardiez ils regardaient	je finissais tu finissais il finissait nous finissions vous finissiez ils finissaient	je dormais tu dormais il dormait nous dormions vous dormiez ils dormaient	je vendais tu vendais il vendait nous vendions vous vendiez ils vendaient
FUTUR	je regarderai tu regarderas il regardera nous regarderons vous regarderez ils regarderont	je finirai tu finiras il finira nous finirons vous finirez ils finiront	je dormirai tu dormiras il dormira nous dormirons vous dormirez ils dormiront	je vendrai tu vendras il vendra nous vendrons vous vendrez ils vendront

	-ER	-IR/-ISS-	-IR	-RE
CONDITIONNEL	je regarderais tu regarderais il regarderait nous regarderions vous regarderiez ils regarderaient	je finirais tu finirais il finirait nous finirions vous finiriez ils finiraient	je dormirais tu dormirais il dormirait nous dormirions vous dormiriez ils dormiraient	je vendrais tu vendrais il vendrait nous vendrions vous vendriez ils vendraient
PASSÉ COMPOSÉ	j'ai regardé tu as regardé il a regardé nous avons regardé vous avez regardé ils ont regardé	j'ai fini tu as fini il a fini nous avons fini vous avez fini ils ont fini	j'ai dormi tu as dormi il a dormi nous avons dormi vous avez dormi ils ont dormi	j'ai vendu tu as vendu il a vendu nous avons vendu vous avez vendu ils ont vendu
PLUS-QUE-PARFAIT	j'avais regardé tu avais regardé il avait regardé nous avions regardé vous aviez regardé ils avaient regardé	j'avais fini tu avais fini il avait fini nous avions fini vous aviez fini ils avaient fini	j'avais dormi tu avais dormi il avait dormi nous avions dormi vous aviez dormi ils avaient dormi	j'avais vendu tu avais vendu il avait vendu nous avions vendu vous aviez vendu ils avaient vendu
FUTUR ANTÉRIEUR	j'aurai regardé tu auras regardé il aura regardé nous aurons regardé vous aurez regardé ils auront regardé	j'aurai fini tu auras fini il aura fini nous aurons fini vous aurez fini ils auront fini	j'aurai dormi tu auras dormi il aura dormi nous aurons dormi vous aurez dormi ils auront dormi	j'aurai vendu tu auras vendu il aura vendu nous aurons vendu vous aurez vendu ils auront vendu
CONDITIONNEL PASSÉ	j'aurais regardé tu aurais regardé il aurait regardé nous aurions regardé vous auriez regardé ils auraient regardé	j'aurais fini tu aurais fini il aurait fini nous aurions fini vous auriez fini ils auraient fini	j'aurais dormi tu aurais dormi il aurait dormi nous aurions dormi vous auriez dormi ils auraient dormi	j'aurais vendu tu aurais vendu il aurait vendu nous aurions vendu vous auriez vendu ils auraient vendu
SUBJONCTIF	que je regarde que tu regardes qu'il regarde que nous regardions que vous regardiez qu'ils regardent	que je finisse que tu finisses qu'il finisse que nous finissions que vous finissiez qu'ils finissent	que je dorme que tu dormes qu'il dorme que nous dormions que vous dormiez qu'ils dorment	que je vende que tu vendes qu'il vende que nous vendions que vous vendiez qu'ils vendent

LES VERBES PRONOMINAUX

INFINITIF: se laver

PRÉSENT

je me lave	nous nous lavons
tu te laves	vous vous lavez
il se lave	ils se lavent

IMPÉRATIF

lave-toi!
lavons-nous!
lavez-vous!

PARTICIPE PRÉSENT

se lavant

IMPARFAIT

je me lavais	nous nous lavions
tu te lavais	vous vous laviez
il se lavait	ils se lavaient

FUTUR

je me laverai	nous nous laverons
tu te laveras	vous vous laverez
il se lavera	ils se laveront

CONDITIONNEL

je me laverais	nous nous laverions
tu te laverais	vous vous laveriez
il se laverait	ils se laveraient

PASSÉ COMPOSÉ

je me suis lavé(e)	nous nous sommes { lavés / lavées
tu t'es lavé(e)	vous vous êtes { lavé(s) / lavée(s)
il s'est lavé	ils se sont lavés
elle s'est lavée	elles se sont lavées
on s'est lavé	

PLUS-QUE-PARFAIT

je m'étais lavé(e)	nous nous étions { lavés / lavées
tu t'étais lavé(e)	vous vous étiez { lavé(s) / lavée(s)
il s'était lavé	ils s'étaient lavés
elle s'était lavée	elles s'étaient lavées
on s'était lavé	

FUTUR ANTÉRIEUR

je me serai lavé(e)	nous nous serons { lavés / lavées
tu te seras lavé(e)	vous vous serez { lavé(s) / lavée(s)
il se sera lavé	ils se seront lavés
elle se sera lavée	elles se seront lavées
on se sera lavé	

CONDITIONNEL PASSÉ

je me serais lavé(e)	nous nous serions { lavés / lavées
tu te serais lavé(e)	vous vous seriez { lavé(s) / lavée(s)
il se serait lavé	ils se seraient lavés
elle se serait lavée	elles se seraient lavées
on se serait lavé	

SUBJONCTIF

que je me lave	que nous nous lavions
que tu te laves	que vous vous laviez
qu'il se lave	qu'ils se lavent

LES VERBES IRRÉGULIERS

accélérer See *répéter.*

acheter See *lever.*

aller

PRÉSENT	je vais, tu vas, il va; nous allons, vous allez, ils vont		
IMPÉRATIF	va! allons! allez!		
PARTICIPE PRÉSENT	allant	IMPARFAIT	j'allais
FUTUR	j'irai	CONDITIONNEL	j'irais
PASSÉ COMPOSÉ	je suis allé(e)	PLUS-QUE-PARFAIT	j'étais allé(e)
FUTUR ANTÉRIEUR	je serai allé(e)	CONDITIONNEL PASSÉ	je serais allé(e)
SUBJONCTIF	que j'aille, que tu ailles, qu'il aille; que nous allions, que vous alliez, qu'ils aillent		

s'en aller See *aller* and *LES VERBES PRONOMINAUX* (je m'en vais, tu t'en vas, etc.)

amener See *lever.*

annoncer See *commencer.*

appeler See *jeter.*

s'appeler See *jeter* and *LES VERBES PRONOMINAUX.*

apprendre See *prendre.*

avoir

PRÉSENT	j'ai, tu as, il a; nous avons, vous avez, ils ont		
IMPÉRATIF	aie! ayons! ayez!		
PARTICIPE PRÉSENT	ayant	IMPARFAIT	j'avais
FUTUR	j'aurai	CONDITIONNEL	j'aurais
PASSÉ COMPOSÉ	j'ai eu	PLUS-QUE-PARFAIT	j'avais eu
FUTUR ANTÉRIEUR	j'aurai eu	CONDITIONNEL PASSÉ	j'aurais eu
SUBJONCTIF	que j'aie, que tu aies, qu'il ait; que nous ayons, que vous ayez, qu'ils aient		

boire

PRÉSENT	je bois, tu bois, il boit; nous buvons, vous buvez, ils boivent		
IMPÉRATIF	bois! buvons! buvez!		
PARTICIPE PRÉSENT	buvant	IMPARFAIT	je buvais
FUTUR	je boirai	CONDITIONNEL	je boirais
PASSÉ COMPOSÉ	j'ai bu	PLUS-QUE-PARFAIT	j'avais bu
FUTUR ANTÉRIEUR	j'aurai bu	CONDITIONNEL PASSÉ	j'aurais bu
SUBJONCTIF	que je boive, que tu boives, qu'il boive; que nous buvions, que vous buviez, qu'ils boivent		

changer See *manger.*

se charger de See *manger* and *LES VERBES PRONOMINAUX.*

commencer

PRÉSENT	je commence, tu commences, il commence; nous commençons, vous commencez, ils commencent		
IMPÉRATIF	commence! commençons! commencez!		
PARTICIPE PRÉSENT	commençant		
IMPARFAIT	je commençais, tu commençais, il commençait; nous commencions, vous commenciez, ils commençaient		
FUTUR	je commencerai	CONDITIONNEL	je commencerais
PASSÉ COMPOSÉ	j'ai commencé	PLUS-QUE-PARFAIT	j'avais commencé
FUTUR ANTÉRIEUR	j'aurai commencé	CONDITIONNEL PASSÉ	j'aurais commencé
SUBJONCTIF	que je commence, que tu commences, qu'il commence; que nous commencions, que vous commenciez, qu'ils commencent		

comprendre See *prendre.*

conduire

PRÉSENT	je conduis, tu conduis, il conduit; nous conduisons, vous conduisez, ils conduisent		
IMPÉRATIF	conduis! conduisons! conduisez!		
PARTICIPE PRÉSENT	conduisant	IMPARFAIT	je conduisais
FUTUR	je conduirai	CONDITIONNEL	je conduirais
PASSÉ COMPOSÉ	j'ai conduit	PLUS-QUE-PARFAIT	j'avais conduit
FUTUR ANTÉRIEUR	j'aurai conduit	CONDITIONNEL PASSÉ	j'aurais conduit
SUBJONCTIF	que je conduise, que tu conduises, qu'il conduise; que nous conduisions, que vous conduisiez, qu'ils conduisent		

connaître

PRÉSENT	je connais, tu connais, il connaît; nous connaissons, vous connaissez, ils connaissent		
IMPÉRATIF	connais! connaissons! connaissez!		
PARTICIPE PRÉSENT	connaissant	IMPARFAIT	je connaissais
FUTUR	je connaîtrai	CONDITIONNEL	je connaîtrais
PASSÉ COMPOSÉ	j'ai connu	PLUS-QUE-PARFAIT	j'avais connu
FUTUR ANTÉRIEUR	j'aurai connu	CONDITIONNEL PASSÉ	j'aurais connu
SUBJONCTIF	que je connaisse, que tu connaisses, qu'il connaisse; que nous connaissions, que vous connaissiez, qu'ils connaissent		

se connaître See *connaître* and *LES VERBES PRONOMINAUX.*

construire See *conduire.*

contenir See *venir* (*but:* compound tenses formed with *avoir*).

convenir à See *venir* (*but:* compound tenses formed with *avoir*).

corriger See *manger.*

couvrir See *ouvrir.*

craindre See *peindre.*

croire

PRÉSENT	je crois, tu crois, il croit; nous croyons, vous croyez, ils croient		
IMPÉRATIF	crois! croyons! croyez!		
PARTICIPE PRÉSENT	croyant	IMPARFAIT	je croyais
FUTUR	je croirai	CONDITIONNEL	je croirais
PASSÉ COMPOSÉ	j'ai cru	PLUS-QUE-PARFAIT	j'avais cru
FUTUR ANTÉRIEUR	j'aurai cru	CONDITIONNEL PASSÉ	j'aurais cru
SUBJONCTIF	que je croie, que tu croies, qu'il croie; que nous croyions, que vous croyiez, qu'ils croient		

décourager See *manger.*

découvrir See *ouvrir.*

décrire See *écrire.*

déménager See *manger.*

déranger See *manger.*

devenir See *venir.*

devoir

PRÉSENT	je dois, tu dois, il doit; nous devons, vous devez, ils doivent		
PARTICIPE PRÉSENT	devant	IMPARFAIT	je devais
FUTUR	je devrai	CONDITIONNEL	je devrais
PASSÉ COMPOSÉ	j'ai dû	PLUS-QUE-PARFAIT	j'avais dû
FUTUR ANTÉRIEUR	j'aurai dû	CONDITIONNEL PASSÉ	j'aurais dû
SUBJONCTIF	que je doive, que tu doives, qu'il doive; que nous devions, que vous deviez, qu'ils doivent		

dire

PRÉSENT	je dis, tu dis, il dit; nous disons, vous dites, ils disent		
IMPÉRATIF	dis! disons! dites!		
PARTICIPE PRÉSENT	disant	IMPARFAIT	je disais
FUTUR	je dirai	CONDITIONNEL	je dirais
PASSÉ COMPOSÉ	j'ai dit	PLUS-QUE-PARFAIT	j'avais dit
FUTUR ANTÉRIEUR	j'aurai dit	CONDITIONNEL PASSÉ	j'aurais dit
SUBJONCTIF	que je dise, que tu dises, qu'il dise; que nous disions, que vous disiez, qu'ils disent		

diriger See *manger.*

se diriger See *manger* and *LES VERBES PRONOMINAUX.*

écrire

PRÉSENT	j'écris, tu écris, il écrit; nous écrivons, vous écrivez, ils écrivent		
IMPÉRATIF	écris! écrivons! écrivez!		
PARTICIPE PRÉSENT	écrivant	IMPARFAIT	j'écrivais
FUTUR	j'écrirai	CONDITIONNEL	j'écrirais
PASSÉ COMPOSÉ	j'ai écrit	PLUS-QUE-PARFAIT	j'avais écrit
FUTUR ANTÉRIEUR	j'aurai écrit	CONDITIONNEL PASSÉ	j'aurais écrit
SUBJONCTIF	que j'écrive, que tu écrives, qu'il écrive; que nous écrivions, que vous écriviez, qu'ils écrivent		

emmener See *lever.*

employer

PRÉSENT	j'emploie, tu emploies, il emploie; nous employons, vous employez, ils emploient		
IMPÉRATIF	emploie! employons! employez!		
PARTICIPE PRÉSENT	employant	IMPARFAIT	j'employais
FUTUR	j'emploierai	CONDITIONNEL	j'emploierais
PASSÉ COMPOSÉ	j'ai employé	PLUS-QUE-PARFAIT	j'avais employé
FUTUR ANTÉRIEUR	j'aurai employé	CONDITIONNEL PASSÉ	j'aurais employé
SUBJONCTIF	que j'emploie, que tu emploies, qu'il emploie; que nous employions, que vous employiez, qu'ils emploient		

encourager See *manger.*

ennuyer See *essuyer.*

envoyer

PRÉSENT	j'envoie, tu envoies, il envoie; nous envoyons, vous envoyez, ils envoient		
IMPÉRATIF	envoie! envoyons! envoyez!		
PARTICIPE PRÉSENT	envoyant	IMPARFAIT	j'envoyais
FUTUR	j'enverrai	CONDITIONNEL	j'enverrais
PASSÉ COMPOSÉ	j'ai envoyé	PLUS-QUE-PARFAIT	j'avais envoyé
FUTUR ANTÉRIEUR	j'aurai envoyé	CONDITIONNEL PASSÉ	j'aurais envoyé
SUBJONCTIF	que j'envoie, que tu envoies, qu'il envoie; que nous envoyions, que vous envoyiez, qu'ils envoient		

espérer See *répéter.*

essayer

PRÉSENT	j'essaie, tu essaies, il essaie; nous essayons, vous essayez, ils essaient		
IMPÉRATIF	essaie! essayons! essayez!		
PARTICIPE PRÉSENT	essayant	IMPARFAIT	j'essayais
FUTUR	j'essaierai	CONDITIONNEL	j'essaierais
PASSÉ COMPOSÉ	j'ai essayé	PLUS-QUE-PARFAIT	j'avais essayé
FUTUR ANTÉRIEUR	j'aurai essayé	CONDITIONNEL PASSÉ	j'aurais essayé
SUBJONCTIF	que j'essaie, que tu essaies, qu'il essaie; que nous essayions, que vous essayiez, qu'ils essaient		

essuyer

PRÉSENT	j'essuie, tu essuies, il essuie; nous essuyons, vous essuyez, ils essuient		
IMPÉRATIF	essuie! essuyons! essuyez!		
PARTICIPE PRÉSENT	essuyant	IMPARFAIT	j'essuyais
FUTUR	j'essuierai	CONDITIONNEL	j'essuierais
PASSÉ COMPOSÉ	j'ai essuyé	PLUS-QUE-PARFAIT	j'avais essuyé
FUTUR ANTÉRIEUR	j'aurai essuyé	CONDITIONNEL PASSÉ	j'aurais essuyé
SUBJONCTIF	que j'essuie, que tu essuies, qu'il essuie; que nous essuyions, que vous essuyiez, qu'ils essuient		

éteindre See *peindre.*

être

PRÉSENT	je suis, tu es, il est; nous sommes, vous êtes, ils sont		
IMPÉRATIF	sois! soyons! soyez!		
PARTICIPE PRÉSENT	étant	IMPARFAIT	j'étais
FUTUR	je serai	CONDITIONNEL	je serais
PASSÉ COMPOSÉ	j'ai été	PLUS-QUE-PARFAIT	j'avais été
FUTUR ANTÉRIEUR	j'aurai été	CONDITIONNEL PASSÉ	j'aurais été
SUBJONCTIF	que je sois, que tu sois, qu'il soit; que nous soyons, que vous soyez, qu'ils soient		

faire

PRÉSENT	je fais, tu fais, il fait; nous faisons, vous faites, ils font		
IMPÉRATIF	fais! faisons! faites!		
PARTICIPE PRÉSENT	faisant	IMPARFAIT	je faisais
FUTUR	je ferai	CONDITIONNEL	je ferais
PASSÉ COMPOSÉ	j'ai fait	PLUS-QUE-PARFAIT	j'avais fait
FUTUR ANTÉRIEUR	j'aurai fait	CONDITIONNEL PASSÉ	j'aurais fait
SUBJONCTIF	que je fasse, que tu fasses, qu'il fasse; que nous fassions, que vous fassiez, qu'ils fassent		

falloir

PRÉSENT	il faut	IMPARFAIT	il fallait
FUTUR	il faudra	CONDITIONNEL	il faudrait
PASSÉ COMPOSÉ	il a fallu	PLUS-QUE-PARFAIT	il avait fallu
FUTUR ANTÉRIEUR	il aura fallu	CONDITIONNEL PASSÉ	il aurait fallu
SUBJONCTIF	qu'il faille		

geler See *lever.*

jeter

PRÉSENT	je jette, tu jettes, il jette; nous jetons, vous jetez, ils jettent		
IMPÉRATIF	jette! jetons! jetez!		
PARTICIPE PRÉSENT	jetant	IMPARFAIT	je jetais
FUTUR	je jetterai	CONDITIONNEL	je jetterais
PASSÉ COMPOSÉ	j'ai jeté	PLUS-QUE-PARFAIT	j'avais jeté
FUTUR ANTÉRIEUR	j'aurai jeté	CONDITIONNEL PASSÉ	j'aurais jeté
SUBJONCTIF	que je jette, que tu jettes, qu'il jette; que nous jetions, que vous jetiez, qu'ils jettent		

lancer See *commencer.*

lever

PRÉSENT	je lève, tu lèves, il lève; nous levons, vous levez, ils lèvent		
IMPÉRATIF	lève! levons! levez!		
PARTICIPE PRÉSENT	levant	IMPARFAIT	je levais
FUTUR	je lèverai	CONDITIONNEL	je lèverais
PASSÉ COMPOSÉ	j'ai levé	PLUS-QUE-PARFAIT	j'avais levé
FUTUR ANTÉRIEUR	j'aurai levé	CONDITIONNEL PASSÉ	j'aurais levé
SUBJONCTIF	que je lève, que tu lèves, qu'il lève; que nous levions, que vous leviez, qu'ils lèvent		

se lever See *lever* and *LES VERBES PRONOMINAUX.*

lire

PRÉSENT	je lis, tu lis, il lit; nous lisons, vous lisez, ils lisent		
IMPÉRATIF	lis! lisons! lisez!		
PARTICIPE PRÉSENT	lisant	IMPARFAIT	je lisais
FUTUR	je lirai	CONDITIONNEL	je lirais
PASSÉ COMPOSÉ	j'ai lu	PLUS-QUE-PARFAIT	j'avais lu
FUTUR ANTÉRIEUR	j'aurai lu	CONDITIONNEL PASSÉ	j'aurais lu
SUBJONCTIF	que je lise, que tu lises, qu'il lise; que nous lisions, que vous lisiez, qu'ils lisent		

manger

PRÉSENT	je mange, tu manges, il mange; nous mangeons, vous mangez, ils mangent		
IMPÉRATIF	mange! mangeons! mangez!		
PARTICIPE PRÉSENT	mangeant		
IMPARFAIT	je mangeais, tu mangeais, il mangeait; nous mangions, vous mangiez, ils mangeaient		
FUTUR	je mangerai	CONDITIONNEL	je mangerais
PASSÉ COMPOSÉ	j'ai mangé	PLUS-QUE-PARFAIT	j'avais mangé
FUTUR ANTÉRIEUR	j'aurai mangé	CONDITIONNEL PASSÉ	j'aurais mangé
SUBJONCTIF	que je mange, que tu manges, qu'il mange; que nous mangions, que vous mangiez, qu'ils mangent		

mener See *lever.*

mettre

PRÉSENT	je mets, tu mets, il met; nous mettons, vous mettez, ils mettent		
IMPÉRATIF	mets! mettons! mettez!		
PARTICIPE PRÉSENT	mettant	IMPARFAIT	je mettais
FUTUR	je mettrai	CONDITIONNEL	je mettrais
PASSÉ COMPOSÉ	j'ai mis	PLUS-QUE-PARFAIT	j'avais mis
FUTUR ANTÉRIEUR	j'aurai mis	CONDITIONNEL PASSÉ	j'aurais mis
SUBJONCTIF	que je mette, que tu mettes, qu'il mette; que nous mettions, que vous mettiez, qu'ils mettent		

se mettre See *mettre* and *LES VERBES PRONOMINAUX.*

nager See *manger.*

neiger See *manger* (3 sing. only).

nettoyer See *employer.*

offrir See *ouvrir.*

ouvrir

PRÉSENT	j'ouvre, tu ouvres, il ouvre; nous ouvrons, vous ouvrez, ils ouvrent		
IMPÉRATIF	ouvre! ouvrons! ouvrez!		
PARTICIPE PRÉSENT	ouvrant	IMPARFAIT	j'ouvrais
FUTUR	j'ouvrirai	CONDITIONNEL	j'ouvrirais
PASSÉ COMPOSÉ	j'ai ouvert	PLUS-QUE-PARFAIT	j'avais ouvert
FUTUR ANTÉRIEUR	j'aurai ouvert	CONDITIONNEL PASSÉ	j'aurais ouvert
SUBJONCTIF	que j'ouvre, que tu ouvres, qu'il ouvre; que nous ouvrions, que vous ouvriez, qu'ils ouvrent		

payer See *essayer.*

peindre

PRÉSENT	je peins, tu peins, il peint; nous peignons, vous peignez, ils peignent		
IMPÉRATIF	peins! peignons! peignez!		
PARTICIPE PRÉSENT	peignant	IMPARFAIT	je peignais
FUTUR	je peindrai	CONDITIONNEL	je peindrais
PASSÉ COMPOSÉ	j'ai peint	PLUS-QUE-PARFAIT	j'avais peint
FUTUR ANTÉRIEUR	j'aurai peint	CONDITIONNEL PASSÉ	j'aurais peint
SUBJONCTIF	que je peigne, que tu peignes, qu'il peigne; que nous peignions, que vous peigniez, qu'ils peignent		

permettre See *mettre.*

pleuvoir

PRÉSENT	il pleut		
PARTICIPE PRÉSENT	pleuvant	IMPARFAIT	il pleuvait
FUTUR	il pleuvra	CONDITIONNEL	il pleuvrait
PASSÉ COMPOSÉ	il a plu	PLUS-QUE-PARFAIT	il avait plu
FUTUR ANTÉRIEUR	il aura plu	CONDITIONNEL PASSÉ	il aurait plu
SUBJONCTIF	qu'il pleuve		

plonger See *manger.*

pouvoir

PRÉSENT	je peux, tu peux, il peut; nous pouvons, vous pouvez, ils peuvent		
PARTICIPE PRÉSENT	pouvant	IMPARFAIT	je pouvais
FUTUR	je pourrai	CONDITIONNEL	je pourrais
PASSÉ COMPOSÉ	j'ai pu	PLUS-QUE-PARFAIT	j'avais pu
FUTUR ANTÉRIEUR	j'aurai pu	CONDITIONNEL PASSÉ	j'aurais pu
SUBJONCTIF	que je puisse, que tu puisses, qu'il puisse; que nous puissions, que vous puissiez, qu'ils puissent		

préférer See *répéter.*

prendre

PRÉSENT	je prends, tu prends, il prend; nous prenons, vous prenez, ils prennent		
IMPÉRATIF	prends! prenons! prenez!		
PARTICIPE PRÉSENT	prenant	IMPARFAIT	je prenais
FUTUR	je prendrai	CONDITIONNEL	je prendrais
PASSÉ COMPOSÉ	j'ai pris	PLUS-QUE-PARFAIT	j'avais pris
FUTUR ANTÉRIEUR	j'aurai pris	CONDITIONNEL PASSÉ	j'aurais pris
SUBJONCTIF	que je prenne, que tu prennes, qu'il prenne; que nous prenions, que vous preniez, qu'ils prennent		

promener See *lever.*

se promener See *lever* and *LES VERBES PRONOMINAUX.*

promettre See *mettre.*

prononcer See *commencer.*

se rappeler — See *jeter* and *LES VERBES PRONOMINAUX.*

recevoir

PRÉSENT	je reçois, tu reçois, il reçoit; nous recevons, vous recevez, ils reçoivent		
IMPÉRATIF	reçois! recevons! recevez!		
PARTICIPE PRÉSENT	recevant	IMPARFAIT	je recevais
FUTUR	je recevrai	CONDITIONNEL	je recevrais
PASSÉ COMPOSÉ	j'ai reçu	PLUS-QUE-PARFAIT	j'avais reçu
FUTUR ANTÉRIEUR	j'aurai reçu	CONDITIONNEL PASSÉ	j'aurais reçu
SUBJONCTIF	que je reçoive, que tu reçoives, qu'il reçoive; que nous recevions, que vous receviez, qu'ils reçoivent		

recommencer — See *commencer.*

reconnaître — See *connaître.*

rejoindre — See *peindre.*

se rejoindre — See *peindre* and *LES VERBES PRONOMINAUX.*

renvoyer — See *envoyer.*

répéter

PRÉSENT	je répète, tu répètes, il répète; nous répétons, vous répétez, ils répètent		
IMPÉRATIF	répète! répétons! répétez!		
PARTICIPE PRÉSENT	répétant	IMPARFAIT	je répétais
FUTUR	je répéterai	CONDITIONNEL	je répéterais
PASSÉ COMPOSÉ	j'ai répété	PLUS-QUE-PARFAIT	j'avais répété
FUTUR ANTÉRIEUR	j'aurai répété	CONDITIONNEL PASSÉ	j'aurais répété
SUBJONCTIF	que je répète, que tu répètes, qu'il répète; que nous répétions, que vous répétiez, qu'ils répètent		

retenir — See *venir* (*but:* compound tenses formed with *avoir*).

revenir — See *venir.*

rire

PRÉSENT	je ris, tu ris, il rit; nous rions, vous riez, ils rient		
IMPÉRATIF	ris! rions! riez!		
PARTICIPE PRÉSENT	riant	IMPARFAIT	je riais
FUTUR	je rirai	CONDITIONNEL	je rirais
PASSÉ COMPOSÉ	j'ai ri	PLUS-QUE-PARFAIT	j'avais ri
FUTUR ANTÉRIEUR	j'aurai ri	CONDITIONNEL PASSÉ	j'aurais ri
SUBJONCTIF	que je rie, que tu ries, qu'il rie; que nous riions, que vous riiez, qu'ils rient		

savoir

PRÉSENT	je sais, tu sais, il sait; nous savons, vous savez, ils savent		
IMPÉRATIF	sache! sachons! sachez!		
PARTICIPE PRÉSENT	sachant	IMPARFAIT	je savais
FUTUR	je saurai	CONDITIONNEL	je saurais
PASSÉ COMPOSÉ	j'ai su	PLUS-QUE-PARFAIT	j'avais su
FUTUR ANTÉRIEUR	j'aurai su	CONDITIONNEL PASSÉ	j'aurais su
SUBJONCTIF	que je sache, que tu saches, qu'il sache; que nous sachions, que vous sachiez, qu'ils sachent		

souffrir See *ouvrir.*

sourire See *rire.*

se souvenir de See *venir* and *LES VERBES PRONOMINAUX.*

suggérer See *répéter.*

surprendre See *prendre.*

traduire See *conduire.*

venir

PRÉSENT	je viens, tu viens, il vient; nous venons, vous venez, ils viennent		
IMPÉRATIF	viens! venons! venez!		
PARTICIPE PRÉSENT	venant	IMPARFAIT	je venais
FUTUR	je viendrai	CONDITIONNEL	je viendrais
PASSÉ COMPOSÉ	je suis venu(e)	PLUS-QUE-PARFAIT	j'étais venu(e)
FUTUR ANTÉRIEUR	je serai venu(e)	CONDITIONNEL PASSÉ	je serais venu(e)
SUBJONCTIF	que je vienne, que tu viennes, qu'il vienne; que nous venions, que vous veniez, qu'ils viennent		

voir

PRÉSENT	je vois, tu vois, il voit; nous voyons, vous voyez, ils voient		
IMPÉRATIF	vois! voyons! voyez!		
PARTICIPE PRÉSENT	voyant	IMPARFAIT	je voyais
FUTUR	je verrai	CONDITIONNEL	je verrais
PASSÉ COMPOSÉ	j'ai vu	PLUS-QUE-PARFAIT	j'avais vu
FUTUR ANTÉRIEUR	j'aurai vu	CONDITIONNEL PASSÉ	j'aurais vu
SUBJONCTIF	que je voie, que tu voies, qu'il voie; que nous voyions, que vous voyiez, qu'ils voient		

vouloir

PRÉSENT	je veux, tu veux, il veut; nous voulons, vous voulez, ils veulent		
IMPÉRATIF	veux-tu! veuillez!		
PARTICIPE PRÉSENT	voulant	IMPARFAIT	je voulais
FUTUR	je voudrai	CONDITIONNEL	je voudrais
PASSÉ COMPOSÉ	j'ai voulu	PLUS-QUE-PARFAIT	j'avais voulu
FUTUR ANTÉRIEUR	j'aurai voulu	CONDITIONNEL PASSÉ	j'aurais voulu
SUBJONCTIF	que je veuille, que tu veuilles, qu'il veuille; que nous voulions, que vous vouliez, qu'ils veuillent		

voyager See *manger.*

Vocabulaire Français-Anglais

The *Vocabulaire français-anglais* contains all French words included in *Scènes et Séjours* and all active vocabulary from Level I, *Son et Sens.*

A number following an entry indicates the lesson in which the word or phrase is first introduced actively in *Scènes et Séjours.* A roman numeral I indicates that the word or phrase was introduced actively in Level I. Those words that occur passively only are indicated by the letter P.

A dash (–) in a subentry represents the word at the beginning of the main entry: for example, **faire des –s** following **l'achat** means **faire des achats.**

Adjectives are shown in the masculine singular form followed by the appropriate feminine ending.

à to, at, in, on (I)
l'abeille *f.* bee (14)
abîmer to ruin (15)
abord: d'– first (I)
l'abricot *m.* apricot (8)
absolument absolutely (P)
acadien, -ienne Acadian (P)
accélérer to accelerate, to speed up (13)
l'accent *m.* accent; accent mark (P)
l'– aigu acute accent (´) (P)
l'– circonflexe circumflex accent (ˆ) (P)
l'– grave grave accent (`) (P)
accepter (de) to agree, to accept (4)
l'accident *m.* accident (11)
accompagner to accompany, to go with (I)
accord:
d'– okay (I)
être d'– to agree (14)
l'accordéon *m.* accordion (P)
accueillir to greet (P)
s'accuser to incriminate oneself (P)
l'achat *m.:* **faire des –s** to shop, to go shopping (I)
acheter to buy (6)
l'acteur *m.* actor (I)
l'activité *f.* activity (P)
l'actrice *f.* actress (I)
l'addition *f.* check, bill (I)
l'adresse *f.* address (14)
adroit, -e skillful (11)
adroitement skillfully (11)
l'adulte *m.&f.* adult (P)
l'aéroport *m.* airport (I)
les affaires *f.pl.* business (14)
la femme d'– *f.* businesswoman (I)
l'homme d'– *m.* businessman (I)
l'affection *f.* affection (P)
l'affiche *f.* poster (I)
affreux, -euse terrible, awful (I)
africain, -e African (12)
l'Afrique *f.* Africa (I)
l'âge *m.* age (I)
le moyen – Middle Ages (P)
quel – avez-vous? how old are you? (I)
l'agent *m.* policeman (I)
l'agneau *m.* lamb (P)
agréable pleasant (2)
agréablement pleasantly (3)
l'agriculteur *m.* farmer (I)
l'agriculture *f.* agriculture (12)
l'aide *f.* aid, help (P)
aider (à) to help (8)
aïe! ouch! ow! (14)
aigu: l'accent – acute accent (´) (P)
l'ail *m.* garlic (I)
ailleurs elsewhere (P)
d'– besides (9)
aimable nice, kind (I)
aimer to like, to love (I)
– mieux to prefer (I)
aîné, -e older (I)
l'aîné *m.,* **l'aînée** *f.* the older, the oldest (1)
ainsi in that way, thus (18)

l'air *m.* air (13)
avoir l'– + *adj.* to look (1)
l'hôtesse de l'– *f.* stewardess (I)
l'aise *f.:*
à l'– at ease, comfortable (4)
mal à l'– ill-at-ease, uncomfortable (4)
ajouter to add (13)
l'algèbre *f.* algebra (I)
l'allée *f.* path (P)
l'Allemagne *f.* Germany (I)
allemand, -e German (I)
l'allemand *m.* German *(language)* (I)
aller to go (I)
– bien to feel well, to feel fine (11)
– chercher to go get, to pick up (5)
– mal to feel sick (11)
– mieux to feel better (11)
allez, hop! up we go! (P)
allons-y! let's get going! (I)
s'en – to go away, to get out (15)
l'aller *m.* trip *(to a place)* (5)
un – one-way ticket (5)
un – et retour round-trip ticket (5)
allô hello *(on telephone)* (I)
allumer to light, to turn on (5)
l'allure *f.:* **suivre l'–** to keep up (P)
alors so, in that case, then (I)
l'alpinisme *m.:* **faire de l'–** to go mountain-climbing (I)
l'alpiniste *m.&f.* mountain-climber (18)
l'altitude *f.* altitude (P)
l'ambiance *f.* atmosphere (P)
ambitieux, -euse ambitious (11)
amener to bring *(s.o.)* (14)
américain, -e American (I)
le football – football (I)
l'Amérique *f.* America (I)
l'– centrale Central America (I)
l'– du Nord (Sud) North (South) America (I)
l'ameublement *m.:* **le rayon d'–** furniture department (3)
l'ami *m.*, **l'amie** *f.* friend (I)
l'amour *m.* love (7)
le film d'– love story (7)
l'amphi *m.* auditorium (1)
amusant, -e amusing, fun, enjoyable (1)
s'amuser to enjoy oneself, to have a good time (9)
l'an *m.:*
avoir . . . ans to be . . . years old (I)
le Jour de l'An New Year's Day (5)
l'ananas *m.* pineapple (8)
l'ancêtre *m.* ancestor (P)
l'anchois *m.* anchovy (P)
ancien, -ne old, ancient (1); former (2)
anglais, -e English (I)
l'anglais *m.* English *(language)* (I)
l'Angleterre *f.* England (I)
anglophone English-speaking (P)
l'animal, *pl.* **les animaux** *m.* animal (I)
animé, -e lively (9)
le dessin – movie cartoon (I)
l'année *f.* year (I)
l'– scolaire school year (P)
l'anniversaire *m.* birthday (I)
bon –! happy birthday! (I)
annoncer to announce (I)
l'anorak *m.* ski jacket (I)
l'anthropologie *f.* anthropology (12)
l'antilope *m.* antelope (P)
l'antonyme *m.* antonym (P)
août *m.* August (I)
l'appareil *m.* camera (15)
à l'– on the phone (4)
l'appartement *m.* apartment (I)
appartenir to belong (P)
appeler to call (6)
s'– to be named (I; 6)
l'appétit *m.* appetite (P)
bon –! enjoy your meal! (14)
l'applaudissement *m.* applause (P)
apporter to bring (I)
apprécier to appreciate (P)
apprendre to learn (I)
– à + *verb* to learn how (I)
– à *qqn* to teach (P)
– par cœur to memorize, to learn by heart (I)
s'approcher de to approach, to draw near (10)
après after, afterward (I)
d'– according to (5)
l'après-midi *m.* afternoon, in the afternoon (I)
de l'– P.M. (I)
l'aquarium *m.* aquarium (P)
l'araignée *f.* spider (14)
l'arbre *m.* tree (I)
l'architecture *f.* architecture (P)
ardu, -e arduous, difficult (P)
l'argent *m.* money (I)
l'arme *f.* weapon (P)
l'armée *f.* army (P)
l'armoire *f.* wardrobe, armoire (6)
l'arrêt *m.:* **l'– d'autobus** bus stop (2)
arrêter to stop *(s.o. or sth.)* (6)
s'– to stop (6)
arrière rear, back (4)
l'arrivée *f.* arrival (1); finish line (P)
arriver to arrive (I)
l'art *m.* art (15)
l'artichaut *m.* artichoke (8)
l'article *m.* article (15)
l'artifice: les feux d'– *m.pl.* fireworks (9)
l'artisan, *m.*, **l'artisane** *f.:* artisan (P)
l'artiste *m.&f.* artist (I)
l'ascenseur *m.* elevator (3)

l'Asie *f.* Asia (I)
s'assembler to assemble, to get together (P)
s'asseoir to sit down (P)
assez (de) enough (I)
— + *adj.* quite, pretty, rather + *adj.* (I)
l'assiette *f.* plate (I)
assis, -e seated, sitting (2)
assister à to attend (I)
associé, -e associated (P)
assourdir to deafen (P)
assurer to ensure, to assure (15)
Athènes Athens (I)
l'Atlantique *f.* Atlantic Ocean (I)
attendre to wait, to wait for (I)
attente: la salle d'— waiting room (10)
l'attention *f.*:
— au depart! all aboard! (5)
faire — (à) to pay attention (to); to watch out (for) (8)
atterrir to land (10)
attraper to catch (17)
au (à + le) (I)
l'auberge *f.* (country) inn (9)
l'aubergiste *m.&f.* innkeeper (9)
au-dessous de below (I)
au-dessus de above (I)
aujourd'hui today (I)
c'est — today is (I)
auquel *see* lequel
au revoir good-by (I)
aussi also, too (I)
— . . . que as . . . as (7)
aussitôt que as soon as (15)
l'Australie *f.* Australia (I)
l'auteur *m.* author (I)
l'auto *f.* car (4)
l'autobus *m.* bus (I)
l'autocar *m.* intercity bus (P)
l'automne *m.* autumn, fall (I)
l'autoroute *f.* expressway (13)
l'auto-stop *m.*: faire de l'— to hitchhike (I)
l'auto-test *m.* self-test (P)
autour (de) around (15)
autre other (I)
l'autre *m.&f.*: ni l'un(e) ni l'— neither one (4)
autrefois formerly (12)
l'Autriche *f.* Austria (I)
autrichien, -ienne Austrian (11)
aux (à + les) (I)
l'avance *f.*: en — early (2)
avant before (I); front (4)
avare stingy, greedy (I)
avec with (I)
— plaisir with pleasure (5)
l'avenue *f.* avenue (9)
dans l'— on the avenue (9)
aveugle blind (11)
l'aveugle *m.&f.* blind person (P)
l'avion *m.* airplane (I)
l'avis *m.* opinion (16)
à mon — in my opinion (16)
changer d'— to change one's mind (10)
l'avocat *m.*, l'avocate *f.* lawyer (I)
avoir to have, to get (I)
See also âge, air, an, besoin, chance, chaud, envie, faim, fièvre, froid, lieu, mal, mine, occasion, peur, raison, soif, sommeil, temps, tort
avril *m.* April (I)

le bac ferry (P)
les bagages *m.pl.* luggage, baggage (I)
faire ses — to pack one's bags (I)
la bague ring (I)
la baguette loaf (8)
la baie bay (12)
la baignoire bathtub (8)
le bain bath (8)
prendre un — de soleil to sunbathe (14)
la salle de —s bathroom (6)
le baiser kiss (P)
le bal masqué masked ball (P)
le balcon balcony (9)
la balle ball (17)
le ballon (inflated) ball (17)
la banane banana (8)
le banc bench (14)
la bande tape (I)
la banlieue suburb (4)
en — in the suburbs (4)
la banque bank (I)
le baptême baptism (P)
la barbe beard (11)
la —! darn! (P)
bas, basse low (18)
en bas below, downstairs (8)
plus bas more softly (7)
le bas stocking (I)
basé, -e based (P)
la base base (P)
le basketball basketball (I)
la bataille battle (P)
le bateau, *pl.* les bateaux boat (I)
le — à voiles sailboat (I)
le bateau-mouche, *pl.* les bateaux-mouches sightseeing boat (P)
bâti, -e built (P)
le bâtiment building (P)
bâtir to build (P)
le bâton pole (P)
battre to beat (P)
bavarder to talk, to chat, to gossip (4)
beau (bel), belle handsome, beautiful (I)
il fait beau it's nice out (I)
beaucoup very much, a lot (I)
— de much, many, a lot of (I)
— de monde a lot of people (I)
le beau-père father-in-law (P)
la beauté beauty (P)
le bébé baby (6)
bel *see* beau
belge Belgian (1)
la Belgique Belgium (I)
belle *see* beau
la belle-fille daughter-in-law (P)
la belle-mère mother-in-law (P)
la belle-sœur sister-in-law (P)

le berger, la bergère shepherd, shepherdess (P)
le besoin: avoir — de to need (I)
bête dumb, stupid (I)
la bête pet (3)
bêtement foolishly (3)
le beurre butter (I)
la tartine au — bread and butter (6)
la bibliothèque library (I)
bien well (I)
aller — to feel well (11)
— cuit, -e well-done (8)
— sûr of course, certainly (I)
ça fait du — that feels good (P)
ça va — things are fine (I)
bien que although (P)
bientôt soon (I)
à — see you later (I)
la bière beer (I)
le bifteck steak (I)
bilingue bilingual (P)
le billet ticket (1)
le — de première (deuxième) classe first-(second)-class ticket (5)
la biologie biology (I)
le bistrot neighborhood café (P)
la blague joke (P)
sans —! no kidding! (4)
blanc, blanche white (I)
le blé wheat (P)
bleu, -e blue (I)
blond, -e blond (I)
la blouse blouse (I)
bof! aw! (I)
boire to drink (10)
le bois wood (P)
la boisson drink, beverage (I)
la boîte box (I)
la — à gants glove compartment (P)
la — à musique music box (P)
la — à outils toolbox (10)
la — aux lettres mailbox (P)
mettre en — to can (P)
le bol bowl (I)
le bombardement bombardment (P)
bon, bonne good (I); right (4)
avoir bonne mine to look well (I)
— anniversaire! happy birthday! (I)
— appétit! enjoy your meal! (14)
— voyage! have a good trip! (10)
de bonne heure early (I)
les bonbons *m.pl.* candy (11)
le bonhomme guy, fellow (2)
bonjour hello (I)
le bord: au — de by (I)
le tableau de — dashboard (4)
bordé, -e bordered (P)
botanique botanical (P)
la botte boot (3)
le boubou long tunic (P)
la bouche mouth (11)
le boucher, la bouchère butcher, butcher's wife; butcher shop owner (3)
la boucherie butcher shop (3)
le boudin blood sausage (P)
le — blanc white sausage (P)
la bougie candle (5); spark plug (10)
la bouillabaisse bouillabaisse, fish stew (I)
le boulanger, la boulangère baker, baker's wife (3)
la boulangerie bakery (3)
les boules *f.pl.*: **le jeu de —** lawn bowling, boules (17)
jouer aux — to play boules (17)
le boulevard boulevard (9)
sur le — on the boulevard (9)
le bouquin book (18)
le bout end (7)
la bouteille bottle (8)
la boutique shop, boutique (I)
le bouton button (7)
le bracelet bracelet (I)
le bras arm (11)
la Bretagne Brittany (1)
bricoler to tinker, to do odd jobs (10)
le bricoleur, la bricoleuse handy person, "do-it-yourselfer" (10)
la brioche brioche (6)
se bronzer to get a suntan (14)
la brosse brush (6)
la — à cheveux hairbrush (6)
la — à dents toothbrush (6)
brosser to brush (6)
se — les cheveux to brush one's hair (6)
se — les dents to brush one's teeth (6)
la brousse bush country (12)
le bruit noise (I)
brûler to burn (8)
— un feu rouge (un stop) to run a red light (stop sign) (13)
brun, -e brown, brunette (I)
Bruxelles Brussels (I)
la bûche log (P)
le bûcheron woodcutter (P)
le buffet snack bar (5)
le buisson bush (P)
le bureau, *pl.* **les bureaux** desk; office (I)
l'employé *m.* **l'employée** *f.* **de —** office clerk (I)
le bus bus (2)

ça that (I)
— va? how are things? (I)
— va bien things are fine (I)
c'est — that's right (5)
comme ci, comme ça so-so (I)
cacher to hide (I)
le cadeau, *pl.* **les cadeaux** gift, present (I)

cadet, -ette younger (I)
le cadet, la cadette the younger, the youngest (1)
le café café; coffee (I)
le — au lait café au lait (I)
la terrasse d'un — sidewalk café (I)
la cafétéria cafeteria (P)
la cage cage (P)
le cahier notebook (I)
la caisse cash register; cashier's desk (3)
le caissier, la caissière cashier (3)
calé, -e smart (I)
le calendrier calendar (I)
camarade *m.&f.* friend (1)
— de chambre *m.&f.* roommate (P)
— de classe *m.&f.* classmate (1)
la caméra TV or movie camera (7)
le camion truck (I)
la campagne country, countryside (I)
le campeur, la campeuse camper (18)
le camping:
faire du — to go camping, to camp out (I)
le terrain de — campground (18)
le Canada Canada (I)
canadien, -ienne Canadian (I)
le canal, *pl.* canaux canal (P)
le canard duck (I)
le candidat candidate (P)
le canif pocketknife (10)
la cantine lunchroom (1)
la capitale capital *(city)* (12)
car because (12)
le car intercity bus (P)
la caractéristique characteristic (P)
le caramel: la crème — caramel custard (I)

la caravane van, camper (I)
le Carême Lent (P)
le carnaval carnival (P)
le carnet ticket book (7)
la carotte carrot (8)
le carrefour intersection (13)
la carte map; card (I)
la — orange Parisian commuter card (2)
la — postale post card (I)
la — routière road map (18)
le cas: en tout — in any case; at any rate (16)
le casier locker (1)
le casse-cou daredevil (P)
casser to break (I)
se — to break *(a bone)* (11)
la cathédrale cathedral (P)
la cavalcade cavalcade (P)
la cave cellar, wine cellar (8); cave (P)
la caverne cave, cavern (P)
ce (cet), cette this, that (I)
ce sont these are, those are, they are (I)
c'est this is, that is, it is (I)
c'est-à-dire that's to say (P)
la cédille cedilla (ç) (P)
la ceinture belt (I)
la — de sécurité seat belt (4)
cela (ça) that, it (4)
célèbre famous (I)
le céleri celery (8)
celle, *pl.* celles this one, that one, these, those (12)
celle-ci the latter (12)
celle-là the former (12)
celui, *pl.* ceux this one, that one; these, those (12)
celui-ci the latter (12)
celui-là the former (12)
le cendre ash (P)
cent hundred (I)
central, -e: l'Amérique —e *f.* Central America (I)
le centre center (P)
cependant however (I)
la cérémonie ceremony (P)
le cerf deer (15)
la cerise cherry (8)
certain, -e certain (10)
certainement certainly (10)

ces these, those (I)
cesser (de) to stop (1)
cet, cette *see* ce
chacun, chacune each (one) (2)
— son tour everyone in turn (2)
la chaise chair (I)
la chambre room (6;9)
la — à coucher bedroom (6)
la — à deux lits double room (9)
la — à un lit single room (9)
retenir une — to reserve a room (9)
le champ field (P)
le — de bataille battlefield (P)
le champagne champagne (5)
le champignon mushroom (P)
le champion, la championne champion (17)
la chance: avoir de la — to be lucky (I)
la Chandeleur Candlemas Day (Groundhog Day) (P)
le changement change (P)
le — de vitesse transmission (P)
changer (de) to change (5)
— d'avis to change one's mind (10)
la chanson song (I)
le chant singing; song (P)
chanter to sing (I)
le chanteur, la chanteuse singer (16)
le chapeau, *pl.* les chapeaux hat (I)
le chapitre chapter (I)
chaque each, every (I)
le char float (P)
la charcuterie delicatessen; delicatessen meats (3)
le charcutier, la charcutière deli owner, pork butcher (3)
chargé, -e loaded (P)
se charger de to take charge of, to be responsible for (9)
charmant, -e charming, nice (4)

le charpentier carpenter (15)
la chasse hunt (15)
le chasseur, la chasseuse hunter (15)
le – d'images photographer (P)
le chat cat (I)
le château, *pl.* **les châteaux** château, castle (I)
chaud, -e warm, hot (I)
avoir – to be warm (hot) (I)
il fait – it's warm (hot) out (P)
le chauffage heating (15)
chauffer to heat (15)
chaussé, -e shod (P)
la chaussette sock (I)
la chaussure shoe (I)
le chef chef (9)
le – d'orchestre conductor (16)
le chemin way, route (7)
la cheminée chimney, fireplace (8)
la chemise shirt (I)
le chêne oak (P)
cher, chère expensive (I); dear (14)
coûter cher to be expensive (I)
chercher to look for (I)
aller – to go get, to go pick up (5)
venir – to come get, to come pick up (5)
chéri *m.,* **chérie** *f.* dear (18)
le cheval, *pl.* **les chevaux** horse (I)
les cheveux *m.pl.* hair (6)
la brosse à – hairbrush (6)
se brosser les – to brush one's hair (6)
chez to (at) someone's house or business (I)
chic! neat! great! (I); chic, stylish (P)
le chien dog (I)
la chimie chemistry (I)
la Chine China (I)
chinois, -e Chinese (I)
le chinois Chinese *(language)* (I)
le chocolat: la mousse au – chocolate mousse (I)
le chœur chorus (P)
choisir to choose (I)
le choix choice (I)
la chose thing (5)
quelque – something (I)
le chou, *pl.* **les choux** cabbage (8)
la choucroute sauerkraut (P)
chouette! great! neat! (4)
le chou-fleur, *pl.* **les choux-fleurs** cauliflower (8)
chut! hush! (I)
ci:
-ci this, the latter (12)
comme ci, comme ça so-so (I)
le ciel sky, heaven (I)
la cigale locust (14)
le cinéma movies; movie theater (I)
cinq five (I)
cinquante fifty (I)
circonflexe: l'accent – circumflex accent (ˆ) (P)
la circulation traffic (I)
circuler to get around, to go around, to drive around (4)
ciré, -e polished (P)
le citron lemon (8)
le – pressé lemonade, citron pressé (I)
clair, -e bright, clear (9)
la clarinette clarinet (16)
clarinettiste *m.&f.* clarinet player (P)
la classe class (I)
le billet de première (deuxième) – first-(second)-class ticket (5)
la salle de – classroom (I)
classique classic, classical (7)
la clef key (I); wrench (10)
fermer à – to lock (I)
le climat climate (P)
la clinique clinic (12)
la cloche bell (P)
le clocher bell-tower (P)
le clou, *pl.* **les clous** nail (10)
le Coca Coke (I)
le cochon pig (I)
le cochonnet target ball *(in boules)* (P)
le cœur heart (11)
apprendre par – to memorize, to learn by heart (I)
le coffre trunk *(of car)* (4)
le coiffeur barber; hairdresser (15)
la coiffeuse hairdresser (15)
la coiffure: le salon de – beauty shop; barbershop (15)
le coin corner (I)
au – (de la rue) on the corner (I)
le col mountain pass (P)
la collection collection (P)
le collier necklace (I); dog collar (6)
la colline hill (18)
la colonie colony (12)
combien (de) how much? how many? (I)
– font? how much is? *(in math)* (I)
le commandant commandant (P)
commander to order (I)
comme like, as; for (I)
– ! how! (2)
– ci, – ça so-so (I)
le commencement beginning (I)
commencer to begin, to start (I)
comment how (I)
commercial, -e; -aux, -ales commercial (P)
le compartiment compartment (5)
complet, -ète full, complete (2)
le complet suit (I)
complètement completely (3)
le compositeur, la compositrice composer (16)
la composition composition (16)

comprendre to understand (I); to include (5)
le service est compris the tip is included (I)
compter to count (I)
— + *inf.* to intend, to count on, to plan to (5)
— **sur** to depend on (18)
le comptoir counter (3)
le concert concert (I)
concierge *m.&f.* concierge, janitor (I)
le concours: le — d'entrée entrance exam (P)
le conducteur, la conductrice driver (2)
conduire to drive, to lead, to conduct (13)
le permis de — driver's license (13)
le confetti confetti (P)
la confiture jam (I)
confondre to mix up (P)
le confort comfort (P)
confortable comfortable (4)
peu — uncomfortable (4)
la connaissance acquaintance (14)
faire la — de to meet (14)
connaître to know, to be acquainted with (I)
se — to know each other (14)
connu, -e known (P)
la conquête conquest (P)
le conseil council (P)
conseiller (à . . . de) to advise *(s.o. to do sth.)* (4)
le conseilleur, la conseilleuse advisor (P)
se conserver to keep, to stay fresh (P)
consommer to consume, to use (P)
constamment constantly (4)
construire to build, to construct (13)

contenir to contain (14)
content, -e happy (1)
le continent continent (I)
continental, -e; -aux, -ales continental (P)
continuer (à) to continue (7)
le contraire: au — on the contrary (4)
contrairement à in contrast to (P)
la contravention fine, ticket (13)
contre against (P)
la contrebasse bass (16)
contrebassiste *m.&f.* bass player (P)
le contrôle: la tour de — control tower (10)
le contrôleur conductor (2)
convenir (à) to suit, to be appropriate (to) (5)
la conversation conversation (4)
le copain, la copine friend (I)
Copenhague Copenhagen (I)
le coq rooster (I)
le — au vin chicken cooked in wine, coq au vin (I)
la coquille shell (P)
la corbeille wastebasket (I)
le cordonnier shoemaker; shoe repairman (P)
la cordonnerie shoe repair shop (P)
le corps body (P)
correct, -e correct (I)
correctement correctly (3)
le correspondant, la correspondante pen pal (14)
correspondre to correspond (14)
corriger to correct (16)
le costume costume (9)
la côte coast (12)
la Côte d'Azur the Riviera (I)
le côté side (7)
à — nearby (I)
à — de next to, beside (I)
le cou neck (11)
couchage: le sac de — sleeping bag (18)
coucher to put to bed (6)

la chambre à — bedroom (6)
se — to go to bed (6)
le coucher: le — du soleil sunset (15)
la couchette berth (5)
couler to flow (P)
la couleur color (I)
de quelle —? what color? (I)
le couloir corridor, hall (1)
le coup:
à — sûr for sure (8)
au premier — d'œil at first glance (15)
donner un — de main (à) to help, to give *(s.o.)* a hand (8)
jeter un — d'œil (sur) to take a look (at) (15)
le — de téléphone phone call (4)
tout à — suddenly (I)
couper to cut (8)
se — + *part of body* to cut *(oneself)* (11)
le couple couple (P)
la cour courtyard, playground *(of school)* (1)
le courage: bon —! good luck! (I)
la courbe curve (P)
le coureur, la coureuse runner (17)
la couronne crown (P)
le cours class, course (I)
la course race (17)
faire des —s to run errands (3)
la — à pied foot race (17)
la — d'autos auto race (17)
la voiture de — race car (17)
court, -e short (I)
le cousin, la cousine cousin (I)
le couteau, *pl.* **les couteaux** knife (I)
coûter to cost (I)
— cher to be expensive (I)
— peu to be inexpensive (I)
la coutume custom (P)

couvert, -e (de) covered (with) (11)
le couvert: mettre le — to set the table (I)
la couverture blanket (6)
couvrir to cover (16)
cracher to spit (P)
la craie chalk (I)
craindre to fear (15)
je crains que oui (non) I'm afraid so (not) (15)
la cravate necktie (I)
le crayon pencil (I)
la crèche creche, manger (5)
la crème cream (I)
la — caramel caramel custard (I)
la crémerie dairy shop (3)
créole *m.&f.* Creole (P)
la crêpe crêpe, pancake (P)
creuser to dig (P)
la crevette shrimp (P)
le cri shout (9)
crier to shout (9)
croire to believe, to think (I)
le croissant crescent roll, croissant (6)
le croque-monsieur grilled ham and cheese, croque-monsieur (I)
cru, -e raw (P)
les crudités *f.pl.* raw vegetables (P)
la cuillère spoon (I)
la cuisine kitchen (I)
faire la — to cook, to do the cooking (I)
la haute — gourmet cooking (P)
cuisiner to cook (8)
la cuisinière stove (I)
cuit:
bien cuit, -e well-done (8)
trop cuit, -e overdone (8)
le cuivre copper (P)
culinaire culinary (P)
cultiver to cultivate (P)
la culture culture (P)
culturel, -le cultural (P)
le cyclisme bike-riding (17)
faire du — to go bike-riding (17)
cycliste cycling (P)
cycliste *m.&f.* cyclist, bike-rider (17)

la dame lady (I)
le Danemark Denmark (I)
le danger danger (P)
dangereux, -euse dangerous (11)
danois, -e Danish (I)
le danois Danish *(language)* (I)
dans in, into (I)
la danse dance (I)
danser to dance (I)
le danseur, la danseuse dancer (16)
la date date (I)
de of; from; about; some, any (I)
débarrasser to clear (I)
déborder to overflow (P)
debout standing (up) (2)
le début beginning (10)
le débutant, la débutante beginner (P)
décembre *m.* December (I)
décidé -e: c'est — it's decided (18)
décider (de) to decide (4)
déclarer to declare (P)
décoller to take off (10)
la décoration decoration (5)
décorer to decorate (5)
décourager (de) to discourage (from) (12)
découvrir to discover; to uncover (16)
décrire to describe (7)
déçu, -e disappointed (18)
dedans: là-— in it (P)
défense de + *inf.!* no + *-ing!*
le défilé parade (9)
le degré degree (P)
dehors outside, outdoors (I)
déjà already (I)
déjeuner to have breakfast or lunch (I)
le déjeuner lunch (I)
le petit — breakfast (I)
délaisser to abandon (P)
délicat, -e delicate (P)
demain tomorrow (I)
demander to ask, to ask for (I)
— à to ask *(s.o.),* to ask *(s.o.)* for (I)
se — to wonder (P)
démarrer to start *(of machine)* (10)
déménager to move (16)
la demeure dwelling (P)
demie: *time* + **et —** half past (I)
une demi-heure half hour (3)
la demoiselle young lady (I)
dénouer to untie (P)
la dent tooth (6;11)
la brosse à — s toothbrush (6)
se brosser les —s to brush one's teeth (6)
le dentifrice toothpaste (6)
le départ departure, leaving (1)
le point de — departure point, starting point (10)
le département department (P)
se dépêcher to hurry (7)
dépendre (de) to depend (on) (P)
dépenser to dispense, to spend (P)
déposer to let off (P)
depuis since, for (11)
— combien de temps? how long? (11)
— quand? since when? since what time? (11)
déranger to disturb, to bother (17)
dernier, -ière last (I)
derrière behind (I)
des (de + les) (I)
dès que as soon as (15)
désagréable unpleasant, disagreeable (2)

descendre to come down, to go down (I); to take down, to bring down (5)
– **de** to come down from, to get off (I)
le désert desert (12)
désirer: vous désirez? can I help you? (5)
désolé, -e very sorry (13)
le dessert dessert (I)
le dessin drawing (15)
le – animé movie cartoon (15)
dessiner to draw (15)
dessous *see* **au-dessous de**
dessus on it, on that (10)
là-– on it, about it (18)
see also **au-dessus de**
la destination destination (10)
le détour detour, side trip (13)
faire un – to make a detour (13)
deux two (I)
tous (toutes) les – both (17)
la deux-chevaux Citroën 2-CV car (I)
devant in front of (I)
le développement development (P)
devenir to become (I)
devoir to have to, must; to owe (10)
les devoirs *m.pl.* homework (I)
la diapositive slide (P)
le dictionnaire dictionary (P)
Dieu God (P)
la différence difference (16)
différent, -e different (16)
difficile difficult, hard (I)
la difficulté difficulty (P)
dimanche *m.* Sunday (I)
la dinde turkey (P)
le dindon turkey (I)
dîner to dine, to have dinner (I)
le dîner dinner (I)

dire (à) to say (to), to tell (I)
c'est-à-– that's to say (P)
– à . . . de to tell *(s.o. to do sth.)* (7)
dis! say! (P)
vouloir – to mean (I)
direct, -e direct (5)
directement straight, directly (13)
la direction direction (7)
la directrice principal *(of lycée)* (1)
diriger to direct (12)
se – (vers) to head (toward) (7)
discuter de to discuss, to have a discussion about (17)
disparaître to disappear (P)
la dispute argument (17)
se disputer to argue (17)
le disque record (I)
la distance distance (P)
la distinction distinction (P)
distrait, -e absent-minded (10)
le divan sofa, couch (8)
divers, -e varied (P)
dix ten (I)
dix-huit eighteen (I)
dix-neuf nineteen (I)
dix-sept seventeen (I)
une dizaine de about ten (8)
le documentaire documentary (I)
la documentation: la salle de – school library (1)
le doigt finger (11)
dominer to overlook (P)
le dommage: c'est –! that's a shame! (17)
donc *emphatic exclamation* (I); therefore (10)
donner (à) to give (to) (I)
dont of whom; of which (14)
dormir to sleep (I)
le dos back (11)
le sac à – backpack (18)
le doublage dubbing (7)
doubler to pass *(on road)* (13)
doucement slowly, carefully (11)
la douche shower (8)
doué, -e gifted, talented (16)

douter to doubt (18)
une douzaine (de) a dozen (8)
douze twelve (4)
le dragon dragon (I)
le drap sheet (6)
le drapeau, pl. les drapeaux flag (I)
dresser to set up (P)
droit, -e right (7)
à –e (de) to the right (of) (I)
tourner à –e to turn right (7)
tout – straight ahead (7)
le droit right (P)
drôle funny (7)
– de funny (P)
du (de + le) (I)
duquel *see* **lequel**
durer to last (17)

l'eau, *pl.* **les eaux** *f.* water (I)
l'– minérale mineral water (I)
éblouissant, -e dazzling (P)
les échecs *m.pl.* chess (I)
s'éclairer to grow bright (P)
éclater to explode (P)
l'école *f.* school (I)
économique: les sciences –s *f.pl.* economics (12)
l'Ecosse *f.* Scotland (P)
écouter to listen (to) (I)
l'écran *m.* screen (7)
écrire to write (I)
l'écrivain *m.* writer (16)
écroulé, -e collapsed (P)
l'édifice *m.* edifice, building (P)
l'effet *m.*: **en –** indeed, you bet (I)
les efforts *m.pl.*: **faire des –** to make an effort (16)
l'église *f.* church (I)
l'électrophone *m.* record player (I)
l'électricien *m.* electrician (15)
l'élégance *f.* elegance (P)
élégant, -e elegant (P)
l'élément *m.* element (P)
l'éléphant *m.* elephant (I)

l'élève *m.&f.* pupil, student (I)
elle she, it; her (I)
elle-même herself (16)
elles *f.pl.* they, them (I)
elles-mêmes themselves (16)
l'embarquement *m.:* **la porte d'—** boarding gate (10)
embêtant, -e annoying (I)
l'emblème *m.* emblem, symbol (P)
l'embouteillage *m.* traffic jam (9)
emmener to take *(s.o.)* (6)
empêcher (de) to keep from, to prevent (17)
l'empereur *m.* emperor (P)
l'emploi *m.* job (I)
l'employé *m.*, **l'employée** *f.* employee, clerk (I)
l'— de bureau office clerk (I)
employer to use (12)
emprunter (à) to borrow (from) (I)
en in; to; some, any (I)
— + *clothing* in (I)
— + *vehicles* by (I)
— retard late (I)
enchanté, -e delighted, pleased (to meet you) (14)
encore again, still (6)
— une fois one more time (6)
pas — not yet (6)
encourager (à) to encourage (to) (12)
endormir to put to sleep (6)
s'— to go to sleep (6)
l'endroit *m.* place, spot (13)
énergique energetic, lively (I)
énergiquement energetically (P)
l'enfant *m.&f.* child (I)
enfin finally, at last (I)
s'enflammer to burst into flame (P)
ennuyer to bore (17)
ennuyeux, -euse boring, dull (I)
énorme enormous (10)
enregistrer: faire — to check (P)
l'enseignement *m.* teaching (P)
enseigner to teach (I)
ensemble together (4)
l'ensemble *m.* group (P)
l'— de all . . . together (P)
ensuite next, then (I)
entendre to hear (I)
enthousiaste enthusiastic (17)
entier, -ière entire, whole (3)
entièrement entirely (3)
entouré, -e (de) surrounded (by) (12)
entourer to surround (P)
entraîner to train (P)
entre between (5)
l'entrée *f.* entrance (1)
entrer (dans) to enter, to go in, to come in (I)
l'enveloppe *f.* envelope (I)
l'envie *m.:* **avoir — de** to want, to feel like (2)
environ about (P)
les environs *m.pl.* outskirts (16)
aux — de near, in the vicinity of (16)
envoyer to send (14)
s'épaissir to deepen (P)
épatant, -e terrific (P)
l'épaule *f.* shoulder (11)
l'épicerie *f.* grocery store (3)
les épinards *m.pl.* spinach (8)
l'éponge *f.* sponge (P)
l'époque *f.* era (P)
l'épouvante *f.* horror (7)
le film d'— horror film (7)
l'épreuve *f.* competition (P)
l'équipe *f.* team (11)
l'équipement *m.* equipment (P)
le rayon d'— de sports sporting goods department (3)
éreintant, -e grueling (P)
l'escalade *f.* climbing (P)
escalader to climb (15)
l'escale *f.* stop *(air travel)* (10)
faire — to stop over (10)
sans — nonstop (10)
l'escalier *m.* stairs, stairway (3)
l'— roulant *m.* escalator (3)
l'escargot *m.* snail (I)
l'esclavage *m.* slavery (P)
l'esclave *m.* slave (P)
l'Espagne *f.* Spain (I)
espagnol, -e Spanish (I)
l'espagnol *m.* Spanish *(language)* (I)
espérer to hope (6)
j'espère que oui (non) I hope so (not) (15)
l'esquimau, *pl.* **les esquimaux** *m.* ice cream bar (I)
essayer (de) to try; to try on (12)
l'essence *f.* gas, gasoline (13)
la pompe à — gas pump (13)
l'essuie-glace, *pl.* **les essuie-glaces** *m.* windshield wiper (4)
essuyer to wipe (12)
l'est *m.* east (I)
est-ce que *introduces a question* (I)
qu'— what? (I)
qui — whom? (I)
et and (I)
l'établissement *m.* establishment (P)
l'étage *m.* story *(of a building)*, floor (3)
au deuxième — on the third floor (3)
au premier — on the second floor (3)
l'étagère *f.* shelf (10)
l'étape *f.* stage (P)
les Etats-Unis *m. pl.* United States (I)
l'été *m.* summer (I)
éteindre to put out, to turn off (15)
s'— to go out (P)
éteint, -e extinct (P)
s'étendre to stretch out (P)
l'étiquette *f.* price tag (3)
l'étoile *f.* star (I)

étonné, -e astonished, amazed (17)
étonner to surprise, to astonish (17)
étranger, -ère foreign (10)
l'étranger: à l'— abroad (P)
étrangler to strangle (P)
être to be (I)
— d'accord to agree (14)
— en train de + *inf.* to be in the middle *(of doing sth.)* (4)
nous sommes lundi, etc. it's Monday, etc. (I)
l'être *m.* person (P)
étroit, -e narrow (I)
l'étude *f.* study (1)
faire ses —s to go to school, to be a student (4)
l'étudiant *m.*, **l'étudiante** *f.* student (I)
étudier to study (I)
euh er, uh (I)
l'Europe *f.* Europe (I)
européen, -ne European (12)
eux *m.pl.* they; them (I)
eux-mêmes themselves (16)
évidemment obviously (3)
évident, -e obvious (3)
l'évier *m.* sink (I)
exagérer to exaggerate (P)
l'examen *m.* exam, test (I)
passer un — to take a test (I)
rater un — to fail a test (I)
réussir à un — to pass a test (I)
examiner to examine (4)
excellent, -e excellent (I)
l'excursion *f.*: **faire une —** to take a short trip (13)
l'excuse *f.* excuse (P)
s'excuser to excuse oneself (P)
l'exemple *m.*: **par —** for example (I)
exercer to practice (P)
l'exercice *m.* exercise (P)
l'expérience *f.* experience (P)
l'expert *m.* expert (P)
l'explication *f.* explanation (14)
expliquer to explain (14)
l'exposition *f.* exposition, show (4)
l'express *m.* express train (5)

fabriquer to make, to manufacture (4)
la face: en — de opposite, across from (I)
se fâcher to get angry (10)
facile easy (I)
facilement easily (3)
la façon: de toute — anyhow, in any case (13)
le facteur postman (I)
faible weak (18)
la faiblesse weakness (P)
la faim: avoir — to be hungry (I)
faire to do, to make (I)
ça fait that makes, that comes to (5)
ça ne fait rien it doesn't matter (4)
— attention (à) to watch out (for) (8)
— de + *school subjects* to take (I)
— part (à) to inform, to announce (P)
— partie de to be part of (11)
— peur à to frighten, to scare (I)
— plaisir à to please (12)
tout à fait completely (5)
See also **achat, alpinisme, auto-stop, bagages, beau, camping, chaud, combien, connaissance, courses, cyclisme, détour, efforts, escale, étude, excursion, frais, froid, gymnastique, jour, matinée, mauvais, ménage, nuit, peinture, pique-nique, plein, progrès, queue, randonnée, ski, soleil, stage, tableau, valise, vent, visite, voyage**
la falaise cliff (P)
falloir to be necessary, to have to, must (I)
la famille family (I)
fana *m.&f.* fan (P)
le fanfare brass band (P)
la fantaisie fantasy (P)
fasciné, -e fascinated (P)
fatigué, -e tired (I)
il faut *see* **falloir**
la faute mistake (I)
le fauteuil armchair (8)
faux, fausse false (3)
félicitations! congratulations! (I)
la femme woman; wife (I)
la — d'affaires businesswoman (I)
la fenêtre window (I)
la ferme farm (I)
fermer to close (I); to turn off (P)
— à clef to lock (I)
la ferveur fervor (P)
le festival festival (9)
la fête party, celebration (I)
la Fête des Mères (des Pères) Mother's (Father's) Day (I)
fêter to celebrate (5)
le feu, *pl.* **les feux** fire (8); traffic light (13)
les feux d'artifice fireworks (9)
la feuille leaf (I)
la fève bean (P)
février *m.* February (I)
fiancé, -e engaged (I)
le fiancé, la fiancée fiancé, fiancée (I)
fier, fière proud (P)
la fièvre fever (11)
avoir de la — to have a fever (11)
la figure face (6)
se laver la — to wash one's face (6)
figurez-vous just imagine (P)
le filet net shopping bag (8)

la fille daughter; girl (I)
la jeune – girl (I)
le film movie, film (I)
le – d'amour love story (7)
le – drôle comedy (7)
le – d'épouvante horror film (7)
le – policier detective film (I)
le fils son (I)
la fin end (I)
finir to finish (I)
flamand, -e Flemish (I)
le flamand Flemish *(language)* (I)
flâner to stroll (14)
la flèche arrow (15); spire (P)
la fleur flower (I)
le fleuve river (I)
la flûte flute (16)
flûtiste *m.&f.* flutist (P)
fois times *(in math)* (I)
la fois time (I)
à la – at the same time (18)
deux – twice (I)
encore une – one more time, once more (6)
la trente-sixième – the umpteenth time (3)
quelque– sometimes (I)
une – once (I)
une – que once (12)
folklorique folk (16)
la fontaine fountain (14)
le football soccer (I)
le – américain football (I)
la forêt forest (12)
formidable fantastic (18)
fort, -e strong (18)
– en + *school subjects* good in (I)
la forteresse fortress (P)
le foulard scarf (I)
la foule crowd (2)
la fourchette fork (I)
la fourmi ant (14)
la fragilité fragility (P)
frais, fraîche cool, fresh (14)
il fait frais it's cool out (I)
la fraise strawberry (8)
le franc franc (I)
français, -e French (I)
le français French *(language)* (I)
la France France (I)
francophone French-speaking (P)
frapper (à) to knock (on) (I)
freiner to put on the brakes (13)
les freins *m.pl.* brakes (4)
frémir to rustle (P)
le frère brother (I)
le frigo refrigerator, fridge (8)
frites: les pommes – *f.pl.* French fries (I)
froid, -e cold (I)
avoir – to be cold (I)
il fait – it's cold out (I)
le fromage cheese (I)
les fruits *m.pl.* fruit (I)
les – de mer shellfish (P)

le gâchis mess (I)
le gagnant winner (P)
gagner to win (17)
le galet pebble, stone (18)
la galette des rois Epiphany cake (P)
le gant glove (I)
le garage garage (I)
garagiste *m.&f.* garage owner; garage man (13)
le garçon boy; waiter (I)
garder to hold, to keep (14); to watch (15)
– les enfants to babysit (P)
le gardien, la gardienne guard (15)
la gare railroad station (I)
garer to park (9)
garni, -e garnished (P)
gaspiller to waste (16)
la gastronomie gastronomy, cooking (P)
le gâteau cake (14)
gauche left (7)
à – (de) to the left (of) (I)
tourner à – to turn left (7)
geler to freeze (I;6)
le gendre son-in-law (P)
gêné, -e annoyed (P)
gêner to bother (4)
la génération generation (P)
généreusement generously (3)
généreux, -euse generous (I)
le genou, *pl.* **les genoux** knee (11)
les gens *m.pl.* people (I)
gentil, -le nice (2)
la géographie geography (I)
la géométrie geometry (I)
le geste gesture (I)
le gigot leg of lamb (I)
la girafe giraffe (I)
la glace ice; ice cream (I); side window *(of car)* (4)
l'essuie-– windshield wiper (4)
glisser to glide (P)
la godasse clodhopper (P)
le golf golf (17)
jouer au – to play golf (17)
le joueur, la joueuse de – golfer (17)
le terrain de – golf course (17)
la gomme eraser (I)
la gorge throat (11)
gothique gothic (P)
le goût taste (P)
goûter to taste (5)
le goûter afternoon snack (I)
le gouvernement government (P)
gouverner to govern (P)
grâce à thanks to (P)
grand, -e big, large (I)
le – magasin department store (I)
la Grande Bretagne Great Britain (1)
la grand-mère grandmother (I)
le grand-père grandfather (I)
les grands-parents *m.pl.* grandparents (I)
grasse: faire la – matinée to sleep late (I)
grave serious (10)
l'accent – grave accent (`) (P)

grec, grecque Greek (I)
le **grec** Greek *(language)* (I)
la **Grèce** Greece (I)
la **grenadine** grenadine (I)
le **grenier** attic (8)
la **grenouille** frog (14)
grillé: le pain — toast (6)
gris, -e gray (I)
gros, grosse fat, large (I)
grossir to gain weight, to get fat (I)
la **grotte** cave (15)
le **groupe** group (16)
la **Guadeloupe** Guadeloupe (P)
guérir to heal, to get well (11)
le **guérisseur** local healer (12)
la **guerre** war (P)
le **guichet** ticket window (5)
le **guide** guidebook (18)
guide *m.&f.* guide (P)
le **Guignol** Guignol, Punch and Judy (I)
la **guitare** guitar (I)
guitariste *m.&f.* guitar player (P)
le **gymnase** gymnasium (I)
gymnaste *m.&f.* gymnast (17)
la **gymnastique** gymnastics (17)
faire de la — to do gymnastics (17)

habiller to dress *(s.o.)* (6)
s'— to get dressed (6)
les **habitants** *m.pl.* inhabitants (15)
habiter to live, to live in (I)
les **habits** *m.pl.* clothes (I)
l'**habitude** *f.*: **d'—** usually (I)
s'habituer à to get used to (12)
Haïti Haiti (I)
haïtien, -ne Haitian (P)
le***hamster** hamster (3)
le***hangar** hangar (P)
les***haricots verts** *m.pl.* green beans (I)
***haut, -e** high (18)
à —e voix aloud, out loud (7)
en — above, upstairs (8)
la —e cuisine gourmet cooking (P)
plus — louder (7)
le***hautbois** oboe (16)
***hautboïste** *m.&f.* oboist (P)
le***haut-parleur** loudspeaker (5)
hebdomadaire weekly (P)
***hein** eh, huh (I)
l'**herbe** *f.* grass (I); herb (P)
l'**heure** *f.* hour, o'clock (I)
à l'— on time (I)
à quelle —? what time? at what time? (I)
à une (deux) —(s) at 1:00 (2:00) (I)
de bonne — early (I)
les —s de pointe rush hour (2)
quelle — est-il? what time is it? (I)
tout à l'— in a little while (1)
un quart d'— 15 minutes (3)
heureusement fortunately (2)
heureux, -euse happy (I)
hier yesterday (I)
— soir last night, last evening (I)
l'**hippopotame** *m.* hippopotamus (I)
l'**histoire** *f.* story; history (I)
l'**hiver** *m.* winter (I)
le***hockey** hockey (I)
***hollandais, -e** Dutch (I)
le***hollandais** Dutch *(language)* (I)
l'**homme** *m.* man (I)
l'— d'affaires businessman (I)
l'**honneur** *f.* honor (P)
honorer to honor (P)
l'**hôpital,** *pl.* **les hôpitaux** *m.* hospital (I)
l'**horaire** *m.* timetable (I)
l'**horreur** *f.*: **quelle —!** how awful! (1)
les***hors-d'œuvre** *m.pl.* appetizers, hors d'œuvres (I)
le***hot dog** hot dog (P)
l'**hôte** *m.* host (P)
l'**hôtel** *m.* hotel (I)
l'**hôtesse de l'air** *f.* stewardess (I)
le***hourra** hurrah (P)
l'**huile** *f.* oil (I)
***huit** eight (I)
— jours a week (I)
une huitaine de jours about a week (8)
l'**huître** *f.* oyster (I)
l'**hymne** *m.* hymn (P)

ici here; this is *(on telephone)* (I)
l'**idée** *f.* idea (12)
il he, it (I)
il y a there is, there are (I)
— + *time* ago (I)
— + *time* + **que** + *passé composé* since (11)
— + *time* + **que** + *present* for (11)
l'**île** *f.* island (12)
les **illuminations** *f.pl.* outdoor lighting *(for celebrations)* (9)
ils *m.pl.* they (I)
l'**image** *f.* picture (I)
imaginer to imagine (P)
immédiatement immediately (17)
l'**immeuble** *m.* apartment building (I)
immunisé, -e immunized (P)
impatiemment impatiently (3)
impatient, -e impatient (2)
l'**imperméable** *m.* raincoat (I)
impoli, -e impolite (2)
impoliment impolitely (3)
important, -e important (1)

*Words marked by an asterisk begin with aspirate *h,* so there is no liaison or elision.

importer: n'importe quel (quelle) any (P)
impossible impossible (I)
impressionnant, -e impressive (18)
impressionner to impress (11)
inaccessible inaccessible (P)
inconnu, -e unknown (I)
l'inconnu *m.*, l'inconnue *f.* stranger (I)
incorporer to incorporate (P)
l'indépendance *f.* independence (P)
indépendant, -e independent (P)
indicateur: le plan — lighted métro map (7)
inépuisable inexhaustible (P)
l'infirmier *m.*, l'infirmière *f.* nurse (I)
l'influence *f.* influence (P)
l'ingénieur *m.* engineer (I)
inquiet, -iète worried (I)
s'inquiéter to worry (P)
l'insecte *m.* insect (14)
installer to install, to build (P)
l'instant *m.* moment (16)
l'instituteur *m.*, l'institutrice *f.* elementary school teacher (P)
intelligemment intelligently (3)
intelligent, -e intelligent (2)
interdit, -e banned (P)
intéressant, -e interesting (I)
intéresser to interest (15)
l'intérêt *m.* interest (P)
l'intérieur *m.*: à l'— inside, indoors (I)
international, -e; -ales, -aux international (P)
l'interruption *f.* interruption (P)
l'invitation *f.* invitation (5)
inviter to invite (I)
l'Italie *f.* Italy (I)
italien, -ienne Italian (I)
l'italien *m.* Italian *(language)* (I)

jamais ever, never (4)
ne . . . — never (I)
la jambe leg (11)
le jambon ham (I)
janvier *m.* January (I)
le Japon Japan (I)
japonais, -e Japanese (I)
le japonais Japanese *(language)* (I)
le jardin garden (I)
jaune yellow (I)
jaunir to turn yellow (I)
le jazz jazz (16)
je I (I)
le jean jeans (I)
la jeep jeep (P)
jeter to throw; to throw away (6)
— un coup d'œil (sur) to take a look (at) (15)
le jeu, *pl.* les jeux game (17)
le — de boules lawn-bowling (17)
vieux — old fashioned (3)
jeudi *m.* Thursday (I)
jeune young (I)
la — fille girl (I)
la jeunesse youth (P)
la joie joy (P)
joli, -e pretty (I)
jouer to play (I)
— à to play *(games, sports)* (I)
— de to play *(musical instruments)* (I)
— une pièce to put on a play (I)
le jouet toy (3)
le joueur, la joueuse player (17)
— de golf golfer (17)
le jour day (I)
huit —s a week (I)
il fait — it's daytime, it's light out (I)
le Jour de l'An New Year's Day (5)
par — per day (P)
quel — sommes-nous? what day is it? (I)
quinze —s two weeks (I)
tous les —s every day (I)
une huitaine de —s about a week (8)
une quinzaine de —s about two weeks (8)
le journal, *pl.* les journaux newspaper (I); diary (P)
le — télévisé TV news (I)
journaliste *m.&f.* journalist (15)
la journée (the whole) day (I)
joyeux, -euse joyous (P)
le juge judge (I)
juillet *m.* July (I)
juin *m.* June (I)
jumeau, jumelle twin *(adj.)* (17)
le frère jumeau twin brother (17)
la sœur jumelle twin sister (17)
le jumeau, la jumelle twin (17)
la jungle jungle (12)
la jupe skirt (I)
le jus juice (8)
jusqu'à until (I); to, up to (7)
juste just, right, exactly (5)
justement exactly (14)

le képi military cap (P)
le kilo kilogram (8)
le kilomètre kilometer (7)
être à deux —s de to be two km from (7)

la (l') *f.* the; her, it (I)
là here, there (I)
-là that; the former (12)
là-bas there, over there (I)
le labo(ratoire) lab(oratory) (1)
le — de chimie chemistry lab (1)
le — de langues language lab (1)
le lac lake (I)
là-dedans in it (P)
là-dessus on it, about it (18)
laid, -e ugly (I)
la laisse leash (P)

laisser to leave (behind) (I)
— + *inf.* to let, to allow (9)
— **de la place (à)** to leave room (for) (2)
— **tomber** to drop (17)
le lait milk (I)
le café au — café au lait (I)
la laitue lettuce (8)
la lampe lamp (6); flash attachment (15)
lancer to throw (17)
la langouste prawn (P)
la langue language (I)
la — vivante modern language (P)
la lanterne lantern (18)
large wide (I)
le latin Latin (P)
le lavabo bathroom sink (6)
laver to wash *(s.o. or sth.)* (6)
se — to wash oneself (6)
se — la figure to wash one's face (6)
se — les mains to wash one's hands (6)
le (l') *m.* the; him, it (I)
la leçon lesson (I)
la lecture reading (P)
la légende legend (P)
léger, légère light *(in weight)* (18)
le légume vegetable (I)
le lendemain (de) the day after, the next day (5)
lent, -e slow (3)
lentement slowly (I)
le léopard leopard (I)
lequel, laquelle, lesquels, lesquelles which, which one, which ones (12)
les *m.&f.pl.* the; them (I)
la lettre letter (I)
leur to (for, from) them (I)
leur, -s their (I)
le leur, la leur; les leurs theirs (11)
lever to raise (6)
se — to get up, to rise (6)
le lever: le — du soleil sunrise (15)
la librairie bookstore (I)
libre unoccupied, free (I)
le lieu:
au — de instead of (10)
**avoir — ** to take place (4)
la ligne line (4;7)
le lion lion (I)
lire to read (I)
Lisbonne Lisbon (I)
le lit bed (6)
au — in bed (6)
la chambre à deux —s double room (9)
la chambre à un — single room (9)
le wagon-— sleeping car (5)
le litre liter (13)
le livre book (I)
le — de poche paperback (I)
loin (de) far (from) (I)
Londres London (I)
long, longue long (I)
longtemps a long time (I)
lorsque when (15)
la Louisiane Louisiana (P)
lourd, -e heavy (18)
lui him; to (for, from) him (her) (I)
lui-même himself (16)
la lumière light (9)
lundi *m.* Monday (I)
la lune moon (I)
les lunettes *f.pl.* glasses (11)
les — de soleil sunglasses (11)
le lycée high school (I)
le lycéen, la lycéenne high school student (1)

ma my (I)
le machin thingamajig, thing (10)
la machine machine (10)
la — à écrire typewriter (P)
la — à laver washing machine (P)
la — à laver la vaisselle dishwasher (P)
madame, *pl.* **mesdames** Mrs., ma'am (I)
mademoiselle, *pl.* **mesdemoiselles** Miss (I)
le magasin store (I)
le grand — department store (I)
le magnétophone tape recorder (I)
magnifique magnificent, wonderful (9)
mai *m.* May (I)
maigre thin, skinny (I)
maigrir to lose weight, to get thin (I)
le maillot bathing suit (I)
la main hand (6)
donner un coup de — (à) to help, to give *(s.o.)* a hand (8)
se laver les —s to wash one's hands (6)
maintenant now (I)
maintenir to preserve (P)
mais but (I)
— non of course not, heck no (I)
la maison house (I)
le maître, la maîtresse private teacher (16); master (P)
mal bad; badly (I)
le mal:
aller — to feel sick (11)
avoir le — du pays to be homesick (1)
avoir — à to have a pain in (11)
— à l'aise ill-at-ease, uncomfortable (4)
pas — de quite a few (P)
malade sick (11)
malade *m.&f.* patient, sick person (11)
la maladie illness (P)
maladroit, -e clumsy, awkward (11)
malheureusement unfortunately (I)
le Mali Mali (I)
malien, -ienne Malian (I)

la malle trunk (I)
maman *f.* mother, mom (I)
manger to eat (I)
la salle à — dining room (I)
manquer to miss (2)
le manteau, *pl.* **les manteaux** coat, overcoat (I)
le marchand, la marchande merchant, shopkeeper (3)
le — de fruits; le — de légumes produce vendor (3)
la marche step (P)
le marché market (I)
bon — inexpensive, at a bargain price (3)
marcher to walk, to step (7); to work, to run *(machines)* (10)
mardi *m.* Tuesday (I)
le — gras Mardi Gras (P)
le mari husband (I)
marié, -e married (I)
le marin sailor (I)
marocain, -e Moroccan (P)
la marque brand, make (4); mark (P)
marron brown, chestnut (2)
le marron chestnut (P)
mars *m.* March (I)
le marteau hammer (10)
la Martinique Martinique (P)
le masque mask (P)
le mât mast (P)
le match, *pl.* **les matchs** game, match (I)
le — nul tie game (17)
maternel, -le: la langue — mother tongue (P)
les mathématiques, les maths *f.pl.* mathematics, math (I)
le matin morning, in the morning (I)
du — A.M. (I)
tous les —s every morning (I)
la matinée (the whole) morning (I)
faire la grasse — to sleep late (I)
mauvais, -e bad (I); wrong (4)
il fait — it's bad out, it's nasty out (I)
me (m') to (for, from) me (I)
le mécanicien, la mécanicienne mechanic (13)
méchant, -e naughty; mean (I)
le médecin doctor (I)
la médecine medicine *(field of)* (12)
le médicament medicine (11)
la Méditerranée Mediterranean (I)
meilleur, -e better, best (7)
même same (I); even (12)
en — temps que at the same time (as) (10)
-même self (16)
quand — anyway, just the same (1)
menacer to threaten (P)
le ménage: faire le — to do the housework (I)
la ménagère housewife (I)
mener to lead (15)
le menu menu (P)
la mer sea (I)
merci thank you, thanks (I)
mercredi *m.* Wednesday (I)
la mère mother (I)
merveilleux, -euse wonderful, magical (P)
mes *pl.* my (I)
la messe mass (5)
messieurs-dames ladies and gentlemen (I)
la méthode method (P)
le métier profession, occupation (15)
le mètre meter (P)
le métro subway (7)
le metteur en scène movie director (7)
mettre to put, to place; to put on (I)
— le couvert to set the table (I)
se — au travail to begin or set to work (15)
se — en route to start, to start off (13)
les meubles *m.pl.* furniture (8)
mexicain, -e Mexican (I)
Mexico Mexico City (I)
le Mexique Mexico (I)
le microphone microphone (P)
midi noon (I)
le mien, la mienne; les miens, les miennes mine (11)
mieux better (7)
aimer — to prefer (I)
aller — to feel better (11)
le (la, les) — best (7)
mil thousand *(in dates)* (I)
le milieu middle (1)
au — de in the middle of (I)
mille thousand (I)
les milliers thousands (P)
millionnaire *m.&f.* millionaire (P)
la mine: avoir bonne (mauvaise) — to look well (ill) (I)
minérale: l'eau — *f.* mineral water (I)
minuit midnight (I)
la minute minute (8)
le miroir mirror (8)
la mission mission (P)
mixte coed (4)
la mode: à la — stylish (3)
le mode: le — de vie way of life (P)
moderne modern (1)
les mœurs *f.pl.* customs (P)
moi me; I (I)
moi-même myself (16)
moins minus (I)
au — at least (P)
de — en — less and less (12)
le (la, les) — the least (7)
— . . . que less . . . than (7)
time + **— le quart** quarter to (I)
le mois month (I)
la moitié half (14)
le moment moment (8)
mon my (I)

le **monde** world (I)
beaucoup de — a lot of people (I)
tout le — everyone, everybody (I)
mondial, -e *adj.* world (P)
la **monnaie** change (3)
monolingue monolingual (P)
monsieur, *pl.* **messieurs** Mr., sir (I)
le — man, gentleman (I)
la **montagne** mountain (I)
à la — to (in) the mountains (I)
monter to go up, to come up, to climb (I); to take up, to bring up (5)
— dans to get on (I)
la **montre** (wrist)watch (I)
Montréal Montreal (I)
montrer (à) to show (to) (I)
mort *past participle of* **mourir** (I)
Moscou Moscow (I)
le **mot** word (I)
le **motel** motel (P)
le **moteur** motor (4)
la **moto** motorbike (I)
la **mouche** fly (14)
le **mouchoir** handkerchief (I)
mouillé, -e wet (17)
le **moulin** mill (P)
le — à vent windmill (P)
mourir to die (I)
la **mousse: la — au chocolat** chocolate mousse (I)
la **moustache** moustache (11)
le **moustique** mosquito (14)
le **mouton** sheep (I)
le **mouvement** movement (P)
moyen, -enne: le — âge Middle Ages (P)
les **moyens** *m.pl.* means (P)
le **mur** wall (8)
le **musée** museum (I)
le **musicien, la musicienne** musician (16)
la **musique** music (I)

le **mystère** mystery (P)
mystérieux, -euse mysterious (P)

nager to swim (I)
le **nageur, la nageuse** swimmer (17)
naître to be born (I)
la **nappe** tablecloth (I)
la **natation** swimming (17)
national, -e; -aux, -ales national (P)
naturel, -le natural (I)
nautique *see* **ski**
le **navire** ship (P)
ne:
— . . . jamais never (I)
— . . . pas not (I)
— . . . personne nobody, no one, not anyone (I)
— . . . plus no longer, not anymore (I); no more, not any more (3)
— . . . que only (I)
— . . . rien nothing, not anything (I)
né *past participle of* **naître** (I)
nécessaire necessary (16)
la **neige** snow (I)
neiger to snow (I)
n'est-ce pas? *interrogative tag* aren't I? isn't it? don't we? etc. (I)
nettoyer to clean (12)
neuf nine (I)
le **neveu,** *pl.* **les neveux** nephew (I)
le **nez** nose (11)
ni . . . ni neither, nor (4)
— l'un(e) — l'autre neither one (4)
niçoise *see* **salade**
la **nièce** niece (I)
Noël Christmas (I)
la veille de — Christmas Eve (I)
le **noël** Christmas carol (P)
noir, -e black (I)
le **Noir, la Noire** black person (I)

le **nom** name (9)
au — de in the name of, for (9)
le **nombre** number (P)
nommer to name (P)
non no (I)
le **nord** north (I)
l'Amérique du Nord *f.* North America (I)
le **nord-est** northeast (I)
le **nord-ouest** northwest (I)
normal: en — with regular gas (13)
la **Norvège** Norway (I)
norvégien, -ienne Norwegian (I)
le **norvégien** Norwegian *(language)* (I)
nos *pl.* our (I)
la **nostalgie** nostalgia (P)
la **note** note; grade (16)
notre our (I)
le **nôtre, la nôtre; les nôtres** ours (11)
nous we, us; to (for, from) us (I)
nous-mêmes ourselves (16)
nouveau (nouvel), nouvelle new (I)
de nouveau again (12)
les **nouvelles** *f.pl.* news (P)
novembre *m.* November (I)
le **nuage** cloud (I)
la **nuit** night, the dark (I)
il fait — it's nighttime, it's dark out (I)
nul, nulle:
le match — tie game (17)
— en + *school subjects* no good in (I)
le **numéro** number (2)

l'**objet** *m.* object (P)
obligatoire obligatory (P)
obscur, -e dark, dim (9)
l'**occasion** *f.:* **avoir l'— (de)** to have a chance (to), to have the opportunity (to) (18)

occupé, -e busy, occupied (I)
l'**océan** *m.* ocean (I)
octobre *m.* October (I)
l'**odeur** *f.* odor, smell (8)
l'**œil,** *pl.* **les yeux** *m.* eye (11)
au premier coup d'— at first glance (15)
jeter un coup d'— (sur) to take a look (at) (15)
l'**œuf** *m.* egg (I)
officiel, -le official (P)
officiellement officially (P)
offrir (à) to offer (to), to give (to) (I)
l'**oignon** *m.* onion (I)
la soupe à l'— onion soup (I)
l'**oiseau,** *pl.* **les oiseaux** *m.* bird (I)
olympique Olympic (P)
l'**ombre** *f.* shadow (P)
l'**omelette** *f.* omelette (I)
l'**omnibus** *m.* local train (5)
on we, they (I)
l'**oncle** *m.* uncle (I)
onze eleven (I)
l'**opéra** *m.* opera, opera house (I)
oral, -e; -aux, -ales oral (P)
orange orange (2)
l'**orange** *f.* orange (8)
l'**orangeade** *f.* orangeade (I)
l'**orchestre** *m.* orchestra (16)
le chef d'— conductor (16)
l'**oreille** *f.* ear (11)
l'**oreiller** *m.* pillow (6)
l'**organisation** *f.* organization (P)
organiser to organize (I)
original, -e; -aux, -ales original (7)
l'**origine** *f.* origin (P)
l'**orteil** *m.* toe (11)
l'**orthographe** *f.* spelling (P)
ou or (I)
où where (I)
d'— from where (I)
oublier (de) to forget (to) (I)
l'**ouest** *m.* west (I)
oui yes (I)
l'**ours** *m.* bear (I)
l'**oursin** *m.* sea urchin (P)
l'**outil** *m.* tool (10)
la boîte à —s toolbox (10)
outre-mer overseas (P)
l'**ouvreuse** *f.* usher (7)
l'**ouvrier** *m.,* l'**ouvrière** *f.* worker, laborer (I)
ouvrir to open (I); to turn on (P)

le **Pacifique** Pacific Ocean (I)
la **page** page (I)
le **pain** bread (I)
le — de campagne round loaf (P)
le — grillé toast (6)
la **paire** pair (3)
le **pamplemousse** grapefruit (8)
le **panier** basket (14)
le **panorama** panorama (P)
le **pantalon** pants, slacks (I)
papa *m.* father, dad (I)
le **papier** paper (I)
le **papillon** butterfly (14)
la **Pâque** Passover (P)
Pâques Easter (P)
le **paquet** package (I)
par by (I); per (P)
— exemple for example (I)
— ici over here (P)
— jour per day (P)
regarder — to look out of (I)
le **parapluie** umbrella (I)
le **parc** park (I)
parce que because (I)
parcourir to cover (P)
pardon excuse me, pardon me (I)
le **pare-brise,** *pl.* **les pare-brise** windshield (4)
pareil, -le similar (P)
les **parents** *m.pl.* parents (I)
paresseux, -euse lazy (I)
parfait, -e perfect (5)
parfaitement perfectly (5)
parfois at times (P)
le **parfum** perfume (5)
parier to bet (11)
parler to talk, to speak (I)
parmi among (12)
la **paroisse** parish (P)
parsemé, -e (de) dotted with (P)
le **participant,** la **participante** participant (9)
participer à to participate in (9)
particulier, -ière particular (P)
la **partie** part (11)
faire — de to be part of (11)
partir (de) to leave (I)
partout everywhere (3)
pas not (I)
ne . . . — not (I)
— de + *noun* no (I)
— du tout not at all (I)
— encore not yet (6)
le **passager,** la **passagère** passenger (2)
le **passé** past (P)
passer to spend *(time)* (I); to pass (P)
— au rouge (vert) to turn red (green) *(traffic light)* (13)
— un examen to take a test (I)
se — to happen (2)
passionnant, -e exciting, terrific (4)
passionné, -e par enthusiastic about (I)
la **pâte** dough (P)
le **pâté** pâté (3)
patiemment patiently (3)
patient, -e patient (2)
le **patin à glace** ice skate (11)
le **patinage** skating (P)
patiner to skate (11)
le **patineur,** la **patineuse** ice skater (11)
la **patinoire** skating rink (11)
la **pâtisserie** pastry (I); pastry shop (3)
le **pâtissier,** la **pâtissière** pastry chef, pastry shop owner (3)
pauvre poor (I)

payer to pay, to pay for (12)
le **payeur, la payeuse** payer (P)
le **pays** country (I)
avoir le mal du — to be homesick (1)
le **paysage** landscape, scenery (12)
les **Pays-Bas** *m.pl.* the Netherlands (I)
la **pêche** peach (8)
le **peigne** comb (6)
peigner to comb someone's hair (6)
se — to comb one's hair (6)
peindre to paint (15)
peine: à — hardly (P)
le **peintre** painter (16)
la **peinture** painting (15)
faire de la — to paint (15)
Pékin Peking (I)
la **pelouse** lawn (14)
se **pencher (sur)** to bend (over), to lean (over) (10)
pendant during (I); for (4)
— **que** while (I)
la **péninsule** peninsula (12)
penser (à) to think (about) (I)
— **de** to think of (I)
la **pente** slope (11)
perdre to lose (I)
se — to lose one's way, to get lost (9)
le **père** father (I)
la **permanence: la salle de** — study hall (1)
permettre (à . . . de) to let, to permit *(s.o. to do sth.)* (8)
le **permis de conduire** driver's license (13)
le **personnage** character (P)
la **personne** person (14)
personne . . . ne no one, nobody (I)
peser to weigh (P)
petit, -e little, small (I)
le — **déjeuner** breakfast (I)
les —**s pois** *m.pl.* peas (I)

peu:
coûter — to be inexpensive (I)
— **confortable** uncomfortable (4)
— **de** few, little (I)
un — **(de)** a little (I)
le **peuple** the people (P)
la **peur:**
avoir — **(de)** to be afraid (of) (I)
faire — **à** to scare, to frighten (I)
peut-être perhaps, maybe (I)
le **phare** headlight (4)
la **pharmacie** pharmacy (I)
le **pharmacien, la pharmacienne** pharmacist (I)
la **photo** photo(graph) (I)
photographe *m.&f.* photographer (15)
photographier to photograph (15)
la **phrase** sentence (I)
la **physique** physics (I)
pianiste *m.&f.* pianist (P)
le **piano** piano (I)
la **pièce** play (I)
jouer une — to put on a play (I)
le **pied** foot (P3;11)
à — on foot (I)
la **pierre** stone (14)
le **piéton** pedestrian (13)
pilote *m.&f.* pilot (I); race car driver (17)
les **pinces** *f.pl.* pliers (10)
le **pique-nique**, *pl.* **les pique-niques** picnic (14)
piquer to sting, to bite *(insects)* (14)
le **piscine** swimming pool (I)
la **piste** runway (10); track *(sports)* (17)
le **pistou** basil (P)
pittoresque picturesque (12)
le **placard** closet (6)
la **place** square, plaza (1); seat; room, space (2)
laisser de la — **à** to leave room (for) (2)
le **plafond** ceiling (9)
la **plage** beach (2)

se **plaindre** to complain (P)
la **plaine** plain (P)
le **plaisir:**
avec — with pleasure (5)
faire — **à** to please (12)
plaît: s'il vous (te) — please (I)
le **plan** map (7)
le — **indicateur** lighted métro map (7)
le **plancher** floor (9)
planter to plant (P)
plat, -e flat (13)
à — flat *(of tires)* (13)
le **plat** dish (P)
le **plâtre: dans le** — in a cast (P)
plein, -e full (14)
le **plein: faire le** — to fill it up (13)
pleuvoir to rain (I)
le **plombier** plumber (15)
la **plongée** diving (17)
plonger to dive (I)
le **plongeur, la plongeuse** diver (17)
la **pluie** rain (I)
la **plupart de** most of, the majority of (7)
plus more (7)
de — **en** — more and more (12)
le (la, les) — the most (7)
ne . . . — no longer, not anymore (I); no more, not any more (3)
non — either; neither (2)
— **. . . que** more . . . than (7)
— **tard** later (I)
plusieurs several (I)
pluvieux, -euse rainy (P)
le **pneu**, *pl.* **les pneus** tire (4)
la **poche: le livre de** — paperback (I)
le **poème** poem (I)
le **poète** poet (I)
le **point:**
à — medium *(meat)* (8)
le — **de départ** departure point, starting point (10)
la **pointe: les heures de** — rush hour (2)

la pointure size *(shoes, gloves)* (3)
la poire pear (8)
le pois: les petits — *m.pl.* peas (I)
le poison poison (I)
le poisson fish (I)
la poitrine chest (11)
le poivre pepper (I)
poli, -e polite (2)
la police police (13)
policier:
le film — detective film (I)
le roman — detective novel (I)
poliment politely (3)
politique: les sciences —s *f.pl.* political science (12)
la pollution pollution (P)
la Pologne Poland (I)
polonais, -e Polish (7)
le polonais Polish *(language)* (7)
la pomme apple (I)
la tarte aux —s apple pie (I)
la pomme de terre potato (I)
les pommes frites French fries (I)
la purée de —**s de terre** mashed potatoes (8)
la pompe à essence gas pump (13)
pompiste *m.&f.* service station attendant (13)
le pont bridge (7)
pop(ulaire): la musique — pop music (16)
le porc: le rôti de — roast pork (I)
le porc-épic porcupine (P)
le port port (I)
le portail large door (P)
la porte door (I)
la — **d'embarquement** boarding gate (10)
le portefeuille wallet, billfold (I)
porter to wear (I); to carry (18)
la portière car door (4)
portugais, -e Portuguese (I)
le portugais Portuguese *(language)* (I)
le Portugal Portugal (I)
poser une question to ask a question (I)
possible possible (I)
postal, -e: la carte —**e** post card (I)
la poste post office (I)
le pouce thumb (11)
poudreux, -euse powdery (P)
la poule hen (I)
le poulet chicken (8)
pour for, (in order) to (I)
— **que** so that (P)
le pourboire tip, gratuity (I)
pourquoi why (I)
pourtant however (P)
pousser to push (2); to grow (P)
pouvoir can, to be able (I)
il se peut it's possible; it may be (16)
précédent, -e preceding (2)
préférer to prefer (6)
la préhistoire prehistory (P)
préhistorique prehistoric (15)
premier, -ière first (I)
le — + *month* the first of (I)
prendre to take, to have (I)
— **quelque chose** to have something to eat (or drink) (I)
— **rendez-vous** to make a date (3)
— **un bain de soleil** to sunbathe (14)
préparatoire preparatory (P)
préparer to prepare, to fix (I)
près (de) near (I)
de plus — closer, more closely (15)
la présentation presentation (P)
présenter to introduce (14)
se — (à) to introduce oneself (to) (14)
se — à to take an *(entrance)* exam (P)
le président president (P)
presque almost (I)
pressé, -e in a hurry (I)
le citron — lemonade, citron pressé (I)
presser to press (7)
prêt, -e ready (13)
prêter (à) to lend (to) (I)
la prévoyance foresight (P)
prévu, -e expected (P)
prier: je vous (t')en prie you're welcome (I)
la prière prayer (P)
primaire primary (P)
principal, -e; -aux, -ales principal (I)
le rôle — the lead *(in a play)* (I)
le printemps spring (I)
au — in the spring (I)
le prix price (3)
probable probable (16)
le problème problem (10)
prochain, -e next (I)
le produit laitier dairy product (P)
le professeur, le prof teacher (I)
la salle des —s teachers' lounge (1)
la profession profession (I)
profiter de to take advantage of (18)
le programme program (9)
les progrès *m.pl.* progress (I)
faire des — to make progress (I)
le projecteur projector (P)
les projets *m.pl.* plans (I)
la promenade walk (3)
faire une — to take a walk (3)
promener to take for a walk (6)
se — to take a walk (6)
promettre (à . . . de) to promise *(s.o. to do sth.)* (8)
prononcer to pronounce (I)
la prononciation pronunciation (I)
le propos: à — by the way (P)
proposer (à . . . de) to suggest *(to s.o. that)* (P)
propre clean (10); own (12)
protéger to protect (P)
provençal, -e; -çaux, -çales of (from) Provence (I)

le proverbe proverb (P)
la province province (P)
le proviseur principal *(of lycée)* (1)
les provisions *f.pl.* supplies, food (8)
provoquer to provoke (P)
la prune plum (8)
puis then (I)
puisque since (5)
le pull-over sweater (I)
le pupitre student desk (I)
la purée de pommes de terre mashed potatoes (8)

le quai quai, landing (3); platform (5)
la qualité quality (P)
quand when (I)
depuis —? since when? since what time? (11)
— même anyway, just the same (1)
la quantité quantity (P)
quarante forty (I)
le quart:
time **+ et —** quarter past (I)
time **+ moins le —** quarter to (I)
un — d'heure 15 minutes (3)
le quartier: avoir — libre to be off duty (P)
quatorze fourteen (I)
quatre four (I)
quatre-vingt-dix ninety (I)
quatre-vingts eighty (I)
que what; that (I); than (7)
ne . . . — only (I)
québécois, -e of (from) Quebec, Quebecois (I)
quel, quelle what, which (I)
à — heure? (at) what time? (I)
de — couleur? what color? (I)
— âge avez-vous? how old are you? (I)
— heure est-il? what time is it? (I)
— jour sommes-nous? what day is it? (I)
— temps fait-il? what's it like out? (I)
quelque chose something (I)
prendre — to have something (to eat or drink) (I)
quelquefois sometimes (I)
quelque part somewhere (16)
quelques some, a few (I)
quelqu'un someone (I)
qu'est-ce que what? (I)
qu'est-ce qui what? (I)
— ne va pas? what's wrong? (I)
la question question (I)
poser une — to ask a question (I)
le questionnaire questionnaire (P)
la queue: faire la — to stand in line (2)
qui who (I)
à — to whom? (I)
— est-ce que whom? (I)
— est-ce qui who? (2)
quinze fifteen (I)
— jours two weeks (I)
une quinzaine de jours about two weeks (8)
quitter to leave (I)
ne quittez pas! hold the line! *(on telephone)* (4)
quoi what (I)
à — what? (I)
de — what? about what? (I)
quotidien, -ienne daily (P)
le quotidien daily paper (P)

le raccourci short cut (P)
raconter to tell, to tell about (5)
la radio radio (I)
le radis radish (8)
le raffinement refinement (P)
raide steep (P)
le raisin grape (8)
la raison reason (P)
avoir — to be right (I)
raisonnable reasonable (P)
ralentir to slow down (13)
la randonnée hike, hiking (18)
faire une — to go hiking, to go for a hike (18)
le randonneur, la randonneuse hiker (18)
rapide fast, rapid (2)
rapidement rapidly, quickly (3)
se rappeler to recall, to remember (16)
rapporter to bring in (P)
les rapports *m.pl.* relationship (12)
la rareté scarceness (P)
se rassembler to gather (P)
rater to fail (I)
le rayon department *(in store)* (3)
réapparaître to reappear (P)
récemment recently (4)
récent, -e recent (4)
la réception reception desk (9)
recevoir to receive, to get (10)
le réchaud (portable) stove (18)
la réclame advertising (P)
la récolte harvest (P)
recommencer to begin again, to start over (16)
la reconnaissance reconnaissance (P)
reconnaître to recognize (I)
reçu, -e accepted (P)
redescendre to go (come) back down (10)
le réfrigérateur refrigerator (I)
refuser (de) to refuse (to) (2)
regarder to watch, to look (at) (I)
— par to look out of (I)
le régime diet (I)
au — on a diet (I)
la région region, area (12)
la règle ruler (10); rule (P)
en — in order (13)
régner to reign (P)
regonfler to put air in, to reinflate (13)
regretter to be sorry (I)
la reine queen (9)

rejoindre to join, to meet (15)
se — to meet, to get together again (15)
religieux, -euse religious (P)
remarquer to notice (3)
remercier to thank (I)
remettre: se — en route to start off again (P)
le remonte-pente rope lift (11)
remonter to go (come) back up (10)
remplacer to replace (P)
remplir to fill (P)
rencontrer to meet, to run into (I)
se — to meet (each other) (6)
le rendez-vous: prendre — to make a date (3)
rendormir to put back to sleep (6)
se — to meet (each other) (6)
rendre to give back, to return *(sth.)* (10)
— quelqu'un + *adj.* to make *s.o.* + *adj.* (11)
se — (à) to go (to) (16)
les renseignements *m.pl.* information (I)
la rentrée des classes first day of school (1)
rentrer to come back, to go back, to return (I)
renvoyer to send back (14)
réparer to repair, to fix (10)
le repas meal (I)
répéter to repeat (6)
répondre à to answer (I)
la réponse answer, response (I)
le repos rest (18)
se reposer to rest, to relax (18)
reprendre to recapture (P)
le représentant, la représentante sales representative, salesperson (4)
reproduire to reproduce (P)
la république republic (P)
ressembler à to resemble, to look like (17)
se — to look alike (17)
le restaurant restaurant (I)
le wagon-— dining car (5)
rester to stay, to remain (I)
il reste there remain(s) (P)
retard: en — late (I)
retardé, -e delayed (P)
retarder to delay (13)
retenir to reserve (9)
le retour return; return trip; return ticket (5)
un aller et — round-trip ticket (5)
retourner to go back (I)
retrouver to get back to *(place);* to find, to meet again *(people)* (1)
se — to meet again (3;6)
la réunion meeting (18)
se réunir to meet, to get together, to have a meeting (18)
réussir (à) + *infinitive* to succeed (in) (I)
— à un examen to pass a test (I)
le rêve dream (P)
le réveil alarm clock (I)
réveiller to wake *(s.o.)* up (5)
se — to wake up (6)
le réveillon late night holiday meal (5)
revenir to come back (I)
rêver to dream (P)
réviser to go over, to review (I)
la révision review (P)
revoir: au — good-by (I)
la revue magazine (15)
le rez-de-chaussée main floor, ground floor (3)
le rhinocéros rhinoceros (I)
le rhume cold (11)
riche rich (I)
le rideau, *pl.* **les rideaux** curtain (6)
rien:
ça ne fait — it doesn't matter (4)
— . . . ne nothing (I)
rire (de) to laugh (at) (17)
le rire laughter (P)
la rive (river) bank (7)
la — droite (gauche) Right (Left) Bank *(of Seine)* (7)
la rivière river (12)
le riz rice (I)
la robe dress (I)
le rocher rock (P)
le rock rock music (16)
le roi king (9)
les —s mages Magi (P)
le rôle part, role (I)
le — principal the lead *(in a play or movie)* (I)
le roman novel (I)
le — policier detective novel (I)
la rosace rose window (P)
le rosbif roast beef (8)
la rose rose (P)
le rôti de porc roast pork (I)
rouge red (I)
rougir to become red, to blush (I)
roulant: l'escalier — escalator (3)
rouler to roll (P)
la route road; way (I)
en — (pour) on the way (to) (I); on the road (13)
se mettre en — to start, to start off (13)
routière: la carte — road map (18)
roux, rousse redheaded, a redhead (I)
le royaume kingdom (P)
la rue street (I)
dans la — on the street (9)
la ruelle narrow street (P)
russe Russian (I)
le russe Russian *(language)* (I)
la Russie Russia (I)
le rythme rhythm (P)

sa his, her, its (I)
le sable sand (I)
le sac purse (I)
le — à dos backpack (18)
le — de couchage sleeping bag (18)
sage well-behaved (I)

saignant, -e rare *(meat)* (8)
la **Saint-Sylvestre** New Year's Eve (P)
la **saison** season (I)
la **salade** salad (I)
la — **niçoise** Nicoise salad (I)
sale dirty (10)
la **salle:**
la — **à manger** dining room (I)
la — **d'attente** waiting room (10)
la — **de bains** bathroom (6)
la — **de classe** classroom (I)
la — **de documentation** school library (1)
la — **de permanence** study hall (1)
la — **des professeurs** teachers' lounge (1)
le **salon** exposition, show (4); living room (8)
le — **de coiffure** beauty shop, barbershop (15)
le — **de l'Auto** auto show (4)
saluer to salute (P)
salut hello; good-by (I)
samedi *m.* Saturday (I)
le **sandwich,** *pl.* **les sandwichs** sandwich (I)
le **sanglot** sob (P)
sans without (I)
la **santé** health (11)
le **santon** santon (5)
le **sari** sari (P)
le **saucisson** sausage (3)
sauf except, but (I)
la **sauterelle** grasshopper (14)
savoir to know, to know how (I)
le **savon** soap (6)
savourer to relish (P)
le **saxophone** saxophone (16); saxophone player (P)
le **scénario** film script (P)
la **scène: le metteur en** — movie director (7)
la **scie** saw (10)
la **science:**
les —s économiques economics (12)
les —s politiques political science (12)
les —s sociales social studies (I)
scientifique *m.&f.* scientist (12)
scolaire *adj.* school (P)
le **sculpteur** sculptor (16)
la **sculpture** sculpture (16)
se (s') himself, herself, themselves, each other (6)
sec, sèche dry (17)
secrétaire *m.&f.* secretary (I)
la **sécurité: la ceinture de** — seat belt (4)
le **Seigneur** Lord (P)
seize sixteen (I)
le **séjour** stay, sojourn (9)
le **sel** salt (I)
selon according to (16)
la **semaine** week (I)
sembler (à) to seem (to) (18)
le **Sénégal** Senegal (I)
sénégalais, -e Senegalese (I)
le **sens** meaning (P)
le **sentier** path (14)
sentir to feel, to sense (P)
sept seven (I)
septembre *m.* September (I)
sérieusement seriously (3)
sérieux, -euse serious (2)
le **serpent** snake (14)
se serrer la main to shake hands (7)
la **serveuse** waitress (I)
le **service:**
à votre — at your service (I)
le — est compris the tip is included (I)
la **serviette** napkin (I); towel (6); briefcase (P)
servir to serve, to wait on (I)
se — de to use (10)
ses *pl.* his, her, its (I)
seul, -e only; alone (I); single (18)
seulement only (3)
si if; yes (I); so (1)
le **siècle** century (13)
le **siège** seat (4)
le **sien, la sienne; les siens, les siennes** his, hers (11)
le **silence** silence (I)
le **singe** monkey (I)
sinon otherwise, if not (10)
situé, -e located (12)
six six (I)
le **ski** skiing (I); ski (3)
faire du — to ski (I)
faire du — nautique to water-ski (I)
le **skieur, la skieuse** skier (11)
le **slogan** slogan (P)
le **snack-bar** snack bar (P)
social, -e; -aux, -ales: les sciences sociales *f.pl.* social studies (I)
la **société** company, business (I)
la **sœur** sister (I)
la **soif: avoir** — to be thirsty (I)
soigner to take care of (12)
soigneusement carefully (12)
le **soir** evening, in the evening (I)
du — P.M. (I)
hier — last night, last evening (I)
tous les —s every night (I)
la **soirée** (the whole) evening (I)
soixante sixty (I)
soixante-dix seventy (I)
le **soldat** soldier (I)
le **solde: en** — on sale (3)
le **soleil** sun (I)
il fait du — it's sunny (I)
les lunettes de — sunglasses (11)
prendre un bain de — to sunbathe (14)
le **sommeil: avoir** — to be sleepy (I)
le **sommet** summit (P)
son his, her, its (I)
le **son** sound (9)
sonner to ring (16)
la **sonnerie** ringing (P)
la **sonnette** bell (16)
la **sorte** sort, kind (7)
la **sortie** exit (1)
sortir (de) to go out (I)
la **soucoupe** saucer (I)

le souffle breath (P)
souffrir to suffer (16)
souhaiter to wish (P)
la soupe soup (I)
la — à l'oignon onion soup (I)
sourd, -e deaf (11)
sourire (à) to smile (at) (17)
la souris mouse (I)
sous under (I)
le sous-sol basement, lower level (3)
le sous-titre subtitle (7)
le souvenir souvenir (9)
se souvenir de to remember (9)
souvent often (I)
le speaker broadcaster (P)
la spécialité specialty (P)
le spectacle sight, show (9)
le spectateur, la spectatrice spectator, fan (17)
les spectateurs *m.pl.* audience (7)
le sport: la voiture de — sports car (4)
sportif, -ive athletic (17)
les sports *m.pl.* sports (I)
le terrain de — playing field (17)
le stade stadium (I)
le stage training period, internship (I)
faire un — to train, to intern (I)
la station station; stop *(subway)* (7)
la station-service *pl.* **les stations-service** gas station (13)
le steward steward (I)
le stop stop sign (13)
le style style (P)
le stylo pen (I)
le sucre sugar (I)
le sud south (I)
l'Amérique du Sud *f.* South America (I)
le sud-est southeast (I)
le sud-ouest southwest (I)
la Suède Sweden (I)
suédois, -e Swedish (I)
le suédois Swedish *(language)* (I)
suffire: ça suffit! that's enough! (3)
suggérer to suggest (17)
la suggestion suggestion (18)
la Suisse Switzerland (I)
la suite: tout de — right away (I)
suivant, -e following (2)
suivre to follow (P)
— l'allure *f.* to keep up (P)
le sujet subject (P)
super: en — with premium gas (13)
superbe superb (P)
le supermarché supermarket (I)
sur on (I)
sûr, -e sure, certain (3)
à coup — for sure (8)
bien — of course, certainly (I)
sûrement surely, of course (2)
surprendre to surprise (3)
surpris, -e surprised (17)
la surprise-party informal party, get-together (I)
surtout especially (I)
le symbole symbol (P)
sympa likable, nice (I)
la synagogue synagogue (P)
le synonyme synonym (P)

ta your (I)
la table table (I)
à —! let's eat! (14)
le tableau, *pl.* **les tableaux** blackboard (I); painting (8)
faire un — to paint a picture (15)
le — de bord dashboard (4)
la taille size *(clothing)* (3)
le tambour drum (16); drummer (P)
tandis que while, whereas (14)
tant de so much, so many (I)
la tante aunt (I)
le tapis rug (6)
tard late (6)
plus — later (I)
la tarte pie (I)
la — aux pommes apple pie (I)
la tartine au beurre bread and butter (6)
la tasse cup (I)
le taureau, *pl.* **les taureaux** bull (15)
te (t') to (for, from) you (I)
le technicien, la technicienne technician (7)
tel, telle such (P)
la télé TV (I)
le téléphone telephone (4)
au — on the phone (4)
le coup de — phone call (4)
téléphoner à to telephone, to phone (I)
le téléski chair lift (P)
télévisé: le journal — TV news (I)
tellement so (11)
tempéré, -e temperate (P)
le temple Protestant church (P)
le temps weather (I); time (5)
avoir le — de to have time to (5)
de — en — from time to time, in a while (7)
en même — (que) at the same time (as) (10)
mettre du — (à) to take time (to) (P)
quel — fait-il? what's it like out? what's the weather like? (I)
tenir to keep (P)
le tennis tennis (I)
la tente tent (18)
sous la — in the tent (18)
la terrasse d'un café sidewalk café (I)
le terrain field (17)
le — de boules boules field (17)
le — de camping campground (18)
le — de golf golf course (17)

le terrain *(cont'd.)*:
le — de sports playing field (17)
la terre land, earth (I)
la pomme de — potato (I)
le territoire territory (12)
tes *pl.* your (I)
la tête head (11)
en — at the head (P)
têtu, -e stubborn (11)
le thé tea (I)
le théâtre theater (I)
le thème theme (P)
le thon tuna (P)
le ticket ticket (2)
le tien, la tienne; les tiens, les tiennes yours (11)
tiens! well, well! (14)
le tigre tiger (I)
le timbre stamp (I)
tirer to pull (P)
le tiroir drawer (6)
le tison half-burned log (P)
le titre title (7)
toc! toc! knock! knock! (I)
toi you (I)
toi-même yourself (16)
le toit roof (8)
la tomate tomato (I)
tomber to fall (I)
laisser — to drop (17)
ton your (I)
la topographie topography (P)
le tort: avoir — to be wrong (I)
tôt early (6)
toujours always; still (I)
la tour de contrôle control tower (10)
le tour: chacun son — everyone in turn (2)
le tourisme tourism (I)
touriste *m.&f.* tourist (I)
touristique *adj.* tourist (P)
tourner to turn (7)
— un film to make a film (7)
le tournevis screwdriver (10)
tout *adv.* entirely (P)
tout, -e; *pl.* tous, toutes all; every (I)
après — after all (12)
de toute façon anyhow, in any case (13)
en — cas in any case, at any rate (16)
pas du — not at all (I)
tous (toutes) les deux both (17)
tous les jours every day (I)
— à coup suddenly (I)
— à fait completely, totally (5)
— à l'heure in a little while (1)
— de suite right away (I)
— droit straight ahead (7)
— le monde everyone, everybody (I)
la tradition tradition (12)
traditionnel traditional (P)
traduire to translate (13)
le train train (I)
être en — de + *infinitive* to be in the middle of *(doing sth.)* (4)
le trajet ride, short trip (2)
la tranche slice (8)
tranquille quiet, peaceful (14)
transatlantique transatlantic (10)
le travail, *pl.* les travaux work, job (I)
travailler to work (I)
traverser to cross (7)
treize thirteen (I)
tréma diaeresis (¨) (P)
trente thirty (I)
très very (I)
le trésor treasure (P)
la tribu tribe (12)
triste sad, unhappy (I)
tristement sadly (3)
trois three (I)
le trombone trombone (16)
tromboniste *m.&f.* trombone player (P)
se tromper (de) to be wrong, to be mistaken (about) (7)
la trompette trumpet (16)
trompettiste *m.&f.* trumpet player (P)
trop too (I)
— cuit, -e overdone (8)
— de too much, too many (I)
trouver to find (I)
se — to be, to be located (I)
la truffe truffle (P)
la truie sow (P)
tu you (I)
tué, -e killed (P)
la Tunisie Tunisia (P)
le turban turban (P)
le type guy, fellow (2)
typique typical (P)
typiquement typically (I)

un, une one; a, an (I)
l'un *m.*, l'une *f.*: ni l'— ni l'autre neither one (4)
unique only (I); unique (P)
uniquement uniquely, only (P)
l'université *f.* university (I)
l'usine *f.* factory (I)

les vacances *f.pl.* vacation (I)
en — on vacation (I)
passer des — to spend a vacation (I)
prendre des — to take a vacation (I)
la vache cow (I)
oh, la —! oh rats! (8)
la vague wave (P)
le vainqueur victor (P)
la vaisselle dishes (I)
la valeur value (P)
la valise suitcase (I)
faire sa — to pack one's suitcase (I)
la vallée valley (13)
valoir to be worth (P)
ça vaut le coup it's worth it (P)
il vaut mieux it's better (16)
varié, -e varied (P)
la variété variety (P)

vaste vast (P)
le **vaudou** voodoo (P)
vaut *see* valoir
la **vedette** movie star (7)
la **veille (de)** night before, eve (I)
la — de Noël Christmas Eve (I)
le **vélo** bike (I)
la **vendange** grape harvest (P)
le **vendeur,** la **vendeuse** salesperson (I)
vendre to sell (I)
vendredi *m.* Friday (I)
venir to come (I)
— chercher to come get, to come pick up (5)
— de + *infinitive* to have just (I)
le **vent** wind (I)
il fait du — it's windy (I)
le **ventre** stomach (11)
le **ver** worm (14)
vérifier to check (10)
le **verre** glass (I)
vers around, about (I); toward (1)
la **version** version (7)
vert, -e green (I)
la **veste** jacket (I)
le **veston** jacket (P)
les **vêtements** *m.pl.* clothing, clothes (3)
vétérinaire *m.&f.* veterinarian (P)
veuillez please (9)
la **viande** meat (I)
vide empty (2)
la **vie** life (12)
la **vieillesse** old age (P)
vieux (vieil), vieille old (I)
mon vieux, ma vieille old pal (I)
vigoureux, -euse vigorous (P)
la **villa** villa (I)
le **village** village (12)
la **ville** city, town (I)
en — in (to) town (I)
le **vin** wine (I)
le coq au — chicken cooked in wine (I)
le **vinaigre** vinegar (8)
la **vinaigrette** salad dressing (8)
vingt twenty (I)
la **violence** violence (P)
le **violon** violin (16)
le **violoncelle** cello (16)
violoncelliste *m.&f.* cellist (P)
violoniste *m.&f.* violinist (P)
le **virage** turn (P)
le — en épingle à cheveux hairpin turn (P)
la **vis** screw (10)
la **visite** visit (I); tour (14)
faire la — de to take a tour of (14)
faire une — à to visit *(s.o.)* (I)
visiter to visit *(a place)* (I)
vite quick! hurry!; quickly, fast (I)
le **vitrail,** *pl.* **les vitraux** stained-glass window (P)
la **vitrine** store window (3)
vivant, -e living (P)
vivre to live (P)
le **vocabulaire** vocabulary (P)
voici here is, here are (I)
la **voie** track *(of train)* (5)
voilà there is, there are (I)
la **voile: le bateau à —s** sailboat (I)
voir to see (I)
voyons! see here! (2)
voisin, -e neighboring, nearby (4)
le **voisin,** la **voisine** neighbor (I)
la **voiture** car (I)
— de course race car (17)
— de sport sports car (4)
la **voix** voice (7)
à haute — aloud, out loud (7)
le **vol** flight (10)
le **volant** steering wheel (4)
le **volleyball** volleyball (I)
volontaire *m.&f.* volunteer (P)
vos *pl.* your (I)
votre your (I)
le vôtre, la vôtre; les vôtres yours (11)
vouloir to want (I)
veuillez please (9)
— dire to mean (I)
vous you; to (for, from) you (I)
vous-même yourself (16)
vous-mêmes yourselves (16)
le **voyage** trip (I)
bon — have a good trip (10)
en — on a trip (I)
faire un — to take a trip (I)
voyager to travel (14)
le **voyageur,** la **voyageuse** traveler (5)
vrai, -e real; true (3)
vraiment really, truly (I)
la **vue** view (9)

le **wagon** car *(of train)* (5)
le —-lit sleeping car (5)
le —-restaurant dining car (5)
le **week-end** weekend (5)
le **western** western *(movie)* (I)
le **wolof** Wolof *(a Senegalese language)* (I)

y there; it (I)
il y a there is, there are (I)
il y a + *time* ago (I)
les **yeux** *see* œil
la **Yougoslavie** Yugoslavia (I)

zéro zero (I)
le **zoo** zoo (I)
zut! darn! (I)

English-French Vocabulary

The English-French Vocabulary contains active vocabulary only.

a, an un, une (I)
able: to be – pouvoir (I)
aboard: all –! attention au départ! (5)
about de; vers (I)
– it là-dessus (18)
– + *number* une + *number* + -aine (8)
– what de quoi (I)
to tell – raconter (5)
above au-dessus de (I); en haut (8)
absent-minded distrait, -e (10)
to accelerate accélérer (13)
to accept accepter (de) (4)
accident l'accident *m.* (11)
to accompany accompagner (I)
according to d'après (5); selon (16)
acquaintance la connaissance (14)
acquainted: to be – with connaître (I)
across from en face de (I)
actor l'acteur *m.* (I)
actress l'actrice *f.* (I)
to add ajouter (13)
address l'adresse *f.* (14)
advantage: to take – of profiter de (18)
to advise conseiller (à . . . de) (4)
afraid:
to be – (of) avoir peur (de) (I); craindre (15)
to be – so (not) craindre que oui (non) (15)
Africa l'Afrique *f.* (I)
African africain, -e (12)
after après (I); après avoir + *past part.* (10)
the day – le lendemain (de) (5)
afternoon l'après-midi *m.* (I)
in the – l'après-midi *m.*; *time* + de l'après-midi (I)
afterward après (I)
again encore (6); de nouveau (12)
ago il y a + *time* (I)
to agree accepter de (4); être d'accord (14)
agriculture l'agriculture *f.* (12)
ahead: straight – tout droit (7)
air l'air *m.* (13)
to put – in regonfler (13)
airplane l'avion *m.* (I)
airport l'aéroport *m.* (I)
alarm clock le réveil (I)
algebra l'algèbre *f.* (I)
all tout, -e; *pl.* tous, toutes (I)
after – après tout (12)
– aboard! Attention au départ! (5)
not at – pas du tout (I)
to allow permettre à . . . de (8); laisser (9)
almost presque (I)
alone seul, -e (I)
aloud à haute voix (7)
already déjà (I)
also aussi (I)
always toujours (I)
a.m. du matin (I)
amazed étonné, -e (17)
ambitous ambitieux, -euse (11)
America l'Amérique *f.* (I)
Central – l'Amérique centrale (I)
North – l'Amérique du Nord (I)
South – l'Amérique du Sud (I)
American américain, -e (I)
among parmi (12)
amusing amusant, -e (1)
ancient ancien, -ne (1)
and et (I)
angry: to get – se fâcher (de, avec) (10)
animal l'animal, *pl.* les animaux *m.* (I); la bête (3)
to announce annoncer (I)
annoying embêtant, -e (I)
answer la réponse (I)
to answer répondre à (I)
ant la fourmi (14)
anthropology l'anthropologie *f.* (12)
any des; *(after negative)* de; en (I)
not – more ne . . . plus (I)
anybody, anyone: not – ne . . . personne (I)
anything: not – ne . . . rien (I)
anyway quand même (1)
apartment l'appartement *m.* (I)
– building l'immeuble *m.* (I)
appetizer les hors-d'œuvre *m.pl.* (I)
apple la pomme (I)
– pie la tarte aux pommes (I)
to approach s'approcher (de) (10)
appropriate: to be – convenir (à) (5)
apricot l'abricot *m.* (8)
April avril *m.* (I)
area la région (12)
to argue se disputer (17)
argument la dispute (17)
arm le bras (11)
armchair le fauteuil (8)
armoire l'armoire *f.* (6)
around vers (I); autour (de) (15)
arrival l'arrivée *f.* (1)
to arrive arriver (I)
arrow la flèche (15)
art l'art *m.* (15)

artichoke l'artichaut *m.* (8)
article l'article *m.* (15)
artist l'artiste *m.&f.* (I)
as comme (I)
— . . . — aussi . . . que (7)
— soon — aussitôt que; dès que (15)
Asia l'Asie *f.* (I)
to ask, to ask for demander (I)
to — a question poser une question (I)
to — *(s.o.),* **to —** *(s.o.)* **to** demander à . . . de (I)
to assure assurer (15)
to astonish étonner (17)
astonished étonné, -e (17)
at à (I); chez (I)
Athens Athènes (I)
athletic sportif, -ive (17)
Atlantic Ocean l'Atlantique *f.* (I)
to attend assister à (I)
attention: to pay — (to) faire attention (à) (8)
attic le grenier (8)
audience les spectateurs *m.pl.* (7)
auditorium l'amphi *m.* (1)
August août *m.* (I)
aunt la tante (I)
Australia l'Australie *f.* (I)
Austria l'Autriche *f.* (I)
Austrian autrichien, -ienne (11)
author l'auteur *m.* (I)
auto:
— race la course d'autos (17)
— show le Salon de l'Auto (4)
autumn l'automne *m.* (I)
avenue l'avenue *f.* (9)
on the — dans l'avenue (9)
awful affreux, -euse (I)
how —! quelle horreur! (1)
awkward maladroit, -e (11)

baby le bébé (6)
back *adj.* arrière (4)
back le dos (11)
—pack le sac à dos (18)
to get — to retrouver (1)
to go (come) — down redescendre (10)
to go — to sleep se rendormir (6)
to go (come) — up remonter (10)
to put — to sleep rendormir (6)
to send — renvoyer (14)
bad mal (I); mauvais, -e (I)
it's — out il fait mauvais (I)
badly mal (I)
bag:
net shopping — le filet (8)
sleeping — le sac de couchage (18)
baggage les bagages *m.pl.* (I)
baker le boulanger, la boulangère (3)
bakery la boulangerie (3)
ball la balle; le ballon (17)
banana la banane (8)
bank la banque (I); *(of river)* la rive (7)
barber le coiffeur (15)
barbershop le salon de coiffure (15)
bargain: at a — price bon marché (3)
basement le sous-sol (3)
basket le panier (14)
basketball le basketball (I)
bass la contrebasse (16)
bath le bain (8)
bathing suit le maillot (I)
bathroom la salle de bains (6)
— sink le lavabo (6)
bathtub la baignoire (8)
bay la baie (12)
to be être; se trouver (I)
beach la plage (I)
beans les haricots verts *m.pl.* (I)
bear l'ours *m.* (I)
beard la barbe (11)
beautiful beau (bel), belle (I)
beauty shop le salon de coiffure (15)
because parce que (I); car (12)
— of à cause de (10)
to become devenir (I)
bed le lit (6)
in — au lit (6)
to go to — se coucher (6)
to put to — coucher (6)
bedroom la chambre à coucher (6)
bee l'abeille *f.* (13)
beef: roast — le rosbif (8)
beer la bière (I)
before avant (I); avant de + *inf.* (10)
the night — la veille (de) (I)
to begin commencer (I)
to — again recommencer (16)
to — work se mettre au travail (15)
beginning le commencement (I); le début (10)
behind derrière (I)
Belgian belge (I)
Belgium la Belgique (I)
to believe croire (I)
bell la sonnette (16)
below au-dessous de (I); en bas (8)
belt la ceinture (I)
bench le banc (14)
to bend (over) se pencher (sur) (10)
berth la couchette (5)
beside à côté de (I)
besides d'ailleurs (9)
best *adj.* meilleur, -e; *adv.* le mieux (7)
to bet parier (11)
you — en effet (I)
better *adj.* meilleur, -e (7); *adv.* mieux (7)
it's — il vaut mieux (16)
to feel — aller mieux (11)
between entre (5)
beverage la boisson (I)
big grand, -e (I)
bike le vélo (I)

bike-rider cycliste *m.&f.* (17)
bike-riding le cyclisme (17)
to go — faire du cyclisme (17)
bill l'addition *f.* (I)
billfold le portefeuille (I)
biology la biologie (I)
bird l'oiseau, *pl.* les oiseaux *m.* (I)
birthday l'anniversaire *m.* (I)
to **bite** piquer *(insects)* (14)
black noir, -e (I)
blackboard le tableau, *pl.* les tableaux (I)
blanket la couverture (6)
blind aveugle (11)
blond blond, -e (I)
blouse la blouse (I)
blue bleu, -e (I)
to **blush** rougir (I)
boarding gate la porte d'embarquement (10)
boat le bateau, *pl.* les bateaux (I)
sail— le bateau à voiles (I)
book le livre (I); le bouquin *(slang)* (18)
ticket — le carnet (7)
bookstore la librairie (I)
boot la botte (3)
to **bore** ennuyer (17)
boring ennuyeux, -euse (I)
born né, -e (I)
to be — naître (I)
to **borrow (from)** emprunter (à) (I)
both tous (toutes) les deux (17)
to **bother** gêner (4); déranger (17)
bottle la bouteille (8)
bouillabaisse la bouillabaisse (I)
boules le jeu de boules *f.pl.* (17)
to play — jouer aux boules (17)
boulevard le boulevard (9)
boutique la boutique (I)
bowl le bol (I)

box la boîte (I)
boy le garçon (I)
bracelet le bracelet (I)
brakes les freins *m.pl.* (4)
to put on the — freiner (13)
brand la marque (4)
bread le pain (I)
— and butter la tartine au beurre (6)
to **break** casser (I); se casser *(a bone)* (11)
breakfast le petit déjeuner (I)
to have — déjeuner (I)
bridge le pont (7)
bright clair, -e (9)
to **bring** *(sth.)* apporter (I); *(s.o.)* amener (14)
to — down descendre (5)
to — out sortir (5)
to — up monter (5)
brioche la brioche (6)
Brittany la Bretagne (1)
brother le frère (I)
brown brun, -e (I); marron (2)
brunette brun, -e (I)
brush la brosse (6)
hair— la brosse à cheveux (6)
tooth— la brosse à dents (6)
to **brush** brosser (6)
to — one's hair se brosser les cheveux (6)
to — one's teeth se brosser les dents (6)
Brussels Bruxelles (I)
to **build** construire (13)
bull le taureau, *pl.* les taureaux (15)
to **burn** brûler (8)
bus l'autobus *m.* (I); le bus (2)
— stop l'arrêt d'autobus *m.* (2)
bush country la brousse (12)
business la société (I); les affaires *f.pl.* (14)
businessman l'homme d'affaires *m.* (I)
businesswoman la femme d'affaires (I)
busy occupé, -e (I)
but mais; sauf (I)

butcher le boucher, la bouchère (3)
— shop la boucherie (3)
pork — le charcutier, la charcutière (3)
butter le beurre (I)
bread and — la tartine au beurre (6)
butterfly le papillon (14)
button le bouton (7)
to **buy** acheter (6)
by en; par; au bord de (I)

cabbage le chou, *pl.* les choux (8)
café le café (I)
— au lait le café au lait (I)
sidewalk — la terrasse d'un café (I)
cake le gâteau (14)
calendar le calendrier (I)
call: telephone — le coup de téléphone (4)
to **call** appeler (6)
camera la caméra (7); l'appareil *m.* (15)
to **camp out** faire du camping (I)
camper la caravane (I); le campeur, la campeuse (18)
campground le terrain de camping (18)
can *see* **able**
Canada le Canada (I)
Canadian canadien, -ienne (I)
candle la bougie (5)
candy les bonbons *m.pl.* (11)
capital la capitale (12)
car la voiture (I); l'auto *f.* (4); *(of train)* le wagon (5)
— door la portière (4)
— window la glace (4)
dining — le wagon-restaurant (5)
race — la voiture de course (17)
sleeping — le wagon-lit (5)
sports — la voiture de sport (4)
caramel custard la crème caramel (I)

card la carte (I)
to play —s jouer aux cartes (I)
post — la carte postale (I)
care: to take — of soigner (12)
careful: to be — faire attention (à) (8)
carefully doucement (11); soigneusement (12)
carpenter le charpentier (15)
carrot la carotte (8)
to carry porter (18)
cartoon: movie — le dessin animé (I)
case: in any — de toute façon (13); en tout cas (16)
cash register la caisse (3)
cashier le caissier, la caissière (3)
—'s desk la caisse (3)
castle le château (I)
cat le chat (I)
to catch attraper (17)
cauliflower le chou-fleur, *pl.* les choux-fleurs (8)
cave la grotte (15)
ceiling le plafond (9)
to celebrate fêter (5)
celebration la fête (I)
celery le céleri (8)
cellar la cave (8)
wine — la cave (8)
cello le violoncelle (16)
Central America l'Amérique centrale *f.* (I)
century le siècle (13)
certain sûr, -e (3); certain, -e (10)
certainly bien sûr (I); certainement (10)
chair la chaise (I)
chalk la craie (I)
champagne le champagne (5)
champion le champion, la championne (17)
chance: to have a — (to) avoir l'occasion (de) (18)
change la monnaie (3)
to change changer (de) (5)
chapter le chapitre (I)
charge: to take — (of) se charger (de) (9)
charming charmant, -e (4)
to chat bavarder (4)
château le château, *pl.* les châteaux (I)
check l'addition *f.* (I)
to check vérifier (10)
cheese le fromage (I)
grilled ham and — le croque-monsieur (I)
chef le chef (9)
pastry — le pâtissier, la pâtissière (3)
chemistry la chimie (I)
cherry la cerise (8)
chess les échecs *m.pl.* (I)
chest la poitrine (11)
chestnut *(color)* marron (2)
chicken la poule (I); le poulet (8)
— cooked in wine le coq au vin (I)
child l'enfant *m.&f.* (I)
chimney la cheminée (8)
China la Chine (I)
Chinese chinois, -e; le chinois (I)
chocolate mousse la mousse au chocolat (I)
choice le choix (I)
to choose choisir (I)
Christmas Noël (I)
— Eve la veille de Noël (I)
church l'église *f.* (I)
Citroën 2-CV car la deux-chevaux (I)
citron pressé le citron pressé (I)
city la ville (I)
to (in) the — en ville (I)
clarinet la clarinette (16)
class la classe; le cours (I)
first-class ticket le billet de première classe (5)
classic classique (7)
classmate camarade de classe *m.&f.* (1)
classroom la salle de classe (I)
clean propre (10)
to clean nettoyer (12)
clear clair, -e (9)
to clear débarrasser (I)
clerk l'employé *m.*, l'employée *f.* (de bureau) (I)
to climb monter (I); escalader (15)
climbing: to go mountain-climbing faire de l'alpinisme *m.* (I)
clinic la clinique (12)
clock: alarm — le réveil (I)
to close fermer (I)
closer de plus près (15)
closet le placard (6)
clothes les habits *m.pl.* (I); les vêtements *m.pl.* (3)
cloud le nuage (I)
clumsy maladroit, -e (11)
coast la côte (12)
coat le manteau, *pl.* les manteaux (I)
rain— l'imperméable *m.* (I)
coed(ucational) mixte (4)
coffee le café (I)
a cup of — un café (I)
Coke le Coca (I)
cold froid, -e (I); le rhume (11)
— cuts la charcuterie (3)
it's — out il fait froid (I)
to be — *(of people)* avoir froid (I)
colony la colonie (12)
color la couleur (I)
what —? de quelle couleur? (I)
comb le peigne (6)
to comb peigner; se peigner (6)
to come venir (I)
that —s to + *price* ça fait (5)
to — back rentrer; revenir (I)
to — back down redescendre (10)
to — back up remonter (10)
to — down descendre (I)
to — get (pick up) venir chercher (5)
to — home rentrer (I)
to — in entrer (dans) (I)
to — up monter (I)

comedy le film drôle (7)
comfortable confortable (4); à l'aise (4)
company la société (I)
compartment le compartiment (5)
complete complet, -ète (2)
completely complètement (3); tout à fait (5)
composer le compositeur, la compositrice (16)
composition la composition (16)
concert le concert (I)
concierge concierge *m.&f.* (I)
conductor *(on bus or train)* le contrôleur (2); *(of orchestra)* le chef d'orchestre (16)
congratulations! félicitations! (I)
constantly constamment (4)
to construct construire (13)
to contain contenir (14)
continent le continent (I)
to continue continuer (à) (7)
contrary: on the — au contraire (4)
control tower la tour de contrôle (10)
conversation la conversation (4)
to cook faire la cuisine (I); cuisiner (8)
cool frais, fraîche (14)
  it's — out il fait frais (I)
Copenhagen Copenhague (I)
coq au vin le coq au vin (I)
corner le coin (I)
  on the — au coin de la rue (I)
correct correct, -e (I)
to correct corriger (16)
correctly correctement (3)
to correspond (with) correspondre (avec) (14)
to cost coûter (I)
costume le costume (9)
couch le divan (8)
to count compter (I)
  to — on compter + *inf.* (5); compter sur (18)
counter le comptoir (3)
  ticket — le guichet (5)
country la campagne; le pays (I)
  bush — la brousse (12)
course: golf — le terrain de golf (17)
course:
  of — bien sûr (I); sûrement (2)
  of — not mais non (I)
courtyard la cour (1)
cousin le cousin, la cousine (I)
to cover couvrir (16)
covered (with) couvert, -e (de) (11)
cow la vache (I)
cream la crème (I)
creche la crèche (5)
crescent roll le croissant (6)
to cross traverser (7)
crowd la foule (2)
cup la tasse (I)
  — of coffee un café (I)
curtain le rideau, *pl.* les rideaux (6)
to cut couper (8); se couper à + *part of body* (11)
cyclist cycliste *m.&f.* (17)

dad papa *m.* (I)
dairy shop la crémerie (3)
dance la danse (I)
to dance danser (I)
dancer le danseur, la danseuse (16)
dangerous dangereux, -euse (11)
Danish danois, -e; le danois (I)
dark obscur, -e (9)
  it's — out il fait nuit (I)
dashboard le tableau de bord (4)
date la date (I)
  to make a — prendre rendez-vous (3)
daughter la fille (I)
day le jour; la journée (I)
  first — of school la rentrée des classes (1)
  it's — time il fait jour (I)
  New Year's — le Jour de l'An (5)
  the — after le lendemain (de) (5)
  the next — le lendemain (5)
  what — is it? quel jour sommes-nous? (I)
deaf sourd, -e (11)
dear *(adj.)* cher, chère (14); *(noun)* chéri *m.*, chérie *f.* (18)
December décembre *m.* (I)
to decide décider (de) (4)
decided: it's —! c'est décidé! (18)
to decorate décorer (5)
decoration la décoration (5)
deer le cerf (15)
to delay retarder (13)
delicatessen la charcuterie (3)
  — meats la charcuterie (3)
  — owner le charcutier, la charcutière (3)
delighted enchanté, -e (14)
Denmark le Danemark (I)
dentist dentiste *m.&f.* (I)
department le rayon (3)
department store le grand magasin (I)
departure le départ (1)
  — point le point de départ (10)
to depend (on) compter (sur) (18)
to describe décrire (7)
desert le désert (12)
desk le bureau, *pl.* les bureaux; le pupitre (I)
  cashier's — la caisse (3)
  reception — la réception (9)
dessert le dessert (I)
destination la destination (10)
detective:
  — film le film policier (I)
  — novel le roman policier (I)
detour le détour (13)

to die mourir (I)
diet le régime (I)
on a — au régime (I)
difference la différence (16)
different différent, -e (16)
difficult difficile (I)
dim obscure, -e (9)
to dine dîner (I)
dining:
— car *(on train)* le wagon-restaurant (5)
— room la salle à manger (I)
dinner le dîner (I)
to have — dîner (I)
direct direct, -e (5)
to direct diriger (12)
direction la direction (7)
directly directement (13)
director le metteur en scène (7)
dirty sale (10)
disagreeable désagréable (2)
disappointed déçu, -e (18)
to discourage (from) décourager (de) (12)
to discover découvrir (16)
to discuss discuter de (17)
dishes la vaisselle (I)
to disturb déranger (17)
to dive plonger (I)
diver le plongeur, la plongeuse (17)
diving la plongée (17)
to do faire (I)
to — odd jobs bricoler (10)
doctor le médecin (I)
documentary le documentaire (I)
dog le chien (I)
do-it-yourselfer le bricoleur, la bricoleuse (10)
door la porte (I)
car — la portière (4)
to doubt douter (18)
down:
to come (go) — descendre (I)
to go (come) back — redescendre (10)
to take (bring) — descendre (5)
double room la chambre à deux lits (9)
downstairs en bas (8)
dozen une douzaine (de) (8)
dragon le dragon (I)
to draw dessiner (15)
drawer le tiroir (6)
drawing le dessin (15)
dress la robe (I)
to dress *(s.o.)* habiller (6)
to get dressed s'habiller (6)
dressing: salad — la vinaigrette (8)
drink la boisson (I)
to drink boire (10)
to have something to — prendre quelque chose (à boire) (I)
to drive conduire (13)
to — around circuler (4)
driver le conducteur, la conductrice (2)
driver's license le permis de conduire (13)
race-car — pilote *m.&f.* (17)
to drop laisser tomber (17)
drum le tambour (16)
dry sec, sèche (17)
dubbing le doublage (7)
duck le canard (I)
dull ennuyeux, -euse (I)
dumb bête (I)
during pendant (I)
Dutch hollandais, -e; le hollandais (I)

each chaque (I); *(pronoun)* chacun *m.*, chacune *f.* (2)
— other se (s') (6)
ear l'oreille *f.* (11)
early de bonne heure (I); en avance (2); tôt (6)
earth la terre (I)
ease:
at — à l'aise (4)
ill-at- — mal à l'aise (4)
easily facilement (3)
east l'est *m.* (I)
easy facile (I)
to eat manger (I)
let's eat! à table! (14)
to have something to — prendre quelque chose (à manger) (I)
economics les sciences économiques *f.pl.* (12)
effort: to make an — faire des efforts *m.pl.* (16)
egg l'œuf *m.* (I)
eight huit (I)
eighteen dix-huit (I)
eighty quatre-vingts (I)
either non plus (2)
electrician l'électricien *m.* (15)
elephant l'éléphant *m.* (I)
elevator l'ascenseur *m.* (3)
eleven onze (I)
employee l'employé *m.*, l'employée *f.* (I)
empty vide (2)
to encourage (to) encourager (à) (12)
end la fin (I); le bout (7)
energetic énergique (I)
engaged fiancé, -e (I)
engineer l'ingénieur *m.* (I)
England l'Angleterre *f.* (I)
English anglais, -e; l'anglais *m.* (I)
to enjoy oneself s'amuser (9)
— your meal! bon appétit! (14)
enjoyable amusant, -e (1)
enormous énorme (10)
enough assez (de) (I)
that's —! ça suffit! (3)
to ensure assurer (15)
to enter entrer (dans) (I)
enthusiastic (about) passionné, -e (par) (I); enthousiaste (17)
entire entier, entière (3)
entirely entièrement (3)
entrance l'entrée *f.* (1)
envelope l'enveloppe *f.* (I)
equator l'équateur *m.* (12)

equipment l'équipement *m.* (3)
eraser la gomme (I)
errand: to run — s faire des courses (3)
escalator l'escalier roulant *m.* (3)
especially surtout (I)
Europe l'Europe *f.* (I)
European européen, -ne (12)
eve la veille (de) (I)
even même (12)
— so quand même (1)
evening le soir; la soirée (I)
in the — le soir; *time* + du soir (I)
last — hier soir (I)
ever jamais (4)
every chaque; tous les, toutes les (I)
everybody, everyone tout le monde (I)
— in turn chacun son tour (2)
everywhere partout (3)
exactly juste (5); justement (14)
exam l'examen *m.* (I)
to examine examiner (4)
example: for — par exemple (I)
excellent excellent, -e (I)
except sauf (I)
exciting passionnant, -e (4)
excuse me pardon (I)
exit la sortie (1)
expensive cher, chère (I)
to be — coûter cher (I)
to explain expliquer (14)
explanation l'explication *f.* (14)
exposition l'exposition *f.* (4); le salon (4)
express train l'express *m.* (5)
expressway l'autoroute *f.* (13)
eye l'œil, *pl.* les yeux *m.* (11)

face la figure (6)
to wash one's — se laver la figure (6)
factory l'usine *f.* (I)
to fail rater (I)
fall l'automne *m.* (I)
to fall tomber (I)
false faux, fausse (3)
family la famille (I)
famous célèbre (I)
fantastic formidable (18)
far (from) loin (de) (I)
farm la ferme (I)
farmer l'agriculteur *m.* (I)
fast *(adv.)* vite (I); *(adj.)* rapide (2)
fat gros, grosse (I)
to get — grossir (I)
father le père (I)
Father's Day la Fête des Pères (I)
to fear craindre (15)
February février *m.* (I)
to feel:
to — fine (better, sick) aller bien (mieux, mal) (11)
to — like + *verb* avoir envie (de) + *inf.* (12)
fellow le bonhomme (2); le type (2)
festival le festival (9)
fever la fièvre (11)
to have a — avoir de la fièvre (11)
few peu de (I)
a — quelques (I)
fiancé(e) le fiancé, la fiancée (I)
field le terrain (de sports, etc.) (17)
fifteen quinze (I)
fifty cinquante (I)
to fill *(a gas tank)* faire le plein (13)
film le film (I)
finally enfin (I)
to find trouver (I)
to — again retrouver (1)
fine la contravention (13)

fine:
things are — ça va bien (I)
to feel — aller bien (11)
finger le doigt (11)
to finish finir (I)
fire le feu, *pl.* les feux (8)
fireplace la cheminée (8)
fireworks les feux d'artifice *m.pl.* (9)
first premier, -ière (I)
(at) — d'abord (I)
— day of school la rentrée des classes (1)
the — of le premier + *month* (I)
fish le poisson (I)
— stew la bouillabaisse (16)
five cinq (I)
to fix préparer (I); réparer (10)
flag le drapeau, *pl.* les drapeaux (I)
flash attachment la lampe (15)
flat plat, -e (13); *(of tires)* à plat (13)
Flemish flamand, -e (I); le flamand (I)
flight le vol (10)
floor le plancher (9); *(of a building)* l'étage *m.* (3)
main (ground) — le rez-de-chaussée (3)
second (third, etc.) — premier (deuxième) étage (3)
flower la fleur (I)
flute la flûte (16)
fly la mouche (14)
folk folklorique (16)
following suivant, -e (2)
food les provisions *f.pl.* (8)
foolishly bêtement (3)
foot le pied (11)
— race la course à pied (I)
on — à pied (I)
football le football américain (I)
for pour (I); pendant (4); depuis (11); il y a + *time* + que + *present* (11); au nom de (9)
foreign étranger, -ère (I)
forest la forêt (12)

to **forget** oublier (I)
fork la fourchette (I)
former ancien, -ne (2)
the — *noun or demonstrative pronoun* + -là (12)
formerly autrefois (12)
fortunately heureusement (2)
forty quarante (I)
fountain la fontaine (14)
four quatre (I)
fourteen quatorze (I)
franc le franc (I)
France la France (I)
free libre (I)
to **freeze** geler (I)
French français, -e; le français (I)
French fries les pommes frites *f.pl.* (I)
fresh frais, fraîche (14)
Friday vendredi *m.* (I)
friend l'ami *m.*, l'amie *f.*; le copain, la copine (I); camarade *m.&f.* (1)
to **frighten** faire peur à (I)
frog la grenouille (14)
from de (I)
front *adj.* avant (4)
in — of devant (I)
fruit les fruits *m.pl.* (I)
full complet, -ète (2); plein, -e (14)
fun amusant, -e (1)
funny drôle (7)
furniture les meubles *m.pl.* (8)
— department le rayon d'ameublement (3)

to **gain weight** grossir (I)
game le match, *pl.* les matchs (6); le jeu, *pl.* les jeux (17)
tie — le match nul (17)
garage le garage (I)
— owner garagiste *m.&f.* (13)
garden le jardin (I)
garlic l'ail *m.* (I)
gas(oline) l'essence *f.* (13)
— pump la pompe à essence (13)
with premium — en super (13)
with regular — en normal (13)
gas station la station-service, *pl.* les stations-service (13)
— attendant pompiste *m.&f.* (13)
generous généreux, -euse (6)
generously généreusement (3)
gentleman le monsieur, *pl.* les messieurs (I)
ladies and gentlemen messieurs-dames (I)
geography la géographie (I)
geometry la géométrie (I)
German allemand, -e (I); l'allemand *m.* (I)
Germany l'Allemagne *f.* (I)
gesture le geste (I)
to **get** avoir (I); recevoir (10)
let's — going! allons-y! (I)
to come (go) — venir (aller) chercher (5)
to — a suntan se bronzer (14)
to — angry se fâcher (10)
to — back to retrouver (1)
to — dressed s'habiller (6)
to — fat grossir (I)
to — lost se perdre (9)
to — off (out of) descendre (de) (I)
to — on (in) monter (dans) (I)
to — out s'en aller (15)
to — together se réunir (18)
to — up se lever (6)
to — used to s'habituer (à) (12)
to — well guérir (11)
gift le cadeau, *pl.* les cadeaux (11)
gifted doué, -e (16)
giraffe la girafe (I)
girl la jeune fille; la fille (10)
to **give (to)** donner à; offrir à (I)
to — back rendre (10)
to — *(s.o.)* **a hand** donner un coup de main (à) (8)
glance: at first — au premier coup d'œil (15)
glass le verre (I)
glasses les lunettes *f.pl.* (11)
glove le gant (I)
to **go** aller (I); se rendre (16)
to — away s'en aller (15)
to — back rentrer; retourner (I)
to — back down redescendre (10)
to — back to sleep se rendormir (6)
to — back up remonter (10)
to — camping faire du camping (I)
to — down descendre (I)
to — get aller chercher (5)
to — hiking faire une randonnée (18)
to — in entrer (dans) (I)
to — out sortir (de) (I)
to — over réviser (I)
to — shopping faire des achats (I)
to — to bed se coucher (6)
to — to school at faire ses études à (4)
to — to sleep s'endormir (6)
to — up monter (I)
to — with accompagner (I)
golf le golf (17)
— course le terrain de golf (17)
golfer le joueur (la joueuse) de golf (17)
good bon, bonne (I)
— in (+ *school subjects*) fort, -e en (I)
no — in (+ *school subjects*) nul, nulle en (I)
to feel — aller bien (11)
to have a — time s'amuser (9)
good-by au revoir; salut (I)
to **gossip** bavarder (4)

grade la note (16)
grandfather le grand-père (I)
grandmother la grand-mère (I)
grandparents les grands-parents *m.pl.* (I)
grape le raisin (8)
grapefruit le pamplemousse (8)
grass l'herbe *f.* (I)
grasshopper la sauterelle (14)
gray gris, -e (I)
great! chouette! chic! (I)
Great Britain la Grande Bretagne (1)
Greece la Grèce (I)
greedy avare (I)
Greek grec, grecque; le grec (I)
green vert, -e (I)
  — beans les haricots verts *m.pl.* (I)
  to turn — passer au vert *(traffic light)* (13)
grenadine la grenadine (I)
grilled ham and cheese le croque-monsieur (I)
grocery store l'épicerie *f.* (3)
ground floor le rez-de-chaussée (3)
group le groupe (16)
guard le gardien, la gardienne (15)
to **guard** garder (15)
guidebook le guide (18)
Guignol le Guignol (I)
guitar la guitare (I)
guy le bonhomme; le type (2)
gymnasium le gymnase (I)
gymnast gymnaste *m.&f.* (17)
gymnastics la gymnastique (17)
  to do — faire de la gymnastique (17)

hair les cheveux *m.pl.* (6)
  to brush one's — se brosser les cheveux (6)
  to comb — peigner; se peigner (6)
hairbrush la brosse à cheveux (6)
hairdresser le coiffeur, la coiffeuse (15)
Haiti Haïti (I)
half la moitié (14)
  — hour une demi-heure (3)
  — past *time* + et demie (I)
hall le couloir (1)
  study — la salle de permanence (1)
ham le jambon (I)
  grilled — and cheese le croque-monsieur (I)
hammer le marteau (10)
hamster le hamster (3)
hand la main (6)
  to give *(s.o.)* **a —** donner un coup de main (à) (8)
  to shake —s se serrer la main (7)
  to wash one's —s se laver les mains (6)
handkerchief le mouchoir (I)
handsome beau (bel), belle (I)
handy person le bricoleur, la bricoleuse (10)
to **happen** se passer (2)
happy heureux, -euse (I); content, -e (1)
  — birthday bon anniversaire (I)
hard difficile (I)
hat le chapeau, *pl.* les chapeaux (I)
to **have** avoir; prendre (I)
  to — a chance (to) avoir l'occasion (de) (18)
  to — a discussion discuter de (17)
  to — a fever avoir de la fièvre (11)
  to — a meeting se réunir (18)
  to — a pain (in) avoir mal à (11)
  to — a picnic faire un pique-nique (14)
  to — time (to) avoir le temps (de) (5)
  to — to falloir (I); devoir (10)
he il (I)
head la tête (11)
to **head (toward)** se diriger (vers) (7)
headlight le phare (4)
healer le guérisseur (12)
health la santé (11)
to **hear** entendre (I)
heart le cœur (11)
to **heat** chauffer (15)
heating le chauffage (15)
heaven le ciel (I)
heavy lourd, -e (18)
hello bonjour; salut; *(on telephone)* allô (I)
to **help** aider (à); donner un coup de main (à) (8)
  can I — you? vous désirez? (5)
hen la poule (I)
her elle; sa, son, ses; le (l') (I)
  to (for, from) — lui (I)
here ici; là (I)
  — is (are) voici (I)
hers le sien, la sienne; *pl.* les siens, les siennes (11)
herself se (s') (6); elle-même (16)
to **hide** cacher (I)
high haut, -e (18)
high school le lycée (I)
  — student le lycéen, la lycéenne (1)
hike la randonnée (18)
hiker le randonneur, la randonneuse (18)
hiking la randonnée (18)
  to go — faire une randonnée (18)
hill la colline (18)
him lui; le (l') (I)
  to (for, from) — lui (I)
himself se (s') (6); lui-même (16)

hippopotamus l'hippopotame *m.* (I)
his sa, son, ses (I); le sien, la sienne; *pl.* les siens, les siennes (11)
history l'histoire *f.* (I)
to **hitchhike** faire de l'autostop (I)
hockey le hockey (I)
to **hold** garder (14)
– **the line!** ne quittez pas! (4)
home: at – chez + moi, toi, etc. (I)
homesick: to be – avoir le mal du pays (1)
homework les devoirs *m.pl.* (I)
to **hope** espérer (6)
to – so (not) espérer que oui (non) (15)
horror l'épouvante *f.* (7)
– **film** le film d'épouvante (7)
hors d'œuvres les hors-d'œuvre *m.pl.* (I)
horse le cheval, *pl.* les chevaux (I)
hospital l'hôpital, *pl.* les hôpitaux *m.* (I)
hot chaud, -e (I)
it's – out il fait chaud (I)
to be – *(of people)* avoir chaud (I)
hotel l'hôtel *m.* (I)
hour l'heure *f.* (I)
half – une demi-heure (3)
quarter of an – un quart d'heure (3)
rush – les heures de pointe *f.pl.* (2)
house la maison (I)
at (to) the – of chez (I)
housewife la ménagère (I)
housework: to do the – faire le ménage (I)
how comment (I)
–! comme! (2)
– **are things?** ca va? (I)
– **awful!** quelle horreur! (1)
– **many,** – **much** combien de (I)
– **much is?** *(in math)* combien font? (I)
– **old are you?** quel âge avez-vous? (I)
to know – savoir (I)
however cependant (I)
hundred cent (I)
hungry: to be – avoir faim (I)
hunt la chasse (15)
to **hunt** chasser (15)
hunter le chasseur, la chasseuse (15)
hurry! vite! (I)
in a – pressé, -e (I)
to **hurry** se dépêcher (7)
husband le mari (I)

I je; moi (I)
ice la glace (I)
– **skate** le patin à glace (11)
– **skater** le patineur, la patineuse (11)
– **skating rink** la patinoire (11)
ice cream la glace (I)
– **bar** l'esquimau, *pl.* les esquimaux *m.* (I)
idea l'idée *f.* (12)
if si (I)
– **not** sinon (10)
ill-at-ease mal à l'aise (4)
immediately immédiatement (17)
impatient impatient, -e (2)
impatiently impatiemment (2)
impolite impoli, -e (2)
impolitely impoliment (3)
important important, -e (I)
impossible impossible (I)
to **impress** impressionner (11)
impressive impressionnant, -e (18)
in à; dans; en (I)
to **include** comprendre (5)
included: tip – le service est compris (I)
indeed en effet (I)
indoors à l'intérieur (I)
inexpensive bon marché (3)
to be – coûter peu (I)
information les renseignements *m.pl.* (I)
inhabitants les habitants *m.pl.* (15)
inn l'auberge *f.* (9)
innkeeper l'aubergiste *m.&f.* (9)
insect l'insecte *m.* (14)
inside à l'intérieur (I)
instead of au lieu de (10)
intelligent intelligent, -e (2)
intelligently intelligemment (3)
to **intend (to)** compter + *inf.* (5)
to **interest** intéresser (15)
interesting intéressant, -e (I)
to **intern** faire un stage (I)
internship le stage (I)
intersection le carrefour (13)
into dans (I)
to **introduce** présenter (14)
to – oneself (to) se présenter (à) (14)
invitation l'invitation *f.* (5)
to **invite** inviter (I)
island l'île *f.* (12)
it il, elle; le, la, l'; y (I)
– **is** c'est; il (elle) est (I)
its sa, son, ses (I)
Italian italien, -ienne; l'italien *m.* (I)
Italy l'Italie *f.* (I)

jacket la veste (I)
ski – l'anorak *m.* (I)
jam la confiture (I)
traffic – l'embouteillage *m.* (9)
janitor concierge *m.&f.* (I)
January janvier *m.* (I)
Japan le Japon (I)
Japanese japonais, -e; le japonais (I)
jazz le jazz (16)

jeans le jean (I)
job l'emploi *m.* (I)
to do odd —s bricoler (10)
to **join** (se) rejoindre (15)
journalist journaliste *m.&f.* (15)
judge le juge (I)
juice le jus (8)
July juillet *m.* (I)
June juin *m.* (I)
jungle la jungle (12)
just juste (5)
— **the same** quand même (1)
to **have** — venir de + *inf.* (I)
to **keep** garder (14)
to — **from** empêcher (de) (17)
key la clef (I)
to **kid: no kidding!** sans blague! (4)
kilogram le kilo (8)
kilometer le kilomètre (7)
to **be ten —s (from)** être à dix kilomètres (de) (7)
kind aimable (I)
kind la sorte (7)
king le roi (9)
kitchen la cuisine (I)
knee le genou, *pl.* les genoux (11)
knife le couteau, *pl.* les couteaux (I)
pocket— le canif (10)
to **knock (on)** frapper (à) (I)
to **know** connaître; savoir (I)
to — **each other** se connaître (14)
to — **how** savoir (I)

lab(oratory) le labo(ratoire) (1)
laborer l'ouvrier *m.*, l'ouvrière *f.* (I)
lady la dame (I)
ladies and gentlemen messieurs-dames (I)
lake le lac (I)
lamb: leg of — le gigot (I)
lamp la lampe (6)
land la terre (I)
to **land** atterrir (10)
landscape le paysage (12)
language la langue (I)
— **lab(oratory)** le labo(ratoire) de langues (1)
lanterne la lanterne (18)
large grand, -e; gros, grosse (I)
last dernier, -ière (I)
at — enfin (I)
— **evening** hier soir (I)
— **night** hier soir (I)
to **last** durer (17)
late en retard (I); tard (6)
to **sleep** — faire la grasse matinée (I)
later plus tard (I)
latter: the — *noun or demonstrative pronoun* + -ci (12)
to **laugh (at)** rire (de) (17)
lawn la pelouse (14)
lawn-bowling le jeu de boules (17)
lawyer l'avocat *m.*, l'avocate *f.* (I)
lazy paresseux, -euse (I)
lead *(in a play)* le rôle principal, *pl.* les rôles principaux (I)
to **lead** mener (15)
leaf la feuille (I)
to **lean (over)** se pencher (sur) (10)
to **learn** apprendre (I)
to — **by heart** apprendre par cœur (I)
to — **how** apprendre à + *inf.* (I)
least le (la, les) moins (7)
to **leave** partir (de); quitter (I)
to — **behind** laisser (I)
to — **room (for)** laisser de la place (à) (2)
left gauche (7)
to **the** — **(of)** à gauche (de) (I)
leg la jambe (11)
— **of lamb** le gigot (I)
lemon le citron (8)
lemonade le citron pressé (I)
to **lend (to)** prêter (à) (I)
leopard le léopard (I)
less moins (7)
— **and** — de moins en moins (12)
— . . . **than** moins . . . que (7)
lesson la leçon (I)
to **let** *(s.o. do sth.)* permettre (à . . . de) (8); laisser (9)
let's *1 pl. form of any verb* (I)
letter la lettre (I)
lettuce la laitue (8)
level: lower — le sous-sol (3)
library la bibliothèque (I)
school — la salle de documentation (I)
license: driver's — le permis de conduire (13)
life la vie (12)
lift: rope — le remonte-pente (11)
light léger, -ère (18)
light la lumière (9)
it's — **out** il fait jour (I)
traffic — le feu (13)
to **light** allumer (5)
lighting *(for celebrations)* les illuminations *f.pl.* (9)
likable sympa (I)
to **like** aimer (I)
I'd — je voudrais (I)
we'd — nous voudrions (I)
line la ligne (4)
hold the —! ne quittez pas! (4)
to **stand in** — faire la queue (2)
lion le lion (I)
Lisbon Lisbonne (I)
to **listen (to)** écouter (I)
liter le litre (13)
little petit, -e (I)
a — un peu (de) (I)
in a — **while** tout à l'heure (1)
to **live (in)** habiter (I)
lively énergique (I); animé, -e (9)
living room le salon (8)

loaf *(of bread)* la baguette (8)
local train l'omnibus *m.* (5)
located situé, -e (12)
 to be – se trouver (I)
to lock fermer à clef (I)
locker le casier (1)
locust la cigale (14)
London Londres (I)
long long, longue (I)
 a – time longtemps (I)
longer: no – ne . . . plus (I)
look: to take a – (at) jeter un coup d'œil (sur) (15)
to look (at) regarder (I)
 to – + *adj.* avoir l'air *m.* + *adj.* (1)
 to – alike se ressembler (17)
 to – for chercher (I)
 to – like ressembler à (17)
 to – out of regarder par (I)
 to – well avoir bonne mine (I)
to lose perdre (I)
 to – one's way se perdre (9)
 to – weight maigrir (I)
lost: to get – se perdre (9)
lot:
 a – (of) beaucoup (de) (I)
 a – of people beaucoup de monde (I)
loud: out – à haute voix (7)
louder plus haut (7)
loudspeaker le haut-parleur (5)
lounge: teachers' – la salle des professeurs (1)
love l'amour *m.* (7)
to love aimer (I)
low bas, basse (18)
lower level le sous-sol (3)
luck:
 good –! bon courage! (I)
 to be lucky avoir de la chance (I)
luggage les bagages *m.pl.* (I)
lunch le déjeuner (I)
 to have – déjeuner (I)

ma'am, madam madame, *pl.* mesdames (I)
machine la machine (10)
magazine la revue (15)
magnificent magnifique (9)
mailman le facteur (I)
main floor le rez-de-chaussée (3)
majority: the – of la plupart de (7)
make la marque (4)
to make faire (I); fabriquer (4); *(s.o. + adj.)* rendre *(qqn + adj.)* (11)
 to – a date prendre rendez-vous (3)
 to – a film tourner un film (7)
 to – an effort faire des efforts (16)
Mali le Mali (I)
Malian malien, -ienne (I)
man l'homme *m.;* le monsieur, *pl.* les messieurs (I)
manger la crèche (5)
to manufacture fabriquer (4)
many beaucoup de (I)
 how – combien de (I)
 so – tant de (I)
 too – trop de (I)
map la carte (I); le plan (7)
 lighted métro – le plan-indicateur (7)
 road – la carte routière (18)
March mars *m.* (I)
market le marché (I)
 super– le supermarché (I)
married marié, -e (I)
mashed potatoes la purée de pommes de terre (8)
mass la messe (5)
match le match, *pl.* les matchs (I)
math(ematics) les mathématiques, les maths *f.pl.* (I)
matter: it doesn't – ça ne fait rien (4)
may: it – be il se peut (16)
May mai *m.* (I)
maybe peut-être (I)
me moi (I)
 to (for, from) – me (m') (I)

meal le repas (I)
 enjoy your –! bon appétit! (14)
mean méchant, -e (I)
to mean vouloir dire (I)
meat la viande (I)
 delicatessen – la charcuterie (3)
mechanic le mécanicien, la mécanicienne (13)
medicine le médicament (11); *(field of)* la médecine (12)
Mediterranean la Méditerranée (I)
medium *(meat)* à point (8)
to meet rencontrer (I); retrouver (1); se retrouver (3); se rencontrer (6); faire la connaissance (de) (14); (se) rejoindre (15); se réunir (18)
meeting la réunion (18)
 to have a – se réunir (18)
to memorize apprendre par cœur (I)
memory le souvenir (9)
merchant le marchand, la marchande (3)
mess le gâchis (I)
métro le métro (I)
Mexican mexicain, -e (I)
Mexico le Mexique (I)
Mexico City Mexico (I)
middle le milieu (1)
 in the – of au milieu de (I)
 to be in the – of *(doing sth.)* être en train de (4)
midnight minuit (I)
milk le lait (I)
mind: to change one's – changer d'avis (10)
mine le mien, la mienne; *pl.* les miens, les miennes (11)
mineral water l'eau minérale *f.* (I)
minus moins (I)

minute la minute (8)
mirror le miroir (8)
Miss mademoiselle (I)
to miss manquer (2)
mistake la faute (I)
mistaken: to be — (about) se tromper (de) (7)
modern moderne (1)
mom maman *f.* (I)
moment le moment (8); l'instant *m.* (16)
Monday lundi *m.* (I)
money l'argent *m.* (I)
monkey le singe (I)
month le mois (I)
Montreal Montréal (I)
moon la lune (I)
more plus (7)
  — and — de plus en plus (12)
  — . . . than plus . . . que (7)
  no — ne . . . plus (I)
  once — encore une fois (6)
morning le matin; la matinée (I)
  every — tous les matins (I)
  in the — le matin; *time* + du matin (I)
Moscow Moscou (I)
mosquito le moustique (14)
most le (la, les) plus (7)
  — of la plupart de (7)
mother la mère; maman *f.* (I)
  Mother's Day la Fête des Mères (I)
motor le moteur (4)
motorbike la moto (I)
mountain la montagne (I)
  to go —-climbing faire de l'alpinisme *m.* (I)
  in the —s à la montagne (I)
mountain-climber l'alpiniste *m.&f.* (18)
mouse la souris (I)
mousse: chocolate — la mousse au chocolat (I)
moustache la moustache (11)
mouth la bouche (11)
to move déménager (16)
movie le film (I)
  — cartoon le dessin animé (I)
  — director le metteur en scène (7)
  —s le cinéma (I)
  — star la vedette *m.&f.* (7)
  — theater le cinéma (I)
Mr. Monsieur (I)
Mrs. Madame (I)
much beaucoup de (I)
  how — combien (de) (I)
  so — tant (de) (I)
  too — trop (de) (I)
  very — beaucoup (I)
museum le musée (I)
music la musique (I)
musician le musicien, la musicienne (16)
must il faut (I); devoir (10)
my ma, mon, mes (I)
myself moi-même (16)

nail le clou, *pl.* les clous (10)
name le nom (9)
  in the — of au nom de (9)
  to be named s'appeler (6)
napkin la serviette (I)
narrow étroit, -e (I)
natural naturel, -le (I)
naughty méchant, -e (I)
near près (de) (I); aux environs de (16)
nearby *(adv.)* à côté (I); *(adj.)* voisin, -e (4)
neat! chic! (I)
necessary nécessaire (16)
  to be — falloir (I)
neck le cou (11)
necklace le collier (I)
necktie la cravate (I)
to need avoir besoin de (I)
neighbor le voisin, la voisine (I)
neighboring voisin, -e (4)
neither:
  — . . . nor ni . . . ni (4)
  — one ni l'un(e) ni l'autre (4)
nephew le neveu, *pl.* les neveux (I)
the Netherlands les Pays-Bas *m.pl.* (I)
never ne . . . jamais (I)
new nouveau (nouvel), nouvelle (I)
  New Year's Day le Jour de l'An (5)
news: TV — le journal télévisé (I)
newspaper le journal, *pl.* les journaux (I)
next *(adj.)* prochain, -e (I); *(adv.)* ensuite (I)
  — to à côte de (I)
  the — day le lendemain (5)
nice aimable; sympa (I); gentil, -ille (2); charmant, -e (4)
  it's — out il fait beau (I)
Niçoise salad la salade niçoise (I)
niece la nièce (I)
night la nuit (I)
  every — tous les soirs (I)
  it's —time il fait nuit (I)
  last — hier soir (I)
  the — before la veille (de) (I)
nine neuf (I)
nineteen dix-neuf (I)
ninety quatre-vingt-dix (I)
no non; pas de + *noun* (I)
  — + *verb* + -ing défense de + *inf.* (13)
  — good in + *school subjects* nul, nulle en (I)
  — longer ne . . . plus (I)
  — one personne . . . ne (I)
nobody personne . . . ne (I)
noise le bruit (I)
nonstop *(flight)* sans escale (10)
noon midi (I)
nor: neither . . . — ni . . . ni (4)
north le nord (I)
North America l'Amérique du Nord *f.* (I)
northeast le nord-est (I)
northwest le nord-ouest (I)
Norway la Norvège (I)

Norwegian norvégien, -ienne; le norvégien (I)
nose le nez (11)
not pas; ne . . . pas (I)
if — sinon (10)
— any more ne . . . plus (I)
— anyone ne . . . personne (I)
— anything ne . . . rien (I)
— at all pas du tout (I)
— yet pas encore (6)
of course — mais non (I)
note *(music)* la note (16)
notebook le cahier (I)
nothing rien . . . ne (I)
to notice remarquer (3)
novel le roman (I)
November novembre *m.* (I)
now maintenant (I)
number le numéro (2)
nurse l'infirmier *m.*, l'infirmière *f.* (1)

oboe le hautbois (16)
obvious évident, -e (3)
obviously évidemment (3)
occupation la profession (I); le métier (15)
occupied occupé, -e (I)
ocean l'océan *m.* (I)
o'clock une heure, deux heures, etc. (I)
October octobre *m.* (I)
odor l'odeur *f.* (8)
of de (I)
— which (whom) dont (14)
off:
to get — descendre (de) (I)
to take — *(airplane)* décoller (10)
to offer (to) offrir à (I)
office le bureau, *pl.* les bureaux (I)
post — la poste (I)
often souvent (I)
oil l'huile *f.* (I)
okay d'accord (I)
old vieux (vieil), vieille (I); ancien, -ne (1)
how — are you? quel âge avez-vous? (I)
—-fashioned vieux jeu (3)
— pal mon vieux, ma vieille (I)
older, oldest aîné, -e (I); l'aîné *m.*, l'aînée *f.* (1)
omelette l'omelette *f.* (I)
on sur; à (I)
to get — monter (dans) (I)
— it (that) dessus (10); là-dessus (18)
once une fois (I); une fois que (12)
— in a while de temps en temps (7)
— more encore une fois (6)
one un, une (I)
onion l'oignon *m.* (I)
— soup la soupe à l'oignon (I)
only seul, -e; unique; ne . . . que (I); seulement (3)
to open ouvrir (I)
opera (house) l'opéra *m.* (I)
opinion l'avis *m.* (16)
in my — à mon avis (16)
opportunity: to have the — (to) avoir l'occasion (de) (18)
opposite en face (de) (I)
or ou (I)
orange *(adj.)* orange (2); l'orange *f.* (8)
orangeade l'orangeade *f.* (I)
orchestra l'orchestre *m.* (16)
order:
in — *(papers)* en règle (13)
in — to pour (I)
to order commander (I)
to organize organiser (I)
original original, -e; *pl.* -aux, -ales (7)
other autre (I)
each — se (s') (6)
otherwise sinon (10)
ouch! aïe! (14)
our notre, nos (I)
ours le nôtre, la nôtre; *pl.* les nôtres (11)
ourselves nous-mêmes (16)
out:
— loud à haute voix (7)
to bring (take) — sortir (5)
to get — of descendre (de) (I)
to go — sortir (de) (I)
outdoors dehors (I)
outside dehors (I)
outskirts les environs *m.pl.* (16)
over:
— there là-bas (I)
to go — réviser (I)
overcoat le manteau, *pl.* les manteaux (I)
overdone *(meat)* trop cuit (8)
ow! aïe! (14)
to owe devoir (10)
own propre (12)
oyster l'huître *f.* (I)

Pacific Ocean le Pacifique (I)
to pack (one's bags) faire ses bagages *m.pl.* (I)
package le paquet (I)
page la page (I)
pain: to have a — (in) avoir mal (à) (11)
to paint peindre; faire de la peinture (15)
to — a picture faire un tableau (15)
painter le peintre (16)
painting le tableau (8); la peinture (15)
pair la paire (3)
pal: old — mon vieux, ma vieille (I)
pants le pantalon (I)
paper le papier (I)
(news)— le journal, *pl.* les journaux (I)
paperback le livre de poche (I)
parade le défilé (9)
pardon me pardon (I)

parents les parents *m.pl.* (I)
park le parc (I)
to park garer (9)
part *(in a play)* le rôle (I); la partie (11)
to be — of faire partie de (11)
to take — in participer à (9)
participant le participant, la participante (9)
to participate (in) participer (à) (9)
party la fête; la surprise-party (I)
to pass *(a test)* réussir à (un examen) (I); *(on road)* doubler (13)
passenger le passager, la passagère (2)
pastry la pâtisserie (I)
— chef le pâtissier, la pâtissière (3)
— shop la pâtisserie (3)
pâté le pâté (3)
path le sentier (14)
patient patient, -e (2)
patient malade *m.&f.* (11)
patiently patiemment (3)
to pay (for) payer (12)
to — attention (to) faire attention (à) (8)
peaceful tranquille (14)
peach la pêche (8)
pear la poire (8)
peas les petits pois *m.pl.* (I)
pebble le galet (18)
pedestrian le piéton (13)
Peking Pékin (I)
pen le stylo (I)
pencil le crayon (I)
peninsula la péninsule (12)
pen pal le correspondant, la correspondante (14)
people les gens *m.pl.* (I)
a lot of — beaucoup de monde (I)
pepper le poivre (I)
perfect parfait, -e (5)
perfectly parfaitement (5)
perfume le parfum (5)
perhaps peut-être (I)
to permit permettre (à . . . de) (8)
person la personne (14)
pet la bête (3)
pharmacist le pharmacien, la pharmacienne (I)
pharmacy la pharmacie (I)
phone *see* telephone
photo(graph) la photo (I)
to photograph photographier (15)
photographer photographe *m.&f.* (15)
physics la physique (I)
piano le piano (I)
to pick up aller (venir) chercher (5)
picnic le pique-nique (14)
to have a — faire un pique-nique (14)
picture l'image *f.;* la photo (I); le tableau (8)
to paint a — faire un tableau (15)
picturesque pittoresque (12)
pie la tarte (I)
apple — la tarte aux pommes (I)
pig le cochon (I)
pillow l'oreiller *m.* (6)
pilot pilote *m.&f.* (I)
pineapple l'ananas *m.* (8)
place l'endroit *m.* (13)
to take — avoir lieu (4)
to place mettre (I)
to plan (to) compter + *inf.* (5)
plane l'avion *m.* (I)
plans les projets *m.pl.* (I)
plate l'assiette *f.* (I)
platform le quai (5)
play la pièce (I)
to put on a — jouer une pièce (I)
to play jouer (I)
to — *(musical instruments)* jouer de (I)
to — *(sports & games)* jouer à (I)
player le joueur, la joueuse (17)
playground *(of school)* la cour (1)
playing field le terrain de sports (17)
plaza la place (1)
pleasant agréable (2)
pleasantly agréablement (3)
please s'il vous (te) plaît (I); veuillez (+ *inf.*) (9)
to please faire plaisir à (12)
pleased (to meet you) enchanté, -e (14)
pleasure: with — avec plaisir (5)
pliers les pinces *f.pl.* (10)
plum la prune (8)
plumber le plombier (15)
p.m. de l'après-midi; du soir (I)
pocketknife le canif (10)
poem le poème (I)
poet le poète (I)
point: departure (starting) — le point de départ (10)
poison le poison (I)
Poland la Pologne (I)
police la police (13)
policeman l'agent *m.* (I)
Polish polonais, -e; le polonais (7)
polite poli, -e (2)
politely poliment (3)
political science les sciences politiques *f.pl.* (12)
pool: swimming — la piscine (I)
poor pauvre (I)
pop(ular) pop(ulaire) (16)
pork:
— butcher le charcutier, la charcutière (3)
— roast le rôti de porc (I)
port le port (I)
Portugal le Portugal (I)
Portuguese portugais, -e; le portugais (I)
possible possible (I)
it's — il se peut (16)
possibly il se peut que (16)
post card la carte postale (I)
poster l'affiche *f.* (I)
postman le facteur (I)

post office la poste (I)
potato la pomme de terre (I)
mashed — es la purée de pommes de terre (8)
preceding précédent, -e (2)
to prefer aimer mieux (I); préférer (6)
prehistoric préhistorique (15)
to prepare préparer (I)
present le cadeau, *pl.* les cadeaux (I)
to press presser (7)
pretty joli, -e (I)
— + *adj.* assez (I)
to prevent empêcher (de) (17)
price le prix (3)
at a bargain — bon marché (3)
— tag l'étiquette *f.* (3)
principal *(of lycée)* le proviseur, la directrice (1)
probable probable (16)
problem le problème (10)
profession la profession (I); le métier (15)
to profit from profiter de (18)
program le programme (9)
progress: to make — faire des progrès *m.pl.* (I)
to promise *(s.o. to do sth.)* promettre (à . . . de) (8)
to pronounce prononcer (I)
Provence: of (from) — provençal, -e; çaux, -çales (I)
pump: gas — la pompe à essence (13)
pupil l'élève *m.&f.* (I)
purse le sac (I)
to push pousser (2); presser (7)
to put (in, on) mettre (I)
to — air in regonfler (13)
to — back to sleep rendormir (6)
to — on a play jouer une pièce (I)
to — on the brakes freiner (13)
to — out *(a light)* éteindre (15)
to — to bed coucher (6)
to — to sleep endormir (6)

quarter:
— of an hour un quart d'heure (3)
— past (six) (six) heures et quart (I)
— to (six) (six) heures moins le quart (I)
quebecois québécois, -e (I)
queen la reine (9)
question la question (I)
to ask a — poser une question (I)
quick! vite! (I)
quickly vite (I); rapidement (3)
quiet tranquille (14)
quite assez (I)

race la course (17)
auto — la course d'autos (17)
foot — la course à pied (17)
— car la voiture de course (17)
— car driver pilote *m.&f.* (17)
radio la radio (I)
radish le radis (8)
railroad station la gare (I)
rain la pluie (I)
to rain pleuvoir (I)
raincoat l'imperméable *m.* (I)
to raise lever (6)
rapid rapide (2)
rapidly rapidement (3)
rare *(meat)* saignant, -e (8)
rate: at any — de toute façon (13); en tout cas (16)
rather assez + *adj.* (I)
to read lire (I)
ready prêt, -e (13)
real vrai, -e (3)
really vraiment (I)
rear *(adj.)* arrière (4)
to recall se rappeler (16)
to receive recevoir (10)
recently récemment (4)
reception desk la réception (9)

to recognize reconnaître (I)
record le disque (I)
— player l'électrophone *m.* (I)
recorder: tape — le magnétophone (I)
red rouge (I)
to turn — rougir (I); passer au rouge *(traffic light)* (13)
redheaded, a redhead roux, rousse (I)
refrigerator le réfrigérateur (I); le frigo (8)
to refuse (to) refuser (de) (2)
region la région (12)
to reinflate regonfler (13)
relationship les rapports *m.pl.* (12)
to relax se reposer (18)
to remain rester (I)
to remember se souvenir (de) (9); se rappeler (16)
to repair réparer (10)
to repeat répéter (6)
representative: sales — le représentant, la représentante (4)
to resemble ressembler (à) (17)
to reserve retenir (9)
response la réponse (I)
responsible: to be — (for) se charger (de) (9)
rest le repos (18)
to rest se reposer (18)
restaurant le restaurant (I)
return la rentrée (1); le retour (5)
— ticket le retour (5)
— trip le retour (5)
to return rentrer (I); *(things)* rendre (10)
to review réviser (I)
rhinoceros le rhinocéros (I)
rice le riz (I)
·ich riche (I)
ride le trajet (2)

right bon, bonne (4); juste (5); droit, -e (7)
— **away** tout de suite (I)
that's — c'est ça (5)
to be — avoir raison (I)
to the — **(of)** à droite (de) (I)
ring la bague (I)
to **ring** sonner (16)
to **rise** se lever (6)
river le fleuve (I); la rivière (12)
— **bank** la rive (7)
the **Riviera** la Côte d'Azur (I)
road la route (I)
— **map** la carte routière (18)
roast beef le rosbif (8)
roast pork le rôti de porc (I)
rock music le rock (16)
role le rôle (I)
lead — le rôle principal, *pl.* les rôles principaux (I)
roll: crescent — le croissant (16)
roof le toit (8)
room la chambre (6)
bed— la chambre à coucher (6)
class— la salle de classe (I)
dining — la salle à manger (I)
living — le salon (8)
single (double) — la chambre à un (deux) lit(s) (9)
to leave — **(for)** laisser de la place (à) (2)
waiting — la salle d'attente (10)
rooster le coq (I)
rope lift le remonte-pente (11)
round-trip ticket un aller et retour (5)
route le chemin (7)
rug le tapis (6)
to **ruin** abîmer (15)
ruler la règle (10)
to **run** *(machines)* marcher (10)
to — **errands** faire des courses (3)
to — **a red light (stop sign)** brûler un feu rouge (un stop) (13).
to **run into** rencontrer (I)
runner le coureur, la coureuse (17)
runway la piste (10)
rush hour les heures de pointe *f.pl.* (2)
Russia la Russie (I)
Russian russe; le russe (I)

sad triste (I)
sadly tristement (3)
sailboat le bateau à voiles (I)
sailor le marin (I)
salad la salade (I)
— **dressing** la vinaigrette (8)
sale: on — en solde (3)
salesperson le vendeur, la vendeuse (I); le représentant, la représentante (4)
salt le sel (I)
same même (I)
at the — **time (as)** en même temps (que) (10); à la fois (18)
sand le sable (I)
sandwich le sandwich, *pl.* les sandwichs (I)
santon le santon (5)
Saturday samedi *m.* (I)
saucer la soucoupe (I)
sausage le saucisson (3)
saw la scie (10)
saxophone le saxophone (16)
to **say (to)** dire (à) (I)
to **scare** faire peur à (I)
scarf le foulard (I)
scenery le paysage (12)
school l'école *f.* (I)
high — le lycée (I)
high — **student** le lycéen, la lycéenne (1)
the first day of — la rentrée des classes (1)
to go to — **at** faire ses études à (4)
scientist scientifique *m.&f.* (12)
screen l'écran *m.* (7)
screw la vis (10)
screwdriver le tournevis (10)
sculptor le sculpteur (16)
sculpture la sculpture (16)
sea la mer (I)
season la saison (I)
seat la place (2); le siège (4)
seatbelt la ceinture de sécurité (4)
seated assis, -e (2)
secretary secrétaire *m.&f.* (I)
to **see** voir (I)
to **seem (to)** sembler (à) (18)
self -même (16)
to **sell** vendre (I)
to **send** envoyer (14)
to — **back** renvoyer (14)
Senegal le Sénégal (I)
Senegalese sénégalais, -e (I)
sentence la phrase (I)
September septembre *m.* (I)
serious sérieux, -euse (2); grave (10)
seriously sérieusement (3)
to **serve** servir (I)
service: at your — à votre service (I)
service station la station-service, *pl.* les stations-service (13)
— **attendant** pompiste *m.&f.* (13)
to **set the table** mettre le couvert (I)
seven sept (I)
seventeen dix-sept (I)
seventy soixante-dix (I)
several plusieurs (I)
to **shake hands** se serrer la main (7)
shame: that's a —! c'est dommage! (17)
she elle (I)
sheep le mouton (I)
sheet le drap (6)
shelf l'étagère *f.* (10)
shirt la chemise (I)
shoe la chaussure (I)

shop la boutique (I)
butcher — la boucherie (3)
dairy — la crémerie (3)
pastry — la pâtisserie (3)
to shop faire des achats (I)
shopkeeper le marchand, la marchande (3)
shopping bag le filet (8)
short petit, -e; court, -e (I)
to take a — trip faire une excursion (13)
shoulder l'épaule *f.* (11)
shout le cri (9)
to shout crier (9)
show l'exposition *f.;* le salon (4); le spectacle (9)
auto — le Salon de l'Auto (4)
to show (to) montrer à (I)
shower la douche (8)
sick malade (11)
— person malade *m.&f.* (11)
to feel — aller mal (11)
side le côté (7)
— trip le détour (13)
sidewalk café la terrasse d'un café (I)
sign: stop — le stop (13)
silence le silence (I)
since puisque (5); depuis (11); il y a + *time* + que + *passé composé* (11)
to sing chanter (I)
singer le chanteur, la chanteuse (16)
single seul, -e (18)
— room la chambre à un lit (9)
sink l'évier *m.* (I); *(in bathroom)* le lavabo (6)
sir monsieur, *pl.* messieurs (I)
sister la sœur (I)
sitting down assis, -e (2)
six six (I)
sixteen seize (I)
size la taille; la pointure (3)
skate: ice — le patin à glace (11)
to skate patiner (11)
skater le patineur, la patineuse (11)
skating rink la patinoire (11)
ski le ski (3)
— jacket l'anorak *m.* (I)
— lift le remonte-pente (11)
to ski faire du ski (I)
to water-— faire du ski nautique (I)
skier le skieur, la skieuse (11)
skiing le ski (I)
skillful adroit, -e (11)
skillfully adroitement (11)
skinny maigre (I)
skirt la jupe (I)
sky le ciel (I)
slacks le pantalon (I)
to sleep dormir (I)
to go back to — se rendormir (6)
to go to — s'endormir (6)
to put back to — rendormir (6)
to put to — endormir (6)
to — late faire la grasse matinée (I)
sleeping:
— bag le sac de couchage (18)
— car *(on train)* le wagon-lit (5)
sleepy: to be — avoir sommeil (I)
slice la tranche (8)
slope la pente (11)
slow lent, -e (3)
to — down ralentir (13)
slowly lentement (I); doucement (11)
small petit, -e (I)
smart calé, -e (I)
smell l'odeur *f.* (8)
to smile (at) sourire (à) (17)
snack le goûter (I)
— bar le buffet (5)
snail l'escargot *m.* (I)
snake le serpent (14)
snow la neige (I)
to snow neiger (I)
so alors (I); si (1); donc (10); tellement (11)
— much, — many tant de (I)
so-so comme ci, comme ça (I)
soap le savon (6)
soccer le football (I)
social studies les sciences sociales *f.pl.* (I)
sock la chaussette (I)
sofa le divan (8)
softly: more — plus bas (7)
soldier le soldat (I)
some des; quelques; de la (l'), du; en (I)
someone quelqu'un (I)
something quelque chose (I)
to have — (to eat or drink) prendre quelque chose (I)
sometimes quelquefois (I)
somewhere quelque part (16)
son le fils (I)
song la chanson (I)
soon bientôt (I)
as — as aussitôt que; dès que (15)
sorry:
to be — regretter (I)
very — désolé, -e (13)
sort la sorte (7)
sound le son (9)
soup la soupe (I)
onion — la soupe à l'oignon (I)
south le sud (I)
South America l'Amérique du Sud *f.* (I)
southeast le sud-est (I)
southwest le sud-ouest (I)
souvenir le souvenir (9)
space la place (2)
Spain l'Espagne *f.* (I)
Spanish espagnol, -e; l'espagnol *m.* (I)
spark plug la bougie (10)
to speak parler (I)
spectator le spectateur, la spectatrice (17)
to speed up accélérer (13)
to spend *(time)* passer (I)
spider l'araignée *f.* (14)
spinach les épinards *m.pl.* (8)
spoon la cuillère (I)

sporting goods department le rayon d'équipement de sports (3)
sports les sports *m.pl.* (I)
— **car** la voiture de sport (4)
spot l'endroit *m.* (13)
spring le printemps (I)
in the — au printemps (I)
square *(of town)* la place (1)
stadium le stade (I)
stairs l'escalier *m.* (3)
stamp le timbre (I)
to **stand in line** faire la queue (2)
standing (up) debout (2)
star l'étoile *f.* (I)
movie — la vedette (7)
to **start** commencer (I); *(of machines)* démarrer (10)
to — **(off)** se mettre en route (13)
to — **over** recommencer (16)
to — **to work** se mettre au travail (15)
starting point le point de départ (10)
station *(train)* la gare (I); *(subway)* la station (7)
stay le séjour (9)
to **stay** rester (I)
steak le bifteck (I)
steering wheel le volant (4)
to **step** marcher (7)
steward le steward (I)
stewardess l'hôtesse de l'air (I)
still toujours (I); encore (6)
to **sting** piquer (14)
stingy avare (I)
stocking le bas (I)
stomach le ventre (11)
stone la pierre (14); le galet (18)
stop l'arrêt *m.* (2); l'escale *f.* (10)
bus — l'arrêt *m.* d'autobus (2)
— **sign** le stop (13)
subway — la station (7)
to **stop** cesser (de) (1); arrêter; s'arrêter (de) (6)
to — **over** *(air travel)* faire escale (10)
stop(over) l'escale *f.* (10)
store le magasin (I)
book — la librairie (I)
department — le grand magasin (I)
— **window** la vitrine (3)
story l'histoire *f.* (I); *(of a building)* l'étage *m.* (3)
stove la cuisinière (I); *(portable)* le réchaud (18)
straight directement (13)
— **ahead** tout droit (7)
stranger l'inconnu *m.*, l'inconnue *f.* (I)
strawberry la fraise (8)
street la rue (I)
on the — dans la rue (9)
to **stroll** flâner (14)
strong fort, -e (18)
stubborn têtu, -e (11)
student l'élève *m.&f.*; l'étudiant *m.*, l'étudiante *f.* (I)
high school — le lycéen, la lycéenne (1)
to be a — **at** faire ses études à (4)
study l'étude *f.* (1)
— **hall** la salle de permanence (1)
to **study** étudier (I); faire ses études *f.pl.* (4)
stupid bête (I)
stylish à la mode (3)
subway le métro (7)
— **station** la station (7)
subtitle le sous-titre (7)
suburb la banlieue (4)
in the —**s** en banlieue (4)
to **succeed (in)** réussir à + *inf.* (I)
suddenly tout à coup (I)
to **suffer** souffrir (16)
sugar le sucre (I)
to **suggest** suggérer (17)
suggestion la suggestion (18)
suit le complet (I)
bathing — le maillot (I)
to **suit** convenir (à) (5)
suitcase la valise (I)
to pack one's — faire sa valise (I)
summer l'été *m.* (I)
sun le soleil (I)
it's sunny il fait du soleil (I)
to **sunbathe** prendre un bain de soleil (14)
Sunday dimanche *m.* (I)
sunglasses les lunettes de soleil *f.pl.* (11)
sunrise le lever du soleil (15)
sunset le coucher du soleil (15)
suntan: to get a — se bronzer (14)
supermarket le supermarché (I)
supplies les provisions *f.pl.* (8)
sure sûr, -e (3)
for — à coup sûr (8)
surely sûrement (2)
to **surprise** surprendre (3); étonner (17)
surprised surpris, -e (17)
surrounded (by) entouré, -e (de) (12)
sweater le pull-over (I)
Sweden la Suède (I)
Swedish suédois, -e; le suédois (I)
to **swim** nager (I)
swimmer le nageur, la nageuse (17)
swimming la natation (17)
swimming pool la piscine (I)
Switzerland la Suisse (I)

table la table (I)
to set the — mettre le couvert (I)
tablecloth la nappe (I)
tag: price — l'étiquette *f.* (3)
to **take** prendre (I); *(s.o.)* emmener (6)
to — *(courses)* faire de + *course* (I)
to — **a look (at)** jeter un coup d'œil (sur) (15)
to — **a short trip** faire une excursion (13)

to take *(cont'd.)*
to — **a test** passer un examen (I)
to — **a tour of** faire la visite de (14)
to — **a trip** faire un voyage (I)
to — **a walk** faire une promenade (3); se promener (6)
to — **advantage of** profiter de (18)
to — **care of** soigner (12)
to — **charge (of)** se charger (de) (9)
to — **down** descendre (5)
to — **for a walk** promener (6)
to — **off** *(plane)* décoller (10)
to — **out** sortir (5)
to — **place** avoir lieu (4)
to — **up** monter (5)
talented doué, -e (16)
to **talk** parler (I); bavarder (4)
tape la bande (I)
— **recorder** le magnétophone (I)
to **taste** goûter (5)
tea le thé (I)
to **teach** enseigner (I)
teacher le professeur, le prof (I); le maitre, la maitresse (16)
—**s' lounge** la salle des professeurs (1)
team l'équipe *f.* (11)
technician le technicien, la technicienne (7)
teeth les dents *f.pl.* (6; 11)
to brush one's — se brosser les dents (6)
telephone le téléphone (4)
on the — au téléphone (4); à l'appareil *m.* (4)
— **call** le coup de téléphone (4)
to **telephone** téléphoner à (I)
television la télé (I)
to **tell** dire (à) (I); raconter (5)
to — **about** raconter (5)
ten dix (I)
about — une dizaine de (8)
tennis le tennis (I)
tent la tente (18)
in the — sous la tente (18)
terrible affreux, -euse (I)
terrific passionnant, -e (4)
territory le territoire (12)
test l'examen *m.* (I)
than que (7)
thank you, thanks merci (I)
to **thank** remercier (I)
that cela (ça); ce (cet), cette; que (I); -là (12)
— **makes** + *price* ça fait (5)
— **one** celui(-là), celle(-là) (12)
the le, la, l'; les (I)
theater le théâtre (I)
movie — le cinéma (I)
their leur, -s (I)
theirs le leur, la leur; *pl.* les leurs (11)
them elles, eux; les (I)
to (for, from) — leur (I)
themselves se (s') (6); eux-mêmes, elles-mêmes (16)
then alors; puis; ensuite (I)
there là; y (I)
over — là-bas (I)
— **is,** — **are** voilà; il y a (I)
therefore donc (10)
these ces (I); ceux(-ci), celles (-ci) (12)
they elles, ils, on; eux (I)
thin maigre (I)
to get — maigrir (I)
thing la chose (5)
thingamajig le machin (10)
things: how are —? ça va? (I)
to **think** penser; croire (I)
to — **about** penser à (I)
to — **of** penser de (I)
to — **so** croire que oui (15)
thirsty: to be — avoir soif (I)
thirteen treize (I)
thirty trente (I)
6:30 six heures et demie (I)
this ce (cet), cette (I); -ci (12)
— **is** *(on telephone)* ici (I)
— **one** celui(-ci), celle(-ci) (12)
those ces (I); ceux(-là), celles (-là) (12)
thousand mille; *(in dates)* mil (I)
three trois (I)
throat la gorge (11)
to **throw** jeter (6); lancer (17)
to — **away** jeter (6)
thumb le pouce (11)
Thursday jeudi *m.* (I)
thus ainsi (18)
ticket le billet (I); le ticket (2); *(traffic)* la contravention (13)
first-class — le billet de première classe (5)
one-way — l'aller *m.* (5)
return — le retour (5)
round-trip — un aller et retour (5)
— **book** le carnet (7)
— **window** le guichet (5)
tie la cravate (I)
tie game le match nul (17)
tiger le tigre (I)
time la fois (I); le temps (5)
a long — longtemps (I)
at the same — à la fois (18)
at the same — **(as)** en même temps (que) (10)
(at) what —? à quelle heure? (I)
from — **to** — de temps en temps (7)
on — à l'heure (I)
one more — encore une fois (6)
the umpteenth — la trente-sixième fois (3)
—**s** *(in math)* fois (I)
to have a good — s'amuser (9)
to have — **(to)** avoir le temps (de) (5)
what — **is it?** quelle heure est-il? (I)
timetable l'horaire *m.* (I)
to **tinker** bricoler (10)

tip le pourboire (I)
  – included le service est compris (I)
tire le pneu (4)
tired fatigué, -e (I)
title le titre (7)
to à; chez; en (I)
  up – jusqu'à (7)
toast le pain grillé (6)
today aujourd'hui (I)
  – is c'est aujourd'hui; nous sommes (I)
toe l'orteil *m.* (11)
together ensemble (4)
  to get – se réunir (18)
tomato la tomate (I)
tomorrow demain (I)
too aussi; trop (I)
  – much, – many trop de (I)
tool l'outil *m.* (10)
toolbox la boîte à outils (10)
tooth la dent (6;11)
toothbrush la brosse à dents (6)
toothpaste le dentifrice (6)
totally tout à fait (5)
tour la visite (14)
  to take a – of faire la visite de (14)
to tour visiter (I)
tourism le tourisme (I)
tourist touriste *m.&f.* (I)
toward vers (7)
tower: control – la tour de contrôle (10)
town la ville (I)
  to (in) – en ville (I)
toy le jouet (3)
track *(train)* la voie (5); *(sports)* la piste (17)
tradition la tradition (12)
traffic la circulation (I)
  – jam l'embouteillage *m.* (9)
  – light le feu (13)
train le train (I)
  express – l'express *m.* (5)
  local – l'omnibus *m.* (5)
  – station la gare (I)
to train faire un stage (I)
training period le stage (I)
transatlantic transatlantique (10)
to translate traduire (13)
to travel voyager (14)
traveler le voyageur, la voyageuse (5)
tree l'arbre *m.* (I)
tribe la tribu (12)
trip le voyage (I); le trajet (2); l'aller *m.* (5)
  have a good –! bon voyage! (10)
  on a – en voyage (I)
  return – le retour (5)
  round-– ticket un aller et retour (5)
  side – le détour (13)
  to take a short – faire une excursion (13)
  to take a – faire un voyage (I)
trombone le trombone (16)
truck le camion (I)
true vrai, -e (3)
truly vraiment (I)
trumpet la trompette (16)
trunk la malle (I); *(car)* le coffre (4)
to try essayer (de) (12)
  to – on essayer (12)
Tuesday mardi *m.* (I)
turkey le dindon (I)
to turn tourner (7)
  to – green *(traffic light)* passer au vert (13)
  to – left (right) tourner à gauche (droite) (7)
  to – off *(a light)* éteindre (15)
  to – on *(a light)* allumer (5)
  to – red rougir (I); *(traffic light)* passer au rouge (13)
  to – yellow jaunir (I)
TV la télé (I)
  – news le journal télévisé (I)
twelve douze (I)
twenty vingt (I)
twice deux fois (I)
twin le (frère) jumeau, la (sœur) jumelle (17)
two deux (I)
typically typiquement (I)

ugly laid, -e (I)
umbrella le parapluie (I)
umpteenth: the – time la trente-sixième fois (3)
uncle l'oncle *m.* (I)
uncomfortable peu confortable; mal à l'aise (4)
to uncover découvrir (16)
under sous (I)
to understand comprendre (I)
undisturbed tranquille (14)
unfortunately malheureusement (I)
unhappy triste (I)
United States les Etats-Unis *m.pl.* (I)
university l'université *f.* (I)
unknown inconnu, -e (I)
unoccupied libre (I)
unpleasant désagréable (2)
until jusqu'à (I)
up:
  to bring (take) – monter (5)
  to get – se lever (6)
  to go – monter (I)
  to go (come) back – remonter (10)
  – to jusqu'à (7)
upstairs en haut (8)
us nous (I)
  to (for, from) – nous (I)
to use se servir (de) (10); employer (12)
used: to get – to s'habituer (à) (12)
usher l'ouvreuse *f.* (7)

vacation les vacances *f.pl.* (I)
  on – en vacances (I)
  to spend (take) a – passer (prendre) des vacances (I)

valley la vallée (13)
van la caravane (I)
vegetable le légume (I)
version la version (7)
very très (I)
— much beaucoup (I)
— sorry désolé, -e (13)
vicinity: in the — of aux environs de (16)
view la vue (9)
villa la villa (I)
village le village (12)
vinegar le vinaigre (8)
violin le violon (16)
to visit *(s.o.)* faire une visite à; *(a place)* visiter (I)
voice la voix (7)
volleyball le volleyball (I)

to wait (for) attendre (I)
to — on servir (I)
waiter le garçon (I)
waiting room la salle d'attente (10)
waitress la serveuse (I)
to wake up réveiller (5); se réveiller (6)
walk la promenade (3)
to take a — faire une promenade (3); se promener (6)
to take for a — promener (6)
to walk marcher (7)
wall le mur (8)
wallet le portefeuille (I)
to want vouloir (I); avoir envie (de) (2)
wardrobe l'armoire *f.* (6)
warm chaud, -e (I)
it's — out il fait chaud (I)
to be — *(of people)* avoir chaud (I)
to wash laver; se laver (6)
to — one's face (hands) se laver la figure (les mains) (6)
to waste gaspiller (16)
wastebasket la corbeille (I)
watch la montre (I)
to watch regarder (I); garder (15)
to — out (for) faire attention (à) (8)
water l'eau, *pl.* les eaux *f.* (I)
mineral — l'eau minérale *f.* (I)
to water-ski faire du ski nautique (I)
way le chemin (7)
in that — ainsi (18)
on the — (to) en route (pour) (I)
one-— ticket l'aller *m.* (5)
to lose one's — se perdre (9)
we nous, on (I)
weak faible (18)
to wear porter (I)
weather le temps (I)
Wednesday mercredi *m.* (I)
week la semaine; huit jours (I)
about a — une huitaine de jours (8)
about two —s une quinzaine de jours (8)
two —s quinze jours (I)
weekend le week-end (5)
weight:
to gain — grossir (I)
to lose — maigrir (I)
welcome: you're — je vous (t')en prie (I)
well bien (I)
to get — guérir (11)
to look — avoir bonne mine (I)
well, well! tiens! (14)
well-behaved sage (I)
well-done *(meat)* bien cuit (8)
west l'ouest *m.* (I)
western *(movie)* le western (I)
wet mouillé, -e (17)
what qu'est-ce qui?; qu'est-ce que?; quel?, quelle?; que?; quoi? (I); ce que; ce qui (15)
wheel: steering — le volant (4)
when quand (I); lorsque (15)
where où (I)
from — d'où (I)
whereas tandis que (14)
which quel?, quelle?; que (I); ce qui (15)
of — dont (14)
— one lequel, laquelle (12)
— ones lesquels, lesquelles (12)
while pendant que (I); tandis que (14)
in a little — tout à l'heure (1)
once in a — de temps en temps (7)
white blanc, blanche (I)
who qui (I); qui est-ce qui (2)
whole entier, -ière (3)
whom? qui est-ce que? (I)
of — dont (14)
to — à qui (I)
why pourquoi (I)
wide large (I)
wife la femme (I)
to win gagner (17)
wind le vent (I)
it's windy il fait du vent (I)
window la fenêtre (I)
car — la glace (4)
store — la vitrine (3)
ticket — le guichet (5)
windshield le pare-brise, *pl.* les pare-brise (4)
— wiper l'essuie-glace, *pl.* les essuie-glace *m.* (4)
wine le vin (I)
— cellar la cave (8)
winter l'hiver *m.* (I)
to wipe essuyer (12)
with avec (I)
to go — accompagner (I)
without sans (I)
Wolof le wolof (I)
woman la femme (I)
wonderful magnifique (9)
word le mot (I)
work le travail, *pl.* les travaux (I)
to begin (start) — se mettre au travail (15)

Index